U0163904

臺灣高等經學研討論集叢刊

變動時代的經學與經學家

——民國時期（1912-1949）經學研究

第六冊
經學家研究（一）

林慶彰
蔣秋華　總策畫

張文朝　主編

總序

一　前言

　　經學史的研究本來是中國文學系的專利，但是一研究到晚清民國時期這一時段，一向擁有專利的中文人卻失去了他們的發言權，由歷史學人來主導，這個時段也被稱為「經學的史學化」，當然研究這個時段的史學家都跑來研究經學，他們用史學的眼光來探究經學，把經學問題都看成史學問題，經學的史學化也是必然的結果，但是我們不禁要問民國時期的經學著作有多少種？這些講經學史學化的學者又讀了多少種？研究經學的人，對這兩個問題沒有正確觀念，要和他談這一時段的經學也就很困難。

　　從來沒有人對民國時期的經學著作有多少種做過精確的統計，中國國家圖書館所編輯的《民國時期總書目》總計二十冊，其中並沒有經學的類目，經學的著作到處流竄，要統計它的正確數字必須二十本書全部翻完。我粗略翻閱的結果，大概有二百二十種。我所主編的《經學研究論著目錄（1912-1987）》用漢學研究中心所建置的檢索系統加以檢索約有六百六十種。我還是不相信這個時段的經學著作有這麼少，這也是激發我們執行民國以來經學研究計畫的主要原因。

二　執行「民國以來經學研究計畫」

　　我們不但質疑當時經學著作的總數，對某些圖書館處理民國文獻的方法不夠嚴謹，大陸有不少圖書館是將民國時期的文獻堆積在倉庫或走道，臺灣因為民國時期是屬於日本統治時期，要求臺灣人民皇民化，漢字寫的書看得越少越好，所以有不少民國時期的著作都流入舊書攤。要喚起學界對民國時期文獻的

重視，光是寫寫文章來呼籲，效果相當有限。我們明知要研究這個課題有許多
問題亟待解決，但是如果我們不去研究它，還有誰能代我們去研究呢？所以我
們經學文獻組的同仁經過幾次討論後，大家同意這六年全心全意執行民國以來
經學的研究計畫。此一研究計畫是從二○○七年一月起開始執行，二○一二年
十二月結束，前後六年。前四年（2007-2010）執行民國時期經學研究計畫，後
兩年（2011-2012）執行新中國的經學研究計畫。

　　民國時期是指民國元年（1912）至民國三十八年（1949）新中國成立前的
時段。這一時段就經學這一學科來說，可說是生死存亡的關頭，因此諸事百廢
待舉，就連一本反映當時經學實況的書目也沒有，何況其他？為了能有效執行
這個研究計畫，我們做了數項基礎工作：

（一）編輯經學家著作目錄

　　要了解一位學者的學說，應從閱讀他的著作入手，要比較全面的了解他的
著作，應先有一份完整的著作目錄。民國時期的學者由於時局動盪不安，大都
沒有較完整的著作目錄。我挑選出數十位經學家，在東吳大學中國文學系博碩
士班講授「中國經學史專題研究」、「經學文獻學」的課程時，以作期末作業的
方式完成了數十篇，有部分著作目錄已刊登於《中國文哲研究通訊》、《經學研
究集刊》。再要求原作者修訂，然後收入《民國時期經學家著作目錄彙編》中。
《彙編》的第一輯，預計二○一四年十二月底出版。

（二）編輯《民國時期經學叢書》

　　要執行此一研究計畫，第一就是要提供學者這個時期的經學著作，可是民
國時期的經學著作從來沒有人整理過，為了順利執行此一計畫，我開始有系統
的收集民國時期經學著作。先根據我所主編的《經學研究論著目錄（1912-
1987）》找出一九一二到一九四九年的經學專著，計六百六十多種，編成《民國
時期經學圖書總目》（初稿），再陸續增補，到目前已經有一千五百多種，根據

這個書目檢查各書典藏的所在，然後設法收集到文本，經過八年的努力，已經編成《民國時期經學叢書》六輯，每輯六十冊，六輯合計三百六十冊，每冊平均收二至三種著作，總計收錄近一千種。約民國時期經學著作的三分之二。

（三）編輯經學家著作集

許多經學家的著作當時刊載在各種報刊雜誌中，有典藏這些報刊雜誌的圖書館少之又少，如果有典藏也因為這些報刊雜誌的紙質脆弱而不准借閱，所以要從報刊雜誌中收集經學家的論文困難重重，為了讓研究計畫順利開展，選定李源澄與張壽林，為他們兩人編輯著作集，由於他們的傳記資料相當有限，要蒐集他們的經學論文有不知如何入手之感，有時只能靠運氣，其間的辛苦可參考我所發表的〈我收集李源澄著作的經過〉一文，經過兩年的努力終於完成《李源澄著作集》四冊、《張壽林著作集》六冊，為民國時期的經學研究添加了不少新的材料。

三　舉辦八次學術研討會

以上所述都是執行此一計畫的基礎工作，執行計畫的重頭戲，還是舉辦學術研討會。研討會可以匯集研究人力，提供學術交流的平臺。民國時期經學研究計畫執行四年，共舉辦八次研討會。發表論文一百四十餘篇，茲將各次研討會的時間、發表論文的篇數，臚列如下：

第一次研討會，二〇〇七年七月十二日，發表論文十三篇。

第二次研討會，二〇〇七年十一月十九至二十日，發表論文二十篇。

第三次研討會，二〇〇八年七月十七至十八日，發表論文十九篇。

第四次研討會，二〇〇八年十一月六至七日，發表論文十八篇。

第五次研討會，二〇〇九年七月十三至十四日，發表論文十六篇。

第六次研討會，二〇〇九年十一月十九至二十日，發表論文二十篇。

第七次研討會，二〇一〇年六月十至十一日，發表論文十八篇。

　　第八次研討會，二〇一〇年十一月四至五日，發表論文二十一篇。

　　第八次學術研討會，是此一研究計畫的最後一次研討會，我們安排了兩場別開生面的座談會。第一場座談會「民國經學家後代談親人」，我們邀請了顧頡剛之女顧潮女士，童書業之女童教英女士，張西堂之子張銘洽先生，聞一多之孫聞黎明教授四人。這幾位經學家的後代，對臺灣學術界仍重視他們的親人，相當感動。他們說他們在大陸是相當平凡的人，沒想到在臺灣學術界如此重視他們，可說愛屋及烏，反而有受寵若驚的感覺。第二場座談會是「紀念顧頡剛逝世三十週年」，本來安排中央研究院副院長王汎森院士主持，他臨時有事不能來，由本人代為主持。這場的引言人有丁亞傑、車行健、蔡長林、劉德明等教授，經學家的後代則邀了顧潮女士。

四　出版研討會論文集

　　近年，各級機關學校由於經費短缺，很多研討會都無法出版論文集。甚至於受理工科學術研討會的影響，認為研討會論文的學術水平不高，所以研討會能出版論文集者，少之又少。我個人覺得理工學界研討會發表的論文，也許僅僅是一個構想，大都未寫成完整的論文。這樣的一點構想，也許有創見，但是要和文史哲學界經過嚴格的審查，然後匯集成論文集的論文相比，恐怕不是對手。但是文史哲學界，尤其是中文學界的學者，往往缺乏自信心，一有風吹草動就棄械投降。即使有出版論文集，也不敢用論文集的名稱。辛辛苦苦撰寫的研究成果，竟無法與世人公開見面。這是中文學界最大的悲哀。我們想重建中文學人的自信心，先前發表的論文，經作者修改後，再送學者嚴格審查，審稿者同意發表的才能刊登出來。八次研討會的論文，分成七大冊，總計收入一百二十五篇。各冊之主編及所收論文篇數如下：

　　第一冊　周易十篇、尚書七篇。由蔣秋華教授主編

　　第二冊　詩經十九篇。由楊晉龍教授主編。

　　第三冊　三禮九篇、小學六篇。由范麗梅教授主編。

　　第四冊　春秋十七篇、四書八篇。由蔡長林教授主編。

　　第五冊　經學史二十三篇。由本人主編。

　　第六冊與第七冊　經學家二十六篇。由張文朝教授主編。

　　除了各經都有學者撰寫論文外，最重要的是屬於經學家的有二十六篇，其中有不少被遺忘的經學家，例如劉咸炘、王樹榮、唐文治、陳柱、楊筠如、蔣伯潛、龔道耕、陳鼎忠等人，都是以前研究經學的人所忽略的，現在一併把他們表彰出來，就可以知道民國時期的經學並沒有衰亡，也未必邊緣化，這是執行這個計畫最重要的目的。這個研究計畫雖然已經結束，但研究民國經學的風氣正逐漸展開，已形成經學研究最熱門的課題。中央研究院中國文哲研究所經學文獻組執行很多計畫都具有開風氣的作用，這是我們做為中國文哲研究領航者所應盡的責任和義務。

五　結語

　　中央研究院中國文哲研究所成立於一九八八年，至今二十五年間，執行過的計畫無數。尤其是經學文獻組所執行的計畫，對國內經學界有很深的影響。中國大陸的經學逐漸復甦，國內外學人都以為受文哲所經學文獻組的影響，我們不敢說我們有如此的影響力。但是我們已竭盡全力去執行這些計畫。

　　這套論文集，由此一計畫的共同主持人蔣秋華教授和本人擔任總策畫。經學文獻組六位研究人員每人負責一冊，靠大家群策群力，才能在極短的時間內，完成編輯工作。當然最辛苦的還是蔡雅如學棣，她一個人獨力完成整套論文集的體例統一與校對工作，我們深深的感謝她。也感謝百忙中撰稿參加研討會的先進朋友。

二○一四年十月十三日林慶彰誌於

中央研究院中國文哲研究所五○一研究室

總 目 次

第一冊

第二冊

第三冊

第四冊

四書研究

第五冊

第六冊

經學家研究

第七冊

本冊目次

劉咸炘經學觀述略

嚴壽澂

上海社會科學院特約研究員

一　認識六經本體

　　雙流劉咸炘（字鑑泉，1896-1932），近世奇才，治學不拘新舊，不分漢宋，博涉多方，兼收並蓄，又能以己意裁斷，能由博返約，由分析而綜合，不負「推十合一」的自我期許（《說文》引孔子曰：「推十合一為士」。鑑泉以《推十書》名其著作，可見祈嚮所在）。並世上庠勝流，學界領袖，言論騰播眾口，聲名震動一時，然而就知識與見解而言，能望鑑泉項背者，實不多見。

　　鑑泉著述偏於四部，以史、子為最精。治學所宗，乃在會稽章學誠（實齋），植基於校讎，謂實齋「全部學識從校讎出，吾學亦從校讎出」；又謂「章先生云『為學莫大乎知類』，明言其本，故其書首即論六藝；吾之知言論世，皆從認識六經本體推出」。[1]意謂認識六經本體，乃治一切學問的根基。是為鑑泉經學觀的出發點。

　　近人周予同說：「在現在，經學之繼承的研究大可不必，而經學史的研究當立即開始。」亦即現代學者之事，乃是為經學送終，讓經學史登場（所謂「一方面使二千多年的經學得以結束整理，他方面為中國其他學問開一條

---

[1] 〈認經論〉，《中書》卷二，《推十書》（成都市：成都古籍書店，1996年影印原刊本），冊1，頁23（原書，頁一上）。

便利的途徑」)。[2]近世新派學者對於經學，大多持如此見解，所謂整理國故，所謂從孔夫子到孫中山來一個總結，其意蘊皆在於此。章實齋《文史通義》開首即說「六經皆史也」，鑑泉既宗實齋，自然也認為六經皆史。然而其所謂六經皆史，與周予同諸人之說，其實是大不相同。

　　鑑泉認為，宇宙間有三物，即天、地、生物，生物以人為中心，於是有「事」。人不能單獨生活，必與他人相合。人與人相合，便有了縱橫二事，橫者為「群」，縱者為「史」。此三物二事，即是人所當學，所須研究的對象。人與萬物處於不斷的感應之中，萬物感應人，是為「知之學」；人感應萬物，則是「行之學」。「知主虛理而必以實事明之，故不行不得知；行主實事而必以虛理御之，故不知不能行。」由此可知，所謂學術者，「學為知而術為行」；知須以行為目的，孔子所謂學，即兼包知行。更須知，人之所以為人，在於有心，「故人之於物，雖若當周知，而宜有所輕重」。「心有知覺有情意，發為行事者，情意為主」，用孟子的術語來說，情意乃「心之官」，知覺則是「耳目之官」。[3]因此，除虛理與實事之外，情意亦應是為學的對象。[4]就人世間一切著於竹帛者而言，其外形是文字符號，其「內實不外三種」，即事（包括物）、理、情。[5]

　　文字之起，「本以代語言而補其不及」。語言之不及，有縱橫兩方面。橫的方面是「地之相去」，「此地與彼地，口耳不及，代之者為書信與辦事規則」。縱的方面是「時之相去」，「前人與後人，口耳不及，代之者為帳簿記事冊」。在鑑泉看來，「此即六經所由起」，云：

　　　文辭何起乎？結繩而治，足以記事而已。聖人既出，合諸侯而一治，
　　　告語所不及，乃假文字以達之，於是有條教號令；事多而分職不易
　　　記，人多而率行不易一，於是乃為法式之書；官禮所由起也。既行於

2　周予同〈序言〉，收入皮錫瑞：《經學歷史》（北京市：中華書局，1959年），頁6。

3　按：《孟子‧告子上》曰：「耳目之官不思，而蔽於物。物交物，則引之而已矣。心之官則思，思則得之，不思則不得也。」

4　〈一事論〉，《中書》卷2，頁14-16（原書，頁十三-十八）。

5　《文學述林》卷1〈文學正名〉，《推十書》，冊3，頁1810（原書，頁二上）。

一時，而又慮後世久而忘之，或不能變通，必記已過之事以告來者，
使有所據以損益焉，所謂藏往知來也，於是為記事之書，《尚書》、
《春秋》所由起也。人事盡矣，而不可恃也，必本於天淆以降命；且
人事之變，非已行者所能盡，必有虛擬之象以該其理；於是為卜筮之
書，《易》是也。此三者皆不得已而有書，又皆有所用之，非憑心而
立說，亦初無須憑心而立說。然而人不能無情志，情志不能不發而為
言，則謂之詩。「詩」字從「言」從「之」，志之所之，皆謂之詩，非
專指四、五、七言有律者也。聖人慮其言之過於禮義也，采而定之，
笵於中正和平，使樂而不淫，哀而不傷，怨而不怒，亦以法式事實雖
有記載，恐於民情有所未愜，采詩以觀風俗，乃可以萬變之民情，斟
酌一定之法式。蓋其定詩，亦有所用而然也。[6]

實事、虛理、情志，一經文字記錄，便是所謂史。鑑泉解釋說：「此『史』
字，只是記實事之稱，非僅指紀傳、編年。《說文》曰：『『史，記事者也。』
文字起於象形指事。」[7]《禮》乃條教、法式種種之總匯，所記乃現在事；
《尚書》、《春秋》記載過往之事；《易》以虛擬之象說未來事，理即在事中；
《詩》則以一定之法式記錄萬變不窮的情，「然情亦由事生，白居易所謂
『詩合為事而作也』」。可見「凡文皆當為事而作，故曰『六經皆史』」。[8]六
經之本體，即在於此。

　　《詩》、《書》、《禮》、《樂》、《易》、《春秋》，就書籍而言，謂之六經；
就設教而言，則謂之六藝。鑑泉以為，「三物二事」之教，皆包含於六經之
中：

　　《易》、《詩》、《書》、《春秋》以言教，誦之讀之。禮、樂以事教，執
　　之作之。知莫切於心靈，《易》陳宇宙之大理，《詩》陳民俗而土風在
　　焉，《詩》、《春秋》陳政事而時風在焉。行者言與動也，《詩》教之言

6　〈認經論〉，頁24（原書，頁二下-三下）。
7　《《文史通義》識語》卷上〈內篇〉，《推十書》，冊1，頁696（原書，頁一下）。
8　參看〈認經論〉，頁27（原書，卷八上）。

而禮教之動。禮範其行而以動使視焉，樂陶其情而以聲使聽焉。禮在
外而根於內，樂在內而達於外。內外一貫而養中尤難，故曰「興於
《詩》，立於禮，成於樂。」[9]

同時更須知：「六藝雖皆為教，而不皆為教科。」古代的教科，是《禮記・王
制》所謂四術或四教，即「春秋教以禮樂，冬夏教以《詩》《書》」。其原因
是：「孔子之教，全守先王之法，故刪定六藝以授其徒，未嘗別為一書。六
藝之書皆有官守。《易》掌於太卜，為天子、諸侯、卿大夫決疑之用，齊民
不得傳習。《春秋》為列國之史，學者亦無取遍觀。此猶今之讀書，不習卜
筮，不覽邸報也。」簡言之，《易》與《春秋》非齊民學士所須知，所得與
知。因此古時大學所教，便只有「四術」了。[10]

　　上古時貴族、平民，等級森嚴，界限分明，難以逾越。孔子授徒以前，
編戶齊民大概少有受教育的機會。故鑑泉此說，頗有語病。然而古時大學所
教，唯有「四術」，則是實情。中國古代，宗教與學術本是合而不分，如呂
誠之先生所說，「吾國古代之大學，固宗教之府」，[11]「與明堂同物」，《詩》、
《書》、禮、樂四者，「本大學設教之舊科」，「追原其朔，蓋與神教關係甚
深」（「禮者，祀神之儀；樂所以娛神；《詩》即其歌辭；《書》則教中典冊
也。」）。至於《易》與《春秋》，「其原亦出於明堂」，但不是大學設教之科。
孔子取此二書，「蓋所以明天道與人事，非凡及門者所得聞」，故子貢曰：
「夫子之文章，可得而聞也。夫子之言性與天道，不可得而聞也。」（《論
語・公冶長》）[12]

　　《文中子中說》曰：「教之以《詩》，則出辭氣，斯遠暴慢矣。約之以

9　〈一事論〉，頁19（原書，頁二三下）。所謂時風、土風，鑑泉解釋道：「縱為時，橫
　　為地。《漢書・地理志》曰：『剛柔緩急，音聲不同，繫水土之風氣，故謂之風。好惡
　　取舍，動靜無常，隨君上之情欲，故謂之俗。』此言土風時風之異也。二者互為因
　　果。」見《治史緒論》，《推十書》，冊3，頁2390（原書，頁九下）。

10　〈認經論〉，頁27（原書，頁九）。

11　《呂思勉讀史札記》（上海市：上海古籍出版社，2005年），上冊，頁498。

12　呂思勉：《先秦學術概論》（昆明市：雲南人民出版社，2005年），頁63-65。

禮，則動容貌，斯立威嚴矣。」張之洞《輶軒語》云：「《詩》、《禮》兩端，最切人事，義理較他經為顯，訓詁較他經為詳」。朱一新《無邪堂答問》謂，觀《春秋》「內外傳所載，言禮意者最多。公卿讌享，賦詩言志，《詩》與樂相表裏也」。鑑泉即此指出，《詩》主言，禮主行；《春秋》時，士大夫引《詩》者多，引《書》者少；《詩》、樂本是相連，「言《詩》、禮而樂在其中」。由此可知，《詩》、禮二學乃是「四術」之大綱。《詩》、禮、樂三者，皆為修己之事。「己之事無過心念。言行發於情而見於言，興《詩》也；致於行事，立禮也；內德純全，則成樂也。」《詩》、禮之所以重要，厥因在此。三代以後，六藝四術之教已亡，但是「設教之原理」仍在。「存養其心，省察其行，是即禮樂也；明理則史學，是即《書》、《春秋》、《易》也；工文則《詩》教也。」[13]

　　鑑泉對於禮，強調的是實行而非「佔畢」，曰：「禮與樂乃音聲儀度之事，皆非鼓篋而申佔畢者也。『子所雅言，《詩》、《書》、執禮。』禮言『執』，明乎非佔畢也。佔畢者，惟《詩》與《書》。」[14]易言之，就禮而言，重要的是所「執」之「儀度」，而非書本上的條文。今世禮學宗師沈鳳笙（文倬）先生以為，禮的特點在於實行，「禮、樂在周初都不是書。禮是貴族們舉行的典禮，平時練習，用時實行，不靠文字記錄而存在」，反倒在廢棄之後，有人為保存起見，方始記錄成文。[15]按：此為其數十年治禮所得的結論，與鑑泉之見若合符節。

　　綜上所述，可見鑑泉之崇尚六經，並非出於傳統的尊儒之見，而是基於其「為學莫大乎知類」的校讎功夫，從中國學術的大傳統著眼。他認為，一切學問都植根於「事」，「虛理」亦是從「實事」出，其總匯即是六藝；六藝著於竹帛，便是六經。因此，「凡一切文字之體，無不本於六經，故六藝統

13　〈認經論〉，頁28-29（原書，頁十上-十三下）。

14　同前註，頁27（原書，頁九下）。

15　見其〈蔣莊問學記〉及〈學術自傳（片段）〉，《菿闇文存》（北京市：商務印書館，2006年），下冊，頁978，1030。並參看〈從漢初今文經的形成說到兩漢今文《禮》的傳授〉，《菿闇文存》，下冊，頁503-558。

群書。辨六藝以辨群書，則得其體。因所載之殊而後體殊，故辨體即以辨
義。是謂校讎。」記事之文，是「《書》、《春秋》之流」；制度、譜錄、地理
書等，則是「禮之流」；言情之文，如詩、詞、曲等，則是「《詩》之流」。
「古人不離事而言理」，故六藝中無說理之文。「說理之文，蓋源於《易》與
禮。以虛理為體，由《易》而衍也；變官守之行事為私家之空言，則自禮而
散也。《易》微禮顯，各走一端，天人既裂而諸子由是紛紛矣。」又指出，後
世有一種文體不在六藝之內，即告語之文。此一文體「兼事理與情。記事則
史也，說理則子也，道情則《詩》也。雖別為一體，實分屬三種也」。[16]

　　六經不僅是後世文體的源頭，更可該學術之流變。後世所謂四部，依鑑
泉之見，乃是「以史、子為幹」。六藝是「幹之根」，故別立一個經部，附於
經的傳、說亦在其內。春秋、戰國以降，官學變而為百家諸子，於是「六藝
之流則歸之史焉，別出則子焉」。文集則是「由詩賦一流而擴大之，兼收六
藝之流者」，乃是「幹之末」。以人居作譬，「史為大宗，子為小宗，經則廟
也，集則小宗而又雜居者也」。[17]易言之，六藝者，《莊子‧天下》篇所謂古
之道術也，百家皆從此出，非儒家所得而專。六經之所以當尊，經學之所以
重要，即此更可以了然。[18]

二　統合經、子與儒、道

　　六經之本體既明，便可知後世所謂儒家，其實不足以盡六藝之全，鑑泉
因此說：「儒之並立於九流者，非儒之真與全也。」[19]《說文解字》謂儒乃

16　〈認經論〉，頁29-30（原書，頁十三下-十四上）。

17　《續校讎通義》上冊，《推十書》冊2，頁1586-87（原書，頁一下-二上）。

18　沈鳳笙先生探索宗周禮樂文明，功夫精密，成就卓著，從「學」字的含義入手，指出
　　周代「學在官府」，所教所學的是「官府執掌的事務」，故「宗周王官之學不是局限於
　　胡適氏所說的學術思想」，而是「指國家在當時所能涉及（廣度）和所能達到（深
　　度）的百科之學」。見〈略論宗周王官之學〉，《筍闇文存》，上冊，頁426-436。足可
　　為鑑泉的論斷作佐證。

19　〈本官〉，《中書》卷2，頁36（原書，頁二六上）。

「術士」之稱。鑑泉解釋道：「術，道也。士者，所以別於農工商也。有道之士，非常士也。堯、舜不為天子，亦術士而已。」所謂儒，本非與名、法、縱橫諸家相對而言的「一家之名」，猶如「道」字，各家皆可用，並非莊、列諸家的專利品。老子的徒裔「自別於言禮與法者」，於是有了道家之稱。同理，「非儒者多，懼其無別，乃有儒家之稱」。老子不自命為道家；「孔子但言君子儒、小人儒」，又何曾自命為儒家？儒家之名，大概是始於戰國時期。「周衰文勝，學者多以周為不足從」，遂有原壤之流，放棄禮法，可見「其時雜流蓋已萌芽」。孔子則「守先王之教以教其徒，有聖人之稱」，不逐時趨，詆毀者多，「於是儒之為稱，遂若孔氏一門之所獨」。[20]總之，「孔子本止傳先王之教法，其所講求，雖貫天人而未嘗別為名也。」[21]

先王之教乃是官學，孔子用以教其徒，於是「官學變為師學，六藝流為諸子」。此說發自劉向、歆父子，章學誠加以申述，鑑泉以為，其說甚確，「不可易」，可惜劉、章諸人「皆未竟其說」，而近世附和者又大都淺陋無條理。於是審思劉申叔（師培）之說，「而貫以《周官》、《呂氏春秋》之義，乃始明之」。大意是：六藝原是統於官府，即所謂王治，乃「諸流之統宗，未分之合」。官守各學之間，分工明確，各得其當，所謂「有其事則有其官，有其情則有其業。周以六官為統而分三百六十，各守專業，各盡所長，如耳目之不相非，函矢之各得其用」。王治既衰之後，「疇人子弟失其官業，職廢而事缺，器亡而道塞，猶人之五官殘而不具。」這些疇人子弟或「諸官之裔」懷抱利器，散而之四方，「目睹時弊」，以為「亂生於已術之廢而不明」，於是「私相講授，窮究其說，上援古帝以為重言」。所謂九流諸子，即因之而興。分久之後，有雜家者出，為「諸流之和會」，此乃「已分之合」。故曰：「王治散於六經之中，而莫備於《周官》；雜家起於諸流之後，而莫善於《呂氏》。故一貫之而其分合之數可明矣。」[22]易言之，六經本是一個整

---

20 《左書》卷2〈《儒行》本義〉，《推十書》冊1，頁53（原書，頁二上）。原文謂「儒家之名，蓋不始於戰國」，「不」字顯為衍文。

21 《子疏定本》上冊，〈孔裔第二〉，《推十書》冊1，頁800（原書，頁十九上）。

22 〈本官〉，頁34-35（原書，頁、二三上-二四下）。

體，如《莊子‧天下》篇所說，六經所體現的「內聖外王」之道，乃是「天地之純，古人之大體」，而諸子破碎大道，「多得一察焉以自好」。《周官》經以六官統御百執事，各有專司，又互相聯合，可見道術之全。以《呂氏春秋》為代表的雜家，承諸子分流之後，和會眾家，不執著於一端，力圖使大道之全重見於世，此所以為可貴。按：如此見解，顯然已將經、子打併為一了。

鎮江柳劬堂（詒徵）先生，著有《國史要義》，共標十目，其四為「史聯」，謂「紀、傳、表、志體之積為正史，而編年、本末體卒莫能敵者」，關鍵在「聯」。而史與行政，自古以來本是相通，曰：「邃古以來，史參行政，政治組織，日進文明，因事設官，各有專職，禮教兵刑，釐然不紊，而其所重尤在官聯，不聯無以為組織也。」指出《周官》之特色，正在凡事皆有聯。[23] 按：此一卓見，似為向來論史學者所未及。鑑泉之尊《周官》，重《呂覽》，著眼處正在一個「聯」字。

孔子雖未曾別立儒家之名，然而儒家畢竟是出於孔門。道家奉老子為宗，老子則是周的史官。孔子所傳者，乃是先王之道的六經。鑑泉承章實齋之緒，以為六經皆史，又相信孔子之學乃受之於老子。[24] 他聲言：

> 吾常言，吾之學，其對象可一言以蔽之，曰史；其方法可一言以蔽之，曰道家。何故舍經而言史，舍儒而言道？此不可不說。吾儕所業，乃學文之事，非《論語》首章所謂學也。此學以明事理為的，觀事理必於史。此史是廣義，非但指紀傳、編年，經亦在內。子之言理，乃從史出，周秦諸子亦無非史學而已。橫說謂之社會科學，縱說則謂之史學，質說括說謂之人事學可也。[25]

23　《國史要義》（臺北市：臺灣中華書局，1984年影印1948年中華書局原刊本），頁67-68。

24　《子疏定本》下冊附〈學變圖贊〉云：「老、孔之傳居中，其餘遞傳而去中漸遠，左偏虛，右偏實，終為儒、法、道三家。」頁875（原書，頁六七上）。

25　〈認經論〉，頁32（原書，頁十八下-十九上）。

亦即經、子皆可納入廣義的史學或人事學之中。

　　統而言之，鑑泉的經學觀有兩大特點：一是以經統子，一是入經於史（廣義的史）。如此的六經觀，不僅越出了古文今文之紛爭、漢學宋學的糾葛，更是沖決了自漢初以來形成的經學之網羅。並世學者中，有二人可視為鑑泉同道，一為張孟劬（爾田，原名采田），一為蒙文通。

　　孟劬著有《史微》內篇八卷（外篇未成），自言「蓋為考鏡六藝諸子學術流別而作」。考鏡六藝諸子而名曰「史微」，顯然是有取於章實齋之說，故卷一首篇〈原道〉開端即云：「六藝皆史也，百家道術，六藝之支與流裔也。」[26]孟劬以為，六藝是「先王經世之跡」，其書皆為史官所掌，乃「君人南面之術」。[27]道家出於史官，其所明者即此「君人之要術」。[28]儒家則源自司徒之官，掌管教化，故好學而重禮義。孔子為儒家之祖，而實兼道家，其弟子則皆為儒家。[29]「道家先法天道，孔子則修人道以希天；儒家先盡人道，孔子則本天道以律人。」[30]諸子百家均出王官，各明「先王經世之術」的一端。[31]其中雜家則是「宰相論道經邦之術，亦史之支裔」，[32]與道家為最近。鑑泉主張「排斥申、韓，修正莊周，表章淮南，和合宋儒，以完中華之學」。[33]與孟劬之說相較，可謂大體不異。

　　文通則不取「六經皆史」之說，以為「六經原為鄒、魯所保存之古典」（按：文通將中國上古民族分為江漢、河洛、海岱三系，三系文化不同，周秦學術亦因之而判分）。「周秦間學術思想最為發達」，可說是「胚胎孕育於此古文獻」，但不可說「悉萃於此古文獻」；儒家思想與此古文獻有關，然而

---

26 黃曙輝點校：《史微》（上海市：上海書店，2006年），〈凡例〉，頁1；卷1，頁1。
27 同註26，卷1，〈百家〉頁10；同卷，〈史學〉，頁4-5。
28 同註26，卷2，〈原道〉，頁25-26。
29 同註26，卷3，〈原儒〉，頁55。
30 同註26，卷4，〈徵孔〉，頁82。
31 同註26，卷1，〈百家〉，頁10-13。
32 同註26，卷2，〈雜家〉，頁36。
33 《子疏定本》，上冊，《老徒裔第三》，頁810（原書，頁三九下）。

「其所成就則非此古文獻所能包羅含攝」。[34]（按：文通對於史，取的是狹義，與鑑泉不同；對於中國古代文化學術，雖富獨見，而多取實證，與章實齋、張孟劬之喜推論者亦異）中國學術托始於此古文獻而大有發展，「始之為托古以立言，名《太公》、《伊尹》之類是也；繼之為依古以傅義，則孔氏之六經出焉」。一為哲學，一為史學，因此孔門之六經不同於古文獻之六經，不可說六經皆為史。[35]在文通看來，秦漢之際的儒家最為卓絕，「匯集戰國百家之言，舍短取長而以一新儒道者」，[36]主張建立民治、平等的理想新制度，最為可貴。[37]此為「儒者之術」，遠勝於兩漢的「經生之業」。[38]此等看法，與鑑泉頗有差異，然而異中仍有其同，即不看重「經生之業」。而後來一般人視為經學正宗者，正是這「經生之業」。

鑑泉以為：

> 漢之經生，抱殘守缺，多衍陰陽術數，又慮上之不信經也，竄讖於緯，表漢得天下之符，謂孔子為漢制法。其所謂法，不過制度章服之事，卒亦不用，僅稍助封禪而已。其後乃有古文經，而先立學官者排之。劉歆主古文，因附會而為莽佐命。後世艷稱西漢通經致用，《三百篇》當諫書，〈禹貢〉行河，《春秋》斷獄，然按其實，則當時引經斷事，多引《春秋》，說近法家，此張湯所學也。兒寬以《尚書》附湯，而張禹以《論語》作模棱之辭，皆所謂緣飾史事以經術者耳

34　〈論經學遺稿三篇·丙篇〉，《經史抉原》（成都市：巴蜀書社，1995年），頁150。參看拙作：〈經通於史而經非史──蒙文通經學研究述評〉，《中華文史論叢》第92輯（2008年），頁235-284。按：呂誠之先生亦持相同看法，曰：「六經皆古籍，而孔子取以立教，則又自有其義。孔子之義，不必盡與古義合，而不能謂其物不本之於古。其物雖本之於古，而孔子自別有其義。儒家所重者，孔子之義，非自古相傳之典籍也。此兩義各不相妨。」見《先秦學術概論》，頁71。

35　〈論經學遺稿三篇·甲篇〉，頁146；〈儒家政治思想之發展〉，《古學甄微》（成都市：巴蜀書社，1987年），頁189。

36　〈論經學遺稿三篇·甲篇〉，《經史抉原》，頁146。

37　〈論經學遺稿三篇·丙篇〉，《經史抉原》，頁151-152。

38　〈論經學遺稿三篇·甲篇〉，《經史抉原》，頁146-147。並參看〈儒家政治思想之發展〉，頁188-195。

（〈公孫宏傳〉），效可睹矣。曾是以為經之用也歟？[39]

清儒所拳拳服膺的漢學，在此可說是一筆抹殺。而對於宋學，則頗有稱賞之辭，云：「宋儒議論雖多刻而有諸子之風，考索雖無統而能文獻之守。」於清代的考證學，則曰：「達官多奉朱學，流為鄉原。不達者則用其力於考徵，標漢為幟，反宋之論，群經、諸子、六書、九數，家家自以為許、鄭，人人自以為賈、孔，吳越華士亦復泛濫短書，掇拾故事，以為矜尚。」考徵之風既盛，亦流為利祿之途，於是理學衰而「行誼殺矣」。洪楊亂平，頗有「歸咎亂端於漢學」者。然而「漢學卒不能絕，考證之法既明，其流益廣」。種種「冊籍之學」便是其所成之果，「自漢以來未有如斯之盛者」。物極必反，今文之學於是興起，「專宗西漢，以微言大義相尚」。「嘉、道之間，平久而窳」，士大夫「始談經濟」。鑑泉認為，「是二流者，乃兼取宋儒」。至於考證末流，「則版本金石，流為玩好」，與明代的「山人」不殊。[40]

鑑泉感嘆道：「自漢以來，上下宗儒者數百年，如按其實，皆非真也。」漢高、宣二帝及明太祖，皆是刑名法家一流；漢文、光武及宋太祖，則宗黃老術。漢武帝、唐太宗，表面崇儒，實則一為偽儒，一則「虛言多而實效少」，而且二人「實創科舉之制」，誘士以利祿，「根本已謬，於儒術不相容」，可謂「功之首罪之魁也」。科舉一廢，孔孟即成「毀端」，其實本無足怪，原因在於「欺人之術露而久蓄之疑發也」。可以算得上真儒者，乃宋代周、程諸子，然有一大失，即「排道家」。鑑泉以為，「自漢以來，儒之成家，往往兼道家，雖未真得合一之道，猶羈縻弗絕」。宋道學諸公「所以突過前人者，實資於道家」，「乃極排之不與通」，「故其流益狹隘，不能容異，得儒之嚴而失儒之大」。因此，「今欲明真儒，當一方明精微之本，一方通廣

39 《中書》卷二，〈流風〉，頁47（原書，頁四九）。

40 同上註，頁48-49（原書，頁五一下-五二下）。鑑泉有〈明末三風略考〉一文，謂「明末有三風，為他時所無，一曰山人，二曰遊俠，三曰紳矜橫恣。」引述錢謙益《列朝詩集》所載屠隆、陳鶴、陳繼儒諸人小傳，以見山人情態。見其《右書》卷七，《推十書》冊1，頁351-352（原書，頁十上-十一下）。按：明季時人嘲陳繼儒詩有云「翩然一隻雲中鶴，飛去飛來宰相衙」，正是此類山人的寫照。

大之末。道家本吾兄弟，存吾道之一半者也，當合之；法家乃吾篡賊，使吾
道蒙冤者也，當斥之。」[41]統合經、子與儒、道的宗旨，即此可見。

　　然而鑑泉對於漢代經學，決非一概否定，自其對東漢經學要籍《白虎通
義》的評價可見。他認為「漢儒之有此書，猶宋儒之有《近思錄》」，其長處
在於「能釋先王制度，每得精意」，短處則是「穿鑿名義，附會五行」。所謂
能釋先王制度，如云：「天子者爵祿也」；「王者太子亦稱士，人無生得貴
者，莫不由士起」；「王者所以有社稷」，乃因其「為天下求福報功」；王者
「必復封諸侯何？重民之至也」；「王者所以巡守」，乃因「道德太平，恐遠
近不同化，幽隱不得所者，故必親自行之，謹敬重民之至也」；「諸侯所以考
黜」，乃「王者所以勉賢抑惡，重民之至也」。鑑泉指出，以上所述，「凡三
言重民之至」。又說道：「如說九錫次序，曰：『安民然後富足，富足而後
樂，樂而後眾，眾乃多賢，多賢乃能進善，進善乃能退惡，退惡乃能斷刑。
內能正己，外能正人，內外行備，孝道乃生。始安終孝，善先惡後。』尤極
精當。凡此皆語質直而義深至。言之若易，挹之無窮，乍觀若陳，而至今猶
新。其他亦多可擬《戴記》。」至於為今人所詬病的「三教三綱」，鑑泉以為，
「義本精要，而言之不明，又自為歧離，反來後世之疑譏，亦可惜者也。」[42]
其結論是：

> 近世學者盛推漢儒。漢儒不可稱，特以去古未遠，聞見多真耳。其辨
> 證之功，實遠不及後世。考據之學，後密於前，乃勢之自然。近儒推
> 尊太過，乃至一字不敢非，則迷信矣。實論漢儒之功，則其傳存大
> 義，尚過於考證。如前文之所述，雖精深不能及《戴記》，而秦以來
> 儒道之存，亦止此輪廓矣。

同時又指出，漢儒之可恨者，在於將商鞅、李斯以來「為世所用」的法家，
混入了儒道，即便是經師，亦不能免除此弊。如《白虎通義》云：「誅不避

---

41 〈流風〉，頁50-51（原書，頁五四下-五六上）。
42 《左書》卷二〈評《白虎通義》〉，《推十書》，冊1，頁107（原書，頁四八上-四九
　下）。按：「樂而後眾，眾乃多賢」，原書奪一「眾」字。

親戚者，所以尊君卑臣，強幹弱枝。誅不義者，所以強幹弱枝，尊天子卑諸
侯。」鑑泉認為，乍看之下，此說似是合乎《禮》與《春秋》之義，但一究
其實，便知不然，因為「強幹弱枝之分，乃聖人所不計，誅不避親，非聖王
法」，即使有不得已，如周公之誅管、蔡，其志亦不在尊君權，而在為民。
又如此書論「父殺其子當誅」，謂「人皆天所生也，託父母氣而生耳，王者
以養長而教之，故父母不得專也」。鑑泉對此，大不以為然，說道：殺子當
誅，因其「賊恩不仁」，為「人道所不容」，而不是僭奪了王者之權，擅殺其
子。「今不論人道而論權限」，意謂民屬於公家，做一切事必須秉承公家意
旨，不可有己私，這完全是古時商鞅及近世國家主義之說，與「聖人御世屬
民之道，判若冰炭」。[43]鑑泉反對嚴刑峻法、反對國家主義的政治立場，在
此表露無遺。他之所以合儒、道，斥法家，原因正在於此。

三　經今、古文學論衡

　　清末民初，經學中今、古文兩派之爭頗烈。「古文派之極」為章太炎，
「今文派之極」則是廖季平（平）。廖、康（有為）諸人以為，六經乃孔子
所自撰，其旨在於託古改制，故以章實齋「為己敵，而極攻『六經皆史』之
說」。鑑泉既「主實齋，似若黨古文者」，其實不然，自言「於經學今、古文
兩派，皆不主之」。[44]其理據是：

> 古今書籍雖多，不外記事立言子、史兩種。集乃子、史之流，不能並
> 立。經乃子、史之源，而或認為子，或認為史。章先生開宗明義，便
> 言六經皆史，即是認定六經本體。今文學家謂六經皆微言，不為顯
> 用，是不獨認之為子，且認為寓言，顯然不合。然六經經孔子訂定，
> 是孔子之學即在經中。章先生明言先有史後有子，於「六經皆史」句
> 下隨即申明曰：「古人不著書，古人不離事而言理。」是謂理即在事

---

43 同上註，頁108（原書，頁五一）。

44 〈經今文學論〉，《左書》卷二，《推十書》冊1，頁109（原書，頁五二上）。

中，史即有子之用。不意古文經學家因矯今文家之誕說，遂謂六經記
事，不為化人，六籍只是古史陳賬，與孔子學術無關，孔子刪定六
經，祇是整齊故事，其功比於劉歆。與今文家言各走極端，皆不可
信。

更申述說，章實齋論史，「尚以有子意為貴」，何曾認為「六經全不關孔子學
術」？「古文家以夷六藝於古史為己功」，然而須知，史並不等於陳年賬
簿，孔子與司馬遷雖有「聖與非聖之別」，而六經與《史記》，其體本無殊
異。此理既明，便知今文家以「儕周、孔於馬、班」為實齋之罪，亦屬可
笑。[45]

　　鑑泉又「設數淺喻」，以明「六經皆史」之說：言「六經皆史」，猶如言
「堯舜皆人」。若謂「六經皆史」乃是「儕周、孔於馬、班」，那就等於不可
說「堯舜皆人」，否則便是將堯舜下同於凡民。若謂「六經皆史」說「使孔
子失其尊」，「則孟子言堯舜與人同，亦使堯舜失其尊矣」。言「六經皆史」，
亦猶如言「八駿皆馬」。不可說「六經皆史」，即等於不可說「八駿皆馬」，
否則就是將八駿等同於駑馬。說孔子的六經必定「迥異於史」，那就等於說
八駿一定不是馬，須是龍鳳、麒麟、螳螂之類（用柳宗元〈八駿圖說〉意）。
《論語》本非經而尊之為經，猶如孔子本非王而尊之為王。就書之體而言，
《論語》與諸子不異，孔子並不因《論語》而下同於諸子。六經之體實與諸
子相同，說「六經皆史」，難道就下儕周、孔於馬、班了嗎？言六經皆史，
亦猶如言〈九歌〉皆詩。「後世詩體不盡如〈九歌〉，而〈九歌〉終非無韻之
文。後世史體不盡如六經，而六經終非諸子之流也。」總之，「後世目錄分
經、子為二部，正如集部之分《楚辭》、總集二類。倘謂經與史有同有異，
是猶謂《楚辭》、總集有同有異耳。後人自眩於四部之目，遂視經、史二
名，若人禽之區分，宇宙之對立，大可笑也。」至於今文家堅稱經為子而非
史，「乃由建立孔教之說，推孔子為教宗，專其門戶」，於是堯舜、禹湯、周

---

45 《《文史通義》識語》卷下〈辨惑〉，《推十書》冊1，頁726-727（原書，頁六上-七
　上）。

公、孔子便成了寓言人物。孔子自言「述而不作」，今文家卻偏要說孔子作
六經，是非如何，「尚何待多論」？至於孔教之名，亦為似是而非。鑑泉揭
出實齋〈原道〉（中篇）中的精語，曰：「孔子立人道之極，豈有意於立儒道
之極耶？」今文家則以為，「若六經皆史，則孔子無一椽之庇。」殊不知孔子
正無須這「一椽之庇」。「道者，天地人物所共由，非一人所專立。聖人自率
道，又率天下以率道，固不必有著述。使孔子生周道盛時，將並《論語》而
無之。無《論語》，亦聖人也。何希乎千載後人為之爭此一椽也？」孔子所
傳者，乃「無所不在，無所不容」的大道，非一家之說，故孔子「本不與諸
子並立」。今文家卻以「一椽局之」，「非尊孔，乃小孔耳」。[46] 以上所說，滔
滔雄辯，其要旨是道大，經大，孔子亦大，以孔子為教主，乃是下儕六經、
孔子於諸子，尊之反所以小之。

　　由上所述，可見鑑泉之不贊同古文派，在其視六經為陳年舊賬，無關於
化民成俗的學術。他以為，此弊較易見，無須著力批駁，近世今文家則興起
已久，有其「前後變遷之跡」，至廖、康、崔（適）諸人而臻於極，更為有
害於學術。故特撰《經今文學論》，分六項以辨明其非。

　　「一論其於古書」：近世今文家自莊方耕（存與）起，至龔定庵（自
珍）、魏默深（源），共經四世，「雖尊今斥古，猶止守家法，未以古文經為
偽造，今文經為孔子作也」。劉申受（逢祿）「始疑《左傳》有偽竄」，魏默
深「始以馬、鄭《逸書》為偽」，邵位西（懿辰）「始以《逸禮》為偽」，皮
鹿門（錫瑞）「始力主孔子作《易》作《春秋》」。「至康氏始謂古文經皆劉歆
偽造（《周官》、《左傳》、《逸書》、《逸禮》），廖氏棄其舊說而從之，謂六經
皆孔子託古改制之作，非有其事。至崔氏則謂《穀梁》亦歆偽造，《史記》
亦經劉歆竄亂，凡古書不與今文合而言及古文者，皆謂劉歆所竄。因劉歆曾
校書，而《七略》所載，今之所存，凡西漢以前書，舉有竄改之嫌，班固以
降，則皆沿劉歆之說，更不足憑。其可信者，惟今文經，而又皆孔子意造，
非實事。於是漢前之書，乃無一可信者矣。」鑑泉就此說道，諸人指責劉歆

---

46 同前註，頁727（原書，頁七上-八下）。

「偽造古經，竄亂古書，使人疑經」，今文經至今不全，亦罪在劉歆。古文派巨擘章太炎「儕六經於古史，又取王充〈知經〉誤在諸子之說」，為諸人所惡。而據廖、康諸人之說，「古事皆怪力亂神」，今文經所載，則是「孔子文飾」，絕非古代事實。鑑泉對此，不禁感嘆道：「於是今之不信經者兩取其說，非斷爛古書，即儒家假託。」古文今文，立說不同，而歸趨則一。今文派諸人「尊經於古史之上，而反使經等於諸子」，殆非其始料之所及。

「二論其於孔子」：皮、廖二氏「力主孔子作經」，以為若未作經，則孔子「止能編輯鈔錄」，「其道何以尊，何以賢於堯舜」？古文家主張「六經皆周公之舊典」，皮、廖諸人對此最為反感，以為此乃「奪孔之聖以奉周公」。章太炎說「孔子之功比於劉歆」，亦為今文家所惡。鑑泉指出：「廖氏亦曰：『孔子之修《春秋》，正如劉歆之改《周禮》。』（《古學考》語）」二家一以孔子為述，一以為作，而將孔子比於劉歆，則並無二致，「兩家可以無爭矣」。今文學家「欲尊聖於堯舜之上，而反使聖儕於劉歆」，殆亦非其始願也。

「三論其於孔經」：鑑泉認為，「世間止有事與理，故書亦止有史與子」，而「今文家之所謂經，不史不子，既不自作一書，復不直論古事，乃改前人之事與言以為己說，似後世之小說」，然而小說又無此種體裁。無可名狀，祇能出之以譬況：以經學數變的廖季平為例，如其初說，則經好似「私定制度」的包慎伯（世臣）之《說儲》；如其變說，則好似《來生福》彈詞（《來生福》者，一老儒畢世坎坷，乃設為死後再生，眷屬美滿，善德福報，極人間之幸事」）；如其終說，則好似《推背圖》、《燒餅歌》。如此玄幻，「誠非馬、班之所敢儕也」。經變成如此，關於孔子學術，惟一可信者就只剩《論語》了。然而廖氏謂「經皆大法，不空言義理」，於是《論語》「亦必說為制作及寓言」。鑑泉因此揶揄說，諸公「以六經盡歸孔子，孔子手筆忽焉增多」，誠可謂萬世師表，最後卻祇能託庇於「戔戔之空言」的《論語》，「若又成寓言，則孔子其殆哉」。

「四論其於劉歆」：須知「改人文字，隨其曲折，不如自作之快；竄亂舊文，多方掩飾，不如造說之逸」。更何況劉歆所涉之書，多於孔子十倍，其所作之事，亦當難於孔子十倍，非具絕大才力者不能為。劉歆誠能如此，

真是「三頭六臂」的「亙古奇人」了，「孔子雖天縱多能，視之遠矣」。「崔氏謂《左傳》皆歆偽造，前此實無其說，所傳師承皆虛」，歆「偽造前此絕無影響之書與事，既能使同時儒者不知，又能使其仇雖攻之而不得其贓證」，那更是「具大神通」，能「七十二變」了。更為不可思議的是：「今文家之攻偽經，有一難關」，即《左傳》制度之不同於《周官》，「歆既改《周禮》，何不並改《左傳》？」廖氏解釋說：「歆愛古籍，不忍亂之，其改《周禮》為莽制作，亦一時好奇喜事之舉。」據廖、康二人之說，劉歆是孔門的董卓、曹操，為何「忽又不忍，且因一時好奇喜事而造數大書，又遍竄古書」。如此好奇，「毋乃太廢事乎？」

　　「五論其於世間事理」：廖氏作《今古學考》，謂「今古如水陸舟車，自有水陸，即有舟車，皆因地制宜，自然之制」。依此說法，兩家儘可不爭。既然爭論激烈，必有非爭不可者。其所爭者，既非「存古事之真」，亦非「明孔子之學」，而是如廖氏所謂，在於禮制。鑑泉指出，按其「《今古學考》表之所列，其重要者不過數大端」，即「今主質而古主文」，「今主復夏殷而古主從周」，「今有選舉無世卿而古有世卿無選舉」，「今天子親迎不下聘而古下聘不親迎」，「今刑餘不為閹而古為閹」，「今田稅從遠近分上下而古皆什一」，「今封國多止百里而古多止五百里」，「今山澤無禁而古皆入官」，「今社稷皆祀天神而古皆祀人鬼」。鑑泉以為，凡此諸端，今之說確是優於古，然而「後之人論當世制度，善察事勢合於時宜者」甚多，豈必大聖人而後能？而且「其行之有效，當時受其福」，時移世易，不必然受其福，即使異時受其福，不必然萬世受其福，即使萬世受其福，亦不一定可作萬世師。至於徒託空言，未見實效，「則亦止可謂之智者之名言而已」。鑑泉認為，今、古學起於漢世學官博士之爭，今文為漢制之符，古文則是王莽之資。究其實，「漢制未嘗用今文說，莽制亦未嘗盡用《周禮》」。今文家指責「古文經說啟後世某某禍亂，某某惡逆」，皆為深文周納之詞，為「有學心者所不聽」。（按：此論至卓。試問：若無古文經說，此等事便不會發生？不識一個字者，便不懂得如何篡弒？）廖氏謂「孔子訂制，託之於古，當時弟子誦法，官府信從，合口同聲，以為古制，此孔子過化存神之妙」。鑑泉對此說

道，這簡直是「以欺騙得售為孔子頌」。而今文家一旦揭破此事，豈非成了
孔子的罪人？皮鹿門以為，「《周禮》之法，王莽、王安石行之而弊，〈王
制〉則無弊可行。」廖季平的群經凡例，動輒說「考明禮制，歸於實用，可
以施行」。鑑泉反問道：「究竟〈王制〉與今文家所推制度，今日如何施
行？」所謂制度之爭，既不過如此，若言義理，則西漢經學家所謂微言大
義，其實無多，「其精深卓犖足以紹孔門而超諸子者，宋儒乃能明之，而今
文家則反不措意」。總括言之，今文家所證明者，就古事而言，是「孔子以
前皆怪力亂神」，就孔子之學而言，則祇是「粗略之政論，神秘之讖語」。
「諸公之成績，如是焉耳！」

　　「六論其為學方法」：鑑泉以為，「廖氏初撰《今古學考》及分撰兩《戴
記》凡例，持論多通，方法亦慎密」，所言「互見列國」、「不同沿革」諸例，
「皆甚合讀古書之法」。《今古學考》有曰：「漢人今古之說，出於明文者
少，出於推例者多，後師附會，多於先師。」議論謹慎，故其所考釋，純據
許慎《五經異義》。其分別諸經中何者為今學，何者為古學，在鑑泉看來，
「雖尚多疏失，要甚嚴而不濫」，「雖亦主比例推補，然知說之交互分別為
難，未嘗強通概論也」。「其後乃一意崇今抑古，遂廣用互見之例，於不合者
皆說為合，不復守附會之戒，而溺肊穿鑿者十之五六矣。」鑑泉解釋說：「凡
學者之用心，其所操簡少者，易於爛熟，則平常者亦見為奇，不相涉者亦覺
其有可合。穿鑿、附會二弊由是而生。漢之今文家大氐如是。《春秋》之旨
數千，半出於此；《尚書》配二十八宿，亦由此見。」此即董仲舒所謂「得一
端而多連之，由所言以推所不言」，乃「演繹推補之法」。學者固然不可不
用，然亦「最危不可恃者」。今文家專用此法，無怪「其惑不可解矣」。
（按：此論甚卓，非思慮精密、深知治學甘苦者不能道。）[47]

　　鑑泉對今文經學的批評可分兩部分，一是針對其宗旨，二是針對其事理
觀與治學法。第一部分可分三類：一是視今文經以外之古書皆為偽物，二是
以今文六經皆孔子所自撰，非古代事實。三是以為古文經全是劉歆一手偽

<hr>

47 以上所引，皆見〈經今文學論〉，頁109-112（原書，頁五二上-五八下）。

造。矛頭所指，乃是廖、康、崔等近代今文家，而非西漢今文學。他對託古改制說甚為反感，認為這等於說孔子是在欺騙，而對西漢今文家所謂微言大義，則並未否定，祇是以為，其精深卓犖處足以上紹孔門、超越諸子者，尚不及宋儒而已。易言之，仍是承認六經所載，非僅古事，乃攸關孔子學術，可於漢代經說中見之（自其論《白虎通義》可見）。

　　所謂託古改制，其實有兩個含義。一是廖、康諸人之說，以為經書所言古事，皆非史實，全由孔子杜撰，為其改制理想而設。二是呂誠之、蒙文通諸人之說，以為六經所言，固是古事，孔子借此等古事以發抒其政治與社會改革的理想。依鑑泉之見，古人不離事而言理，孔子所傳述之理即在古事之中。呂誠之謂六經皆古籍，孔子取以立教，又自有其義，不必盡與古義合，然不可謂其不本之於古，漢儒之重六經，以其為孔子微言大義之所在，非以其為古代之典籍。[48]與鑑泉的看法，其實並無根本上的不同，只是誠之用「託古改制」一語，鑑泉謂史有子意而已。不過鑑泉與呂、蒙二家，還是有殊異處，即二家均以為，孔子之教有進於古義，而鑑泉心目中的孔子，乃是中國文化大傳統的傳述者，其精卓處本是從古義而來，並非革故鼎新。

　　至於鑑泉對今文家批評的第二部分，從中可見其治學特色：一是洞悉事理，不盲從盲信，駁斥論敵，重在舉證事實，並剖析其說的矛盾不通處。二是重視方法，雖才辯縱橫，但深知演繹推理不可過度。雖於今、古兩學，皆不主之，而其駁難主要針對經今文學，原因正在近世今文家於世間事理及為學方法，皆大有缺失。

四　治經要略

　　鑑泉論學，力主「為己」（「學之大要，非一言所能盡，要之曰為己而已」）。為己之學，可以四字概括，即博、精、通、約。認為「博、約二字，開古今門戶」。所謂博，「以窮理為準，非泛騖雜考也」；所謂約，「以反身為

48　《先秦學術概論》，頁71、55。

要，非師心自用也」。（按：此亦即朱子所強調的居敬窮理。）鑑泉又於博、約外，增精、通二字。指出：「短書小說，一字萬言」不是博；「偏鋒陷入，穿鑿旁出」不是精；「略知大概，多識書冊」不是通；「求之事物，不明性本」不是約。以為此四字的正解是：「博者能旁通大義也，精者能深入微言也，通者能見大本破除習氣也，約者能反於一身無浮長也。」又申述說：「一經而通，雖不讀他經，而他經之義已具，雖謂之博可也。一史而精，雖未究古今，而義例大明，雖謂之通可也。」此乃鑑泉治學的自我期許，重在博通，而博通則由精約而來，兩者相輔相成。博、通、精、約四者合，方能成就為己之學。此乃治經的終極目的。[49]故曰：「要之，經義深切著明，本以見諸行事」，不在多言也。[50]

鑑泉治經，正是依此而行。他認為，六經是後世一切學術所自出，並非僅是記古事，而是中含微言大義，乃道之體現。其《學略》一書，開首即云：「經之訓常也，六藝皆常道不刊之典。」「經所以為常道不刊」，乃在其義。亦即經之重要，絕不在其中所說的典章制度，制度因時而異，義則不變，乃「不常之常」。此理既明，便可知治經之根本在明義，不在考據。[51]

有關漢儒經說，鑑泉說道：

> 漢儒經傳注，今存者少，其訓說皆至簡。康成多所駁辨，猶不繁碎。然兩漢奏疏，援據經義，類能旁通引申。蓋其師師相傳，皆有微言大義，特不著之竹帛，是其慎也。經義旁通，本無一定，推而衍之，復滋蔓濫。故僅存訓詁，使學者不至茫昧，其義蘊則聽其各具淺深之見。董子曰：「《易》無達占，《詩》無達詁，《春秋》無達辭。」此正漢人超卓處。[52]

49　《學略》七〈總略〉，《推十書》冊3，頁2300（原書，頁二上）。

50　《學略》一〈經略〉，頁2269（原書，頁二上）。

51　同前註，頁2268（原書，頁一上）。

52　同註50。按：鑑泉對漢儒的這一看法，與錢子泉（基博）之論相通。子泉曰：「譚漢學者，多誦訓詁而昧理學。不知宋儒有理學，漢儒亦有理學。而治漢儒理學，尤不可不讀《春秋繁露》、《白虎通義》兩書。」見其《古籍舉要》，黃曙輝編校：（桂林市：

鑑泉以為，漢儒此一治經之意，宋儒程、朱能知，然而宋儒末流「則專衍義理，流為講章」，詞費而不得要領，導人於膚淺。清代漢學家「矯其漫衍，專求訓詁，一若漢儒但通名物」，亦為可笑。簡言之，漢學家之「博辨名物」與宋儒之「空漫」、「同為繁衍」，同屬亂經。[53]

至東漢，「博士傳習，漸多異論」。而《白虎通義》一書，「折衷十四博士之說，亦頗嚴栗簡要，無泛衍之病」。魏晉時期，清談起而玄言興，經學卻並未衰，「始為疏義」，議禮之作尤為細密。「疏說既多，詳密之功固勝，而支離之弊以滋。瑣屑為長，微言大義遂疏。」唐人說經，沿此六朝餘習，「詳密有餘」，然「已無新異」。於是啖助、趙匡諸人，「始變古說，而自用之端起」。故曰：「六朝及唐，乃經學之衰時也。」鑑泉因而強調，明經義本是旨在躬行實踐，「行敏則言自訥，言多則行必疏」。是為治經之根本。[54]宋儒承此弊，大為「變古」，開自劉原父（敞）、歐陽永叔（修）。至程、朱，「反諸義理，掃除瑣屑繁衍之病，可謂大功」。其時說經諸家，「亦皆詳慎，多所獨得」。然而鑑泉對於宋儒孫（復）、胡（安國）諸人沿啖、趙之緒以說《春秋》，「流為苛酷」，則大不以為然。統合儒道、貶斥法家的宗旨，於此可見。[55]

清初諸儒，「承明季猥雜之習，始專考訂」，然而並未昌言反宋儒（如閻若璩、顧炎武）。「其所爭者，亦多在大義（如朱鶴齡、陳啟源）。」「惠（棟）、戴（震）、紀（昀）、錢（大昕）諸家起，力表漢儒，排斥蔡（沈）、陳（澔）、胡（安國），始言家法，以密實為尚」，專注於音訓、名物，流為瑣屑。至嘉、道間，習尚已成，又為貴人之所好，於是學人「引類書以改字，附古義以昧心，所謂寧道孔孟非，必言許鄭是」。以改字而論，「此讀為此，彼讀為彼，假借之例本寬，聲音之變尤廣」，彼此皆有證據，是非難定。鑑泉詰問道：「其憑肊與宋儒何異？」總之，「宋儒雖訓詁不精，其繁衍

廣西師範大學出版社，2009年），頁144（卷十四）。

53　《學略》一〈經略〉，頁2268（原書，頁一）。

54　同前註，頁2268-69（原書，頁一下-二上）。

55　同註53，頁2269（原書，頁二上）。

只在義理」，清代漢學家「直並經文而歧異」，使人無所適從，六藝大道，「從此裂矣」。[56]語氣之間，頗帶感慨。

物極而反，學者漸厭，今文之說於是興起，「謂漢重家法，貴微言大義，亦用考訂，而不流於瑣屑」。其變之實，則是「避難就易，改實為虛」，可謂與宋儒「貌異心同」。然而鑑泉承認，其「搜索之中，亦多有得」。如莊存與、宋翔鳳、龔自珍、魏源諸人之說，並非全屬「虛誕」，而且諸人「根據緯書，於鬼神之旨間有所得」，於前儒所不敢言者，「昌言不忌，亦頗精卓」。（按：此一見解，有異於當時多數學者，當與其家世淵源有關。其祖槐軒，名沅，以內丹功法、齋醮法會等授徒傳教，世稱劉沅道或劉門教，有《槐軒全書》傳世。）對於此諸人之缺失，鑑泉亦未忽視，即「空論《易傳》，奇談無極」，簡直「視六經如隱語」，而且彼等「又無宋儒力行之意，故弊尤深害尤大也」。然而鑑泉並不同意當時論者之見，即「今文家蹈虛之病，過於考據家徵實之病」，認為治經乃為己之學，貴在自得，「考據末流，考一字，證一事，輾轉裨販」，又何與乎自得？鑑泉對於當時今文家所謂通經致用，亦頗不以為然。說道：所謂「漢儒以《三百篇》當諫書，〈禹貢〉治河，〈洪範〉說災異，《春秋》斷獄」等等，「特就其已效者言耳」。其實漢之儒術，當時稱之為「緣飾」，「本非以經為根柢」，張湯、公孫弘之學《春秋》，雜以刑名，如何可說是通經致用？須知諸經大義本是相通，如何能「分別諸經，各有其用」？「以此言用，祇覺經之器小耳。」[57]

至於清代漢學家所謂不博考名物則義理不明，鑑泉更是大表反對。指出彼等之「言形聲訓詁，白首不能盡通，待何時乃明義理耶？」又說道：「陸象山謂六經注我我注六經」，固是「妄誕」，而「漢學家之瑣瑣於一名一物，不憚繁稱，以圓其說」，豈不是「六經鑿我我鑿六經乎」？[58]按：此說與朱鼎甫（一新）之說相合。鼎甫曰：「以小學疏通經訓則可，以小學穿鑿經訓

---

56 同註53，頁2269（原書，頁二）。

57 同註53，頁2269（原書，頁二下-三下）。

58 同註53，頁2269（原書，頁三下）。

則不可。支離蔓延，沈溺其中而不知返，非惟虛耗日力，抑亦大害經義。」[59]
二人最致憾於漢學家者，即是其喜穿鑿而失大義。鑑泉因此說：「吾謂古今
言經學者，大都借經為門面，宋學欲自圓其虛鋒，漢學欲自矜其醜博。不自
甘為虛鋒醜博之學，乃依附於經而自命經學。弄話頭，豈經義耶？考名物，
豈經義耶？」在他看來，治經的正途應當是：「涵泳經義，勿先存成
見。……不特不當有家法之界，亦不當先有立說之心。」依此標準，對陳蘭
甫（澧）之治經，大為稱賞，以為蘭甫「專治注疏，極平正可法，其為學和
會鄭、朱而不輕自立說，尤超卓」。[60]易言之，治經當破門戶，重心得，志
在躬行，不在立說。

　　鑑泉既以躬行實踐為治經鵠的，故以《論語》為「群經綱領」，輔之以
「兼明六藝，歸之大本」的《孟子》。認為「漢學家之鮮治《論》《孟》，蓋
以二書鮮名物，而又為宋儒所尊」，實為「舍本逐末，不足與辨」。[61]依此明
大義、歸大本之見，對諸經自有一番見地。茲分述於下。

　　（一）《易》：主張象數、義理兼取。曰：「義理無窮，象數亦無窮，因
象求理，固不可偏主。」同時又揭出《禮記·經解》「絜靜精微，《易》教
也」一語，謂據此可知，《易》「非止象數」。引清儒強薈叔（汝詢）言「聖
人作《易》，祇以教人改過」，以為「一語破的，象數紛紛，皆末矣」。又認
為，所謂先天《易》的《河圖》《洛書》，雖傳自道士陳希夷（搏），「無所援
證」，而「實有至理，漢學家力闢之，皆徒執書冊以明其無本，而未審其義
也」。[62]

　　（二）《書》：其癥結在於今、古文之紛爭。自閻（若璩）、惠（棟）諸
家出，「偽古文」三字成了定案。鑑泉卻說：「《孔傳》固偽，而經文要不得
加以『偽』字。無論不能指為假作」，即使如諸家所言，乃枚賾「所綴輯」，
然而所謂綴輯，豈非原是從本書而來？漢學家考今文，豈非正是如此？彼等

59　朱一新：《無邪堂答問》（北京市：中華書局，2000年），頁143（卷四）。

60　《學略》一〈經略〉，頁2269-70（原書，頁三下-四上）。

61　同前註，頁2270（原書，頁四下）。

62　同註60，頁2270-71（原書，頁五下-六下）。

「輯古書逸文成卷」，亦仍用本書之名，「不聞稱以偽《倉頡篇》，偽《舊五代史》也」。「即言枚氏於篇章不免混亂，語句多非本書，漢學家輯古書，隻字片語皆收，即其考《今文尚書》，亦祇爭字句之異同，一字異文必錄，又豈皆成篇乎？諸儒訓說，雜引以改經文，又豈皆本書乎？」漢學家自身於「古書逸文，則字句必錄」，而對於《尚書》逸文，則說成是「出於後人綴輯」，因而是偽書。鑑泉感嘆道：「何其自恕而厚責人也！」其結論是：「要之，謂《孔傳》偽必也，謂枚氏綴輯則可，謂非原第亦可，不贊枚氏之功而以溷亂為罪，亦無不可，要不得加經文以『偽』字。」更認為：「漢學家之欲廢此經，特惡『人心道心』四語為宋儒宗旨耳，其偏謬不足辨也。」又說，自《四庫提要》駁毛西河（奇齡）《古文尚書冤詞》以後，百年以來無人敢言其非偽。「近人吳光耀乃作《正辭》以明其真，舉考據家之說，一一摧拉之。毛氏說經，叫囂武斷，本未可盡信。吳氏遍讀考據家言，糾摘細密，非毛之比。其不憚繁詞以翻此案，可謂勇矣。吾雖不敢謂其說之皆當，要不敢斥古文為偽，則有同心焉。」[63]較鑑泉年輩為早的益陽陳天倪（鼎忠，1879-1968），與鑑泉持論相似，云：「清光緒十年，王懿榮疏請芟去《尚書》中古文，洪良品嚴劾之，議遂不行，著《古文尚書辨惑》十八卷，《析疑》、《商是》、《賸言》各一卷。吳光耀與之同時，又著《古文尚書正辭》三十三卷，較洪氏尤為精博。數百年之狂焰，一掃而空，六藝賴以不墜。」[64]按：今日地不愛寶，簡帛古書紛紛出土，對於古書真偽問題，有了與昔日今文家頗為不同的看法。《左傳》與《周禮》乃戰國時代真古書，已成定案。對於《古文尚書》究竟是否偽書，亦有學者以為尚可研究。[65]鑑泉與天倪，可謂孤明先發。

　　（三）《詩》：《詩》之為物，「溫柔敦厚，婉而多風」，最宜於立言，故

63 同前書，頁2271-72（原書，頁六下-八上）。
64 《六藝後論‧清儒復古》，收入《尊聞室賸稿》（北京市：中華書局，1997年），上冊，頁208。
65 見李零：《簡帛古書與學術源流》（北京市：三聯書店，2004年），頁234-237。其論說之理路，與鑑泉略同。

孔子曰：「不學《詩》，何以言？」《詩》既備人情物理，故春秋時即已「斷
章取義」。漢代齊、魯、韓三家外傳，「亦能旁通，原非拘守訓詁而已」。有
關《詩》的本旨，鑑泉有取於班孟堅（固）之說，以為《魯詩》為近之。
「《毛詩》晚出，流傳至今，其訓詁簡遠，誠西漢說也。」鄭玄申毛《傳》而
多有異同及誤會處，故毛、鄭及孔穎達《疏》，當分別以觀，不使混雜。至
於《詩序》，鑑泉以為《四庫提要》之說「塙不可易」，即「定《序》首二語
為毛氏以前經師所傳，以下續申之詞，為毛萇以後弟子所附」。又曰：「朱子
最攻《序》，然朱義勝毛者，往往與《序》首二語合，續申語大都望文生
義，且與毛多不合。」結論是：「《序》文簡古，遂啟穿鑿，故《序》首多可
信，而續申不可信。據《序》首以合毛，乃無滯礙。」宋儒多反毛、鄭，朱
子兼取齊、魯、韓三家，「呂（祖謙）、嚴（粲）復守《序》說，各有短長，
不可偏取」。至於「朱子說鄭、衛淫詩」，鑑泉以為「尤不可從」。清代漢學
家多反朱而宗毛、鄭，「極詳於陳（奐）、胡（承珙）」。「今文家起，始索三
家以傾毛」，大成於魏默深（源）之《詩古微》，「雖不免門戶之見，而斥毛
多當，擺落繳繞訓詁，獨詳篇章，亦可謂卓矣」。總之，「《詩》意深微，體
本主文，故隨人立說，易致紛紜，然字句詞氣要不可掩。說之不圓，罅漏易
見。學者當詳觀眾說，勿先存是非，然後涵泳經文以折衷之。字句定而章句
定，可得十七八矣。」[66]此為鑑泉治《詩》綱領，平正通達，切實可行。

　　（四）《周官》：鑑泉取《七略》之說，認為是書「本官法而為禮之一
端」，稱之為《周禮》，乃「以小冒大」，當正名為《周官》。今文家皆以此書
為劉歆所假造或所竄亂，因而是偽書。「《四庫提要》據〈大司樂〉定為真，
而謂春秋時不無附益」。鑑泉贊同其說。有關此書作用，則謂「官法本以致
用，則非名物訓詁徒考證而已」。事過境遷，其法固不可行，而其意則可
師，故「推求義理」為不可緩。又謂：「《周官》博大，不觀全體不得道原，
而取一節一支以為說，則適成為囂夸而反足以害事。」昔日王安石如此，近
世新學家亦然。「專治此經，集漢學家之成」的孫詒讓，著有《周禮政要》，

鑑泉認為，此乃「媚時」之作，所謂《周官》害事，其罪實在附會者，不在經文本身。[67]

（五）《儀禮》：鑑泉對此經評價甚低，以為乃是「周末文勝之書，非聖人手定」。又謂：「徒便考據精博而無益大義者，甲部中莫如是書。學者不可不知其流弊。」[68]

（六）《禮記》：認為「《小戴記》實禮之要，專明義理，可以時中。陳數求義，因而精義變數，用莫大焉」。以為是書「雖漢儒綴輯，實七十子之遺文」。（按：此言頗有見地。近年郭店出土及上海博物館所藏楚簡《緇衣》公布，可見《禮記》諸篇，其流傳遠在漢代以前，謂其乃「七十子之遺文」，甚確。）又謂朱子「強配以《儀禮》為經，此為記，實多未通」。對於此書中各篇，評曰：「《大學》、《中庸》，大道所存。〈緇衣〉、〈坊〉、〈表〉，出公孫尼子、子思子，亦聖門微言也。〈禮運〉、〈禮器〉博大。〈昏義〉、〈問喪〉深切。」謂「漢學家徒知搜求儀節」，所見者小。對於宋人說此書之作，亦不排斥，謂「此書本明大義，不可徒尋瑣屑」，然而又認為，宋人之說「蔓衍」，頗為「迷目」，故「擇精為難」。又引清儒陳左海（壽祺）之說，謂「人徒知《左氏》為文章鼻祖，不知《左氏》文多敘事，其詞多專對所施，否則戰陳之謀。不如《禮記》，書各為篇，篇各為體。微之仁義性命，質之服食器用，擴之天地民物，近之倫紀綱常，博之三代之典章，遠之百世之治亂，其旨遠，其詞文，其聲和以平，其氣淳以固。其言禮樂喪祭，使人孝弟之心油然而生，哀樂之感浡然不能自已」。以為此乃「讀《禮記》之大要也」。[69]

（七）三禮總：以為《白虎通義》「薈萃禮制，綱目明晰」，六朝人「崔靈恩《三禮義宗》最備」。朱子則作《儀禮經傳通解》，江永繼之，「為《禮書綱目》」。至徐乾學《讀禮通考》、秦蕙田《五禮通考》而大備，「皆貫穿經傳史籍者也」。又謂六藝之中，「惟禮切於行」，「動則由禮，靜則為仁，二而

一」，是為孔子之教。指出人之所以有異於禽獸，「以其不倍死忘生也」，故「禮首喪、祭」。聖人為「人倫之至」，人倫則「始於父子」，故「喪以三年為本」。「本撥則性澆而仁無所推，倍死而忍人，所以亂也。」古時喪禮儀節，固然「不可行於今」，然而其義則不可不講明。總之，治禮當「求其義」，必須切於日用，同時又不可過言通俗。[70]

（八）《春秋》：在鑑泉看來，《春秋》畢竟是史，「作《春秋》之法，亦通史法」，「因世變行事而後有是非向背」，不可「預造理論之郛郭而引事以證之」。然而《春秋》未修之時，已有國史直書其事，若無指意，何貴乎有《春秋》？故《春秋》自有其例，祇是不可推論過當。「因例意之紛而遂謂例意可廢者，是考證家之謬也。」[71]此理既明，便可知左氏、公羊、穀梁三家，「互有短長，皆有難通」，其過在「拘於例」。《左傳》的長處是「詳於事實，文詞甚美」，「《公》、《穀》義例，較《左氏》闊大，資談論」。今文家說《公羊》，有所謂三科九旨，鑑泉認為，其說有旁通處，但「泥於讖緯」，則不可從。對於後世說《春秋》諸家，最期期以為不可者，則在宋儒孫復、胡安國責人太深，「遂成苛酷之風」。[72]按：此一看法，乃鑑泉統合儒道、貶斥法家題中應有之義。

（九）《四書》、《孝經》：既重為己之學，以《論語》為群經綱領，故於《四書》甚為重視，以為《大學》、《中庸》「實為宏至」，雖本在《禮記》中，「原可裁篇別出」，程、朱以前，梁武帝、司馬光「皆曾單說《中庸》」。汪中謂《大學》非至德要道，鑑泉反駁說：「然則小學乃為至德要道耶？門戶之見，失其本心矣。」於《四書》註釋，謂「自以朱注為長」，「然朱注圈外所引上蔡（謝良佐）、橫浦（張九成）、龜山（楊時）諸說，則大有弊」，原因在「論聖門弟子太苛」。漢學家「矯過高空虛之病，又未免庸淺瑣屑」，以為劉寶楠《論語正義》、焦循《孟子正義》二書，「徒以考據為長」，「則不免買櫝還珠矣」，謂「漢學家不長《四書》，亦猶宋學家不長《詩》、

70　同註66，頁2274（原書，頁十二上-十三上）。

71　《左書》卷2〈《春秋》平論〉，上篇，頁92（原書，頁十九）。

72　《學略》一〈經略〉，頁2274（原書，頁十三上-十四下）。

《禮》」。然而對漢學家的《四書》學,亦並非全盤否定,特別舉出近人黃鶴《四書異同商》一書,以為「薈萃宋、漢二家之說,頗詳密」。於《孝經》則謂「語短而義實恢宏,與〈禮運〉同美」,意謂此乃孔門社會理想之所寄。[73]

　　綜上所述,可見鑑泉治經,猶如治其他一切學問,最難能可貴處在知類與通識。

---

73 同前註,頁2275(原書,頁十四下-十五下)。

文質彬彬

——廖平大統理想的經學實踐進路

魏綵瑩*

國立臺灣師範大學歷史學系博士

一 前言

　　廖平，字季平，生於咸豐二年（1852），卒於民國二十一年（1932），四川井研縣人。廖平嘗試在中國近代學術思想迷航之際，把經學扮演成一個時代的舵手，欲為中國開導一個新的方向，一生以實踐孔子之道為本願。在清末民初時期，於學術思想史上別開生面，強烈的時代責任感是他學術思想的原動力，願以傳統經典的王道精神，為中國、世界建構一個理想的秩序。廖平開始以孔子的六經規劃整個世界，就在其所自述的經學第三變「小統大統」時期。他提出當今的中國，是處於「小統」的時期，未來會進入全球「大統」時期，又稱「皇帝」時期。所謂「統」者，同奉一個正朔之意，廖平所指為孔子之道，因此「大統」即是將來世界將統一於孔子之道，以孔子之道作「皇帝」。即使之後的四變「人學天學」、五變「人天小大」，仍然是大統理想的發揮，未曾改變這種規劃世界的信念。故本文探討的時間點，約從光緒二十三年的三變始年到民國初年五變的時期。

　　晚清以來傳統天下觀的崩潰，讓原本處於天下之中的中國，頓時成了世界五洲之一隅。廖平要為處在世界中的中國重新定位，於是他為世界所規劃

---

*　原名魏怡昱。

的大統藍圖，是以孔子之道來統世界，孔子之道的主體即是在中國，以中國
居全球之中，待到全球開通之後「同尊聖教」，這就是文質彬彬的太平極致
之境界。廖平始終都清楚明白，他所規劃的藍圖，最終都是要落實到當今的
世界，特別是當今的中國該怎麼做開始的。然而什麼是孔子的教化？它如何
可以使全世界臻於大統的境界？欲達此境，是如何從現在落實到未來的大統
理想？又廖平複雜多轉折的學思歷程中，在落實到未來理想的進路裡，其思
想與方法是否也曾有轉變的過程？尤其是當經典與西方文化交會碰撞之際，
如何在承認並接收了新知學理的同時，仍返回堅持傳統的經教價值？這也都
是本文要探討的論題。本文願以一個文化傳承者的角度來看待廖平，以此為
論述的基準，替代傳統以「先進」或「保守」的對立角度評價，至於廖平的
解經方式與詮釋，是否合乎理性，或者如前人所非議的「附會」，這不是本
文所關注的重點，筆者的意思並不是說廖平的經典解釋沒有強經以就我的成
份，而是要就其人的思想還諸時代，去探討廖平之「所以然」的背後意含。

二　以孔經文明為五大洲的進化座標

（一）進化意識下的經史區別

　　要討論廖平大統理想的經學實踐進路，首先應從其進化史觀說起。廖平
論孔子為萬世垂法，有一個理論核心，就是經史有別，所謂「論孔學大要，
在經史之分。」[1]六經為「經」而非「史」，本是清代今文經學家的一貫理
念，只是廖平將這一理念推演到極至，成了六經內容皆為「符號」，非真有
其事，後來康有為的《孔子改制考》亦脫胎於此一理念。王汎森在《古史辨
運動的興起》一書中，曾對此種思想的演變有過十分詳細的研究。他指出，
由清中葉的《公羊》家劉逢祿到淩曙，再到陳立，中間有一條清楚的思想脈
絡。劉逢祿提出《春秋》中的魯與天王、諸侯都是所謂的「薪蒸」，這是說

1　廖平：《孔經哲學發微》，收入《廖平選集》（成都市：巴蜀書社，1998年），上冊，頁
　　303。

孔子假借魯史以發揮一己之義。淩曙於《公羊禮疏·序》中說《春秋》中所記載的事跡只在「有無」之間而已，不必把《春秋》的史事當真，這相當嚴重打擊了《春秋》經的信史性。承繼淩曙之學的陳立，又提出「筌蹄」之說，就是《春秋》中的史事皆如《莊子·外物》中所說的「筌蹄」，只要「義」能到手，「事」是可以當作筌蹄般的拋棄的。不管是「薪蒸說」或是「筌蹄說」，雖與廖平的「符號說」雖有緊密的關連，卻還是有相當的距離，因為他們畢竟不像廖平明白的宣稱經文中的史事全都是假的，都是「符號」。[2] 而筆者認為，這種「符號說」，在廖平的老師王闓運的學說裡已有這樣的端倪，[3] 廖平從學於王闓運，王氏的思想對他應有很大的啟發。總之，可以肯定的是廖平的經史之分與符號說，是接續從劉逢祿、淩曙、陳立、王闓運等一路延續下來的今文經學路向發展的結果，[4] 不過，相對於其前輩的今文學者，廖平的經史區別，又有內容上的深化與著重點的差異。

　　廖平之前的今文學家論經史之別，重點在於經典中的史事目的只是支持發揮經典之義，未必真有其事，且對象主要是《春秋》一經，他們基本上還未否定上古為黃金時代的想法。但廖平特別注意的是五經中的記載，越上古以前的政治、社會愈完美，但史實卻是相反——愈古愈是蠻荒而未開化的狀況，如堯、舜、禹時代的真實情形是洪荒未開、大羹玄酒、茅屋土階的草昧之象，與經中的鴻規鉅制全然不同：

2　王汎森：《古史辨運動的興起》（臺北市：允晨文化公司，1987年4月），頁131-160。

3　例如王闓運在《春秋公羊傳箋》中將「西狩獲麟」解釋為麟被獲於西方，就如同孔子之道無法行於海外的西方國家一。孔子本是聖人，當王天下，不幸沒其位，所以著書希望後世的人能行其道，而且這樣的道，孔子當初已經預見，是要普及以後的西方世界的。此外，王闓運把《春秋》中魯哀公十三年的經文「公會晉及侯及吳子于黃池」的「吳」也比為海外之國，影射西方。如此看來，王氏已有《春秋》「符號」說的端倪了。見王闓運：《春秋公羊傳箋》（上海市：上海古籍出版社，1995年影印清光緒三十四年刻本影印原書版），頁346-349。

4　丁亞傑先生指出，經學在清代地位崇高，在乾嘉時期是學者治學的主要範圍。但從錢大昕、俞正燮、章學誠以降，不斷從史學立場挑戰經學，劉逢祿、皮錫瑞對此也有所回應。廖平所論，即循劉逢祿，皮錫端軌跡。這同樣是把廖平的經史區別置於今文經學發展的脈絡之下。見丁亞傑：《清末民初公羊學研究——皮錫瑞、廖平、康有為》（臺北市：萬卷樓圖書公司，2002年3月），頁194。

夫堯時禽獸逼人，舜如深山野人；又舜，東夷；文，西夷。孟子所
稱，何等諓陋！他若《尸子》、《韓子》、《淮南子》所稱堯舜，皆喬野
無文，此猶可曰儉德也。《禮‧明堂位》「土鼓、蕢桴、葦籥，伊耆氏
之樂也」，已無八音克諧之雅。《墨子》「堯堂高三尺，土階三等」，難
容群牧群岳之朝。《淮南子》：舜作室、築牆、茨屋。《禮記》虞官五
十，則與「百僚師師」不符。秦博士說古帝王地不過千里，則與五服
五千里不合。《禮緯》唐虞三廟，夏四廟，殷五廟，周六廟，已非
「天子七廟」之制。《左傳》「天子七月」、「諸侯五月」、「大夫三
月」，「士踰月」。經制。《尸子》謂「禹之喪法，制喪三日」。況禹卑
宮室，惡衣服（《論語》）；堯下為巢，上營窟（《孟子》）；不窟失官，
竄之戎狄（《國語》）；太王居邠，被侵狄人（《孟子》）。草昧之象，載
籍極博。以為文明者，固信經而不諳事實；以經為史者，又逐末而不
識本根。謠諑煙靄，孔義不著。是當劃分經史之界，而後內容外觀，
文野迥異，即孔經之作用亦顯。[5]

廖平從經典、先秦諸子、緯書以及《論語》、《國語》等著作中，爬梳出上古
質樸的蛛絲馬跡，包括疆域狹小、音樂的粗糙、宮室規模卑隘；官制、廟
制、喪制等均未如經典所明白揭示的完備。相反的，廖平認為上古時期常見
同姓婚嫁、違逆人倫等不合於經典禮制的情形在古籍中俯拾即是：

請以《春秋》事實證之：如同姓不婚，禮之大者也。《論語》，昭公取
于吳；《左傳》：晉公子，姬出也；鄭子產謂晉平公內實有四姬；《荀
子》齊桓公「姑姐妹不嫁者七人」；《漢‧地理志》：齊襄公姑姐妹不
嫁，令國中民家長女不嫁，名曰「巫兒」，為家主祠；他若鄫季姬自
擇配，徐女擇婿之南。又史傳所載魯惠、衛宣、晉獻、晉惠、楚成
等，上蒸下報，數見不鮮，全無忌憚。故人謂周公制禮，吾敢斷之
曰：周公無禮也！[6]

5　廖平著，黃鎔箋述：《五變記箋述》，收入《廖平選集》，上冊，頁566。
6　廖平著，黃鎔箋述：《五變記箋述》，收入《廖平選集》，上冊，頁571。

廖平以《春秋》中所特別重視的同姓不婚之禮為例，指出雖然經典明白以此
為法度，但是從《論語》、《荀子》或其他史傳所記載的內容來看，這樣的史
實卻層出不窮；此外女子自擇配、國君蒸報醜行等經典禮法不容之事，也是
屢見不鮮的。因此廖平斷言，周公並無制禮作樂之事，禮樂文明是始於孔子
的撥亂反正之作，舉凡《春秋》中常譏貶的世卿、喪娶、不親迎、娶母黨、
喪期無定數、喪中不釋官等事，正足以證明此為舊日通行之習慣，孔子作
經，目的在垂法於後世。

　　這個地方有一個問題值得提出討論。廖平經學二變時期（約光緒十三年
到二十二年），主張「尊今抑古」，即以孔子為制作六經的聖人，但何以當時
的代表作如《知聖篇》、《古學考》等雖也明確表達經史不同，卻並未特別注
意上古為蠻野的狀態，反而在始於光緒三十二年之後到民國七年的經學五變
時期才大力強調上古的洪荒未開與經典的內容不符？為什麼這個時候的廖平
變得如此重視上古史的問題？這與晚清的進化思潮以及外國學者批評中國經
典的史觀有直接的關係。一八九五年二月，嚴復在〈論世變之亟〉中指出，
近代中國所遇到的問題，並非一朝一夕而成，而是根源於中西文化價值取向
的差異。其中，又以歷史觀的不同最為重要：「嘗謂中西事理，其最不同而
斷乎不可合者，莫大於中之人好古而忽今，西之人立今以勝古；中之人以一
治一亂、一盛一衰為天行人事之自然，西之人以日進無疆，既盛不可復衰，
既治不可復亂，為學術政化之極則。」[7]不管是退化論還是循環論，一旦與
厚今而求進的西式歷史觀相遇，便立即不堪一擊，故欲與外人爭勝，必須首
先改變中國人的歷史觀念。此論對時人極具說服力，此後大約不到十年時
間，進化就已成為中國思想界中不言自明的「公理」和口頭禪，成為近代中
國最核心的信仰之一。[8]

　　從一八九五年往後推十年，正是廖平經學五變的時期，也是國內進化思

[7]　嚴復：〈論世變之亟〉，收入王栻主編：《嚴復集》（北京市：中華書局，1986年），冊
　　1，頁1。
[8]　王東杰：〈「反求諸己」——晚清進化觀與中國傳統思想取向〉，收入王汎森等著：《中
　　國近代思想史的轉型時代》（臺北市：聯經出版公司，2007年12月），頁315。

潮甚為風行的時期。也同樣就在這個時候，外國學者對中國經典黃金古代的
「退化史觀」予以批評，激起廖平積極的要為孔經辯護。他於宣統元年所著
的〈尊孔篇‧附論〉中引述西方人批評傳統經典的言論：

> 先文明而後蠻野，前廣大而後狹小，與進化之理相左。西人據此以攻
> 經，謂耶教由一國以推全球，孔教經說乃由三萬里退縮以至三千，兩
> 兩相形，劣敗優勝，則孔教必不能自存於天壤。[9]

西方人以基督教由一國以推全球，中國卻是由《尚書》記載的超越當今中國
太多的三萬里疆域，退縮到今天只有三千里，而且上古文明又退為野蠻，譏
經典內容不符實際，而且與進化之理相違背。民國二年，廖平於北京孔學歡
迎會的演講中也說：「日本學說，以六經退化，有違進化公理。」他又指日
本學者懷疑《尚書‧禹貢》的疆域廣博為誇飾，而且在經典不正確的情況
下，中國人卻仍尊經守古，坐此「奴性」，因此學術沒有進步。[10]廖平之後
又再次提及：

> 外人推進化公理，尚疑《尚書》誇飾（作者自注：日本那珂通世
> 說）；且謂黃帝以來，疆域廣博，至姬周，而內地多夷狄，楚則駃
> 舌，吳乃文身，嗤笑中國人退化如此。比之子孫不肖，不能守成，如
> 蠶自縛，無以解嘲。入吾室，操吾戈，中國學者何以禦之哉！[11]

廖平指出日本明治時代的歷史學者那珂通世[12]（1851-1908），用進化的眼

9　廖平：〈尊孔篇‧附論〉，《四益館雜著》（民國四年，四川成都存古書局印行），頁219-
　　216。
10　廖平著，黃鎔箋述：《世界哲理箋釋》（民國十年，四川存古書局刻），頁2b。
11　廖平著，黃鎔箋述：《五變記箋述》，收入《廖平選集》，上冊，頁569。
12　那珂通世（1851-1908），畢業於慶應義塾大學，曾任教於東京大學、早稻田大學。所
　　著的《支那通史》，為日本最早的中國通史著作；又著《成吉思汗實錄》，是日本蒙古
　　史研究的經典，由此成為日本東洋史學研究的重要奠基者，「東洋史」概念即由他最
　　早提出。關於日本史研究，著作有《上世年紀考》。那珂通世二十二歲入福澤諭吉門
　　下，福澤關於亞洲歷史停滯論的觀點也深深影響到那珂通世。

光，質疑中國經典如《尚書》的記載，上古時期疆域廣大，政教修明，到了
周朝春秋時期卻是境域縮小，內地多夷狄，吳、楚則是駃舌紋身的南蠻之
地，以經典與史實不符，甚而以此嘲諷中國後世子孫不能守成，致使文明退
化如此。廖平此處未明言那珂通世的具體說法出自何處，考察那珂氏的著
作，在晚清廣泛流傳於中國的是《支那通史》[13]，但此書中似乎沒有這麼鮮
明的批判言論，[14]廖平所指的應是與那珂通世有密切關係的日本疑古學說。
那珂通世是將清代辨偽學者崔述（1740-1816）的著作介紹到日本的第一
人，他於一九〇三年校點出版了《崔東壁遺書》，給日本學界提供了引發疑
古思潮重要的思想與資料資源。接著，那珂通世的嫡傳學生白鳥庫吉
（1865-1942）主要透過《尚書》的研究，懷疑中國上古史的真實性，在一
九〇八年前後提出了「堯舜禹抹殺論」，掀起了軒然大波，一時日本學界皆
從其風。[15]因此廖平所謂的「日本那珂通世說」，可能還包括了白鳥庫吉的
立論。那麼，何以西方及日本學者不承認上古堯舜盛世的言論，會引起廖平
這麼大的震撼？因為歷史是由蠻野進化到文明的這個學理，是廖平所認同篤
信的，正因他認同歷史只能是進化，不可能是退化，可是經典中明明記載著
黃金美盛的上古三代制度完備、疆域廣大，與進化的理論又是背道而馳的。

---

13 那珂通世的《支那通史》著成於一八九一年，是近代中國較早引進自日本的其中一種
　歷史教科書，在當時教育界、學術界均有很大的影響。一八九九年，由羅振玉主持的
　上海東文學社重刻出版，始在中國有廣泛的流傳。《支那通史》雖屬教科書善本，但
　是卷頁過多，不適合小學尤其是初小學堂的歷史課本，柳詒徵（1880-1956）有感於
　此，於一九〇五年將它改編成《歷代史略》，以合教科之用。《歷代史略》的出版，更
　助成了時人對《支那通史》一書的認識。

14 書中關於上古疆域的問題，僅略為提及唐虞之世，「中國不過三百里」，夏后、殷、周
　之世逐漸擴大。見〔日〕那珂通世：《支那通史》（東京都：岩波書店，1939年），頁
　107，141。

15 日本學者內藤湖南、津田左右吉等，都是跟著這樣的懷疑古史思想繼續研究與發揮。
　見童嶺：〈那珂通世、林泰輔與清末民初的中國學界〉，《文史知識》（2009年，第5期），
　頁82-83。又見盛邦和，〈上世紀初葉日本疑古史學敘論〉，發表於二〇〇六年十二月二
　十九日的「國學論壇」網站：http://bbs.guoxue.com/viewthread.php?tid=430691。檢索
　日期：2009年12月15日。

如果不解決這個問題，對經典的公信力將會造成很大的傷害，所以他才說外國學者的這一批評「入吾室，操吾戈」，等於是打中了經典的要害。事實上，上古是否為完美的黃金時代，歷代的學者如王夫之、焦循等均曾在有意無意間質疑過這個問題，[16]但這些零星的個人見解，並沒有引起過多的注意，直到晚清進化思想傳入後，上古的問題才獲得較廣泛的反思。廖平即是在這樣的背景下重新思考古史的問題，不過作為一個「經學家」而非「史學家」的廖平，他的最終關懷不在於上古史實真相的深入探討，而是在於這種當史實與經說產生矛盾之際，如何能為孔子與經典作一個合理的詮釋。廖平要說明的是，歷史誠然是進化的，而孔子也絕不是一個退化論者，他的經典是符合進化公理的。經典中的文明，正是孔子表達進化至未來的文明，透過上古樸陋的史實，再對照經典的文明，正可見出孔子的用心。在尊孔尊經的意識下，他否認經學為退化論，他說「經說若主退化，是乖世界公理。」[17]因此經典中的文明，絕對不可能是真正的古史，若是以孔經為史，則「無以為後來進化之地。」[18]廖平多次的提及孔經是主進化，非退化，可見他深深的認同近代中國的進化歷史觀，這也是他接受了這種時代思潮的明證。

---

16 蕭公權認為舊史家中的王夫之具進步史觀。王夫之在《讀通鑑論》卷十一中以人類文明是變而益進的，古時人與禽獸無異，及聖人作，文明乃興。若人不進反退，則今日已是鬼魅之域，顯然與事實不附。見蕭公權：《中國政治思想史》（臺北市：聯經出版公司，1989年3月），下冊，頁670。汪榮祖也指出「船山此說不僅一反厚古薄今說，且破一盛一衰之循環論，而提出日進無疆之史觀，暗與十七世紀以來西方進步思想相呼應。然船山之觀點不為當時所知，自不能發達。故晚清變法家之進步觀，大致得自近世西方之影響。」見汪榮祖：《晚清變法思想論叢》（臺北市：聯經出版公司，1983年3月），頁17。焦循在《孟子正義》「大人者不失其赤子之心者也」章中，對《莊子》稱頌上古的合諧太平提出相反的意見。《莊子・繕性》曰：「古之人在混茫之中，與一世而得淡漠焉。陰陽和靜，鬼神不擾，四時得節，萬物不傷，群生不夭，人雖有知，無所用之。」焦循反駁曰：「豈知晦芒憔悴之初，八卦未畫，四時何由而節？漁佃之利未興，弧矢之威未作，人與鳥獸相雜，其靈於鳥獸者凡幾？不知粒食，其疾病痰毒於鳥獸蠅蚋之肉者又凡幾？而謂之不傷不夭，不亦妄乎！」見焦循撰，沈文倬點校：《孟子正義》（臺北市：文津出版社，1988年7月），下冊，頁557。

17 廖平：〈闕里大會大成節講義〉，《四益館雜著》，頁256。

18 廖平著，黃鎔箋述：《五變記箋述》，《廖平選集》，上冊，頁577。

　　進化論的思想意義在於它展示了一個美好的未來，從而為中國人提供了一條疏離於沉淪的現實並走向未來的道路。從二十世紀初年以來，以進化論的觀點撰寫歷史可說是最時髦的口號。當時除了嚴復的《天演論》以外，如賴爾（Charles Lyell, 1797-1875）的《地學淺釋》，還有《斯賓塞爾文集》，嚴譯《群學肄言》、《社會通詮》，及十九世紀末到二十世紀初的一批社會學譯本等，都展示了以社會進化的眼光看人事、歷史、社會等面相。[19]廖平雖未明確的說出自己讀過哪些譯作，但是他很關心嚴復的著作，嚴復的思想對他有很深刻的影響；[20]而且從廖平的著述內容來看，特別是在甲午戰後，他對當時出版的報刊雜誌閱讀很廣泛，曾對《國聞報》、《民報》、《新中國》、《浙江潮》、《國粹學報》等作過回應，[21]對時代思潮的脈動是敏感的，因此他接觸並接受晚清十分普遍的線性進化史觀，是可以作合理的推論，且答案是肯定的。

　　正因為上古的史實與經典的文明是如此的差異，才能更彰顯出孔子的經典為後世制法的神聖性。基於這樣的原因，廖平始終反對章學誠的六經皆史

---

19 王汎森：〈進代中國的線性歷史觀──以社會進化論為中心的討論〉，《新史學》第19卷第2期（2008年6月），頁6-9。

20 廖平的經學會進入三變，以經典規劃世界，即是讀了登於《國聞報》中，嚴復的〈擬上皇帝書〉一文的影響。廖平說，「嚴又陵上書，所謂『地球，周、孔未嘗夢見；海外，周、孔未嘗經營』，亦且實蹈其弊。」嚴復此言，出自他的〈擬上皇帝書〉，原文為：「……而今日乃有西國者，天假以舟車之利，闐然而破中國數千年一統之局，且挾其千有餘歲所爭競磨礱而得之智勇富強，以與吾相角，於是乎吾所謂長治久安者，有倪然不終日之勢矣。嗟夫！此其為事豈僅祖宗之所不及知也哉！蓋雖周孔之聖、程朱之賢，其論治道、慮後世也，可謂詳且審矣，然而今日之變，則亦所未嘗豫計者也。」嚴復清楚的表明，傳統的聖人之道，如周、孔、程、朱的思想教化已經不適用於當今的局勢。此文連載於光緒二十四年正月初六至十四日（1898年1月27日至2月4日）的《國聞報》，廖平的經學〈三變記〉也說自己在此年轉變對前期經學的看法，是故嚴復的言論對廖平的衝擊甚大。

21 廖平曾閱讀過《國聞報》，見上註。回應《新中國》、《浙江潮》的言論見於廖平：《大統春秋公羊補證》（光緒三十二年中秋　則柯軒再版本），卷8，頁64。《國粹學報》第2年第7期曾刊登廖平的文章；又廖平曾回應國粹學派之處，見廖平：〈墨家道家均孔學派別論〉，《四益館雜著》，頁60b。

說。章學誠指出六經皆周官政典，[22]孔子與六藝的關係，他的看法是「六藝皆周公之舊典，夫子無所事作也。」[23]章氏敘述下的周公才是制作典章，集古聖之大成者：

> 周公成文、武之德，適當帝全王備，殷因夏監，至於無可後加之際，故得藉為制作典章，而以周道集古聖之成，斯乃所謂集大成也。孔子有德無位，即無從得制作之權，不得列於一成，安有大成可集乎？非孔子之聖，遜於周公也，時會使然也。[24]

章學誠強調孔子有德無位，述而不作，他的貢獻是傳授周公的政典以明其制、道。章學誠推尊周公勝於孔子，其實他是要說明經即帝王制作之典章，六經所載之「道」，必需藉具體的事物來呈現，是一種「道器合一」的觀念。但是廖平對這種將孔子描述成一個恪守周公舊典的形象，深表不以為然，他以春秋以前仍質樸無文的觀點，認為周公並沒有為周代制作一套禮制典章，他堅決的表示「人謂周公制禮，吾敢斷之曰：周公無禮也！」[25]他指章學誠「六經皆史」之說為「市虎杯蛇，群入迷霧」，[26]並對同樣主張六經為古史的龔自珍、章太炎予以同樣強烈的批評，[27]因為如果六經皆為古史，就抹煞了孔子制作之意。

　　廖平又指出孔子制作的明證之一，即在先秦諸子對上古聖王的描述均不相同：兵家的堯舜善戰，法家的堯舜明察，墨家的堯舜節儉質樸，道家的堯舜清淨無為，儒家的堯舜德望崇高，農家的堯舜與民並耕。因此諸子皆藉著寄託堯舜以自明學說。以此推知，《尚書》中的堯舜也不是唐虞時之真堯

22 章學誠，《文史通義・內篇・經解下》：「六藝皆周公之政典，故立為經。」見章學誠：《文史通義》（臺北市：華世出版社，1980年9月），頁31。又《校讎通義。內篇・原道一》：「六藝非孔氏之書，乃周官之舊典也。」見章學誠，《文史通義》，頁561。
23 章學誠：《文史通義・內篇・原道上》，頁37。
24 章學誠：《文史通義・內篇・原道中》，頁41。
25 廖平著，黃鎔箋述：《五變記箋述》，收入《廖平選集》，上冊，頁571。
26 廖平著，黃鎔箋述：《五變記箋述》，收入《廖平選集》，上冊，頁569。
27 廖平：《孔經哲學發微》，收入《廖平選集》，上冊，頁303。

舜，只是託古垂法而已。班固的《漢書・藝文志》謂諸子皆六經之支流與
裔，廖平以此申論，諸子既出孔子之後，之所以推美堯舜，也是因為《尚
書》中孔子以堯舜託為大統的典範，故諸子亦從孔子而祖述之。而且《尚
書》中的堯舜記載不可能為史實，因為《論語》中，孔子曾言夏禮、殷禮的
文獻不足徵，更遑論堯舜時期。[28]是故廖平以孔子制作為命題，提出的依據
就在於，從古籍中所尋出的種種跡象，推斷經典的美盛必非上古的史實。廖
平對於經史之別與上古質樸的看法，頗類似於康有為《孔子改制考》中的
〈上古茫昧無稽考〉等內容。廖平這方面的論述，也多晚於光緒二十三年出
版的《孔子改制考》。的確，廖平在寫作時，他曾明白表示看過康有為此一
著作。那麼，我們是否可以說是廖平受了康有為的影響？其實康有為的《孔
子改制考》受廖平的《知聖篇》啟發，已經是學界普遍認定的學術公案，而
《知聖篇》中的孔子為後世制法，已可導出經典中的記載與上古聖人均為孔
子所託的結論，所以也未必是康有為的觀點影響了廖平。因此這裡不擬討論
廖、康之間學說的孰先孰後，而更著重時代進化思潮的影響。

　　由於進化的歷史觀打破了黃金古代的觀念，代之而起的是所謂「上古史
的重新發現」，上古歷史變得極為樸陋，愈倫理化或儒家化的古史被認為愈
不真實。[29]廖平接受了這樣的思潮，再結合上今文學尊孔的概念，因此強調
上古樸陋，經典內容的美盛是孔子所託的進化至未來的目標，垂法於後世，
透過孔經的進化公理，可以帶領全世界邁向最文明的境界。

（二）孔經為進化公理

　　上述提到廖平接受了進化論歷史觀的影響，但是這種歷史觀的形成，是
一種對現實的渴求，因為渴求能成為像近代西方國家那樣的強國，視西方歷
史發展的歷程是世界的「公例」，全世界各地文明的歷程無不與之相同，所

---

28 廖平著，黃鎔箋述：《五變記箋述》，收入《廖平選集》，上冊，頁569-570。

29 王汎森：〈近代中國的線性歷史觀〉，《新史學》第19卷第2期，頁16。

以對比西方文明這支計算尺上的刻度，便可看出各個文明目前的階段。晚清
的歷史著作中常有「公理」、「公例」之類的措詞，往往就是歸納近代西方的
經驗所得到的一些原則，認為它們是放諸四海皆準的。[30]但是廖平在接收這
些概念時，把所謂「公理」或「公例」的刻度，從西方文明，轉成以中國孔
子經典為座標的進化觀。廖平不斷的提及經說符合「世界公理」、「進化公
理」，「實行經意，則為進化」。[31]既然把進化的座標，從西方文明，整個的
倒轉成孔子經典的文明，那麼一般人所認同的西方文明，就不再是文明，西
方需要接受孔經的導引，才能進入真正的文明狀態。

　　由於近代中國面臨西潮衝擊，經過幾十年的中西學戰，越來越多的中國
讀書人從自認居於世界文化的中心，視洋人為野而不文的「夷狄」，到主動
承認西方為文明而自認野蠻，實際退居世界的邊緣，甚至以為中國尚未「進
入」世界。中國讀書人真正開始意識到中國在世界的定位已由文變野，大約
是在中日甲午戰爭之後，因此改善中國在世界的位置，或為中國在世界確立
一個更好的位置，成為近代士人持續探索和努力的目標。[32]廖平在這樣的背
景下，他不能接受中國被邊緣化的處境，欲重新尋回中國在世界中心的地
位，因此他要申論何謂野蠻，何謂文明，野蠻者為「夷」，文明者為「夏」，
而中國的文明是遙遙領先於世界其他地區的。這樣的論據，就在於泰西的文
化程度仍猶如中國上古春秋時期，孔子未生以前的情況一般。他在完成於光
緒二十三年的《知聖篇》指出：

> 中國當開闢之初，與今西國同。孔子未生以前，中國所尚之教，與海
> 外亦無大異。天不生孔子於中國開闢之初，而必生於春秋之世者，開
> 闢之始，狉狉獉獉，以能興利除害、治器利生為要務，不暇及於倫
> 常。語曰：「衣食足，禮義興。」《孟子》曰：「飽食煖衣而無教，聖

---

30 王汎森：〈近代中國的線性歷史觀〉，《新史學》第19卷第2期，頁11-12。

31 廖平：〈尊孔篇附論〉、〈闕里大會大成節講義〉，分別見於《四益館雜著》，頁210-
216、頁250-256。

32 羅志田：〈理想與現實──清季民初世界主義與民族主義的關聯互動〉，收入王汎森等
著：《中國近代思想史的轉型時代》，頁271-273。

> 人有憂之。」中國必待帝王捍災禦難，人民繁庶，天乃生孔子，進以
> 倫常之道。海外必先之以天方、耶穌、天主開其先，而後徐弔之以進
> 於孔子，此又一定之勢也。海外開闢在後，以今日形勢觀之，大約如
> 中國春秋時之風尚。[33]

廖平以天不生孔子於洪荒，是因為大地開闢初時以治器利生為要務，不暇及
於倫常，必須待到自然災難已經被，抵禦，人民繁庶之後，上天才降生孔
子，進以倫常之道。當然這不只指中國，海外亦然，而且上天以回教、耶穌
教、天主教作為海外國家之先導，到今天西方進化至如同中國春秋的時期，
已是孔子之道要施於其地的時候。又說：

> 今之西人，如春秋以前之中國，兵食之政方極修明，無緣二千年前已
> 有教化。以中國言之，無論遠近荒徼，土司徭僮，凡經沾被教化，惟
> 有日深一日，從無翻然改變之事。故至於今，中國五千里皆沾聖教，
> 並無夷狄之可言。以一經教化，則從無由夏變夷之理也。[34]

今天的西方人，與春秋以前的中國雷同之處在於「兵食之政」非常修明，但
是並未有教化。而中國在兩千年前就已沾被聖教，日深一日，故國內已無夷
狄之可言，且依著進化公理，不可能再由夏變夷了。廖平也表明，《春秋》
所言是「俟後之書」，所以不在描述中國先秦的春秋時期，而是暗示要撥正
兩千年後，即當今的西方社會，[35]目的在「用夏變夷」。廖平對夷、夏的判
分，就在於三綱倫常的有無，而三綱倫常、禮教文明也就是廖平心中經典最
核心的價值所在，也是廖平引之為進化座標的刻度。

1 論全球五大洲的進化依據

民國二年，教育部欲統一國音，召集全國讀音統一會於北京，命各省及

---

33 廖平：《知聖篇》，收入《廖平選集》，上冊，頁272。

34 廖平：《知聖篇》，收入《廖平選集》，上冊，頁203。

35 廖平：〈尊孔篇〉，收入《四益館雜著》，頁76。

蒙、藏、華僑各舉代表出席。廖平被推舉為四川省代表，於民國二年二月赴
北京，旅京同鄉舉行歡迎會於湖廣會館，請廖平講演，所講題目為〈孔學關
於世界進化退化與大同小康之宗旨〉。此篇講稿後由廖平門生黃鎔整理並箋
釋，成《世界哲理箋釋》一書，[36] 書中揭示當今世界進化的依據與次第。

　　在此書中，廖平將世界五大洲的進化程度，由高至低依序排列為亞洲、
歐美洲、南美洲、非洲、澳洲，並列出「世界進化六表」，可以見出廖平所
持的進化依據。這六表分別為：「五大洲次第出海成陸如兄弟表」、「現在五
洲比例表」、「五洲次第引進表」、「四弟用夏變夷與兄同冠年代表」、「中國孔
經以前事實程度比今五洲表」、「中國孔卒以後經術進行比今五洲表」：

表一：五大洲次第出海成陸如兄弟表

亞 長，二十而冠，先歐三千年出海。	歐美 仲，十二歲，先南美一千年出海。	南美 叔，九歲，先非一千年出海。下三洲以土著論。	非 又叔，六歲，先澳一千年出海。	澳 季，三歲，出海不久。

表二：現在五洲比例表

中 孔教久昌明。	歐美 祆教精者，思再求真理。	南美 祆教盛行，以土著言。	非 多神未絕，祆教初行。	澳 多神教。

表三：五洲次第引進表

亞 長兄之法以次相傳，不能躐等。	歐美 以亞教歐美，引之二十歲可以齊中國。	南美 以歐教南美，引之二十歲可以齊歐美。	非 以南美教非，引之九歲可以比南美。	澳 以非教澳，引之六歲可以比非。以土著論，不指客民。

表四：四弟用夏變夷與兄同冠年代表

亞 用孔已二千餘年，孔教洋溢，將浮海四布。	歐美 二千年後，如長兄加冠，全洲人民服習聖教，同	南美 三千年後，如長兄加冠，由祆進耶，由耶進	非 四千年後，如長兄加冠，由多神以進耶教，再由耶以至經。	澳 五千年後，如長兄加冠，澳如今日中華又長出十二歲矣。

36 廖幼平編：《廖季平年譜》（成都市：巴蜀書社，1985年），頁73。又見廖平著，黃鎔
　　箋釋：《世界哲理箋釋》（民國十年，四川存古書局鋟），頁19。

文同倫，如今中土。	聖。		

表五：中國孔經以前事實程度比今五洲表

經託君。孔前五百年。	經託伯。孔前千年如歐美。以下多火山。	經託三代。孔前約千五百年，如南美祆教。	經託五帝。孔前約二千年，如非多神，初行祆教。	經託三皇。孔前約二千年，如澳多神教。

表六：中國孔卒以後經術進行比今五洲表

澳君。三歲。如戰國先秦，僅識六藝之學。	非《春秋》伯。六歲。如唐宋，至今全球為大戰國，南美、非、澳尚不足伯者資格。	南美《春秋》王。九歲。由今再加數千年，全球皆同用王法。	歐美《尚書》帝。十二歲。地球四帝五帝。	亞《尚書》皇。二十歲。全球一統，其餘六十歲為天學進退。

整理自廖平著，黃鎔箋釋：《世界哲理箋釋》（民國十年，四川存古書局鎸），頁 6a-10b。

　　以下對各表作一個約略的敘述與分析。首先，表一，「五大洲次第出海成陸如兄弟表」，視全球五洲的形成為次第出海，亞洲出海成陸的時間最早，開化領先他洲。不過廖平也指出，亞洲迄今數千年，只有中國淑陶於孔教，其他地區如蒙藏信仰佛教，西亞為回教之區，俄羅斯、印度也尚未同被孔教。雖然如此，亞洲由於有受孔教洗禮的中國，故文化仍高於其他四洲。五洲文化猶如五兄弟，亞洲二十初冠，推之歐美文化正當幼沖之齡，非洲、澳洲則更加弱稚。[37] 亞洲出海成陸的時間最早，不知這一說法的根據為何，但此處的重點主要在於以孔教的有無判分文化的高低。表二，「現在五洲比例表」，是以宗教性質比較文明程度。廖平指中國古代因尚在草昧，智識淺薄，亦崇奉多神教，繼知多神無益，故敬天為上帝；及至孔子作六經後，序人倫等威，禮意周洽，傳之二千年，文化蒸蒸日上。歐美耶教崇拜上帝，仍

---

37 廖平著，黃鎔箋釋：《世界哲理箋釋》，頁6b。

停留在中國孔子以前的敬天程度，況且「創世紀」的說法違反人種由猿猴進化的學說，不若孔經主進化符合實理。至於非洲、澳洲的宗教程度更遠落後於歐美耶教，廖平根據介紹外國地理的書籍描繪，謂澳洲及南非、西非的土人崇拜自然、神鬼諸物，非洲的革羅人樹皮蔽體，殺人而祭，野蠻自不待言。所以孔道才是最終要歸往的真理。[38]表三，「五洲次第引進表」，說明亞洲為文化上的「長兄」，因為「文明進步，冠絕全球，如五倫三綱、禮俗文教，皆足為五洋之巨擘」，其他各洲文明程度不同，欲臻於亞洲層次不能一蹴而幾，需由亞洲引領歐美，歐美引領南美，南美引領非洲，非洲引領澳洲，以先覺引導後覺，升高自卑，不可躐等。[39]表四，「四弟用夏變夷與兄同冠年代表」，指今日世界開通，孔教將浮海四布，而據亞洲以外各洲程度，歐美需兩千年後，南美三千年後，非、澳各四、五千年後，才會依次進於孔子聖教。表五，「中國孔經以前事實程度比今五洲表」，說明孔經出現前兩千年，即經典所託的文明美備的三皇五帝時期，中國事實上的文化程度如僅同今天澳洲、非洲行多神教，後來孔經出現前一千五百年逐漸進步到如南美信奉祆教，到了孔經出現前一千年，中國文化類同於今天的歐美。表六，「中國孔卒以後經術進行比今五洲表」，指中國於孔子卒後已浸染孔教於今兩千年，其他各洲尚在起步階段。

　　總之，世界的文明是逐漸進化的，孔經的主張就是符合進化的實理，文明的程度也是依據孔經教化的沾被與否來決定，孔經最重要的核心內涵就是五倫三綱、禮俗文教。廖平不斷的提及五洲如兄弟，屬「夏」的亞洲或中國並不是要與其它尚屬於「夷」的地區隔絕，在進化的過程中，要由文化較高的地方向文化較低之處化導，使「夷」進至於「夏」，這與《公羊》學的撥亂觀與世界主義是相結合的。最後，進化的極致就是要達到孔經文明的大同境界。

38　廖平著，黃鎔箋釋：《世界哲理箋釋》，頁7a-7b。
39　廖平著，黃鎔箋釋：《世界哲理箋釋》，頁7b-8a。

2 大同的真義

　　廖平以孔子之教在今日世界開通，正是「施及蠻陌」，推行海外之時，到了數千百年之後，則合全球而道一風同，[40]這是未來一統大同的境界：

> 孔子之教，創始於春秋，推行於唐宋。今當百世之運，施及蠻貊，方始推行海外。數千百年後，合全球而道一風同。「凡有血氣，莫不尊親」，乃將來之事，非古所有，而世俗之說，則與此相反，皆謂古勝於今。《中庸》言「大統」，有「生今反古，烖及其身」，亦初蠻野、漸進文明之義，乃俗解道家亦貴古賤今。如上古之「民至老死不相往來」，「剖斗折衡，而民不爭」，「聖人不死，大盜不止」諸說，不知此乃道家之反言。貴大同，賤小康，道家定說也，今乃賤今貴古，必係有為而言。蓋典章文物，後人勝於前人；至於醇樸之風，則實古勝於今。……故皇帝功用，典章文物，則欲其日新月異，而性情風俗，則欲其反樸還純，至新之中有至舊之義。[41]

廖平認為諸子思想皆出自孔經，為孔經之輔翼，未來大同時期即如道家的境界。他指出一般解道家者皆以為道家是貴古賤今，事實上道家既出自孔經，就與孔經一樣主進化，它所謂的民不爭、老死不相往來，也是未來才要實現，因為道家是「貴大同，賤小康」，所貴者在未來。進化至大統／皇帝時期，即大同之時，典章文物會越來越進步，但是人心性情風俗是反樸還純的，這種進化後的純樸又與洪荒初闢時的純樸不同：

> 由小康以臻大同，……疆域最大，風俗最純。宰我所問之五帝德。《詩》、《易》所謂「不識、不知」「無聲、無臭」；西人所著之《百年一覺》。文明則極其文明，純樸則極其純樸，不用兵爭，恥於自私，相忘於善，不知所謂惡，二者並行不悖。惟其未能文明，所以不能純樸，文明為純樸之根，文明之至，即純樸之至。開闢之初，狃狃獉

---

40 廖平：《知聖篇》，收入《廖平選集》，上冊，頁268。
41 廖平：《知聖篇》，收入《廖平選集》，上冊，頁268-269。

　　　　猱，乃未至文明之純樸，非君子所貴。[42]

進化的階段分成小康與大同，大同的純樸才是文明的純樸，到了那時就猶如孔子所託的「五帝德」，以及《詩》、《易》不識不知、無聲無臭的狀態，又如西人所著《百年一覺》，都是沒有兵爭、恥於自私，不知惡而相忘於善的境界。

　　為了更深入了解廖平大同思想的內涵，此處有必要對他所舉的西人所著《百年一覺》作一個簡單介紹。《百年一覺》原為美國作家貝拉米（Edward Bellamy, 1850-1898）的幻想小說《回頭看紀略》，今譯為《回顧》。內容是講一個年輕人於一八八七年在波士頓睡熟，到二○○○年醒來，發現世界已發生驚人的變化，生產資料已經公有，兒童都由國家教養到二十一歲，按照才能和愛好分配工作，而且科技進步，以機器征服自然，充滿了安全和豐足。整個社會無等級，一切不平等現象都消除，犯罪聞所未聞，處處歌舞昇平，沒有軍隊，社會輿論決定一切，男女地位平等，但家庭仍是社會的基本單位。該書一八八八年在波士頓出版後不久，一八九一年十二月至一八九二年四月，以《回頭看紀略》為題，刊載在三十五至三十九冊的《萬國公報》上，旋即由英國傳教士李提摩太再次節譯，題名《百年一覺》。[43]此書中譯本的刊出，在晚清思想界起了很大的反響，例如譚嗣同曾評此書「彷彿〈禮運〉大同之象焉。」[44]康有為亦說：「美國人所著《百年一覺》一書，是大同影子。」[45]也有學者認定康有為著作《大同書》就是啟發自《百年一

42　廖平：《知聖篇》，收入《廖平選集》，上冊，頁269。

43　鄒振環：《影響中國近代社會的一百種譯作》（北京市：中國對外翻譯出版公司，1996年1月），頁98-99。

44　譚嗣同在《仁學》中說：「地球之治也，以有天下而無國也。……人人能自由，是必為無國之民。無國則畛域化、戰爭息、猜忌絕、權謀窮，彼我亡，平等出。且雖有天下，若無天下矣。君主廢，則貴賤平；公理明，則貧富均。千里萬里，一家一人，視其家，逆旅也；視其人，同胞也。父無所用其慈，子無所用其孝，兄弟忘其友恭，夫婦忘其唱隨。若西書《百年一覺》者，殆彷彿〈禮運〉大同之象焉。」見蔡尚司、方行編：《譚嗣同全集（增訂本）》（北京市：中華書局，1981年），下冊，頁367。

45　吳熙釗、鄧中好校點：《南海康先生口說》（廣州市：中山大學出版社，1985年），頁

覺》。[46]廖平似乎也認同孔子的大同世界類似於《百年一覺》的境界，但它
們之間的相似點為何？以下從廖平作於光緒二十四年的《地球新義》中可以
較具體的看出他的觀感：

> 小統之義，……載記班班可考，而大同之說則甚略，歷來經師皆以不
> 解解之。惟道家者流，專祖此派，莊、老之書，祖述帝道，與〈禮
> 運〉大同相合。近時美人所著《百年一覺》，蓋將欲改之法度及將來
> 之成效，託之睡覺，雖為彼教，而言頗合經說，蓋亦竊襲經義，以為
> 文飾彼教之故智也。[47]

廖平指出傳統以來，對「大同」的解說非常簡略，歷來的經師甚至不作任何
解釋。只有道家思想如《莊子》、《老子》祖述大同之義，與〈禮運〉大同相

31。以上譚嗣同、康有為的言論又見林啟彥：〈戊戌時期維新派的大同思想〉，《思與
言》第36卷第1期（1998年3月），頁46、54。

46 房德鄰認為，康有為在光緒十五、十六年之交，受廖平影響，完全轉向今文經，接受
《公羊》學。光緒十七至十八年他在《萬國公報》上讀到貝拉米的《回頭看紀略》，
受到啟發，便糅和《公羊》三世說、〈禮運〉大同說，著手寫作《大同書》。光緒二十
七到二十九年他避居印度大吉嶺時，才基本完成了這部著作，以後又陸續修改。見房
德鄰：《儒學的危機與嬗變——康有為與近代儒學》（臺北市：文津出版社，1992年1
月），頁238-240。瑞典漢學家馬悅然（N.G.D.Malmqvist）所著的〈從《大同書》看中
西烏托邦的差異〉一文（載《二十一世紀》，1991年6月，第5期），認為康有為的大同
論，與以《禮記‧禮運》為代表的古典大同說的聯繫甚為薄弱。與其說康有為的這個
構想來自古老的儒家經傳，不如說來自外來的學說，那麼是哪種外來學說？馬悅然認
為可能是來自馬克思，也可能來自貝拉米。朱維錚以《大同書》中曾述及「共產」、
「工黨」的政見，也曾暗襲《回頭看紀略》關於未來社會的流通和分配制度的構想，
因此同意馬悅然的觀點。見朱維錚：〈從《實理公法全書》到《大同書》〉，《求索真文
明——晚清學術史論》（上海市：上海古籍出版社，1996年12月），頁250。事實上，
《大同書》的思想十分龐雜，除了《百年一覺》以外，《禮記‧禮運》、《公羊》三世
說、墨家、老莊、《列子》、佛教、基督教、達爾文進化論、盧騷天賦人權說、西歐烏
托邦社會主義等，對康有為都有一定程度的啟發。見林素英：〈康有為《大同書》與
〈禮運〉的思想聯繫〉，「廣東學者的經學研究第二次學術研討會」（臺北市：中央研
究院中國文哲研究所，2004年11月25、26日），頁3。

47 廖平：《地球新義》（1935年孟冬，開彫版藏），頁35b。

契合。近來美國人所著的《百年一覺》，雖是以基督教的精神貫穿其中，但
它的完美制度與理想境界，頗合於孔子大同的經說，應是西方竊襲孔子的經
義以文飾自己的不足。他又將《百年一覺》與〈禮運〉大同深入對讀，指出
兩者的相同之處：

> 如謂教習及專門者，如律師、大夫、傳教等事，俟至三十五歲時始準
> 出而為之。故凡任事者，皆老成練達之材，此選賢與能之說也。又謂
> 昔人犯罪之多，一由窮民饑寒始為盜，一由貪婪不堪，因而爭鬥。今
> 土地、貨物、銀錢均歸國家辦理，人皆衣食充足，無窮苦不堪之狀；
> 貪婪之人，亦無所得罪。此謀閉不興，盜竊亂賊不作之說也。又謂一
> 切事宜雖歸官辦，而自以相生相愛之意待之。即有暴虐，立即換任撤
> 去，此講信修睦之說也。又謂前之貨物，某家賤則賣某家，今賣本國
> 何價，賣外國亦何價；從前自製貨物，費工甚多，今國家所用之物，
> 皆由製造廠以機器為之，故從前分利人多，今則生利人多，此貨惡棄
> 地，不必藏己，力惡不出身，不必為己之說也。其他若自幼至二十
> 一，皆在學讀書之日，則為少有所長之說。自二十一歲至四十五，皆
> 作官作工之日，則為壯有所用之說。養老之資及幼童讀書之費，皆出
> 於國，則為不獨親親子子之說。[48]

在《百年一覺》的理想中，如律師、醫師、傳教士等教習及專門人才等，都
要到三十五歲以後始准許出而行使專業，目的是希望任事者皆為老成練達之
材。[49]廖平視此為「選賢與能」之說。《百年一覺》裡，土地、貨物、銀錢
均歸國家辦理，人們衣食充足，無因窮苦而犯罪之人，貪婪不堪者亦無有犯
法之處，[50]廖平視此為「謀閉而不興，盜竊亂賊而不作」之說。又《百年一
覺》中的一切事情雖歸官方辦理，但上下均以相親相愛之意對待，若有暴虐

48　廖平：《地球新義》，頁35b-36a。

49　《回頭看紀略》，《萬國公報》，冊37，1892年2月。

50　《回頭看紀略》，《萬國公報》，冊37，1892年2月。

的上位者將立即被撤換，[51]廖平以此為「講信修睦」之說。又如貨物的價格
自有公定，絕無欺騙詐偽之事；物品都由製造廠製辦，盡以機器為之，一人
可作百人之事，因此生利之人多，[52]廖平認為這就是「貨惡其棄於地也，不
必藏於己；力惡其不出於身也，不必為己」之說。其他如一般人民自幼年到
二十一歲，皆按制度在學校讀書，自二十一歲至四十五歲皆作官作工之日，[53]
這看在廖平的眼裡，不啻就是「少有所長」與「壯有所用」的理想了。最
後，在《百年一覺》的土地上，養老之資及幼童讀書之費皆由國家支付，廖
平讚此為「不獨親其親，不獨子其子」的精神。

　　總之，《百年一覺》不只是風俗淳厚、祥和無爭，而且是美好的制度臻
於理想的境界。不過，廖平不讓西方專美於前，他認為這種理想是孔子早在
〈禮運〉大同篇中就已經規劃好的，是西方竊襲了孔子的經義；而且更重要
的是《百年一覺》猶有不及孔子教化之處：

> 彼蓋惟就生養富庶一門追摹景象，不知飽食煖衣，聖人之憂方長，惜
> 其僅得聖人富民司空之一端，而於司馬、司徒之職少所究心，終亦徒
> 託虛冥，難收實效。苟能用其意，再以倫理補之，斯乃完書，可徵實
> 用。[54]

西方僅學得外在的興利養民之事，不能真正體會孔子聖道的精髓，就在於倫
理－人倫綱常之上。《百年一覺》有此缺陷，故終將流於徒託虛冥，難收實
效，因此若能以《百年一覺》的良法美意為基礎，再以倫理內涵補之，乃能
成為一完美無瑕之書，能徵實用。從另一個側面的資料，也可以作為廖平重
視大同理想需要蘊涵倫理的佐證，這個資料是邱廷方（？－？）所著的小說
《覺覺篇》，是書僅存序文，收錄在《光緒井研志‧藝文志》中。在論證邱
廷方的《覺覺篇》與廖平思想的聯繫前，首先需交代的是《光緒井研志‧藝

51　同註50。

52　同註50。

53　《回頭看紀略》，《萬國公報》，冊36，1892年1月

54　廖平：《地球新義》，頁36b。

文志》與廖平的關係。它是廖平於光緒二十六年編輯完成的，[55]其中所收的
論著目錄由廖平選定，有許多光緒二十六年以前廖平及其子姪門生、友人著
作的序言或提要；細觀其內容，幾乎是以廖平經學三變時期的思想理論為中
心，所形成的一個學術社群，著作特質是以經典詮釋世界，有強烈的現世關
懷，論調明顯的傾向於廖平的一家之言。既然《光緒井研志‧藝文志》中諸
作品的思想以及作者，往往與廖平有密切的關係，依此進一步推論，我們雖
然不確定邱廷方與廖平的關係為何，但《覺覺篇‧序》是廖平親自收錄的，
至少也某種程度反映了廖平對此書論點的認同。此書序文說：

> 西人李提摩太著《百年一覺》，為廣學會刊行本，專言百年以後大同
> 全盛之事，可云美矣。惟專就耶穌宗旨立說，所陳大同風化，專詳生
> 養安逸，而略於倫常，放言流弊，恐不免逸居無教之譏。是編以其書
> 為初基，久而弊生，乃以倫理性情之教，引而進之，以畢皇帝之功
> 能，進而愈上。則西人所謂覺者，固猶在夢中，是書亦仿其體，故入
> 小說。[56]

邱廷方以《百年一覺》專言百年以後大同全盛之事，境界是完美的，只是專
就基督教宗旨立說，僅詳於生養人民之事，忽略了要有倫常的教化，是其缺
憾。所以邱廷方另著一小說《覺覺篇》，以原來《百年一覺》的美善為基
礎，再將倫常教化注入其中，使層次提升，這也與廖平的想法相互呼應。

　　在要說明廖平心目中的「大同」理想是一個深具人倫秩序的社會狀態之
際，我們也應同時注意到，「大統」與「大同」其實是有所區分的。「大統」
的重點在於以孔子之道來「統」世界，而「大同」較純粹的是一種境界。對
廖平來說，這兩者本來就是一而二，二而一的，因為到了以孔子之道來
「統」世界的時候，就是「大同」世界來臨了。不過這兩個詞彙相較，廖平
重視的還是含有孔子之道在內的「大統」，從光緒二十三年經學三變以來，

55　廖幼平編：《廖季平年譜》，頁63-64。
56　邱廷方：《覺覺篇‧序》，收入吳嘉謨等纂輯：《光緒井研志》（臺北市：臺灣學生書
　　局，1971年），頁952。

以經典規劃整個世界，所使用的多是「大統」一詞。但是民國以來，廖平不論是公開演講或是著作，常用「大同」一詞為題。例如民國二年二月，在北京演講的主題是「孔學關於世界進化退化與大同小康之宗旨」，後經門人整理箋釋而成《世界哲理箋釋》一書；民國二年六月，又發表〈大同學說〉於《中國學報》第八期上。正巧的是，康有為《大同書》的部分內容，也是在這一年於上海刊行的《不忍》月刊上，初次面世。《不忍》月刊於民國二年二月創刊，《大同書》甲部「入世界觀眾苦」、乙部「去國界合大地」，首次在該刊一至七期的「瀛談」欄連載。民國四年的四月，廖平致信康有為，提到康有為曾贈《不忍》雜誌二冊，[57] 應該可以確定廖平也見到了其中連載的《大同書》之內容。那麼廖平此時對大同的關注，是否也受了康有為的啟發？筆者對此持保留的態度，因為在〈大同學說〉與《世界哲理箋釋》中，並未見到明顯的回應康有為學說之處，倒是《世界哲理箋釋》中，明白針對清末民初無政府主義的大同思想，向人們揭示何謂「大同」的真義，突顯了廖平大同思想的重要特質。他說：「近來學者厭故喜新，以中國為半開化，必廢五倫，無家族，無政府，乃為大同，亦如海外去倫常，……而後為文明。」[58] 清末民初的無政府主義者，較著名者如劉師培、吳稚暉、李石曾、江亢虎等等，他們無不強烈批判三綱倫理，認為中國以家族為本位的倫理觀導致了個人為本位的倫理觀及國家、社會倫理的不發達，如果不能改良傳統家族倫理即不能實現平等制度及國民公共觀念的進步，[59] 因此廢五倫、無家族、無政府、齊財產等主張，都是從這樣的觀念而來。但廖平以廢五倫為「遂狂肆之私」，無家族為孟子說的「無父」，無政府則「民不統一如蜂蟻」，齊財產會使人民「相率而為游惰」，所以這種廢棄綱常名教的大同，廖平視之為「野蠻」的大同，不是真正〈禮運〉的大同。[60]

57　廖平〈與康長素書〉中說：「惠頒《不忍》二冊，流涕痛哭，有過賈生。」見《中國學報》第8期（1912年6月），頁19。

58　廖平著，黃鎔箋釋：《世界哲理箋釋》，頁3b。

59　〔韓〕曹世鉉：《清末民初無政府派的文化思想》（北京市：社會科學文獻出版社，2003年7月），頁77。

60　廖平著，黃鎔箋釋：《世界哲理箋釋》，頁3b。

　　廖平並沒有如康有為的《大同書》一般，勾勒出具體大同之後的制度，但可以肯定的是，廖平的大同思想與康有為夷滅等級界限的《大同書》根本精神有很大的不同，即使是維新時期的設議院等主張，在廖平看來也是讓國君徒擁虛名，大權旁落，不符合經典的名教。[61]這也可以推測，何以戊戌政變後，廖平一直沒有承認自己認同於維新派的政治主張，原因應非如前人所說的懼禍，仔細分析廖平的學說，可以說明癥結點是思想上存在著的差異。總之，從小康到大同之路，甚至大同的境界，三綱五常始終都是廖平要極力維護的經教價值。

三　文質調和的孔經實踐

　　在之前討論「世界進化六表」時提及，廖平以亞洲／中國為進化最文明之處，但不代表已經到了極至，而且，若以孔經的理想為目標，中國目前只得「孔學之半」，[62]因為孔經的內容是文質兼備，中國文盛，西方質盛，所以廖平曾說「寄語西人，毋徒矜物質文化以自豪」，又說「物質文明者，倫常反多蠻野；倫常文明者，物質亦不盡文明，不得專以物質為進化標準。」[63]總體說來，文仍是高於質，所以中國重文，僅得孔學理想的一半，有質無文的海外就更不如了，「僅如初小幼稚程度」而已。[64]當今無論中國、西方都要向大同的目標邁進，而廖平最關心的是中國目前實踐孔經理想的落實方式。這要從兩個方面進行，廖平以現在中外開通，正是孔經「施及蠻陌」的時候，中國應以文化引領海外他洲以進至於文明，這是屬於「文」的實踐層面；另一方面，中國缺少西方的「質」，正是本身最需要增進之處。

61　廖平認為春秋時期，國君的大權旁落於陪臣，在下位者操握政柄，上位者徒擁空名，就如同西方的議院，由在下者出令，在上者行令一般，等於把君相視同為奴隸。見廖平：《大統春秋公羊補證》，卷1，頁31-32。

62　廖平著，黃鎔箋釋：《世界哲理箋釋》，頁3b。

63　廖平：〈闕里大會大成節講義〉，《四益館雜著》，頁25a。

64　廖平著，黃鎔箋釋：《世界哲理箋釋》，頁3b。

（一）至聖六經兼包諸家——以儒墨為論述對象

　　由於中國與西方的船堅砲利與富強相較，的確不如西方而顯得過於文弱，又因中國實行了孔子的儒家之道兩千年，因此晚清以來知識分子對於孔子與儒家之道有諸多的反省與批評。廖平也承認中國有文弊，但他要說明這不是孔子的思想造成的，是後人只學習了孔子教化的一半。為了說明孔經的內涵是多元而能適應時代的需求，他將孔子和六經與儒家作一個區別，把孔子和六經的地位層次提高到儒家之上，強調六經並非儒家的私家著作，孔子也絕不僅僅是個儒者。他說「後世誤以六經為全屬儒家之私書，……至聖兼包諸家。」[65]孔子地位高於儒家的說法，廖平是承繼司馬遷的思想發揮的，他引《史記・孔子世家贊》曰「中國言六藝者折中於夫子」一語以說明孔子地位高於儒家。這句話是司馬遷撰〈孔子世家〉的意旨所在，司馬遷尊崇孔子繼承周代六藝之教的傳統，為了教學的需要，對上古以來的文獻資料作了系統的整理、校整與編次，形成了《詩》、《書》、《禮》、《樂》、《易》、《春秋》的六藝（六經）體系，這是中國學術發展重要的轉變，使原來王廷獨專的知識，轉變為社會普及的文化，這是一大貢獻，司馬遷以此作〈孔子世家〉，將孔子的地位提到至高，又另作〈儒林列傳〉，使孔子有別於儒家。[66]故廖平以司馬遷撰〈孔子世家〉使孔子高於儒家是得著司馬遷的本意，但不同於司馬遷的是，廖平以孔子作六經，而非繼承周代六藝之教的傳統。六經既然不是儒家經典，且超越儒家，他又以《漢書・藝文志》所說的先秦諸子皆為「六經之支流與裔」一語，作為孔子兼包諸家的依據。對廖平來說，孔子至聖，其學無所不包，所以他對當時的報章雜誌對孔子的稱呼如宗教家或是教育家、哲學家、政治家、理想家等深表不滿，認為這是以後來的學術分

---

65 廖平：〈墨家道家均孔學派別論〉，《四益館雜著》，頁60a。

66 逯耀東：《抑鬱與超越——司馬遷與漢武帝時代》（臺北市：東大圖書公司，2007年5月），頁76-77。

科名目，強名如天之至聖，這就與將孔子歸類為儒家一樣的謬妄。[67]廖平接著把孔子兼包諸家之說的要點放在性質分屬於文、質的儒、墨之上。

廖平以孔經兼具文質，將屬質的一派歸給墨子為代表，便要首先說明墨子傳承於孔子的理由。他以墨子用《詩》、《書》、《春秋》立說，與孟子、荀子一樣的稱引經傳相同，可知墨子也是孔子的門徒。那麼怎知墨子傳承了孔子尚質一派的思想？因《淮南子》明言墨子學於儒者，因憤世勢濁亂，乃專言夏禮。廖平以為關鍵即在「夏禮」二字，因為西漢博士有「殷質周文」之說，殷屬質，夏年代又在殷前，以進化的角度判斷，夏文化必會比殷質野，所以墨子所言的「夏禮」一定屬質。西漢博士傳經，有文質二派，則《公羊》所謂的改文從質說，必定是由墨家所承繼的。相對於墨家的儒家則是主文，為從周之說。[68]廖平這麼處理，孔子之學就有具體的文、質兩派，他說「儒故不能規步孔子，墨亦不能自外生成」，[69]這句話是含有深意的，因為儒家不能範圍孔子，所以儒家的缺點就未必牽涉孔子；墨子是傳承孔子，墨家的功用，便是孔經本已具有的。

廖平接著論述孔子的質家思想有兩個欲實行的層面，筆者稱為「當下」與「俟後」之說，先講孔子主要關懷的「俟後」之說。因為孔子已經預想到將來孔道將大行全球，對於世界的蠻野之地，應先以三月之喪等簡質之禮循序導引之，不適合驟行三年之喪。墨子既然從學孔子尚質一派，其理念就如同《公羊》的「許夷狄者不一而足」，主張文化尚未開化時不能以美備的制度求全，所以墨家是為「行經」（執行經意）而設，墨子在戰國時只行三月之喪即是此意。再以孔子作經時的「當下」情況來說，文化未進，必先質而後文，也應先行三月之喪再徐推至三年，但是孔子之後的儒者，懼怕用墨子派的簡質之後，完備的經說無法被保存，為了「存經」的考量，自孔子卒後，立即用美盛的制度行於中國至今，所以中國未曾實行過質家。這麼一來，使中國造成文弊的，就不是孔子與六經，而是主文的儒家了，但以儒墨

---

67 廖平：〈墨家道家均孔學派別論〉，《四益館雜著》，頁60a。

68 廖平：〈墨家道家均孔學派別論〉，《四益館雜著》，頁60b。

69 同前註。

兩家而言，兩者均是孔子的理想，缺一不可。[70]

廖平把墨子思想納入孔經體系中，充實了孔經具「質」的理想之一面，而他的這一處理方式，同時也在回應同時代諸子學興起的思潮。廖平在論墨子的同時，批評了國粹學派以孔墨為敵對的看法。[71]國粹學派從學術平等的觀念出發，夷六經於古史，並著力研究、肯定久被抹殺的諸子學價值。章太炎、劉師培等人對於墨家的評價都甚高，視墨家的道德、實用、兼愛等理念均為孔學所不足，並將諸子與西方政治觀念互相牽引比附。[72]晚清諸子學的興起，主受時代與西學的刺激，時人感受到傳統儒學有所不足，轉而向諸子尋求思想與因應時局的資糧，廖平詮釋墨子以及其他諸子學，也是在這種時代的需求下所產生。但是同樣在重視諸子學的前提下，國粹學派降低六經的地位，甚至夷六經於古史的學理是廖平所不能忍受的。廖平對諸子學的處理方式，迥別於國粹學派的學者，他是在尊孔尊經的旗幟下，將先秦諸子的思想都上溯到孔子，把諸子納入孔經的系譜中，以此充實、豐富，甚至轉化孔經的內涵。

現在再回到文、質的問題上，既然兩者都是孔子理想的一部分，所以禮失求諸於野。中國文詳道德，為形上之道；西方質詳富強，為形下之器，兩者應互相取法。這透露出的訊息是，廖平雖堅具文化上的自信，但是西方各國步步進逼，也是顯而易見的，最終還是承認富強之術，中不如外，必須向西方學習。關於文質思想的傳統學術源流，以及廖平倡議文質論的心態等，丁亞傑先生曾有詳細的研究，[73]本文接下來僅著重在中國應如何具體的採擷西方的形下之器。

70 廖平：〈墨家道家均孔學派別論〉，《四益館雜著》，頁60a-62a。

71 廖平：〈墨家道家均孔學派別論〉，《四益館雜著》，頁60b。

72 鄭師渠：《國粹、國學、國魂——晚清國粹派文化思想研究》（臺北市：文津出版社，1992年），頁214-215。

73 詳見丁亞傑：《清末民初公羊學研究——皮錫瑞、廖平、康有為》（臺北市：萬卷樓圖書公司，2002年3月），頁338-344。

（二）中國當增進之處

　　中國當取西方者，均是本身古已有之，現今應重新發揚者，主要包括外交、兵學、農工商賈方面的學問。也因廖平視春秋時期如今天的西方情狀，所以孔子《春秋》即是針對目前的西方與中國予以引導，這在完成於光緒二十九年的《大統春秋公羊補證》有詳細的發揮。

　　《春秋》經文「成公十七年，十一月，公至自伐鄭」之下，廖平藉著這種國際間的戰爭抒發自己的想法：

> 鄭，中國樞紐，為當時戰場。西之土耳其，東之東三省，強國所必爭。……外交為聖人言語科，學者所當講習。……當此萬國交涉，時事維艱，不有言語一科何能振作？聖人為萬世立法，先設此科，以圍範全球。區區西人之智慧，何能遠及千百萬世，與孔子相終始哉。[74]

春秋時的鄭國，是中國的樞紐，為當時的戰場，就如同今天的土耳其與中國的東三省，都是兵家必爭之地。處在這樣的局勢，外交就顯得非常重要。外交之學就是昔日孔門四科中的「言語」一科，是學者所當研習的。孔子聖人在兩千年前設了這一科，就是為了兩千年後全球的人們做準備，因此西方人的智慧是無法與孔子相比擬的。此外，他又認為外交之學在傳統古籍中也不少，例如《周禮》與《春秋》，他說：「《周禮》大小行人專掌外交，為言語縱橫之學，即今之外務部。《春秋》餘官不詳，行人屢見。唐宋以後，外交之學乃絕焉不講，所當恢復。」[75]《周禮》的大小行人之官專掌外交，如同今日的外務部一般；《春秋》中也屢見使官往來，可見這是古已有之的學問。唐宋以後就不見這種外交之學，這是今日應當恢復的。他又指出《左傳》之中多記載使官往來各國之事，有志實務者當援古證今以求實用，[76]兵

74　廖平：《大統春秋公羊補證・成公十七年》，卷7，頁32-33。

75　廖平：《大統春秋公羊補證・定公六年》，卷10，頁17。

76　廖平：《大統春秋公羊補證・襄公八年》，卷8，頁18。

學亦復如此：

> 富強之學，中不如外。群雄角立，兵戰時過古人。禮失求野，所當求
> 益者。……兵學為政治之最精，大抵一統則惰，分角則勤，春秋亦為
> 亂世，兵戰所必詳求。禮失求野，此當取法外人。[77]

此段指出中國應當取法西方的兵學（軍事）。外國兵學勝於中國，是因為西
方國家林立，群雄較勁，因此武力發達。春秋時期的中國也是群雄相競，講
究兵學。到了秦以後大一統，便不尚武力，今日應當抱著「禮失求野」的心
態，取法外國人。他又說：

> 海外兵戰較占尤為精詳。禮失求野，凡司空司馬之學，皆宜參用新
> 法。外之法中者，獨在司徒一職。以《春秋》言，大抵外事當求野，
> 內事則守舊。[78]

海外的兵學戰術十分精詳，中國當學之。以他的角度來看《春秋》，中國應
學習西方的「司空」、「司馬」之學，即效法西方的武力之強；而西方應學習
中國的「司徒」之學，即是教育文化方面之學。除了兵學之外，中國當學西
方的，還有「農工商賈」之學。他認為「農工商賈諸學皆當取法外人。國勢
強則外海自戢。凡被兵皆不善謀國，不能自強者。」[79]若要國勢強盛，還要
注意發展農工商學。中國會被外侮，是因為不能發展這些專門之學有以致
之。

由上可知，廖平對中、西世界的認知，是西方文化遠不如中國，而中國
的富強之術不及西方。所謂的富強之術，不外是外交、兵學（軍事）以及農
工商之學。這也與他提出的中國為「文」，西方為「質」，兩者要相互取法，
目標是與「文質彬彬」的大同世界之理念相互呼應。

---

77 廖平：《大統春秋公羊補證・成公九年》，卷7，頁18。
78 廖平：《大統春秋公羊補證・成公五年》，卷8，頁12。
79 廖平：《大統春秋公羊補證・成公九年》，卷7，頁18。

四　從「六經」到「十二經」：論廖平道器觀的演變

　　上文討論廖平的文質觀，認為孔經本身已經具備文質彬彬的特質，但是所謂「孔經」的內容，在廖平思想的演進裡，似乎不是那麼的一成不變。民國二年，廖平在原先孔子「作」六經的基礎上，再提出孔子「述」六藝的說法，把六經與六藝合為十二經，是為孔經的內容：「學者論學，首在作、述之分。今決定其案，六經為作，六藝為述。孔子翻十二經，則六藝與六經同出孔定。」[80]由於廖平長期以來都是言必稱孔子「作」六經，從未有過或是承認過孔子也曾述古的說法，因此這個觀點的提出，就值得特別留意；又六經與六藝的關係也關涉到廖平的文質觀或道器觀，因此擬就其中的意義作一個探討。

　　首先從「十二經」一詞談起。廖平自光緒二十三年以後開始有十二經之說，並陸續提出自己的見解，以下先敘述廖平的看法與演變過程，並探討提出十二經的背後所蘊藏的意義。

（一）十二經的提出與內容

　　廖平在成書於光緒二十三年的《經話（乙編）》中，首先關注到《莊子》有十二經的說法，但是廖平當時對十二經的存在與否及後人的解說是抱著質疑的態度：

　　　　讀古經不可以求孤證。蓋孤證或為字誤，或為屬誤，證以時事，並無其論，此可知也。如《莊子》有「十二經」之說，從古並無此言，必字誤也。緯書，東漢之初猶無此名，而〈李尋傳〉乃有「五經」、「六緯」之說，本謂緯星，乃強以為書名。使當時果有六緯與經並重，何以時人並不一及，惟李尋一語？東漢尊信讖記，無所不至，使緯名與

80　廖平：《孔經哲學發微》，《廖平選集》，上冊，頁329-330。

經對文，何不以緯名讖？蓋緯名之貴，乃東漢末師私尊其學，俾與經對；西漢並無此說也。[81]

十二經之說，首出於《莊子》，但未明言何謂十二經的內容。《後漢書・李尋傳》以六緯與六經並重，認為十二經是六緯與六經的合稱。廖平對這種說法不以為然，他先指出《莊子》的十二經說是孤證，李尋僅以《莊子》的說法遽認有十二經的存在，本身就難以立足；再者，李尋以六緯配經，這是東漢末的儒者過於尊信讖記的結果。東漢初尚無緯書之名，西漢時期也沒有六緯與六經合為十二經的說法。

　　不過到了光緒二十六年，廖平著《古緯彙編補注》一書時，他有了完全不同於之前的看法，認為緯書早已存在，且表現孔子的微言：

> 莊子云：孔子翻十二經。舊說以六經六緯當之。考何君解《公羊》，鄭君注三《禮》，凡屬古典通例，多斷以緯，蓋非緯則經不能解也。或曰：緯之名不見於〈藝文志〉，疑東漢儒者偽託。不知緯者，對經之文，所言多群經秘密，即微言也。班書之以微名，當即此書矣。……惟古書雜亂於東漢，竄點經典往往見於史傳，並以讖記雜入其中。後人不知緯、讖之分，並於讖緯，其誤久矣。[82]

廖平於光緒二十三年時認為東漢初年仍未有緯書之名，但光緒二十六年時他推翻了之前的說法，以自己之前因「緯」名不見於《漢書・藝文志》，遂懷疑緯書為東漢儒者偽託，不知〈藝文志〉中的「微」即是「緯」，所以緯書早已存在，是經師相傳的微言，「緯」也是與「經」相對之意。又何休解《公羊》、鄭玄注三《禮》多用緯說，非緯不能解經，因此廖平承認了緯書的存在與地位，也接受了六經加上六緯為十二經的說法。不過此處十二經中的六緯內容，廖平認為是完全沒有雜入圖讖的內容，因為這時他只認同緯書

---

81 廖平：《經話（乙編）》，《廖平選集》，上冊，頁528。

82 廖平：《古緯彙編補注・序》，收於高承瀛等修，吳嘉謨等纂輯：《光緒井研志》，頁775-776。

的價值，對於圖讖，則以其虛誕無理而不承認其為聖人的微言大義。[83]

到了光緒二十九年的《大統春秋公羊補證》中，他又再次重申緯書為經書相傳的微言，六經與六緯合稱十二經，[84]但不同的是他此時已推崇圖讖的價值，承認為聖人的微言大義，讖與緯是合一的：

> 緯與讖不可強分優劣，……昔賢不明俟聖之旨，區分讖、緯，判為兩派，今既知一原，又苦無明文可據，不復區其優劣，願與學者共明此微言，以復十二經之舊也。[85]

因為承認了圖讖的地位，故認為包含了圖讖的六緯加上六經才是復原了《莊子》所謂十二經的舊義。從光緒二十三年到二十九年，廖平對十二經與讖緯內容看法的不同，是有濃厚的思想轉變意涵在其中的。廖平以經典規劃整個世界的大統時期之始年就是光緒二十三年。在這往後的好幾年，他要逐漸聖化孔子的形象，因此緯書、圖讖中較神秘的天人關係、世界觀等對他神化孔子都是很重要的材料，這也是他逐漸重視緯書，更及於讖記的原因。在此需附帶說明的是，雖然廖平以六緯六經合稱的十二經可代表孔子之道，但卻不能說廖平以孔子「作」十二經，因為廖平明言六緯為先師相傳微言，非孔子所作。至於孔子所「作」的依然只有六經。

行文至此，筆者的主要目的並不是要深究廖平的讖緯觀，而是要說明「經數」所具有的意義，由此再導入與道器／文質相關的六藝加六經為十二經的論述中。先談經數的意義，經的數目在歷史上有許多次增減，經目的名

---

[83] 廖平於光緒十二年完成的《公羊解詁再續十論・圖讖論》中，對東漢何休的《解詁》以緯書說經表示肯定，但對於何休引用讖書，則予以尖銳的批評。他說何休引用的圖讖，包括孔子素王改制、為漢制作、預知劉邦將代周等神話孔子的說法，是「奇怪」、「虛誕無理」、「駭人聽聞」，並認為何休是處在東漢喜好圖讖的學術與政治風氣中，才會有這種解經言論。見廖平：《公羊解詁再續十論・圖讖論》，《廖平選集》，下冊，頁166。

[84] 廖平：《大統春秋公羊補證》，卷9，頁31a。

[85] 廖平：《大統春秋公羊補證》，卷9，頁31b-32a。

稱內容，在歷代也每每不同。秦漢時有五經、六經、七經，唐代有九經、十二經，宋代有十三經、十四經，到了清代段玉裁更有二十一經之說，[86]因此經數與經目在傳統學術的發展中，也會隨著時代、政治、教育、思想、文化等等的變遷或需要而不斷變化。[87]廖平會提出十二經，也絕不僅僅是為了客觀探索《莊子》所謂十二經的內容為何而已，必定是認為經術有所需要，但傳統的六經又已不敷滿足，因而在尊孔的前提下，繼續擴充經典的內容，把讖緯引入孔經，也是同樣的情形。有了這樣的概念，再來看廖平對十二經的發揮，當更能掌握這其中所透露的訊息。

---

86 周予同曾對歷朝經數的內容作過論述。關於「七經」的名稱，始見於《後漢書‧趙典傳》注引《謝承書》，繼見於《三國志‧蜀書‧秦宓傳》，內容說明漢武帝以後就有「七經」了。七經指哪七部儒家經典呢？清全祖望《經史問答》解釋說：「七經者，蓋六經之外，加《論語》。東漢則加《孝經》而去《樂》。」也就是說，一以《詩》、《書》、《禮》、《樂》、《易》、《春秋》、《論語》為七經；二以《詩》、《書》、《禮》、《易》、《春秋》、《論語》、《孝經》為七經。這表示漢武帝以後，《論語》、《孝經》逐漸升格，與漢代「以孝治天下」的思想有關。關於「九經」的名稱，始見於《舊唐書‧儒學傳上》。「九經」的內容，一般根據顧炎武《日知錄》以及皮錫瑞《經學歷史》的說法，指出唐代以科舉取士，在「明經」科中，有三禮（《周禮》、《儀禮》、《禮記》），三傳（《左傳》、《公羊》、《穀梁》），連同《易》、《詩》、《書》，稱為九經。所謂唐朝的「十二經」是指唐文宗開成二年（837）用楷書刻的十二經，除了上列九經外，再加上《論語》、《孝經》、《爾雅》，共計十二部儒家經典。關於「十三經」始稱於宋，是唐朝的「十二經」到宋代時再加上《孟子》，因而有十三經之稱。所謂的「十四經」即十三經加上《大戴禮記》。宋代史繩祖《學齋佔畢》說：「先時，嘗併《大戴記》於十三經末，稱十四經。」清代段玉裁個人主張的「二十一經」，是認為十三經之外，應加《大戴記》、《國語》、《史記》、《漢書》、《資治通鑑》、《說文解字》、《周髀算經》、《九章算數》等八書，為二十一經，以為這些都是周官掌教國子的保氏書數之遺。以上詳見朱維錚編：《周予同經學史論著選集》（上海市：上海人民出版社，1996年7月），頁849-853。

87 張壽安：〈龔自珍論「六經」與「六藝」：學術源流與知識分化的第一步〉，收入王爾敏教授八秩嵩壽榮慶學術論文集編輯委員會策劃編輯：《史學與史識：王爾敏教授八秩嵩壽榮慶學術論文集》（臺北市：廣文書局，2009年7月），頁22-38。

（二）實學的重要：「孔述六藝」與「孔作六經」合為十二經

　　民國二年，廖平再重新提出十二經的內容為六藝加六經，非原先所認定的六經六緯，所持的理由是六緯為傳六經而作，是六經的副屬，故不能與六經並數。他現在要提出能與六經並數的「六藝」，以作、述之分來論六經與六藝：

> 學者論學，首在作、述之分。今決定其案。《六經》為作，六藝為述。孔子翻十二經，則六藝與六經同出孔定。……六藝亦用古文譯為雅言矣。……吾國孔子以前，與今日泰西各國為正比例，吾國所無，或為今日泰西之所有（指器械工藝）。泰西今日所無，吾國乃獨有之。如六藝科目，泰西全有之，此不待孔子首創已有是事。則六藝之本為述古，加以刪修序定之名可也。若六經之學，全為泰西之所無，吾國孔前何能獨有？故不能不全歸之孔作。[88]

六經為孔子所作，為形上之道；六藝為孔子所述，為形下之器，兩者同出孔子手定。關於「六藝」一詞，古來有兩種說法，第一種為《周禮》的禮、樂、射、御、書、數；另一種為六經的別稱，從上古到漢初，常有稱六經為六藝者。廖平所採取的是《周禮》的用法。廖平又以「六藝」為孔子「翻譯」之名，因孔子預知兩千年後的中國應取法西方海外的器物之學，但沒有一個與海外的器物之學相對應的名詞可以告知世界未通之前的中國人，所以用一個大家所熟悉的詞以替代。舉凡工械、技藝、農林、商賈各學，以及言語、文字、翻譯、測量、算學等各種實業皆統於六藝的禮、樂、射、御、書、數的範圍。孔子之前的中國猶如泰西，早有形下的器物之學，並非孔子首創，所以孔子對六藝是述古刪修，內容其實全是當今的泰西實學。[89]這樣

---

88 廖平：《孔經哲學發微》，《廖平選集》，上冊，頁329-330。
89 廖平：《孔經哲學發微》，《廖平選集》，上冊，頁330。

的主張，與時局有密切的關係。道咸以後，經世風氣的興起，更出於外患內憂的實際需要，復受近代西潮衝擊後形成的「學戰」觀念影響，晚清士人對「學」的作用特別重視，到清季最後幾年朝野的一個共同傾向是強調「學要有用」。當時所謂學之「有用」是要能指導或至少支持中國面臨的中外「商戰」和「兵戰」，也就是要落實在「送窮」和「退虜」之上，尤其是後者。而近代中西國家實體競爭的實踐似乎表明了既有的中學實「不能」經世保國，甚至出現了一種嚮慕西方物質而欲揚棄傳統學術的主張。[90]廖平也體認到實學的「有用」和必須，是中國當努力的方向，但是他不能接受以孔子教化為核心的傳統學術已遜於西方，於是抬出被自己所轉化解釋的「六藝」，將它的內容說成是一種普世皆有的學問，亦即實學不是當今泰西諸國的創發，中國遠在春秋時期，孔子未降生之前早已存在，孔子述之，昭示後世的中國要繼續發揚這樣的學術。

　　廖平對十二經的實施方式，多反映在他對民初教育部廢止讀經一事的態度上。民國元年一月，蔡元培任教育總長，教育部公布〈普遍教育暫行辦法〉，規定「小學讀經科一律廢止」，「清學部頒行之教科書一律禁用」。四月，蔡元培發表〈對教育方針之意見〉，認為滿清時代的欽定教育宗旨有忠君、尊孔，忠君與共和政體不合，尊孔與信教自由相違，反對尊孔讀經。五月，教育部通電各省，重申廢止讀經的規定。普通教育廢止讀經，大學校廢經科，而以經科分入文科之哲學、史學、文學三門。[91]對於普通學校廢經一事，廖平提出一個自認為較「持平」的看法，他依據經典的學制將教育分為

---

90 羅志田指出，把中國傳統「送進博物院」，或從「現代」裡驅除「古代」，是從清季到民初相當一部分趨新士人持續的願望，其中吳稚暉可算是一個較激進的代表例子。吳稚暉身為革命黨，又信仰無政府主義，便主張中國應當面向未來，以盡可能最簡捷的方式接受「世界文明」；凡可能妨礙當時中國這一國家和中國人這一民族之美好未來的既存經史典籍，甚至中國文字，皆可棄置。這是在巴黎辦《新世紀》的中國無政府主義者共同分享的一個重要主張，而吳稚暉最樂道之。見羅志田：〈送進博物院：清季民初趨新士人從「現代」裡驅除「古代」的傾向〉，《裂變中的傳承：二十世紀前期的中國文化與學術》（北京市：中華書局，2003年5月），頁94-95。

91 蔡元培：〈全國臨時教育會議開會詞〉，收入高平叔編：《蔡元培全集》，卷2，頁264。

兩個層次：

> 《書大傳》曰：古之帝王，必立大學小學，十三（筆者案：應作十
> 五）年始入小學，見小節焉，踐小義焉；年二十（筆者案：應作十
> 八）入大學，見大節焉，踐大義焉，劈分大小，以為二派，此經例
> 也。……竊以六經六藝合為十二，此即大節大義、小節小義之所以分
> 也。[92]

依據《尚書大傳》的說法，廖平將教育分為「小節小義」／「小道小業」與
「大節大義」／「大道大業」，本末先後，所學不同，學習次第，廖平認為
應以六藝為「本」，六經為「末」：

> 必先入小學以治六藝，此如海外普通科學，凡士、農、工、商必小學
> 通，而後人格足，畢業以後，各就家學以分職業，其大較也。其有出
> 類拔萃者，妙選資格，以備仕宦之選。……凡入大學者，必先入小
> 學，此其科級之分，嚴肅判決，不可蒙混者也。[93]

將十二經中的「六藝」列為小學必讀，因為凡人皆必習六藝，然後人格健
全，畢業後各就所學就業。如果有出類拔萃者，再入大學始能學習六經，以
備仕宦之選。而凡入大學的人，必先入小學，這是科級區分，不可混淆。換
句話說，六藝是大家都必學的，六經則不是人人都必讀。又說：

> 以學堂論，六藝為普通學，必先通六藝，而後具國民資格。國中無一
> 不通六藝之人，即為教育普及。六經則專設於法政高等大學堂。中學
> 堂以下，千人之中得入大學治經者，不過二三人，專為平治學培養人
> 才。所有工械、技藝、農林、商賈各學，言語、文字、算學，皆統於
> 六藝，經、藝分途，而後中外學業優劣偏全可見。如此則中小學堂讀

---

92 廖平：〈中小學不讀經私議〉，《四益館雜著》，頁110a。又見廖平：《孔經哲學發微》，
　　《廖平選集》，上冊，頁330。

93 廖平：〈中小學不讀經私議〉，《四益館雜著》，頁110b。

經不讀經，問題非所急，惟當發明經傳小學、大學分科之區畫。[94]

他指出學習六藝，普通知識才能健全，具備國民資格，若國中每個人皆通六藝，即達到教育普及的地步，至於六經則設於法政高等大學堂，能進入者，千人之中不過二三人，這少數人是要被培養為治國平天下的人才。

　　廖平提出的這個觀點頗耐人尋味，他還是將「六經」放在「六藝」的層次之上，而且六藝與六經都是孔子的「十二經」，人人學習六藝實學並沒有流失孔子的經教價值，他認為這樣就平議了中小學是否讀經的問題，但是他也承認了中小學是不必讀經（六經）的。尤其他指出「經恉宏深，義取治人，不適用於幼童普通知識，因科舉而必責之課讀，此其失也。」[95]不但認為經學義旨過深，不適合幼童的普通知識學習，甚至還批評科舉時代督責幼童讀經是一種缺失，這樣的說法或許也反映了時代的新教育思潮，但實在令人有點訝異是出自廖平的筆下。[96]對照他光緒二十九年時的言論：「孔子之道，兼包中西，以《春秋》為始基，故凡入學堂者，不可不先讀此書，以為

---

94 廖平：《孔經哲學發微》，《廖平選集》，上冊，頁330。又見廖平：〈中庸君子之道章解・附十二經終始〉，《四益館雜著》，頁54a。

95 廖平：〈中小學不讀經私議〉，《四益館雜著》，頁111a。

96 兒童不適合讀經的問題，顧實、陸費逵等人在宣統年間也有相關的議論，也許廖平曾經注意過他們的說法。清末留學日本的顧實（1878-1956），曾於宣統元年發表〈論小學堂讀經之謬〉，批評光緒三十二年頒布的〈奏定學堂章程〉規定小學堂讀經，既不合古教育本法，更不合今教育之科學原則。他認為小學教育應是國民教育，專以養成國民人格為主；經書為治人之學，為做官之教科書，焉能施之於腦質發育未全之兒童？又說，《詩》、《書》、《禮》、《樂》為宗法社會之軌範，奚適於今日之用？所以強調，居今日而主張小學堂讀經，強今之世循古之法，乃正背科學之大原則，更背六經本有之大原則。他以小學堂關係民智之啟迪，反對這個時期以教授讀經為主。見顧實：〈論小學堂讀經之謬〉，《教育雜誌》第1年第4、5期合刊（1909年3月、4月）。又《教育雜誌》主編陸費逵（1886-1941）也認為，清末興學之成效不彰，肇因於〈奏定學堂章程〉有其缺失，建議應酌量變通，以符合新教育之原理，以促進教育之普及。見陸費逵：〈小學堂章程改正私議〉，《教育雜誌》第1年第8期（1909年7月）。陸氏也強調兒童不宜讀經，而且教育不可局限於經書，並建議將經書作一分類，以分別納入修身、國文、歷史、法政等課程中。見陸費逵：〈論中央教育會〉，《教育雜誌》第3年第8期（1911年8月）。

中學西學之根柢。」[97]光緒二十九年時尚且認為學堂學生讀經為迫切之務，到民國之後卻以為只有大學少數人才需讀經，是否他對讀經的觀感與熱誠有所轉變？又廖平現在對六藝實學的重視，與光緒年底講文質互救的說法相較，可以感覺到形下的器物實學，在他的心目中已經有逐漸提昇的趨勢。以下從廖平「十二經」的主張與實踐方式，分析他對文質／道器的態度及其背後隱含的意義。

　　廖平的道器觀，當然也表達了他如何為中國在世界重新定位的思考模式。道器兼備或文質兼備，是進化最完美的狀態，用「十二經」來普及於世，就是要造成這樣的境界。廖平以當前西方所具足的形而下之「六藝」不是泰西的獨創，中國在春秋時代也已經具備，只是現在流失了，需抱著「禮失求諸野」的心態來尋回。但是形而上的道──至高無上的「六經」，卻是中國聖人的制作，沒有孔子，「文明」就無法產生。因此可以說，廖平的「文質觀」或「道器觀」，其實也是他的中西觀，中國所優於泰西的，就是擁有孔子之道，故以文化來說，中國依然處在世界的中心，這是他一貫的態度，但是細究其「文質觀」或「道器觀」內容的轉變，我們可以發現廖平如何定位「孔經」，以及其思想在時代中的變化與意義。

　　首先，從孔子「作」六經與「述」、「作」十二經來看廖平實學觀的演變。廖平光緒年底前所說的「以質救文」、「文質彬彬」，是以孔子所作的六經已經具備了文、質的成分，而且廖平從來都是言必稱孔子「作」六經，從來不曾承認孔子也有述古的時候。但是民國以來，孔子所「作」的「六經」對廖平來說似乎已經不夠了，所以開始提倡孔子曾「述」的「六藝」，把實學納入孔學成為十二經，如此重視六藝的地位，足見他認為實學是重要而必需的。廖平在民國初年這個時間點有抬高實學的意向，應不是偶然的。在甲午戰後，條約束縛更深，外商競爭更烈，中國憂貧，求富意念日漸急切，而求富途徑必須自發展工商入手，因而士人益加的強調實學與實業。根據王爾敏的研究，晚清的「實學」與「實業」原屬不同範疇，實學乃屬學術領域，

---

97 廖平：《大統春秋公羊補證》，卷1，〈提要〉，頁1-2。

而實業則在於種種的生產經營活動。但在一八九〇年代，原來納於實學的科技知識，付之行動，促之實現，遂至創生包羅一切新科技生產事業與經營之綜攝總稱，被命之為「實業」，與「實學」為一體之兩面。實業內容大致同於往昔之工藝，今世之工業，再加以組織經營體系，也包括商業及農、林、漁、牧等在內。但另一方面，甲午戰後的歷史潮流也進入維新、變法、立憲、革命等波瀾迭起的政治運動之中，無暇再加強擴張工商的建設。及至共和肇建，中華民國政府成立的開國要政，首在建設國家，期使達於富強之境；國人亦期望治平，上承前此二十年間（1890-1911）思想的醞釀，眾志所趨，自然匯流為較穩慎的實業建國思想。[98]觀廖平於民國初年之後所稱的「孔經」中之「六藝」內容，傾向於實學的學理推闡，同時也是鼓吹促進實業的概念，因此重視實學實業，與其所處的時代思潮有密切的關係。

不能否認，將孔經從「六經」擴張成「十二經」，加入了被廖平所引申的「六藝」內容，的確是逐漸重視實學的表徵。而提出中小學不必讀經，只有少數進大學的高等人才始需讀經的主張，令人覺得似乎他對提倡經典（五經或六經）的熱忱降低了，而事實真相如何呢？我們要回到廖平作〈中小學不讀經私議〉一文時的民國初年來看當時瀰漫於學界對經學的態度，才能較平允的掌握廖平的意態。自從光緒三十一年（1905），清廷下詔從明年正式停止科舉以後，經學教育已經失去了一大羽翼，雖然清廷為了維護其統治基礎，仍致力於提倡讀經，規定在各級學堂之章程中，晚清朝廷對「儒教」的尊崇可說有增無減，直到民國新教育體系廢經罷祀，「儒教」始可說是完全失去任何制度性的保障。[99]然而清末教育界因西潮以及國家富強的需求，多重視實用專門之學，許多新式實業學堂之設立如雨後春筍般四處林立，它們

---

98 關於晚清實學的興起原因、內容意義及其與實業的關係，詳見王爾敏：〈晚清實學所表現的學術轉型之過渡〉，《中央研究院近代史研究所集刊》第52期（2006年6月），頁24-47；又見王爾敏：〈中華民國開國初期之實業建國思想〉，《中國近代思想史論續集》，頁332-346。

99 陳熙遠：〈孔‧教‧會──近代中國儒家傳統的宗教化與社團化〉，收入林富士主編：《中國史新論》（臺北市：聯經出版公司，2010年），頁512-516，530。

的教學綱目之中，往往未見列有經學，這是令人驚詫的時代巨變。[100]再從當時新興的學術名詞來看，先是晚清在「西學」或「倭學」等衝擊下出現對「中學」的強調，到清季最後幾年，進而在日本的影響下興起一股強烈的「國學」潮流，「國粹」、「國故」等漸成流行的名相，往往成為「中學」的象徵性表述。[101]民國元年（1912），嚴復就任京師大學堂總監督，在一九一二年三月二十九日召集中西教員討論各科改良辦法時，主張將經科、文科兩者合併，改名國學科。[102]「國學科」的提出，與「國粹」、「國故」等這類詞彙出現的意義類似，表徵著經學的衰落已經非常明顯，因為經學如果只是「國學」的一部分，便無復任何特殊地位可言。嚴復對經學的態度，與正式廢經學的教育總長蔡元培其實相距不遠，都是不欲承認經學在教育上的特殊地位，而將經學併入某種學科，成為一種教學和研究的對象。雖然不能忽略仍有一些學者在觀念上還是捍衛著經學的獨特與至上，[103]但是從辛亥鼎革以後，整個大環境下的學術氛圍基本上對經學的存續相當不利。在這種情形

---

100 王爾敏對晚清實學與近代學術轉型的研究，有一個重要的心得，即是論及晚清實學，最值得注意者，是在此學術總綱之中，未見列有經學。特別是提倡實學者，例如江標、王仁俊俱是自幼出身於經學教育，經過層層科考，取得翰林出身，但他們卻只談實學，置經學而不顧，真可令人驚詫時代的巨變。見王爾敏：〈晚清實學所表現的學術轉型之過渡〉，《中央研究院近代史研究所集刊》第52期，頁46。

101 羅志田：〈自序〉，《國家與學術：清季民初關於「國學」的思想論爭》（北京市：三聯書店，2003年1月），頁1-13。

102 〈嚴總監召集教員會議〉，《申報》，1912年4月8日。又見嚴復：〈與熊純如書〉（1912年4月19日），《嚴復集》（北京市：中華書局，1986年），冊3，頁605。

103 例如從經學專業逐漸轉向史學研究的蒙文通，仍然承認經學存在的獨有價值與特色，反對以西方學術之分類、衡量來劃分經學，他說：「自清末改制以來，昔學校之經學一科遂分裂而入於數科，以《易》入哲學，《詩》入文學，《尚書》、《春秋》、《禮》入史學，原本宏偉獨特之經學遂至若存若亡，殆妄以西方學術之分類衡量中國學術，而不顧經學在民族文化中之巨大力量、巨大成就。」見蒙文通：〈論經學遺稿三篇〉，《蒙文通文集》，卷3，頁150。所以蒙氏心目中的「經學」非史學，非哲學，非文學，集古代文化之大成，為後來文化之先導，是具有法典性質的宏偉獨特之學。又見王汎森：〈從經學向史學的過渡——廖平與蒙文通的例子〉，《近代中國的史家與史學》（香港：三聯書店，2008年10月），頁153-154。

下，廖平提出的高等人才始需讀六經（五經）的主張，一方面是為了延續經學命脈而做的不得已之妥協、權宜之計，可謂用心良苦；而另一方面，也反映了廖平的思想亦逐漸的隨著時代而變化，隱約的在承認、接受甚至主張除了六經（五經）之外，還有許多來自西方的重要新知有待學習，這些重要新知的內容已經超過六經能告訴我們的範圍。

最後，透過上述的分析，可以看到廖平從清末到民國以來對器物之學重視程度的隱微轉變，而且也使我們更認識到，終身都「徹底」尊孔尊經的廖平，其實仔細分析他各個時期所尊的「孔經」內容，一直都不是鐵板一塊；所謂的「文質彬彬」，也隨著時間存在著不小的內在質變，這也可視為變動時代經學、學術與思想的一個環節。

五　結論

廖平要為世界重塑價值標準，他以孔子教化為中國文化的核心，以孔經的理想作為全球文明的座標。這樣的論述背景，是在接受了西方進化論的學理下所作的轉化，承認了世界文明是逐漸進化的，而孔經的主張就是符合進化的公理，文明的程度也是依據孔經教化的沾被與否來決定。孔經最重要的內涵就是倫常秩序，這也是中國文化冠於五洲之處。廖平雖堅具文化上的自信，但是西方各國步步進逼，也是顯而易見的，最終還是承認富強之術，中不如外，必須向西方學習。然而無論中西之長，都沒有離開孔經本身所具足的文質彬彬的大統／大同理想，在這個前提下，廖平最關心的是中國目前實踐孔經理想的落實方式。這要從兩個方面進行，廖平以現在中外開通，正是孔經「施及蠻陌」的時候，中國應以文化引領海外他洲以進至於文明，這是屬於「文」的實踐層面；廖平不斷的提及五洲如兄弟，屬「夏」的亞洲或中國並不是要與其它尚屬於「夷」的地區隔絕，在進化的過程中，要由文化較高的地方向文化較低之處化導，使「夷」進至於「夏」，這與《公羊》學的撥亂觀與世界主義是相結合的。最後，進化的極致就是要達到孔經文明的大同境界。從小康到大同之路，甚至大同的境界，三綱五常始終都是廖平要極

力維護的經教價值。另一方面，中國缺少了孔經本已具有，現在僅存於西方的「質」，正是本身最需要增進之處，因此中國要秉著「禮失求諸野」的心情學習西方的富強之術。

廖平的道器觀，當然也表達了他如何為中國在世界重新定位的思考模式。道器兼備或文質兼備，是進化最完美的狀態，用「十二經」來普及於世，就是要造成這樣的境界。不過，廖平認為當前西方所具足的形而下之「六藝」，本來就是全球皆有的，不是泰西的獨創，中國在春秋時代也已經具備，只是現在流失了，需抱著「禮失求諸野」的心態來尋回。但是形而上的道——至高無上的「六經」，卻是中國聖人的制作，沒有孔子，「文明」就無法產生。因此可以說，廖平的「文質觀」或「道器觀」，其實也是他的中西觀，中國所優於泰西的，就是擁有孔子之道，故以文化來說，中國依然處在世界的中心。

但是所謂「孔經」的內容為何，在廖平思想的演進裡，似乎不是那麼的一成不變。廖平光緒年底前所說的「以質救文」、「文質彬彬」，是以孔子所作的六經已經具備了文、質的成分，而且廖平從來都是言必稱孔子「作」六經，從來不曾承認孔子也有述古的時候，但是民國以後，孔子所「作」的「六經」對廖平來說似乎已經不夠了，所以始提孔子曾「述」的「六藝」，把實學引進孔學成為「十二經」，如此重視六藝的地位，足見廖平從光緒年底到民國初年，實學在他心目中的地位有更加提昇的趨向。他隱約的在承認、接受甚至主張除了六經（五經）之外，還有許多來自西方的重要新知有待學習，這些重要新知的內容已經超過六經能告訴我們的範圍。

透過這樣的分析，不但可以看到廖平從清末到民國以來道器觀的隱微轉變，而且也使我們更認識到，終身都「徹底」尊孔尊經的廖平，其實他所尊的「孔經」內容，一直都不是鐵板一塊，而是不斷的將新的理念或知識系統納入孔經，甚至轉化孔經的內涵。所謂的「文質彬彬」，也隨著時間存在著不小的內在質變，這也可視為變動時代經學的一個環節。

劉師培之斠讎思想要義

曾聖益
輔仁大學中國文學系副教授

前言

　　劉師培（1884-1919）是儀徵劉氏學最後代表人物，其先祖劉文淇
（1789-1854）、劉毓崧（1818-1867）、劉壽曾（1838-1882）三代以《春秋左
傳》學留名青史，同列儒林。然溯劉氏學術所成，則是來自細膩的文獻斠讎
工夫，此自劉文淇發其端，至師培仍承其緒而不墜。劉師培是劉壽曾弟劉貴
曾（1845-1898）子，自幼年即與女兄師鑠（1871-1936）及師蒼（1874-
1902）、師慎（1880-1912）、師穎[1]諸兄弟，同在貴曾夫婦的教育下成長。[2]
貴曾自父毓崧捐館金陵後，即奉母攜弟妹返揚州故里，承繼青谿舊屋舊業，
以講學校書為事。壽曾沒後，遺二女一子，貴曾親自教導撫育，迨其長成各
為嫁娶。儀徵劉氏師蒼一代之學術，多出於貴曾夫婦親授，而其教導子弟，
即從文字斠讎入手，故劉氏兄弟幼弱即能領略斠讎精義。

　　劉師培的斠讎著作以《晏子春秋斠補》等二十四種為代表，其發表大約

1　師穎生年待查。梅鉽《青谿舊屋儀徵劉氏五世小記》（作者手寫油印本）記其民國二
　　十四年（1935）卒，然《劉申叔遺書》（南京市：江蘇古籍出版社，1997年。下引
　　《劉申叔遺書》均此版本）後附劉師穎跋，作於民國二十五年（1936）九月。
2　劉貴曾婦李汝諼係江都名士李祖望次女。李祖望住揚州文選樓巷，稱選樓李氏，從劉
　　文淇至交梅植之問學，與劉氏世代交好，著有《說文統繫表》、《古韻旁證》、《契不舍
　　齋詩文集》等多種。李祖望婦葉蕙精通經史，著有《爾雅古注斠詮》，李汝諼自幼熟
　　習，亦精通經史訓詁之學。詳見梅鉽《青谿舊屋儀徵劉氏五世小記》。

在光緒末年至民國八年逝世的十餘年間，可謂是其學術成熟期的作品。[3]但
劉師培從事斠讎工作，卻在更早，宣統二年（1910）出版的《左盦集》中已
收錄〈晏子春秋斠補自序〉等各篇序文，可見當時斠讎工作已有初步成果。
據此推斷，劉師培斠讎工作自幼弱進行，終其一生而未中斷。

一　斠讎工作溯源與斠讎思想的形成

劉師培幼年與師鑠由母親李汝藼（1842-1920）親授《爾雅》、《說文解
字》、《詩經》，年十二，已經讀完《四書》、《五經》，建立學術根基；其後隨
從兄師蒼、師慎讀書，師蒼「留心文獻，劬學嗜古」[4]，師慎「篤嗜許氏
《說文》，宋槧弗去手」[5]，頗得校讀之樂。劉貴曾主持家計，以編輯校書為
業，「夕裁書牘，兼事斠讎，漏三下乃休，歷十五年如一日」[6]。劉師培在此
環境下成長，自亦熟習文字義理及斠讎事，故讀書誦習之餘，即取舊書古義
校訂。其後發表的著作，多來自幼年讀書累積所得。如《周書王會篇補
釋‧序》云：

> 幼誦讀此書，稍有更訂，得義若干條，名曰補釋。至於地名物名之考
> 訂，多散見於他文，茲從略。[7]

《周書王會篇補釋》發表於光緒三十三年（1907），劉師培時年二十三。全
書僅十七條，對孔晁、王應麟及何秋濤所注釋的名物多所補正，正是幼弱時
讀書，取《說文》、《爾雅》以證成的論述，故劉師培〈序〉稱其為匯集幼年

3　據錢玄同〈左盦著述年表〉，見《劉申叔先生遺書》頁12-13。錢玄同云：「余區分劉
　君之思想及學問為前後二期，自民前九年癸卯至前四年戊申為前期，自民元前三年己
　酉至民國八年己未為後期。」《劉申叔先生遺書》頁7。

4　見袁鑣：〈劉張侯傳〉，《左盦題跋》，收入《劉申叔遺書》，頁1983。

5　見劉師培：〈仲兄許仲先生行狀〉，《左盦外集》卷18，收入《劉申叔遺書》，頁1836。

6　見劉師培〈先府君行略〉，《左盦集》卷6，收入《劉申叔遺書》，頁1259。

7　《劉申叔遺書》，頁1168。

的讀書筆記而成。又《周書補正·跋》云：

> 師培幼治此書，旁通近儒之說，兼得元和朱氏駿聲、江都田氏普實、德清戴氏望各校本，參互考覈，以求其真，兼有撰述，未遑寫定。近讀瑞安孫氏詒讓《周書斠補》，每下一義，旁推交通，百思而莫易。〈嘗麥〉諸篇，詮釋尤晰，雖王氏《雜志》，尚成莫逮。因發篋，出舊說，以與孫書互勘，同於孫說者十之二，始異孫說，改從孫說者十之三，於兩說之間可存者，略加編次。[8]

劉師培《周書補正》有〈自序〉及〈跋〉各一篇，〈自序〉作於宣統三年（1911），此跋文則作於民國二年（1913）。其〈自序〉稱「服習斯篇，於茲五載……稿凡四易……」[9]，可知是依據幼時讀書筆記，參酌朱駿等各家說，逐條修訂，最後再覈孫詒讓《周書斠補》，去其複重而成書，其「補正」條文中，用「案」、「又」、「今考」等不同發語，正見其逐次修訂的痕跡。又《穆天子傳補釋·序》云：

> 師培治此書，病昔治此書者率昧考地，因以今地考古名，互相驗證。古義古字，亦稍闡發，成書一卷，顏曰補釋。又卷三「世民之子」，雖復深思，仍昧闕解，世有善思誤書之士，尚其闡此蘊義乎！己酉正月劉師培序。[10]

此〈序〉雖作於宣統元年（1909），但據此文，知《穆天子傳補釋》亦是整理幼年讀書筆記，反覆思考而後論定，而補釋中強調地理名物制度的考訂，又應幼時讀《爾雅》有關。此外，《莊子斠補·序》云：

> 昔治《莊子》，歷檢群籍，兼莅《道藏》各本，以讎異同。故解牴訛，亦附正焉，計所發正約數百事，均王、俞、郭、孫所未詮也。稿

8　同註7，頁786。

9　同註7，頁725-726。

10　同註7，頁1171。

均手錄，行篋未攜。蜀都同好，以莊書疑誼相質，因默憶舊說，什獲二三，按次編錄，輯為一卷，名曰《莊子校補》云爾。[11]

《莊子斠補》僅一卷，除〈序〉外，另有跋文一篇，未著撰文時間，應是與〈序〉同作於民國元年（1912），時劉師培任四川國學院院副。[12]但據此〈序〉文，知其校補《莊子》亦是早年事。劉師培成年後熱衷政治，終日奔波，未必有時間從事斠讎工作，當時發表的斠書序文，疑其均屬早年隨手劄記，故編輯《劉申叔遺書》時未見者多部[13]；即若干成書者，亦多是劉師培根據幼時校讀所得，修訂編輯而成。[14]

由以上各序文，吾覓劉師培自幼弱治學，即頗能質疑，對於前人注釋，亦不輕從，故廣泛參酌清代學者的考訂成果，藉以讎理古書字義，以釋其疑。其中值得注意的是，劉師培早年的斠讀，著重在地理及名物制度的考訂，並據以辨別義理，而不是字句的差異。而從義理的質疑與考訂入手，探求不同版本字句差異產生的原因，以求得最適當的解釋。

劉師培的斠讎工作與其父祖相較，頗為獨特。儀徵劉氏久事斠讎業，其中劉富曾雖稍有爭議，但劉文淇、劉毓崧、劉壽曾、劉貴曾的斠讎成就，在當代均備受肯定。劉師培雖承其緒，但其斠讎觀點與父祖卻顯見不同。劉文淇、劉毓崧助阮元斠勘群籍的內容，主要是宋元舊刊的史書、方志，斠讎的方式亦是以對斠為主。劉師培則大異其趣，就其斠讎的書目中，顯見其對象是先秦兩漢的著述，用的方式則是將考證與斠讎合一。此與其先人的斠讎工作雖有不同，但於儀徵劉氏學中，卻有傳承可循。蓋劉文淇作《左傳舊疏考正》，即透過斠讎的方式以證明孔穎達《左傳正義》沿襲劉炫說的觀點，劉

---

11 《劉申叔遺書》，頁885。序末題「民國元年儀徵劉師培記」。

12 見萬仕國：《劉師培年譜》（揚州市：廣陵書社，2003年），卷3，頁211。

13 如《劉瓛周易注補輯》、《王弼易略例明象篇補釋》、《劉兆公穀注補輯》、《劉熙孟子注補輯》、《國語賈注輯輯》、《呂氏春秋斠補》、《呂氏春秋高注校義》、《獨斷補釋》、《列仙傳斠補》八種，俱見《劉申叔遺書・總目》，頁9。

14 如《賈子新書斠補・序》稱「師培幼治此書，以南宋以前故本……。」《劉申叔遺書》，頁986。

毓崧《周易舊疏考正》、《尚義舊疏考正》二書，劉貴曾《禮記舊疏考正》[15]均賡續劉文淇而作，論證的方式亦大抵相同。劉文淇考辨《左傳正義》中徵引的資料，乃透過文獻流傳過程中留下的記錄，以考訂其來源及流變情況，並藉以呈現原書的樣貌。此方式先用於考訂《左傳正義》的成書，後用於《左傳舊注疏證》的編撰，既使漢人著作中留存的《左傳》舊說，略見一斑；亦藉由字句的差異及學者的理解徵引情況，呈現《左傳》在漢魏的面貌及流傳情況。

　　劉師培補斠各書，著重在義理闡發為主，其主要是取法劉文淇《左傳舊注疏證》辨別杜預注及《左傳舊疏考正》辨正孔穎達疏的精神。其斠注的典籍，主要是先秦兩漢的著作，劉師培考察漢魏六朝的著述及唐宋類書的徵引的字句，對照宋元以下的刊本，以辨析不同時代的學者對古書義理的理解與詮釋情況，進而推定作者原本所欲闡述的觀點。

　　相較於其父祖的斠讎工作，劉師培這種形式與其先人受倩從事的斠刊工作雖大異其趣，但卻是深刻的發揮其先人的斠讎精義，且將儀徵劉氏的斠讎學，自文字辨正推到義理考論，顯現乾嘉考據學的積極目標。

二　論斠讎與學術流變

　　劉師培雖斠補群籍，亦多學術流變相關的論述，但其認為斠讎與學術流變的探討，各有不同的方法和目的，二者並沒有直接的關聯，此與鄭樵、章學誠之說判然不同。

　　書目原本是官府藏書記錄，只有書名、篇卷數、作者等簡單記載。劉向、歆父子校書，條其篇目、撮其旨意，總群書，分門類，[16]遂使書目具備學術分類的功用。

---

15 舊說《禮記舊疏考正》為劉毓崧作，據劉師培〈先府君行略〉，則此書出於劉貴曾之手。

16 《漢書・藝文志》（臺北市：臺灣商務印書館，1996年影印《百衲本二十四史》本），卷30，頁436。

　　將書與學結合，發揮書目的功用，使其成為考察學術流變的依據，自鄭
樵《通志·斠讎略》開始，其〈編次必謹類例論〉云：

> 學之不專者，為書之不明也。書之不明者，為類例之不分也。有專門
> 之書，則有專門之學，有專門之學則有世守之能，人守其學，學守其
> 書，書守其類，人有存沒而學不息，世有變故而書不亡。[17]

欲使書目顯示前人思想觀點的特點，自須有詳密嚴謹的分類原則（類例），
若此，則見類例而知學術流別，學者藉此可略知問學門徑，故書存則學不
息，古人學思可以流傳不息，故鄭樵稱「類例既分，學術自明」[18]。章學誠
《校讎通義》發揮其說，強調斠讎的目的不僅是編輯、著錄及典藏圖書，而
在於「辨章學術，考鏡源流」[19]，欲使書目達到此功用，則藉「互著」[20]、
「別裁」[21]的編輯方法，以達到「即類求書，因書究學」[22]的目的，後人類
書目即可得見各種學術的發展情況。此將斠讎工作變為探討學術發展及流變

---

17 鄭樵：《通志·校讎略》（北京市：中華書局，1995年），頁1804。

18 鄭樵：《通志·校讎略·編次必謹類例論六篇》：「類例既分，學術自明，以其先後本
　　末具在……觀其書可以知其學之源流。或舊無其書而有其學者，是為新出之學，非古
　　道也。」（頁1806）。

19 章學誠：《校斠通義·敘》（北京市：中華書局，1985年，《文史通義》附《校讎通
　　義》）：「校讎之義，蓋自劉向父子部次條別，將以辨章學術，考鏡源流；非深明於道
　　術精微、群言得失者之故者，不足與此。」（頁945）。

20 《校讎通義·互著第三》：「古人最重家學，序列一家之書，凡有涉此一家之學者，無
　　不窮源至委，竟別其流，所謂著作之標準，群言之折衷也。如避重複而不載，則一書
　　本有兩用而僅登一錄，於本書之體，既有所不全；一家本有是書而缺而不載，於一家
　　之學，亦有所不備矣。」（頁966）。

21 《校讎通義·別裁第四》：「古人著書，有採成說，襲用故事者，其所採之書，另有本
　　旨，或歷時已久，不知所出。又或所著之篇，於全書之內，自為一類者；並得裁其篇
　　章，補苴部次，別出門類，以辨著述源流。至其全書，篇次具存，無所更易，隸於本
　　類，亦自兩不相妨。蓋權於賓主輕重之間，知其無庸互見者，而始有裁篇別出之法
　　耳。」（頁972）。

22 《校讎通義·互著第三》：「蓋部次流別申明大道，敘列九流百氏之學，使之繩貫珠
　　聯，無少缺逸；欲人即類求書，因書究學。」（頁966）。

之學，頗受學者所據信，幾視為斠讎圭臬。劉師培則反對此說，其認為斠讎工作，在於「條篇目，撮指意」，亦即清楚呈現前人的學術要旨，目錄的編撰則考察學者的學術主張，將其著作編入適當的類別。〈校讎通義箋言〉論云：

> 會稽章學誠，粗窺略錄根垺，所撰《校讎通義》……以螯別原本相撟衿，顧亦感名游，□因象括義，麗附比從，惟在綴兆節族，何異解素衣緇，室犬吠形乎？
>
> 章所詮恢，特著「互著」、「別裁」兩事，實亦迪緒鄭樵「互著」之義，援兵書複見九流為例；別裁之說，則援〈三朝記〉、〈弟子職〉為詞。弗知兵略攉讎，出自任宏，九流則定自劉向。又尉繚、師曠、力牧、伍子胥、商鞅之書，名雖洊著，篇目繁瘠則弗同，謂即一書，何云其可？
>
> 若云一書兩用，則見仁見智，弇侈由興，五經之文，宋儒詮以性理，弗謂六藝咸儒家也。諸子之編，清儒段以徹故言，弗謂九流悉小學也。夫畦黍荙荙，珉或資炊，然黍為穀族，類弗伺莬，章云詳略互載，直以穀隸薪之方耳。
>
> 夫斯民之生，兼資形氣，氣天形地，烏假生為？章以完書之目與分篇之目並標，烏殊診形氣之名與人鈞列乎？
>
> 夫略、錄之學，要在條篇目，撮指意，非弟推闡原委，恢言家法也已。向、歆讎書，收離糾散，埤闕剗譌，具詳群籍序錄暨《別錄》。章謂父子世官，惟詮流別，斯則譬儿增飾之詞矣！[23]

此箋言針對章學誠「互著」、「別裁」說而發，不難看出劉師培對斠讎的主張。其觀點係以古人的著作為思考中心，希冀能明確的呈現作者的學術思想，認為章學誠強調的辨別學術源流，並不是斠讎的主要目的，甚至以此觀點論斠讎會混淆甚至曲解學者的學術主旨。劉師培強調斠讎的主要目在於

---

23 《左盦外集》，卷12，收入《劉申叔遺書》，頁1614。

「收離糾散，埤闕剟謬」、「條篇目、撮指意」，即經過詳細讎斠，以還原著作原貌，藉以探討作者的學術思想。至於學術流變的探討與論述，則另有探討的依據與基礎，斷不應將各種著作的分類編目與學術流變雜錯不分。[24]

劉師培認為學者的思想有其獨特性與完整性，其論著中各篇章的觀點，無法脫離全書，故「完書之目」與「分篇之目」的基礎不同，不能相提並論，而「互著」及「別裁」割裂個人的觀點，混同多人的思想，均使學者喪失原本面貌。若依據「別裁」及「互著」方法編輯的目錄以論述學術流變，不僅容易扭曲作者本意以就學術風尚，又使據以論述的文獻流於門面，難以呈現學者論述的內容及精神，無法藉以探討學術發展及學者的學術思想。

劉師培辨明二者之差異，不使之混淆，但思想的源流演變的探討，在學術上又有其無法取代的重要性，其故在讎斠群書之外，多另為文論述該書的流變。如《周書補正》六卷之外，另作《周書略說》一卷，以補充其《周書補正·自序》；又如《白虎通義》既作斠補，又作闕文補訂、補釋、源流考，最後成其《白虎通義定本》，由此斠訂過程，可得見劉師培斠讎思想的主要觀點。

斠讎群書與學術流變的論述，同為劉師培重要的學術成就各有代表性。但〈校讎通義箋言〉中，顯現劉師培否定斠讎工作與探討學術流變的必然關係，此觀點落實在其著述中，故劉師培斠讎群書的序跋，多詳述一書的版本流傳，而不論其學術主張。考辨學術流辨的論述，則多就全書的整體觀點，以論述作者的思想淵源及相關著述的關係。

---

24 近代目錄學者多因循鄭樵、章學誠之說，然亦有與劉師培相同，反對藉書目即可辨章學術流變者。昌彼得、潘美月合著：《中國目錄學》（臺北市：文史哲出版社，1991年）〈論類例〉云：「類例之主要目的，在將龐雜繁亂的圖書依其學術系統而條別部次，使其井然有序，既便於收藏，亦便於檢取。至於辨章學術，討論流別，時存乎敘錄小序體制之中。自劉向歆父子奠立我國目錄學，即已立下此義例。後代目錄學者未明此旨，故論者紛紛。」（頁77）。

三　斠讎工作要旨

　　就劉師培斠讎序文，其相關作品的發表，始於光緒三十三年（1907），〈晏子春秋補釋〉、〈法言補釋〉、〈周書王會篇補釋〉均發表於此年。最後發表的是〈王弼易略例明象篇補釋序〉[25]，見於其卒年（民國八年，1919）發行的《國故雜誌》。錢玄同〈劉申叔遺書總目〉將劉師培的著作分作六類，[26]其中丙類「群書校釋」二十四種，約佔《劉申叔遺書》三分之一。錢氏由劉師培思想的變化及著作方式的不同，說明其斠讎著作命名的不同，其論云：

> 丙類校訂各書，或名「補釋」，或名「斠補」。大致前期著名「補釋」，後期所著名「斠補」。（余區劉君之思想及學問為前後二期：自民前九年癸卯至前四年戊申為前期，自民元前三年己酉至民國八年己未為後期。）後期對於前期所著多所修改，故校訂《晏子春秋》、《荀子》、賈子《新書》、楊子《法言》、《白虎通義》五書，均有名「補釋」者及名「斠補」者兩本。（《晏子春秋》，則名「斠補」者，更先後兩本，凡三本。）……又《周書補正》、《墨子拾補》、《楚辭考異》三種，雖不用「斠補」之名，亦悉後期所著。[27]

錢玄同依照書名將劉師培群書斠訂的著作，分為前後期，但如前引《莊子斠補・序》，可知雖名「斠補」，仍是年少時讀書所作，故可知其「補釋」、「斠補」等命名，係發表時視其內容所重新擬定，非僅是著作時代的差別。茲分別劉師培斠訂各書的命名，有「斠補」（《賈子新書斠補》）、「斠義」（《呂氏春秋高

25　《王弼易略例明象篇補釋》一書，《劉申叔遺書》未收，顯見編輯時未能得見，應仍是早年作品。劉師培僅新作序文一篇，刊載於《國故雜誌》。

26　分別為甲類「論群經及小學者」二十二種、乙類「論學術及文辭者」十三種、丙「論群書校釋」二十四種、丁「詩文集」四種、戊類「讀書記」五種、己類「學校教本」六種，凡七十四種。見《劉申叔遺書・總目》，頁2-3。

27　《劉申叔遺書・總目》，頁7。括弧中注釋為錢玄同原文。

注斠義》)、「補正」(《周書補正》)、「斠讎正」(《匡謬正俗斠正》)、「考異」(《楚辭考異》)、「補釋」(《晏子春秋補釋》、《白虎通德義釋》)等不同,其中以「斠補」命名者多。

　　據劉師培斠讎的各書而論,其工作重心雖有不同,但大抵包含考源、斠訂、闡義、輯補四者。

(一)考源

　　考源主要係考辨一書的內容及性質,思想來源及流傳情形。劉師培斠讎各書,除於序文對其書的來龍去脈,均詳加論述外,若限於篇幅,有所不足,則另作「源流考」(《白虎通義源流考》)或「略說」(《周書略說》),以考訂其流傳及篇章內容的分合演變情形。如《周書》、賈誼《新書》、董仲舒《春秋繁露》、班固《白虎通義》等,劉師培均先辨明各書流傳情形,篇卷分合及存逸狀況,以作為其斠讎工作的基礎。《周書補正‧自序》云:

> 《周書》七十一篇,蓋《百篇》之粤枿,九流之蘦萌也。昔周世良佐達儒,習誦弗斁,儔諸謨典,意泯輕軒,仲尼刪書,顧弗加錄,斯蓋〈世俘〉之屬,〈職方〉之倫,詞或遝符于〈武成〉篇,或別麗于《周官》,偏舉已昭,互見則蔓……。百家競興,老摭其英,管、墨、商、韓擄拾咸及……。蓋見仁見智,理非一軌,根柢《六藝》,諸子實鈞,意有所取,不必符儒崇尚,《周書》斯為盛矣。
>
> 惟秦漢傳經,咸自儒家緒纘,七十子繇是絕。無師說與壁經衡顧,稱述亦不替。古文寖盛,儒者稍稍覃治。漢跡既東,說經遺旁徹,詮字說制,奉為裁准,□圍所資,蓋與經勒。
>
> 晉五經博士孔君,辨歧誼於鄭、王,溯故言於賈、馬,按篇撰注,達滯抉幽。《外傳》韋解,近相匹擬,《戴禮》盧注,迥匪其方。惟或依字立訓,間暝通假。降迄六代,遞相迻錄,篇帙缺而莫完,注文殘而弗續,歷唐達宋,篇僅六十,篇存注亡,復佔十九。加以胥寫奪訛,

讎勘勿施，文句俄空，字體錯易。淺知士夫以之下儕汲郡書，流別既
昧，撢研絕罕，間有擴傳孔義，只王應麟《王會篇補注》而已。[28]

劉師培首先考訂《周書》與《尚書》的關係，繼而辨析《周書》與先秦諸子
的關聯。就內容言，《周書》與《尚書》、《周官》所記載頗多類似，雖孔子
取《尚書》及《周官》而捨《周書》，然先秦諸子則多所徵引運用。及漢代
古文家重考據，學者用《周書》考訂《五經》，頗有所獲，足見《周書》與
孔門儒說的義理多有相通處。晉後雖有孔晁注，但殘缺不全，孔注更是亡佚
大半。宋以後雖有若干注家，但「訂怢而多支，稂礫弗掇，指義焉通」，清
代學者所作，則多「改移喪真」[29]，書不可信據。以此，劉師培費時多年，
廣搜孔注佚文，以補正各家《周書》注釋闕誤。

　　古籍篇目分合及傳抄刊刻造成的卷帙異同，自是從事斠讎工作前須先作
分辨者，劉師培作各書斠補，均先考辨流傳情形，以擇定底本及斠補文獻。
《賈子新書斠補・序》云：

> 賈誼書載《漢志・儒家》，計五十八篇，凡〈誼傳〉所載〈治安策〉
> 諸疏，及誼文載入〈食貨志〉者，均散見五十八篇中。蓋上之疏、所
> 著之書，恆旨同而篇別，離合省併，不必盡同。近劉氏端臨《漢學拾
> 遺》指為班固所刪併，似未必然。考宋代以前所徵引，或曰「賈子新
> 書」，或稱「賈子」，或稱「賈誼書」，均指今本；惟卷目分併不同，
> 具見盧〈序〉。俗稱或祇標「新書」，則稱名之訛也。
> 斯書刊本以南宋潭本為善……均較他本為長，盧校雖宗建、潭二本，
> 然恆取資他本，以己意相損益；誼若罕通，則指為衍羡之文。由是有
> 誤增之失，有誤刪之失，又有當易而不易，當衍而不衍之失。近儒匡
> 盧失者，惟俞氏《平議》、孫氏《札迻》，嗣外德清戴氏、海寧唐氏、
> 南匯張氏，均有校訂之詞，惟說多亡佚。[30]

28　《劉申叔遺書》，頁752。

29　見《周書補正・跋》，收入《劉申叔遺書》，頁786。

30　《劉申叔遺書》，頁986。

賈誼《新書》流傳至南宋，仍大致保持原本篇數。劉師培在考察盧文弨斠本
的得失後，認為舊刊本之失惟多訛脫、誤字，內容較盧斠本可信，故此斠補
以文字訂誤為主。若《春秋繁露》，則於宋時即無完帙，故劉師培先考訂其
後的流傳情形，《春秋繁露斠補・序》云：

> 《繁露》自北宋中葉，書已殘佚，樓郁〈序〉稱書十卷，歐陽修〈書
> 後〉亦謂纔四十餘篇，所據遺即郁本書。後又謂館中所見有八十餘
> 篇，民間又獻三十餘篇，篇數在八十篇外《崇文總目》亦言《繁露》
> 八十二篇，蓋修於館中所見者，即《總目》所著之本。校以民間所
> 獻，仍缺數篇，則八十二篇亦非完本矣。晁公武《郡齋讀書誌》亦言
> 八十二篇，則所藏同閣本。至於南宋黃東發《日抄》謂《中興館閣書
> 目》止存十卷三十七篇，程大昌〈秘書省繁露書後〉謂「《繁露》十
> 七卷，紹興間董某進。」又謂「《通典》、《寰宇記》所引，多今本所
> 無。」則南宋館閣之本二，一為十卷三十七篇本，一為十七卷本。
> 胡榘所刊羅氏本亦三十七篇，或即館閣十卷之本。較修所稱四十餘
> 篇，復有所缺。然樓鑰謂程引三書之言皆在其中，則三十七之本又較
> 十七卷之本不同。嗣樓鑰得潘氏八十二篇本，刊之江西，校以北宋閣
> 本及晁氏藏本，篇目均合，然樓跋已言缺三篇。時別有十八卷寫本，
> 亦缺三篇，見陳氏《直齋書錄解題》。
> 明人所刊均本樓刻，惟復有訛捝。乾隆聚珍版本據《大典》所存樓本
> 以正明本訛說。近盧、凌二本，均以聚珍本為主，惟盧氏校本兼以明
> 蜀本、何本、程本相勘，或以己意相改易，此《繁露》各刊之得失
> 也。
> 若夫捝字、訛文，盧、凌所校，俞、孫所糾，亦僅十得四、五，故魚
> 魯雜揉，致難讀卒。[31]

《春秋繁露》不見於《漢書・藝文志》，《四庫全書總目》稱此書「宋代已有

---

31 《劉申叔遺書》，頁1007-1008。

四本，多寡不同，至樓鑰所校，乃為定本」[32]。劉師培就前人論及的篇數、卷數的差異，及各家書志記載的變化情況，以考察宋初官府所藏的《春秋繁露》與清代中葉盧文弨、淩曙校注本的差異，並詳論其得失，作為其校訂字句，辨訛補缺的依據。而《春秋繁露》卷帙既自北宋即有缺佚，故其在斠補之外，另作《春秋繁露佚文輯補》一卷。

劉師培作各書斠補的，均先詳細考辨該書的流傳情形，清楚掌握文獻的特性，就版本流衍以考訂訛脫所致，故其校語多詳密精審可信從。

（二）斠訂

斠訂典籍，首先自是辨明文字差異，判斷差異及訛誤產生的原因，最後綜合各種文獻材料，論明最接近作者原意的字詞。劉師培亦依循此方式，《賈子新書斠補・序》云：

> 師培校勘斯書，歷有年所，互勘之餘，間以己意發正。有以本篇之文互證者……有以他書相比傳者……有據字形正其訛誤者……有據字形定為衍文者……有據聲同為通假者……有審文正其衍挩者。[33]

以上六者為其斠讎的主要方法，其中以本篇的文字互證，或比傳他書記載以考訂，則視典籍流傳情形而用。但不論是本書文字或是他書的記載，劉師培大抵採唐代以前古籍作為斠讎的主要依據。

古代的著述，流傳後代而不亡佚者，百不存一；其流傳於後世者，傳鈔、刊刻之際，亦未有能保存原貌者。篇卷散佚分合，文字訛挩衍羨，各式錯誤隨各刊本而行，劉師培《春秋繁露斠補・序》以唐代類書及漢代史籍諸子比勘，指出《春秋繁露》文字在隋唐時代已多訛誤，包含「形近互訛者」、「形近教誤者」、「傳寫致挩者」、「形近而誤衍」各種情形。[34]此數者僅就文

---

32 《四庫全書總目》（北京市：中華書局，1987年），卷30，頁244。

33 《劉申叔遺書》，頁988。

34 同前註，頁1008。

字而論，尚未能包含古籍各種訛誤情形。就其各書斠補所記，古書訛挩情況，以「挩」、「誤」、「衍」、「倒」、「異」五種情況最常見，足以影響論述內容及作者思想。

相較於近代斠讎古籍，多以可見的不同刊本互斠，屬於對斠方式；劉師培斠訂各書，則以「他斠法」為主。蓋其所斠訂的典籍，以先秦兩漢為主，故取漢代諸子史籍及唐代類書中相關的記載驗證，宋元不同刊本字句的出入，並非劉師培首要辨正者。茲略舉數條以見：

1 挩漏

文獻傳鈔過程中，脫文漏句情形，時有所見，其中文字脫漏若於文義無大違礙，尚可存而不論。然部分脫漏於史事或思想則造成嚴重的錯誤，如《管子・戒》「故公死七日不斂」句，劉師培斠云：

> 案：以《史記・齊世家》校之「七」上疑挩「六十」兩字，《左傳》僖十七年云：「冬十月乙亥，齊桓公卒，十二月乙亥赴，辛巳夜殯。」計期適六十七日，與《史記》合。〈小稱〉篇所云十一日，疑亦訛字。[35]

七日與六十七日，適差二月，劉師培以《左傳》、《史記》說明其誤。若《管子・小稱》篇所云十一日，則應是七日之訛；或〈戒〉所云篇七日乃十一日之誤，二者必有一誤。然〈戒〉篇挩漏「六十」二字，應無可疑。

2 訛誤

古文簡潔，單文獨字即包含完整概念，與後代以語詞作為概念不同，故文字訛誤，常造成對古人學術思想的誤解。《賈子新書・無蓄》「乃試而圖之」句，劉師培斠云：

> 案：試者，誠之誤字。《漢書・食貨志》作駾，駾、誠古通，如《周

---

35 同註33，頁799。

禮‧太僕》「誠鼓」，故書作駃是也。若作試字，則失其義。[36]

此誤字，前人不察，造成文義上的誤失。

又《荀子‧仲尼》篇「志不免乎姦心，行不免乎姦道」句，劉師培斠云：

> 案《說苑》引作「身不離姦心，而行不離姦道」下云「而求有譽於眾，不亦難乎！」乃約下文之義。此文兩免字，疑亦古離字之訛，古離字恆省作离字，俗書與免相似，故訛為免。[37]

「免」與「離」二義有別，劉師培以《說苑》引文證之。《說苑》「離」字契合篇旨，故知今本《荀子》此句，係因傳抄刊刻而致誤，漢人所見仍是原本文字。又《管子‧明法》「是故官之失其治也」句，劉師培斠云：

> 案：「治」當作「能」。上云「以譽進能」《韓非子‧有度》篇同，下云「故官失其能」，均其證。《韓非子‧有度》篇述此文，正作「故官之失能者，其國亂」，此尤「治」作「能」之徵。蓋古「能」字通作「台」，因訛為治，《賈子新書》「雖堯舜不能」，《漢書‧賈誼傳》作「不治」，是其例。[38]

此亦就義理以推定文字，劉師培以《管子‧明法》主旨在論「能」，上稱「今主釋法以譽進能」，後云「官失其能」，而不及治，故知「官之失其治」乃誤字。而此訛誤遂使《管子》論述藉申明法令以求官員之才能的篇旨不明。

3 衍羨

古籍流傳過程中造成文字衍羨，或因字詞的繁複衍化而造成，或因牽涉相近事物而誤，或傳鈔時重複載入。衍羨原因雖不一，然常造成後世的誤

---

36 同註33，頁996。
37 同註33，頁914。
38 同註33，頁802。

解，故刊印古書者多改字以求合理。《賈子新書‧階級》「人主之尊，辟無異堂陛」句，劉師培斠云：

> 案下文以陛喻臣，又言天子如堂。此作堂陛，陛疑衍文。《漢書‧賈誼傳》作「人主之尊譬如堂」，是其證。[39]

又同篇「不及士大夫」句，劉師培斠云：

> 案士疑衍文。《漢書》亦無士字。《禮記‧曲禮》篇曰：「刑不上大夫。」《白虎通義‧五刑》篇云：「刑不上大夫，何？尊大夫……。」古今文均無刑不及士之說，又本篇下文云：「故古者，禮不及庶人，刑不至君子。」《漢書》「君子」作「大夫」，亦其證也。[40]

堂、陛及大夫、士二者，均因其性質相近，關連密切而衍羨，然卻造成名物及制度上之錯誤，後人不察其誤，據以論述，則違背實情。又《春秋繁露‧五行相勝》篇「木者，君之官。夫木者農也」句，劉師培斠云：

> 案下云：「土者，君之官也。」與此相複。據下〈五行相生〉篇，以「君官為司營，司營為土官」，又云：「司農，土官也。」彼此互證，則此文當作「田官」。又下文云：「夫水者，執法，司寇也。」以彼此相例，似當作：「木者，田官，司農也。」餘並衍文。[41]

此釋五行中木所代表事物，劉師培取本書〈五行相生〉篇論述的語法相較，而辨明其衍羨情況。此種衍羨類多產生於刊板以前，其衍文不乏是斠讀者之註記，而傳鈔或刊刻不察而誤闌入者，其內容不僅不是原論述之意，且造成誤解。又如《管子‧五行》「命左右司馬衍組甲厲兵」，劉師培斠云：

> 案：《藝文類聚》四十七引，「兵」作「士眾」，與《書鈔》同見校正，

---

39 同註33，頁991。
40 同註33，頁991-992。
41 同註33，頁1022。

此古本也。《玉海》百二十二引，無「衍」字，餘同今本。此文
「衍」字，乃校者於所刪羨字之旁，標以為別，嗣與正文相淆，本書
類此者寔蕃，近儒恆昧其例。[42]

此類衍羨疏誤，常見於宋元之後的各種刊本中，學者每曲折費心為之注釋而
不得其故，劉師培於其斠補中，均根據考辨所得，說明致誤的原由，冀能還
其原貌。

4 倒乙

倒乙指字詞或文句前後互易、顛倒，此可用他書參照斠正，亦可考察前
後文義而推論，《管子・七法》「所親者戚也」句，劉師培斠云：

案：下云「不為愛親危其社稷，故曰社稷戚於親」，與此相應，以他
節例之，此文「所親者戚」，當作「所戚者親」，下文「所親非戚」，
亦當作「所戚非親」。[43]

又《賈子新書・傅職》「或為之稱詩，而廣道顯德，以馴明其志」句，劉師
培斠云：

案：「為之」二字，疑當乙置而字下，與上《春秋》句同。《國語・楚
語》云：「而為之道廣顯德」，彼為此文所本，亦其證。[44]

此類文字上的錯置倒乙，常造成語義混亂，劉師培依據原書前後篇章用詞，
或參照他書勘正。

5 異文

異文包含文字及字句上的不同，文字可假借互用者，如前所引「能」與

---

42 同註33，頁802。
43 同註33，頁794。
44 同註33，頁996。

「台」、「解」與「懈」及「疑」與「擬」等,《賈子新書‧數寧》「因卑不疑尊」句,劉師培斠云:

> 案：此與賤不踰貴對文。疑與擬同。《韓非子‧八經》篇「后妃不疑」,不疑即不擬,與此同例。[45]

劉師培斠補各書,頗注重古書用字的含義,故其對此類異文特別重視,用以考見當時學術觀點,以各家之間的同異之處。

若唐宋類書中字句上的差異,而文義大旨相同,則或因於傳鈔者改易,《晏子春秋》「嬰聞古之賢君飽而知人之饑,溫而知人之寒,逸而知人之勞」句,劉師培斠云:

> 案:《冊府元龜》引同,惟「勞」下有「也」字。《意林》引,三「而」字均作「則」。《御覽》六百九十四引,作「古之賢者,居飽而知人饑,居溫而知人寒」,與此異。《書鈔》百五十二引,作「古之賢君溫飽而能知民饑寒」。[46]

又同書「內則蔽善惡於君上,外則賣權重於百姓」句,劉師培斠云:

> 案《御覽》九百十一引,作「社鼠者,不可灌之,君左右出賣寒熱,入則比周,此國之社鼠也」,與此不同。與《類聚》五十二、九十五引上作「不可燻不可灌」所引略同見《音義》,此疑後人據《說苑》改。[47]

此二者,見於類書所徵引,其字句或長或短,未必與原書盡同;與宋元之後的刊本,更有差異。劉師培多方引錄,先辨別其中差異,採其可據,以作補釋,並據以推論文字變易的緣由。

---

45 同註33,頁990。
46 同註33,頁808。
47 同註33,頁818。

（三）輯補

　　先秦諸子百家見於《漢書・藝文志》者，百不存一，即流傳至今者，篇卷文字亦多訛脫。漢晉六朝著作，見於《隋書・經籍志》及《舊唐書・經籍志》、《新唐書・藝文志》者，其情況亦近似。清代輯佚學興起，學者雖廣搜輯補，所得仍屬有限。劉師培既以漢魏六朝九隋唐宋初的類書斠補秦漢諸子著作，自多得佚文。且劉師培考訂各家徵引文字與通行傳本之間的歧異，自更能斠補諸子書。其輯補的各書佚文，略述如下：

1　《晏子春秋逸文輯補》

　　輯錄佚文十四條，分別出自《五經正義》、《北堂書鈔》、《藝文類聚》、《太平御覽》及《文選》李善注等書。

2　《荀子佚文輯補》

　　輯錄佚文七條。劉師培序云：

> 《荀子》無缺篇，亦無外篇，然佚文時見他籍，蓋篇有捝節，章有捝句也。王氏念孫所輯四條，附詳所著《雜志》中……今以王氏所輯為主，擴所未備，復得佚文數條……。[48]

其中「蒲稍」、「子夏徒有四壁」確是〈性惡〉及〈大略〉中文字，故不列其《佚文輯補》中。

3　《賈子新書佚文輯補》

　　凡五條。輯自《藝文類聚》、《初學記》、《太平御覽》等書。

---

4 《春秋繁露佚文輯補》

　　凡十二條。卷前述《春秋繁露》源流，略如本文前引。

5 《法言逸文》

　　凡二條。引自《文選》及《太平御覽》。

6 《白虎通義闕文補訂》

　　全卷四十三條，係就莊述祖輯本增補讎訂而成，劉師培序云：

> 《白虎通義》之缺，始於北宋，《御覽》諸書所引，有出今本外者，
> 均據他書迻錄。近儒所輯逸文，以武進莊氏為備。盧校、陳疏均據
> 之。間有增補，不及百一。師培治《通義》久，既著《讎補》三卷，
> 復就莊輯逸文，稍加釐校，作《訂補》一卷，補者補其缺，訂者訂其
> 所采之訛也。[49]

以上六者，均是劉師培讎補之際所作，《白虎通義闕文補訂》擬用以編輯
《白虎通義定本》，惟其僅成三卷，未能完編，殊為可歎。

（四）闡義

　　劉師培讎補各書，原非僅是勘正文字訛誤，要在「疏通證明，以更舊
說」[50]，而其作法視各書的流傳情形，而略有不同。書名「讎補」者，主要
是讎訂文字詞句的過程中，藉時代相近的典籍用語及論述內容，考訂原作者
使用的語句含義，以疑闡發原書旨意，並檢視後人注解所闡釋的內容。書名
「補釋」者，則是在讎訂之後，針對前人注釋而發其議論。《老子讎
補・序》云：

---

49 同註33，頁1103。
50 《賈子新書讎補・序》，收入《劉申叔遺書》，頁989。

校審斯書，惟徵故誼；及故誼罕徵，始互勘本書，以諍註說。……其
所發正約百餘事，按文次列，成《老子斠補》二卷，以補王、洪、
俞、孫所未備也。

若夫宣究義蘊，以經史大誼相闡明，或侈述微言眇義，高下在心，比
傅穿沈，窮高遠而乖本真，今輯斯編，概無取焉。[51]

此清楚說明其斠補的原則，在於以古說印證書中詞義，而非發揮其體會的心
得。其謂「互勘本書，以諍註說」，即是以藉文字斠訂以補充前人未釋之
義。

　　劉師培名為「補釋」之作，則以宣究義蘊為主，如《荀子補釋》、《白虎
通德論補釋》、《周書王會篇補釋》及《穆天子傳補釋》，其書是在斠補之
後，藉相關論述，闡述書中的義理思想，《荀子補釋‧序》云：

夫《左氏》、《毛詩》均傳自荀子，古文家言荀為鼻祖。惟取毛、左之
說，與荀書互證，然後《荀子》之義明。師培自垂髫以來，竊有志於
此，及旅東京，乃取平昔所訂正者，詮而錄之，臚列眾說，以己意為
折衷，得二百八十條，名曰「荀子補釋」。雖刊落陳言，間逞臆說，
然古學墮緒，或即此可虧，此則區區之志也。[52]

清人精通文字訓詁，頗能闡發古書字義，劉師培亦然。但劉師培補釋各書，
並不限於字義，而是兼及制度、思想文化，並取西人學說，與之印證。如同
書〈榮辱〉篇「約者有筐篋之藏，然而行不敢有輿馬」句，劉師培補釋云：

楊注：「約，儉嗇也。」俞樾曰：「約，要也。一聲之轉。蓋物藏於筐
篋者，必是貴重之物，故特以要者言之。」案：楊說固非，俞說尤迂
曲。《論語》：「不可以久處約。」皇疏：「約猶貧困也。」《國語‧吳
語》云：「婉約其辭。」注：「約，悲也。」《楚辭‧招魂》：「土伯久

51　《劉申叔遺書》，頁872。

52　同前註，頁942。

約。」注：「約，屈也。」蓋貧困者謂之約，卑屈者亦謂之約。《荀子》
所言之約，係指卑屈之人言，謂卑屈之人雖致巨富，亦不敢乘輿馬。
猶漢初之制，賈人不得衣絲乘車也。此蓋當時所立之法如此，故荀子
述之。[53]

此顯駁楊倞及俞樾說，楊、俞僅就文字釋義，劉師培則依據漢代制度以比擬
戰國時代的制度，故能陳明《荀子》論述的依據，闡發荀子的意旨。又同書
〈正名〉篇「是謹于守名約之功也」句，劉師培補釋云：

楊注：「約，要約也。」案：「《說文》云：約，纏束也。」《左傳》哀十
一年「人尋約」注：「約，繩也。」《周禮》「司約」，注云：「約言論之
約束也。」《淮南子‧主術訓》云：「所守甚約。」注：「約，要也。」又
《論語》、《孟子》均以博、約為相對之詞，蓋約有束義，引伸之，則
約字之義與範圍二字之義同。西人言名學者，稱為界說，則「謹于守
名約」者，即謹守名詞界說也。楊說非。

以「範圍」釋「約」字，又以西方邏輯上的「界說」（定義」來說明荀子所
云，此種闡釋方式是荀子學習西方學術思想的心得，並將其用在注釋上，在
《荀子補釋》中，尚有若干條，如謂「荀子所言，近于西方心物一元論」[54]
者均是。

四　斠讎取材

儀徵劉氏家學以《左傳》著名，故自劉文淇以下，劉氏子弟多熟習先秦
兩漢學術。劉師培斠讎古書，亦以先秦兩漢著作為主，然此類著述唐宋以前
舊本多不傳，故無法逕引作斠讎依據。以宋代以後刊本作為讎校對象，則各
刊本之間的訛脫，僅能以字句義理判別，而此受限於時代學術特色及個人學

---

53 同註51，頁947。
54 同註51，頁973。

思，不易考論古本樣貌。基於此，劉師培校補各書，採旁證方式，以唐宋以前史籍諸子所徵引參證，或類書所輯錄的資料，作為斠讎的主要依據。

（一）類書

類書節錄各書，常常以意取，而非全文照錄。摘錄的文字亦會有混淆不同書籍，或是誤置的情況。但因其編撰過程中，以資料匯集為主，並非學者個人學術思想的表現，故少有因編撰者的觀念的認知而改易字詞者，用以勘訂各傳本之訛脫、衍羨，最為可信。劉師培《賈子新書斠補・序》云：

> 師培幼治此書，以為南宋以前故本，今不克睹，惟唐宋類書、子鈔所引，足徵建、潭二本訛挽。持以互勘，則知建潭各本，或篇有挽文，如《類聚》卷八所引「有神農以為走禽難以久養，民乃求可食之物，嘗百草察實二字當互乙，鹹苦之味，教民食穀」三十字，《御覽》七十八引同八百三十七亦引，《書鈔》卷八亦引「教民食穀」語，此蓋〈修政語上篇〉挽文……。至於句有挽字，得證尤多，如〈等齊〉篇「天下宮門曰司馬」，《類聚》六十三所引則「馬」下有門字。〈益壤〉篇「高皇帝以為不可」，《類聚》四十五所引，則「可」下有制字……。
>
> 自是而外，有足證各本衍文者，如〈傅職〉篇「教誨諷誦詩書禮樂之不經不法不古」，據《類聚》四十六所引，當作「教誨諷誦書禮，不經不法」餘皆衍文。〈立後義〉篇「故天下皆稱聖帝至治，至秦無道」，別本「聖帝」下作至治。「其道之下，當天下之散亂」，據《治要》所引，當作「其道之也，當也」，道與導同，餘均衍文……。
>
> 有足證各本訛字者，如〈春秋〉篇「煦牛而耕」，《類聚》八十五「煦」作䭰。〈修政語下〉「不死軍兵之事」，《書鈔》五十作「兵車」……〈修政語下〉「民積於順」《治要》引「順」作財，「民富且壽」，《書鈔》五十作「民宜其壽」，〈連語〉「提石之者」，《御覽》三百六十七作「以石抵之者」，則詞義均別，尚待折衷。其有字異義同者，

　　尤不勝縷述。[55]

劉師培以《藝文類聚》、《北堂書鈔》及《太平御覽》、《意林》、《白氏六帖》、
《群書治要》等書斠訂時本，顯見有挩文、衍文、誤字、異文等各種情況，
就類書的徵引情況，顯見其訛誤多在宋代刊本流傳以前即發生，就宋以下各
種刊本互斠，則不易得見其差異，亦不易斷定正誤。故劉師培斠訂古書，首
重唐代類書所徵引，《春秋繁露斠補・序》亦云：「師培校審斯書，以為宋代
以前故本，今不克徵，惟唐代類書所引，尚足證今本訛挩。」[56]

（二）秦漢六朝著述

　　劉師培斠讎雖首重唐代類書，然唐代類書存留至今僅《藝文類聚》、《北
堂書鈔》等寥寥數種，故於此之外，須借助漢唐之間的文獻，此又以兩漢的
諸子著作最為重要，《春秋繁露斠補・序》云：

> 若唐人所引無徵，則《繁露》一書，多本《荀卿》、《管》、《韓》，與
> 《淮南》、賈、劉之書相出入，參互勘驗，訛挩斯呈。如〈玉杯〉篇
> 「既美其道」節，證以《賈子・容經》……。校審訛挩，惟彼足資。
> 及子書罕微，始徵他籍……。互勘而義昭，互勘而外，兼以己意相
> 詮。[57]

廣泛取證同時代及其前後相關的著作，是劉師培的斠讎的基本原則，因此除
此序文所論列各書外，漢魏六朝著作，如《說苑》、《法言》、《論衡》、《博物
志》、《世說新語》、《一切經音義》、《玉燭寶典》、《文選》李注等各書，均其
徵引斠讎的材料。

　　劉師培雖以唐代類書及唐代以前典籍作為斠讎的主要依據，但仍取材部

---

55 同註51，頁986-987。

56 同註51，頁1008。

57 同註51，頁1008。

分宋元以後編撰的類書，如《玉梅》、《事文類聚》等數種，蓋其於各種類書的編纂過程中，少有編撰者，因其識見而校改古書文字，故多能保留當時的文句語詞。

結語

　　劉師培斠讎古籍的工作，起始於文字校勘，終於定本及補釋，既欲提供一內容接近原貌，可據信的版本善本，且闡發古人精義及其覃思論學所得。雖其限於天年，所完成者多在斠補方面，但其中精義要旨，頗有可采，足為來者從事文獻斠讎工作者遵循。

　　在斠讎文獻上劉師培以唐代以前的各種材料作為斠讎的依據，相較於乾嘉時期阮元主持的《十三經流疏》校勘工作，顯示其過人的文獻觀念，蓋其重視者不在於形式上的板本，而是學術思想的流衍過程，及各種情況下保存的學術原貌。

　　漢代諸子的學說延續先秦諸子而發展，故在論述上與先秦諸子頗多相似之處；但在思想觀點上，又不難看出其受到政治氣氛，儒學獨尊的影響而呈現的差異。劉師培透過文字的讎斠，指出各書的文詞用字之間的關連，由此而論其承續關係，自是精闢有據。由其由考訂與論述中，不難看出先秦兩漢諸子間錯綜複雜的資料援引情形，而思想的融合就在其中完成。劉師培的斠注方式，不啻為漢代的經學與儒學研究，另闢新逕。

　　清代輯佚學者廣自類書中輯存漢魏六朝佚書，成效可觀，但卻未見如劉師培以類書徵引的字句作為斠勘依據的著作，即如盧文弨《群書拾補》、王念孫《讀書雜誌》以至晚清俞樾的各書斠釋，亦是如此。專就此斠勘依據的材料而言，劉師培的作法亦超過乾嘉學者甚遠，如阮元《十三經注疏校勘記》所用的斠勘文獻，是以宋代以後各種刊本為主，故字句差異的辨正極少能超出通行文字；對於文字差異造成的語意及思想的不同，能提供的參考，極為有限。劉師培所作斠補則不然，其以唐代以前類書及史傳諸子所徵引為主，此徵引字句即代表當時學者所見的文字或其理解，藉此隱約可以推究一

書的流傳情形。而據此探討古人的學術思想，亦能超越宋元以後刊本的限制。劉師培短暫的生命中，可以有廣博深入的學術成就，或許即奠基於此。

——原載《國文學報》第四十五期（2009 年 6 月），頁二五～五六

疑古與證古

—— 從康有為到王國維

張麗珠

明道大學人文學院院長

一　前言

　　晚清今文學極盛，自莊存與（1719-1788）《春秋正辭》獨取《公羊》以發揮微言大義始，莊述祖（1750-1816）又論《左氏》不傳《春秋》，並提出劉歆「逞臆虛造」之說。其後劉逢祿（1776-1829）有《左氏春秋考證》，亦謂《左氏》乃史、非《春秋》經傳，是記事、不是解經之書；其解經者，劉歆所竄入也。龔自珍（1792-1841）、魏源（1794-1859）等也都不信古文，龔自珍有《左氏決疣》，魏源則攻擊《毛傳》、《詩序》以及馬、鄭《尚書》，並正式以《公羊》之義闡《詩》、《書》二經，而成《詩古微》與《書古微》。此外邵懿辰也辨《禮》三十九篇為劉歆所偽造，又斥《周官》，著有《禮經通論》，群經今文說出焉，故梁啟超言「自劉書出而《左傳》真偽成問題，自魏書出而《毛詩》真偽成問題，自邵書出而《逸禮》真偽成問題。」是故清代中晚期在具有明顯改革意識的常州學派發揚下，公羊學因「援經議政」且「其中多非常異義可怪之論」，導致「自魏晉以還，莫敢道焉」的沉寂情況，[1]終於一掃且蔚為興盛。

1　上詳何休：《春秋公羊注疏・序》，收入《十三經注疏》（臺北縣：藝文印書館，1982年），頁3；梁啟超：《清代學術概論》，收入《飲冰室專集》（臺北市：臺灣中華書局，1978年），冊6，頁54-55。

　　不過，就學術的主流發展言，此時雖然已過了強調名物訓詁的考據學如日中天的乾嘉全盛時期，對於考據末流的不滿聲音亦迭有之，今文學家更是力圖扭轉漢學瑣碎考辨之學風；但是今文學者卻未必都排斥古文，也多並未放棄考證方法論——例如莊存與固然右《公羊》而駁《左氏》，但是他也右《毛傳》而駁鄭玄；莊述祖也嘗著《毛詩考證》，其說亦從《毛傳》；[2] 而晚清集今文學大成的康有為（1858-1927）主力著作《新學偽經考》，也是通過訓詁考證的方法門徑，以經史考證形式力圖恢復西漢今文經學之原貌的，故美籍學者艾爾曼也說「今文經學闡發的一系列觀點與訴諸小學和復古的主張息息相關。」[3] 此蓋由於強調名物訓詁、辨正校補的考證法，除在乾嘉全盛期交出一張成果輝煌的考證古籍成績單以外，當此一考證法被學者提高到學術的「方法論」高度，被當成一種學術共法、而非學術目的加以運用時，便能有超出整理、考證古籍的其他範疇成就出現，也即能夠超越考據視野、而只是借徑考證法以做為證成學術理論的方法途徑——例如乾嘉時期除了眾所周知的經史考據成就外，由戴震領軍而有別於理學「道德形上學」模式，轉而強調實在界、經驗取向的「乾嘉新義理學」，亦是通過「由詞通道」方法論以建構的道德學新體系。是以晚清今文學興盛，同樣也可以從乾嘉儒者所倚為指導思想的「訓詁明而後義理明」角度出發，同樣從「由詞通道」的方法論角度來看，而認為晚清今文學亦是以考證法證成其所自得經典義理之學術成果；是故晚清今文學家就是通過考證法，而以發揚強調改革思想的西漢今文經傳統為目的，是對今文經以「經術」結合「治術」的經世之學的落實實踐，此並可以自龔自珍、康有為等人之借託經義以譏切時政而得到明證。因此「晚清今文學」的經世之學和「乾嘉新義理學」的道德哲學，雖然分別具有政治學說、改革要求和強調道德哲學的不同義理目的，彼此殊途；但同樣都是取徑考證法的具體實踐，都是通過「以考證證成思想」的方法論運用

2　上論參考曹美秀：《論朱一新與晚清學術》（臺北市：國立臺灣大學中文研究所博士論文，2004年），頁128。

3　〔美〕艾爾曼著，趙剛譯：《從理學到樸學——中華帝國晚期思想與社會變化面面觀》（南京市：江蘇人民出版社，1997年），頁16。

取得的學術成果。是故晚清今文學和乾嘉考據學之間，是一種連續性、而非
對立或斷裂性的學術發展。

二　康有為以經術文飾政論的今文立場

　　十九世紀強調社會變革、批判時政、鼓吹革新制度等經世思潮，正是以
今文學之復興為其哲學基礎的。繼西漢推尊公羊學為官方哲學暨指導思想之
盛極一時後，何休在東漢古文興盛的大勢下，力守今文矩矱，他以《春秋公
羊解詁》總結公羊家法，而發揮所謂「非常異義可怪之論」。他從總結以往
歷史的高度講「變」，從具體的歷史問題中概括出歷史發展由低而高的進化
史觀，體現了公羊家強調變動的歷史觀。何休此一對歷史本質的哲理概括，
啟發了清代中葉以降的經世思潮，晚清康有為在面對不得不疾加變革的敗壞
政局時，就是立足在常州今文學興盛的基礎上，吸收了譬如劉逢祿《春秋公
羊何氏釋例》中次第發明古文家所認為離奇無稽、公羊家卻倚為依據，內容
闡發變易進化歷史哲學的「張三世」、論治國之道「窮則必變」的「通三
統」和「絀周王魯」、「受命改制」等所謂「非常異義可怪之論」之義，同時
還繼承了魏源等人的學術成果，並成為晚清今文學之集大成者。所以十八世
紀的常州今文學就是通過龔自珍、魏源等人之批判性與改革性，而與十九世
紀康有為、梁啟超等人之經世學說，建立起直接聯繫關係的。

　　康有為，一位站在動盪時代歷史時點上，想要透過變法改制以救亡圖
存，想要援引西學以改造傳統儒學的代表人物；身為變法維新的主導者，他
正是通過公羊學而集晚清政潮與思潮領導者於一身的。公羊學的精髓在於
「變」，正是用變易的觀點來看社會制度等等之演變，因此康有為接受了廖
平「尊今抑古」的觀點，為了尋求晚清君主立憲制的歷史根據，他於是毅然
拋棄了早年所持尊奉古文經的古學立場，並以「悟其非」的態度焚去所著
《何氏糾謬》，改持以「三統」思想為核心的孔子「改制受命」說，採取
「孔子黜夏，存周，以《春秋》當新王，變法改制」的西漢今文經立場。不
過康有為的今文經立場並未拘守派別，他一方面固取董仲舒的「素王改制」

之義，但卻未取「文質嬗遞」、「三王之道若循環」的「三統」循環觀；他打破歷史循環地以小康、大同之世和東漢何休「據亂→升平→太平」的歷史進化觀相結合，而成為「三世」進化觀，故其亦與龔自珍「三世」說之「世愈古愈治，愈近愈亂」有別。要之，康有為是基於維新變法的需要，以政治考量為出發的。

　　晚清值十數國環伺覬覦之數千年未有變局，身處不容再坐受縛割的危亡之際，康有為抱救世之志、發憤變法，他睜眼看世界而欲援引西學以改革政制，但是四周卻還兀自沉睡在一片「祖宗之法不可變」的封建倫理保守氛圍中；康有為的變法大計一開始頻頻受挫，難達天聽，這使他深切體會到欲行變法，首先必須從根本上駁倒封建守舊派的理論武器——那些維護封建思想的古文經典以及他斥責為「麻木不仁，飲迷熟睡，刺之不知痛，藥之不能入」的腐朽官僚。[4]所以為要達成變法之「更新百度」，康有為只好轉向投入議政論事的今文經立場，變法維新也雙管齊下地一方面創為新說，主張所謂祖宗舊法實皆劉歆為奪取政權而偽造、並非孔聖本旨，力言「劉歆之偽不黜，孔子之道不著。」[5]以此推翻長期來的古文經與舊法傳統，此為《新學偽經考》之主張；另方面則也托命聖賢地援引儒學為奧援，他藉孔子「改制」說以證明「歷時變革」本即聖學傳統和孔子思想之精粹；只緣劉歆偽古文經興起後，公羊學廢、改制義湮、三世說微，太平之治與大同之樂遂闇昧不明，此為《孔子改制考》之要義。不過康有為之「托古」變法，是採另闢蹊徑之援引西學以對傳統經學和道德學加以理論改造的方式，《偽經考》和《改制考》一主「破」、一主「立」，既辨古學之偽，復以孔子改制宣傳變法之合法性，所以康有為是結合公羊學「三統」、「三世」說和《禮記‧禮運》的大同理想，而以「托古改制」、「古經新解」之重塑儒家經典方式重建儒學價值，並做為變法之理論根據的。於是儒學也由此而一變成為君主立憲制的

4　康有為：《七次上書彙編‧上清帝第四書》，收入蔣貴麟編：《康南海先生遺著彙刊》（臺北市：宏業書局，1976年），冊12，頁81。

5　康有為：〈《新學偽經考》敘〉，《新學偽經考》，收入《康南海先生遺著彙刊》，冊1，頁2。

合法依據了。

在《偽經考》中，康有為以王莽篡漢、劉歆篡孔學，樹立起反對東漢到清所尊奉的古文經傳旗幟；他用以打擊舊官僚保守心態的變法理論基礎——偽古文說，倡論「始作偽，亂聖制者，自劉歆；布行偽經，篡孔統者，成於鄭玄。」所以他在〈《新學偽經考》敘〉言，閱兩千年來的古文經學發展，「咸奉偽經為聖法」，導致「奪孔子之經以與周公，而抑孔子為傳。」因此他撰作了《毛詩》偽證、古文《尚書》偽證、《周官》偽證、〈明堂月令〉偽證、費氏《易》偽證、《左氏傳》偽證、《國語》偽證、古文《論語》偽證、古文《孝經》偽證、《爾雅》偽證、《小爾雅》偽證、《說文》偽證等等以遍攻群經。他還藉主客問答而論曰：

> 夫「古學」所以得名者，以諸經之出於孔壁，寫以古文也。夫孔壁既虛，古文亦贗偽而已矣，何古之云？後漢之時，學分今古，既托於孔壁，自以古為尊，此新歆所以售其欺偽者也。……凡後世所指目為「漢學」者，皆賈、馬、許、鄭之學，乃「新學」，非「漢學」也；即宋人所尊述之經，乃多偽經，非孔子之經也。[6]

故康有為力辨劉歆所爭立學官的《周禮》、《逸禮》、《毛詩》、《左傳》等古文經，皆其假校書之權而偽撰，目的在於欲佐莽篡漢，所以先謀涅亂孔子之微言大義。他又說秦皇焚書乃針對民間藏書，並未殃及《六經》，漢十四博士所傳已是孔門足本，「《六經》未嘗亡缺」；而孔子所用字體也就是秦漢間篆體，亦無古、今之別，是以所謂「古文」者，皆「劉歆之竄亂偽撰」者也。此由於清儒之誦法許鄭、主古文者，皆自號為「漢學」；康有為不謂然，故改稱為「新」學，明其皆新莽之學，非漢代之學也。

至於康有為之以「三世」說結合西方進化論所進行的經典詮釋，則是先通過對人類社會未來最後階段的進化結果必是民主政制的「大同理想」預設；然後再由此逆推，指出晚清之際正當「據亂世」與「太平世」之間的

6　康有為：〈《新學偽經考》敘〉，《新學偽經考》，頁3。

「升平世」時代，因此在「各因時宜」之「進化之理，有一定之軌道，不能超度，既至其時，自當變通」的原則下，得出了晚清不能躐等、只能適用於「君主立憲」制的結論。故康有為之經典詮釋就是先設定了「君主專制」與「民主共和」之間的過渡形式——「君主立憲」之君民共治制度，以做為變法維新目標；再將「專制→立憲→民主」和「據亂世→升平世→太平世」加以比附，使得「立憲」制成為「升平世」的相對應政制；最後則仍然回歸到傳統經典並利用做為資源，極力自儒家經典中抉發出可以相比附的微言大義，據此而將傳統經典改造成為「君主立憲」之載體，今文經亦被改造成為變法的理論依據，孔子被改造成為君主立憲制的擁護者暨原始締造者。因此康有為所論「托古改制」兼有雙重涵義：一方面既是對孔子撰《春秋》之托諸先王以行「素王改制」的肯定；另方面也蘊涵自己亦托命先聖，自居以發揚孔子「改制」精神來宣傳變法之合法性。

　　傳統儒學經過了康有為的創造性詮釋——譬如孔子嘗「譏世卿」，康有為即言「世卿之制為孔子所削，而選舉之制為孔子所創，昭昭然矣！選舉者，孔子之制也。」[7]又如孔子論「射」而謂「其爭也君子」，《論語注》中康有為即認為是議院制「兩黨迭進」的政黨精神，曰「故議院以立兩黨而成治法，真孔子之意哉！」至於孟子的「性善」說，也在康有為《孟子微》的演繹下，成為「人人性善，堯舜亦不過性善，故堯舜與人人平等，此乃孟子明人人當自立，人人皆平等。」[8]諸如此類，不勝枚舉。而如此一來，儒家一貫維護尊卑貴賤等級的封建倫理立場，也就徹底被轉換成為追求自由、平等與民權的君主立憲擁護者，儒學更一變而成為變法的合法性歷史根據了。此外，如果我們自歷史結果加以回溯的話，則康有為所推動的儒學轉型，也是儒學完成初步地、邏輯地由傳統轉向現代化思想的契機。康有為通過《偽經考》、《改制考》之重塑儒學義理，確實對封建守舊派造成了沉重打擊；配

7　康有為：《孔子改制考‧孔子創儒教改制考》，收入《康南海先生遺著彙刊》，冊2，頁383-384。
8　詳參拙著：《清代的義理學轉型‧翻過乾嘉新義理學又一頁》，（臺北市：里仁書局，2006年），頁324-327。

合他所提出的變祖宗成法，又大膽非議朝政以及批評慈禧太后大興土木等，不僅嚴重挑戰了封建權威，也對維新運動形成了直接的正面鼓吹力量。

今文經學的盛行動搖了舊思想體系，據梁啟超（1873-1929）言：「清學正統派之立腳點，根本動搖」，形成了「思想界之一大颶風也。」而在諸多複雜因素的作用下，清朝最後也走向了徹底潰亡之路。但是雖然從政治層面說，屬於舊傳統的君主封建專制時代結束了；當回到學術層面時，則本來就存在諸多爭議的《偽經考》、《改制考》各書，卻也面臨了新考證法的挑戰與檢驗。康有為各書的作用主要在做為政治上維新變法的依據，因此其所立說，「往往不惜抹殺證據或曲解證據」、「必欲強之以從我」；[9] 又主要根據《史記》以正《漢書》，凡《史記》所未及者便視為偽，其所及之而不合己意者亦稱其偽，是以留有諸多可議之節目並引發學者入室操戈。時儒中以彈劾太監李蓮英著稱的舊學派清流朱一新即曾多次致書辯難；代表舊學派的《翼教叢編》也收有〈余觀察（聯沅）請毀禁《新學偽經考》片〉、〈文侍御（悌）嚴參康有為摺〉等責言康有為「騰其簧鼓，扇惑後進」、「誣罔熒聽」之奏請銷燬其書者；[10] 而且即連自詡為「對於『今文學派』為猛烈的宣傳運動者」的梁啟超，都自言「自三十以後，已絕口不談『偽經』，亦不甚談『改制』」，並且「屢起而駁之。」[11] 且夫康有為雖然責備劉歆篡亂孔學，但從另一個角度說，卻也等於從反面抬舉了劉歆，故朱一新說他「視歆過重，至使與尼山爭席。」並認為他對於古文家亦過度貶低，「視馬、鄭過輕，乃村夫子之不若乎？」而且這極可能造成疑經、疑聖的「啟後生以毀經之漸」、「學術轉歧」、「人心轉惑」後果。[12] 是以雖然其時康有為之說仍然「靡然向風，從游甚眾」、「國中附和不乏」，但反對與詰難者亦多。

不過戊戌維新固然曇花一現地百日便告失敗了，康有為所用為變法理論

9　上詳梁啟超：《清代學術概論》，頁56-57。

10　詳〈余觀察（聯沅）請毀禁《新學偽經考》片〉、〈文侍御（悌）嚴參康有為摺〉，收在蘇輿：《翼教叢編》（臺北市：中央研究院中國文哲研究所，2005年），頁53、60。

11　梁啟超：《清代學術概論》，頁61、63。

12　〈朱侍御答康有為第三書〉，《翼教叢編》，頁11-13。

基礎的《新學偽經考》、《孔子改制考》，也被諸多學者譏為妄斷經義、牽強
附會，即其追隨者梁啟超也反對「假託立義」之以立憲牽強附會於古學，他
認為動以西學緣附中學，反致淆亂真理，曰「吾雅不願採擷隔牆桃李之繁
葩，綴結於吾家松杉之老幹，而沾沾自鳴得意；吾誠愛桃李也，惟當思所以
移植之，而何必使與松杉淆其名實者？」[13]但是康有為的著作在當時主要是
做為變法的理論武器，是藉經術以文飾政論者，並非單純的學術目的——康
有為著《禮運注》時即曾明言「竊哀今世之病，搜得孔子舊方」之托孔以救
中國企圖；在給光緒皇帝的密摺中，更明白說道「以使守舊之徒，無所借口
以撓我皇上新法。」[14]是以其價值應就觸動了封建統治階層的理論基礎角度
來看，其所展現的，正是一介儒者在歷史與文化存亡絕續關頭中，企圖以學
術結合政治的方式來解決「時代課題」的最大努力。是故康有為就是透過
「援西入儒」的「古經新解」方式，藉由賦予傳統經典現代化意義的方式，
以善意保存儒家經典並延續其生命力。

三　王國維之新證古史

　　二十世紀儒學逐步融入了世界性現代化進程以後，以梁啟超、王國維
（1877-1927）為代表的「新史學」開始強調新考證法，並開出了一番突破
舊藩籬的學術新氣象。除了做為近代中國史學新舊嬗遞代表人物的梁啟超，
曾藉諸《古書真偽及其年代》、《新史學》、《中國歷史研究法》等，以系統理
論方式論述強調實物的新考證法，如通過存在舊史、群籍等舊有文字記錄外
的「原始史料」，根據像是「現存之實蹟」、「遺下之古物」的金石、簡牘等
一類「遺物」來進行「辨譌」外；[15]王國維更是立足在當時中國大量見世的
金石古器物、殷墟甲骨、漢晉木簡、敦煌之六朝及唐寫本等堅實之證據基礎

---

13 梁啟超：《清代學術概論》，頁64。

14 康有為：〈禮運注敘〉，頁5；〈恭謝天恩并陳編纂書以助變法折〉，轉引自林克光所見
　清內務府抄本（林克光：《革新派巨人康有為》，頁91）。

15 論詳梁啟超：《中國歷史研究法》（臺北市：里仁書局，1984年），頁85-97。

上，以具體豐碩的研究成果落實了對新史學之實踐。尤其他以地下實物、紙上遺文互證的「二重證據法」考察中國古代歷史，開拓了當時的治學風氣，更對中國古史研究產生了極大影響。

　　天資穎悟的王國維曾經悠游在哲學、經學、小學、史學、甲骨金文、古器物、地理以及詞、戲曲、小說等各體文學之諸多領域中，這使得他的學術比起他人更多了一種會通。從一九一一年到一九一六年，他又隨著蒐羅宏富的羅振玉（1866-1940）寄寓日本京都，徜徉在羅氏「大雲書庫」中豐富的古籍、碑帖、甲骨、鐘鼎、封泥……等古書文物中，同時也為羅振玉整理五十餘萬卷藏書、數千通古器物銘文和拓本以及千餘件的古青銅器、古器物等。羅振玉以從事古學研究期之，並以「反經信古」、「守先待後」說服了王國維放棄以前所學，轉治經史小學；此一方向遂成為王國維自後十多年的學術門徑，於是其學由古文字而古史、而西北民族史地。

　　王國維與羅振玉的政治立場都是主張復辟的保皇份子，他們在辛亥革命後逃到日本，敵視共和政權；一九一六年王國維回國後，與上海一批清朝遺老交往頻繁，並曾任職溥儀的小朝廷，得到溥儀恩寵且准許在紫禁城騎馬，一貫以「遺臣」自命的王國維對此引為殊榮。王國維忠於清室以及或謂他因殉清而自沉於清室的花園（頤和園昆明湖）的文化保守形象，[16]也與他自日本返國以後即始終留存的辮子有關——傳說中他寧可失去一切也不能割了辮子，他視辮子為名譽生命；而他一再拒聘於北大，也據說因為北大是「五四」新文化運動的大本營、革命氣息濃厚，違背了他忠於清室的理念。[17]王國維的思想立場，則和當時中國部份思想界在第一次世界大戰後對西方文明產生懷疑、對帝國主義感到失望、並對東方文明生出信心相一致，故其思想

---

16 關於王國維自殺的原因，眾說紛紜，有學術與政治的矛盾、長子之喪與摯友之絕、遺老殉清、逼債與恐懼革命黨等等諸說。詳參袁英光：《新史學的開山──王國維評傳》（上海市：上海人民出版社，1999），頁226-243。

17 此據王學海：〈吳其昌先生的一篇演講稿〉，《文匯報》，2004年12月22日，文中對於吳其昌一九四三年的武漢大學演講、並登載於四川成都《風土什志》的〈王國維先生生平及其演說〉有部分轉述。

亦自辛亥革命以前的傾心西學,一轉而成為對中國古代的道德文化及其世界
性作用有所期待的心理。是以他在溥儀被逐出宮,他亦離開了小朝廷並受聘
於清華研究院後,便致力於講述《尚書》、《說文》、《古史新證》,並撰作
〈散氏盤考釋〉、〈克鼎銘考釋〉、〈盂鼎銘考釋〉,改訂〈毛公鼎銘考釋〉,對
宗周諸重器等也有釋文。因此以王國維重視古文字學、古音韻學、上古史、
金石學之信古立場和新證古史的學術作為以及系列性經學論說,相較於康有
為之為了變法救國、廢除封建專制、鼓動人心等特定政治目所採取的抑古、
詆古立場,以及所造成的戊戌前後頑固派驚呼為「舉國若狂」的公羊學風靡
現象,甚至被認為「藩籬潰裂」而造成了清朝之滅亡,[18]也就呈現了立場極
為不同的對比性論述。

　　清末民初,一方面是疑古思想逐步興起,另方面則也由於諸多實物資料
和新出土的新發現,使得人們對於古史研究的興趣日益濃厚。當時在政治
上,因「戊戌變法」失敗,梁康亡命海外;學術上則有河南安陽殷墟甲骨之
新發現,是以北京當時風行三種學問:(一)康有為的公羊之學,為維新運
動在中國找到理論根據。(二)俄國其時對我國西北邊疆頗有侵佔苗頭,同
時左宗棠拓之邊政策則頗為成功,故引起國人對於西北地理的研究興趣與重
視。(三)埃及巴比倫的地下史料探究,亦引發了國人對於商周甲金文的興
趣及研究。[19]是故比較康有為公羊學「尊今抑古」之輕詆古文立場,以及其
所導致後來的錢玄同、顧頡剛等人之疑古、蔑古思想,則王國維之古文字、
古史及西北民族史地研究,很顯然的其研究興趣在於後二者。再比較康有為
所論「孔壁既虛,古文亦贗偽而已矣」的觀點,則王國維之新證古史及其
〈最近二三十年中國新發見之學問〉所論,謂自漢以來中國學問上最大的發
現有三,其中第一大發現便是「孔子壁中書」,則康、王兩人相左的理論立

18　葉德輝:〈葉吏部與石醉六書〉,《翼教叢編》,頁341、342;另外其《經學通誥》亦言
　　「至康有為、廖平之徒,肆其邪說,經學晦盲,而清社亦因之而屋焉。追原禍始,至
　　今於冀、魏猶有餘痛。」轉引自陳其泰:《清代公羊學》(北京市:東方出版社,1997
　　年),頁323。

19　此據王學海:〈吳其昌先生的一篇演講稿〉,《文匯報》,2004年12月22日。

腳點是顯然可見的。再說到王國維《觀堂集林》之〈古文考〉九篇,〈古文
考〉本來總題為〈漢代古文考〉,後來在編入《集林》時刪去「漢代」二
字,致題旨不明;文中雖然王國維並未指明係針對康有為之「偽古文說」而
發,但是察其內容,則與《新學偽經考》適成針鋒相對。故現代學者洪國樑
亦言「靜安不滿康有為、崔適之尊護今文輕詆古文,……遂與論辯古文問
題,藉力矯時弊。」他認為王國維之古文說,除了人所熟知的文字學意義與
價值之外;人所未及的,正是其「復有辨正康有為以降疑古文經之目的。」
[20]因此結合王國維方法論背後的指導思想和學術途轍加以觀察,則其學術旨
歸之證古目的性可以豁然開朗矣。

　　在王國維藉出土材料證史並考釋文字的過程中,呈現了歷史研究極高的
方法論意義。其所用以考釋古器物文字的考據法,在其〈毛公鼎考釋序〉中
可以略見端倪。曰:

> 苟考之史事與制度文物,以知其時代之情狀;本之《詩》、《書》,以
> 求其文之義例;考之古音,以通其義之假借;參之彝器,以驗其文字
> 之變化。由此而之彼,即甲以推乙,則於字之不可釋、義之不可通
> 者,必間有獲焉,然後闕其不可知者,以俟後之君子,則庶乎其近之
> 矣。[21]

因此王國維在古字書、古金文及殷墟文字考釋上,均有斐然成就。他著有
《宋代金文著錄表》和《國朝金文著錄表》,而通過如此全面的考察,使他
能夠盡覽宋、清人金文著述,並為其商周史研究厚植根基。譬如他在〈史籀
篇疏證〉中即以《說文解字》為主,又以金文、甲骨文結合了文獻記載,相
互疏通證明並加以逐字考釋,而得出了「戰國時秦用籀文,六國用古文」之
文字學上一大革命的重要結論。[22]另外他曾利用甲骨文證實《史記》所記載

---

20 洪國樑:《王國維之經史學》(臺北市:國立臺灣大學中文研究所博士論文,1987
　年),頁316。
21 王國維:〈毛公鼎考釋序〉,《定本觀堂集林》(臺北市:世界書局,1991年),頁294。
22 王國維:〈戰國時秦用籀文六國用古文說〉,《定本觀堂集林》頁305。

的商代王系，基本上符合歷史實際；又通過甲金文和文獻，對商周制度及文
化做出了見解獨到的闡釋，例如他考釋出「殷以前無嫡庶之制」，是以殷商
最主要的王位繼承法是「兄終弟及」，是「以『弟及』為主，而以『子繼』
輔之。」不過這樣的制度容易啟爭，故周制改為立子、立嫡，「由傳子之制
而嫡庶之制生焉」，「由嫡庶之制而宗法與服術二者生焉。」[23]因此我國歷二
千年的「傳子」繼統法和宗法、喪服，以及封建子弟、君天子臣諸侯、廟數
之制等，都是在周代以後定制的。若此皆為王國維對於新史學方法論的具體
實踐及輝煌成果。

　　王國維是卓越的方法論者，並且是少有的、能以傑出研究成果自我實踐
其理論的學者。一九二六年他在《古史新證》中正式提出了「二重證據
法」，論中標舉以「地下新材料」與「紙上之材料」互證，並謂由此種材
料，「我輩固得據以補正紙上之材料，亦得證明古書之某部分全為實錄，即
百家不雅馴之言，亦不無表示一面之事實。」而除了對於其已被證明為實錄
者，吾人「不能不加以肯定」以外；他還留下了一個極重要的伏筆——「雖
古書之未得證明者，不能加以否定。」[24]如此一來，便為那些在今日尚無足
夠證據足以證明其為實錄的古書預留下了空間，即在異日並未必然不會有足
夠的證據足以證明其為實錄。

　　不過王國維也不是一味信古，他亦治今文，於《春秋》他嘗治公羊、於
《詩》嘗治齊詩，而其考經證史也兼有古今立場，他也認同宋人疑古文《尚
書》，更未嘗曲護劉歆。[25]所以他並不是反對疑古，他是強調史學的求真精
神。在《古史新證・總論》他即明言反對後人取《竹書紀年》所記夏以來年
數及皇甫謐之五帝三王年數，以補太史公之書，並謂「此信古之過也。」但
他對於近世疑古之風，也說疑古之過，在於「乃併堯舜禹之人物而亦疑

---

23 上詳王國維：〈殷周制度論〉，《定本觀堂集林》，頁451-462。

24 王國維：《古史新證：王國維最後的講義》（北京市：清華大學出版社，1994年），頁
　　2-3。

25 論參洪國樑：《王國維之經史學》，頁319-320。

之。」[26]因此他和康有為立場殊異的的古文觀，主要是從經史互證角度的古文字以及經學淵源流變出發，反對時風對於古文過當而失真的偏頗言論與立場。

四　康有為與王國維立場殊異的古文觀

　　從十九世紀末到二十世紀初，從康有為到王國維，同樣都是藉助爬梳儒家經典的考證法，但是當同樣聚焦在古文經時，兩人卻根據所取材的文獻資料不同，而各自得出不同的理論結果——關於古文經，康有為認為秦焚書令僅針對民間藏書，他說《史記》既云「非博士所職藏者悉燒」，則可知博士所職者不焚，其曰「博士所職，保守珍重，未嘗焚燒。」所以他接著說「焚書阬儒雖有虐政，無關《六經》存亡。」「孔氏之本，具在不缺。無古文之名，亦無後出古文之書。」[27]以此論證漢十四今文博士所傳即是孔門足本，力闡其「尊今抑古」的今文經立場。

　　因此《偽經考》中他具論所謂「古文」者，乃是劉歆「由偽字而造偽訓詁」者也，[28]故他撰〈《漢書‧藝文志》辨偽〉一文，以論「古學所以行，皆由《七略》也。」蓋《漢書‧藝文志》係本之於劉歆《七略》，因此康有為認為是劉歆因「挾校書之權，作為《七略》，肆其竄附矣；猶恐無可徵信，於是輯《爾雅》、作《漢書》，以一天下之耳目。」[29]他並一併認為《漢書》所載魯共王壞孔子壁而得古文經一事，亦是劉歆所竄附。他復根據《史記》河間獻王、魯共王世家皆未載孔子壁中古文事，文字記載明顯地「與《漢書》殊絕」，而倡論《漢書》所載孔壁古文事有「十偽」，持論「孔氏遺書藏於廟中，世世不絕，諸儒以時習之。篆與籀文相承，無從有古文。」即他從秦篆與籀文相近相承，主張文字書體本無古、今文區別；況且《史記‧

26 王國維：《古史新證：王國維最後的講義》，頁2。
27 康有為：〈秦焚《六經》未嘗亡缺考第一〉，《新學偽經考》，頁1、5-6。
28 康有為：〈《漢書‧藝文志》辨偽第三〉，《新學偽經考》，頁50。
29 康有為：〈《漢書‧河間獻王、魯共王傳》辨偽第四〉，《新學偽經考》，頁105。

儒林傳》也絕無《毛詩》、《周官》、《左傳》等記載，[30]因此他又在〈《漢書‧河間獻王、魯共王傳》辨偽〉一文中總論以「絕無獻王得書、共王壞壁事。」康有為之偽古文觀，在該文中並可以清楚地具見其脈絡。其謂曰：

> 按古學惑人最甚，移人最早者，莫若《漢書》。……今按葛洪《西京雜記》，謂《漢書》本劉歆作，班固所不取，不過二萬許言；劉知幾《史通‧正史》篇亦謂劉歆續太史公書，即作《漢書》也。蓋葛洪去漢不遠，猶見《漢書》舊本，乃知《漢書》實出於歆，故皆為古學之偽說。……歆造偽經，密緻而工，寫以古文體隆隆；託之河間及魯共，兼力造《漢書》，一手掩群矇，……校以太史公，質實絕不同。[31]

康有為整個偽古文經的觀點，就是立足在上論他認為「古文」從文字書體、到古文經傳以及訓詁、乃至河間獻王得書和魯共王壞壁等事，都是出自劉歆所造偽。

　　至於其所以託之古文者，康有為說西漢末金石學大盛，「蓋承平既久，鼎彝漸出，始而搜羅，繼而作偽。」即人們對於稀世的出土鐘鼎彝器等，其態度從一開始的極力搜羅、到後來則索性造作贗偽，因此劉歆不但也造偽古文字——「歆既好奇字，又任校書，深窺此旨，……乃造作文字，偽造鐘鼎，託之三代，傳之後世。」[32]並且還偽造古文經的授受源流——「古文之學，其傳授諸人名，皆歆偽撰。」[33]故謂劉歆乃先之以篡奪學統，以做為助莽篡漢、篡奪政統的理論武器；後來則進一步地將古文經託諸《漢書》以行世惑眾。其謂班固《漢書》係本於劉歆舊本，所不取者唯二萬言耳；如此一來，劉歆所偽造的古文經，遂得以藉乎《漢書》而登堂入室並造成二千年儒者誤信古文經的誤謬了。因此康有為辨偽的一個重要理論根據，就是依據《史記》以校正《漢書》之譌誤。

---

30 康有為：〈《漢書‧藝文志》辨偽第三〉，《新學偽經考》，頁46-47。
31 康有為：〈《漢書‧河間獻王、魯共王傳》辨偽第四〉，《新學偽經考》，頁103。
32 康有為：〈《漢書‧藝文志》辨偽第三〉，《新學偽經考》，頁50。
33 康有為：〈《漢書‧儒林傳》辨偽第五〉，《新學偽經考》，頁122。

　　故總結康有為論劉歆造作偽經的經過，是從一開始的劉歆面對漢世盛極一時的《春秋》學，亦「思自樹一學」；因此遂假校書之權、遍覽祕籍之便，而「借祕書而行其偽。」他先「校得左氏《國語》，以為可藉之釋經，以售其奸」，所以劉歆之偽造古文經是先從《左傳》發端的；接著他又慮及「不作古字古言，則天下士難欺，故託之古文。」因此他又偽造古文書體，此即劉歆之「以古文偽經之始也。」後來則是劉歆「既已偽《左傳》矣，必思徵驗，乃能見信，於是遍偽群經矣。」[34]至此，他已遍偽群經古文了。而此一脈絡，也就是康有為論「劉歆以偽經篡孔學」的造作偽經大致經過。

　　反觀王國維的「古文」觀，則有截然不同的立場看法。他認為壁中書是可以據信的，並認為這是兩千年來我國考古學的重大發現。至於王國維之證立古文經，則主要是從古文字、古文寫本和經說家數或派別兩個方面來加以論證。《觀堂集林》中他撰有〈《史記》所謂古文說〉以先論古文書體，其曰：

> 自秦并天下，同一文字，於是篆、隸行而古文、籀文廢。然漢初古文、籀文之書未嘗絕也。……太史公自序言「秦撥去古文，焚滅《詩》、《書》，故明堂石室金匱玉版圖籍散亂。」而武帝元封三年，司馬遷為太史令，紬史記石室金匱之書，是秦石室金匱之書，至武帝時未亡也。故太史公修《史記》時所據古書，若……凡先秦六國遺書，非當時寫本者，皆謂之古文。

據此可知後儒所用以稱呼古文字體的「古文」之名，並非如東漢後之概皆視為孔子壁中書所專擅；凡「先秦六國遺書」，只要其寫本書體不是當時所通行的篆、隸文，便都可以稱之為「古文」。況且當世所仍然存在的古寫本，也並不只有壁中書而已；是以果如康有為所論，謂劉歆假造壁中書的說法以惑眾、又偽造古文字與古文經，據此以否定古文經傳及其流傳，則顯然並不能服古文家之心口。故王國維又論以：

---

34 康有為：〈《漢書・劉歆、王莽傳》辨偽第六〉，《新學偽經考》，頁129。

《六藝》之書為秦所焚，故古寫本較少。然漢中祕有《易》古文經，河間獻王有古文先秦舊書《周官》、《尚書》、《禮》、《禮記》，固不獨孔壁書為然。[35]

他說除了武帝末魯共王壞孔子宅而得壁中書是古寫本以外；當時還另外有漢中祕所藏書和武帝初河間獻王所得之先秦古文舊書等，也都以古文書寫。是以「孔壁書之可貴，以其為古文經故，非徒以其文字為古文故也。」他認為後人之所以重視壁中書，係因其傳經之功、非以其古文書體也，故又曰「至孔壁書出，於是《尚書》、《禮》、《春秋》、《論語》、《孝經》，皆有古文。」[36]也就是各經從先秦到漢代的家法淵源，至此遂皆有犖然可尋的脈絡線索矣。於此可以見出王國維佐證以當時仍多古寫本的用意，主要就在證明古文書體不限於壁中書，旁證極多的古文群經並非劉歆所能偽造也；以此可破康有為偏落一端的「夫古學所以得名者，以諸經之出於孔壁，寫以古文」之說。且夫〈太史公自序〉中司馬遷亦自言「年十歲則誦古文」，而當時孔壁書未出——對此，雖然康有為一貫以劉歆所竄附來看待，唯後人頗以此而認為康有為任意去取，蓋其於《史記》之可以證立己說者，輒據信之；間有不合己意者，輒謂劉歆所竄入。故對此王國維另釋以「太史公自父談時已掌天官，其家宜有此種舊籍也。」並且認為這也是證明「古文」稱謂非獨壁中書所獨有的證據之一。

王國維除了舉證漢時古寫本仍多，以證明古文書體非獨壁中書所採以外；他復正本清源地、從字體之源流演變等根本問題進行歷史考證，而得到了先秦時代東土六國用「古文」、西秦用「籀文」，以及雖然籀文和古文「其原皆出於殷周古文」，但是其書體有別的學術重要理論。關於「秦篆」，即李斯所奏請「書同文」者，係採用李斯〈倉頡〉篇、趙高〈爰歷〉篇、胡毋敬〈博學〉篇等「取史籀大篆，或頗省改，所謂小篆者也。」故王國維說「秦之小篆本出大篆；而〈倉頡〉三篇未出、大篆未省改以前，所謂秦文即籀文

也。」「篆文固多出於籀文，則李斯以前秦之文字，謂之篆文可也，謂之籀文亦可也。則〈史籀〉篇文字、秦之文字，即周秦間西土之文字也。」於此，一方面可見秦篆與籀文之間確有極密切的「或頗省改」、實際上就是一體發展的演變關係；但是王國維更重要的發現，則在於另方面他又考察出籀文以及籀文所從出的秦篆，都只是先秦時代流傳在西秦的文字，至於東土六國當時所使用的文字，則是「古文」。因此康有為所論「篆與籀文相承，無從有古文」，只能偏就秦篆與籀文相承的一方關係來說；至於壁中書、古文經的「古文」書體，王國維曰「其體與籀文、篆文頗不相近，六國遺器亦然。壁中古文者，周秦間東土之文字也。」[37]即他不但從實際的寫法比對出古文與籀文的書體差異；更具有突破性的，是他復以六國出土遺器佐證之，證據確鑿地辨析了先秦古文書體之存在。而此也即他以具體的考證成果，以地下出土和紙上遺文互證的新考證法，自我實現了其所提倡的「二重證據法」；他並據此修正了許慎《說文解字》部份因材料不足所造成的誤謬。那麼什麼原因導致後來古文不行？這就是秦火的因素了。蓋「《六藝》之書行於齊魯，爰及趙魏而罕流布於秦，其書皆以東方文字書之，漢人以其用以書《六藝》，謂之古文。而秦人所罷之文與所焚之書，皆此種文字。」「凡六國文字之存於古籍者，已焚燒剗滅；而民間日用文字，又非秦文不得行用。……故自秦滅六國以至楚漢之際，十餘年間，六國文字遂遏而不行。」是故古文之存於《六藝》古籍者，已遭秦皇焚燒剗滅，也因此乃有司馬遷之謂「秦撥去古文」、揚雄之言「秦剗滅古文」以及許慎曰「古文由秦絕。」[38]故經王國維之詳細考辨古文字流傳及演變發展，而古文、籀文之為惑也可以解矣。

　　再說到古文經的源流問題，王國維又有〈漢時古文本諸經傳考〉一文，文中具論古文經主要有「河間本」，即《漢書·景十三王傳》所稱「獻王所得書，皆古文先秦舊書。《周官》、《尚書》、《禮》、《禮記》、《孟子》、《老

---

37 王國維：〈史籀篇證序〉、〈戰國時秦用籀文六國用古文說〉，《定本觀堂集林》，頁254、305。

38 同前註，〈戰國時秦用籀文六國用古文說〉，《定本觀堂集林》，頁305-306。

子》之屬，皆經傳說記，七十子之徒所論」者，以《周官》為例，其「經無
今學，自毋庸冠以古文二字，然其原本之為古文，審矣！」又有「孔壁
本」，即《漢書・藝文志》所云「魯恭王壞孔子宅，欲以廣其宮，而得古文
《尚書》及《禮記》、《論語》、《孝經》，凡數十篇，皆古字」者；除此之
外，如《周易》另有「漢中祕本」，王國維謂「《易》為卜筮之書，秦時未
焚，其有古文本，亦固其所。」又有「費氏本」，即《後漢書・儒林傳》所
說「東萊費直，傳《易》，授琅邪王橫，為費氏學。本以古字，號古文
《易》」者；《尚書》則還另有「伏氏本」，即《史記・儒林傳》曰「秦時焚
書，伏生壁藏之。其後兵大起，流亡，漢定，伏生求其書，亡數十篇，獨得
二十九篇，即以教於齊魯之間」者，王國維並論曰「是伏生所藏為秦未焚以
前寫本，當是古文，其傳授弟子則轉寫為今文。……當歐陽大小夏侯之世，
蓋已不復有原本矣。」故王國維在總論十種、十五本古文經本後，又對於
「後漢之初，所謂古文者，專指孔子壁中書」的緣故加以說明——一如前述
王國維以多方舉證的考證方式，論證古文書體之確實存在；對於古文經傳的
授受源流，他也多舉古文經本，以證明古文經不限於壁中書，只不過因上述
諸經「其存於後漢者，惟孔子壁中書及《左氏傳》，故後漢以後，古文之名
遂為壁中書所專有矣。」[39]至於古文諸經在東漢以後不見傳的原因，則他釋
以漢時古文經傳在傳授弟子以後，已多被轉寫成為今文經本了，以此導致古
文本「當時已視為筌蹄，不復珍惜。」「後漢以降，諸儒所見，大抵傳寫隸
定之本。」[40]所以他又撰〈漢時古文諸經有轉寫本說〉加以詳論。其曰：

> 夫今文學家諸經，當秦漢之際，其著於竹帛者，固無非古文，然至文
> 景之世，已全易為今文，於是魯國與河間所得者，遂專有古文之名
> 矣；古文家經如《尚書》、《毛詩》、《逸禮》、《周官》、《春秋左氏
> 傳》、《論語》、《孝經》，本皆古文，而《毛詩》、《周官》，後漢已無原
> 書，惟孔壁之《尚書》、《禮經》、《春秋》、《論語》、《孝經》及張蒼所

39　上詳王國維：〈漢時古文本諸經傳考〉，《定本觀堂集林》，頁320-327。
40　同前註，頁321、325。

　　獻之《春秋左氏傳》尚存，於是孔壁之書遂專有古文之名矣。[41]

故在王國維釐然剖析古文經於後漢以後成為壁中書專稱的事情原委下，後人對於今古文發展之盛衰消長當可有更多面向的觀察、理解。

五　結語

　　清中葉以降的今文經發展漸趨興盛，其時要求社會改革的儒者如龔自珍、魏源、康有為等，都援引今文經之「變易」哲學和「援經議政」精神以為指導思想，因此十九世紀的經世思潮，就是以今文經之復興做為哲學基礎的。是故欲藉變法改制以救亡圖存、集晚清思潮與政潮於一身的康有為，其學術立場係以《禮記・禮運》的大同理想，結合了西漢董仲舒「素王改制」說和東漢何休「據亂→升平→太平」的「三世」進化觀，而將今文經改造成為可以配合晚清君主立憲制的改制說。也因此康有為的經學觀，持「尊今抑古」之「偽古文」說立場，他倡論所謂「古文」者，皆「劉歆之竄亂偽撰」者也。而他所用做變法理論基礎的《新學偽經考》與《孔子改制考》，既辨古學之偽，復以孔子改制來宣傳變法之合法性，並且通過了「古經新解」之重塑儒家經典方式，援引西學以重建儒學價值。其說之盛行，有力地鬆動了舊思想體系，對清學正統派之立腳點造成根本動搖，而形成思想界之一大颶風，更對民國以來愈演愈烈的疑古風潮具有直接之促進作用。

　　至於王國維，則一方面處在方興未艾的疑古思潮中，另方面又處在諸多新出土實物、學者對於古史研究興趣日益濃厚的學術氛圍裏。自從一八九九年發現甲骨文、甲骨學興起，其奠基者有所謂「甲骨四堂」的佳話──雪堂（羅振玉）導楊先路、觀堂（王國維）繼以考史、彥堂（董作賓）區別時代、鼎堂（郭沫若）發其辭例。故王國維即以其所擅長的利用古文字學和古籍以考證古代禮器，一字之考證往往就是一部文化史，例如其〈說觥〉、〈說盂〉、〈說彝〉、〈說俎〉上、下篇等，都能見其深厚的樸學與史學基礎；其

41　王國維：〈漢時古文諸經有轉寫本說〉，《定本觀堂集林》，頁327-328。

〈女字說〉則通過彝器之款識和古籍參互考證，證明古女子有字，並為一一詳證，發人所未發；又〈釋史〉、〈釋由〉上、下、〈釋天〉、〈釋昱〉、〈釋旬〉、〈釋西〉、〈釋物〉、〈釋牡〉、〈釋禮〉等，並皆解釋繁密，深有創獲，巍巍大觀。是故王國維《觀堂集林》中主要根據六國遺器和古籍以建立的古文觀，遂與康有為的「偽古文」說出現了立場不同的看法；他之辨正古文經確然存在，就是立足在根基深厚、證據確鑿的古文字考釋上，而得出極其精確之考辨結果的。王國維嘗論兩漢小學家多出於古學家，他說「緣所傳經傳本多用古文，其解經須得小學之助，其異字亦足供小學之資，故小學家多出其中。」他並舉證漢代古學家如張敞、桑欽、杜林、衛宏、徐巡、賈逵、許慎等，「皆以小學名家」，故謂「兩漢古文學家與小學家實有不可分之勢，此足證其所傳經本多為古文。」[42]而王國維本身就也是一位藉小學之功以證立古文經的具體實踐者。因此針對康有為從政治目的出發的劉歆偽古經說、「尊今抑古」的偽古文觀以及民國來愈演愈烈的疑古、蔑古學風等，王國維正是以結合了小學、古文字學和文獻記載的經史互證方式，以對古文字從使用、流傳到古文寫本，對古文經從授受源流到發展過程之謹嚴考辨，證立了壁中書和古文經之存在；至於他以新出土材料如甲骨文、金文等所證實的《史記》商周古史記載及制度考察，更是早就載在世人口碑的考證成就了，故王國維誠為民國以來新史學之重鎮、代表人物。

　　不過康有為偽古文經之說和王國維之證立古文經，看似相對的立場，其實寓有經學、史學的不同目的。康有為樹起反對古文經的旗幟，主要為了發揚今文經的變易哲學，好通過援經議政來達到變法訴求；雖寓有政治目的，但終歸是「尊今抑古」的今、古文之爭與經學範疇內的今文經立場。王國維則主要針對「偽古文」說風行以後導致的疑古風氣，期能有所導正。因此他對於在今文經盛行下被否定了的古文經加以考辨，以辨正偽古文說，故其所發揚的主要還是史學的求真精神。所以他的關懷重點並不在經學範疇內的今、古文義理優劣，或者今、古文經的盛衰消長發展，並不算是經今、古文

42　王國維：〈兩漢古文學家多小學家說〉，《定本觀堂集林》，頁331-336。

之爭；但是如果就其所辨正的結果以及所發揮的影響力來看的話，則又確然是對於經學範疇內古文經學的極有力辯證，對於後來的古文經學發展有極正面之裨益。

王國維、于省吾「新證」著作及 其經學研究轉向初探

孫致文

國立中央大學中國文學系助理教授

一　前言

「經」原是指直的絲線，引申作「經綸、經紀」[1]，這已是為人熟知的常識。「經書」，則是記載「經國濟世之道」的典籍。至於「經學」，簡言之，即是以「經」與「經書」為探討對象的一門學問。若要再詳言「經學」研究的意義，或許可借用清代學者章學誠的觀點言之[2]。「經學」至少有三個層次的意義：體天人之道而制作典制，是第一層意義；體會、發揚聖人制作典制的用心，是第二層意義。對聖人所制作典制的探究，則是第三層意義[3]。由此而言，「經學」不應只是考據學、文獻學；經書、經注也不僅是歷史學研究的資材。「經學研究」的主旨，應是積極闡發古人「經世致用」的用心與作為，進而探求經典的當代價值與意義。這種經學研究的觀點，原為漢代以

1　古今學者對「經」字的解釋，可參見近人周予同〈「經」、「經學」、經學史〉一文中對「什麼是『經』」的探討。朱維錚編：《周予同經學史論著選集（增訂本）》（上海市：上海人民出版社，1996年），頁650-656。

2　章學誠的著作雖未必為當時人普遍知悉，他所提出「六經皆史」的觀點也或許未必盡獲當時學者首肯，但我們認為，他所闡發「經」的意義，不但十分精闢，也不違悖漢代以來學者的主張。

3　章學誠：《文史通義・原道中》，《章學誠遺書》（北京市：文物出版社，1985年影印嘉業堂本），頁11。

來知識分子所共許，隨著清末時局的鉅變，「經書」、「經學」的意義也產生了變易。

　　民初以來，學者們對「經書」的研究大多只著重於經書中可見的典章制度；亦即只將經書當成「史料」進行研究。例如周予同於民國二十五年〈《春秋》與《春秋》學〉一文中就曾提出：「經典在中國，至多只應該讓史學家作『史料』來處理了」[4]。至於晚近，雖然有學者希望對「經學」、「史學」作一釐清，提出「經學、史學是兩種不同的學問」的說法；但實際強調的，仍是提倡將「經書」當成研究古代史的材料[5]。學者們對經書的研究，都只著意於經書中可見的典章制度的歷史意義，忽略了經書中不可見的道，更忽略了經學「致用」的意義。

　　雖然「經學研究」的目的有了改變，看待「經書」的角度也有了轉變，但「經書」仍是研究者必須依憑的對象。要讓這批材料說出什麼話語，全由研究者決定。因而，將面對典籍、探求經書文字背後的意涵，始終是研究工作中最重要的項目。無論是經學傳統中的「傳」、「箋」、「注」、「疏」，或是今人的「譯解」、「語解」等，都是面對經典的基本工作。在此類工作中，有一類名為「新證」的著作，似乎已蔚然成派；而于省吾以「新證」為名的著作，則被認為是此類著作的代表。于省吾曾如此自述：

　　　　清代乾嘉學派的傑出學者雖已認識到先秦典籍在長期流傳中，在原文和訓釋上有大量的訛誤，要恢復其原貌，除了盡可能作出校勘和論證外，非常重要的是要精於文字、音韻、訓詁之學，但由於他們考訂古籍，對文字古形、古音、古義的了解基本上以《爾雅》、《說文》、《廣雅》為依據，這樣作，是有很大局限性的。在先秦古文字資料大量出土的情況下，以先秦古文字的研究成果來考釋先秦文獻，無疑是更為直接而有效的。一九三四年我寫作並出版了《尚書新證》，其後陸續

4　《周予同經學史論著選集（增訂本）》，頁507 。

5　金景芳：〈經學與史學〉，收入林慶彰編：《中國經學史論文選集·上冊》（臺北市：文史哲出版社，1992年），頁33-46。

寫成並出版了《詩經新證》、《易經新證》、《論語新證》、《諸子新證》
（解放後重加刪訂，由中華書局再版）等著作，曾被胡樸安在《中國
訓詁學史》中推許為「新證派」之代表。[6]

「新證」一詞，至少含有二個層面的意涵：「新」字，是「異於故舊」，標示
一種新的研究方法；「證」字，是「以此證彼」，顯示傳統典籍仍是主要研究
對象。

　　由著作數量與實際研究成果而言，胡樸安以于省吾的著作為「新證派」
之代表，自然不無道理；但若推究「新證」這種研究態度與方法的源頭，則
不可忽視王國維的研究方法與著作。本文即經由梳理王國維、于省吾「新
證」一類著作，試圖探索民國以來「經學研究」觀點的轉向。

　　具體而言，「新證」所運用的研究方法，與王國維提出的「二重證據
法」關係密切。因而，下文即由「二重證據法」意義的探明展開。

二　「二重證據法」的提出

　　近代學者陳寅恪曾指出：

> 一時代之學術，必有其新材料與新問題。取用此材料，以研求問題，
> 則為此時代學術之新潮流。治學之士，得預於此潮流者，謂之預流
> （借用佛教初果之名）。其未得預者，謂之未入流。此古今學術史之
> 通義，非彼閉門造車之徒，所能同喻者也。[7]

「經學」自漢至清，再迄於民國，已有二千餘年的發展歷史。若論「民國時
期經學」，研究者中得稱「預流」者，或許可以王國維為第一人。陳寅恪在

6　〈于省吾自述〉，收入高增德、丁東編：《世紀學人自述（第一輯）》（北京市：北京十
　　月文藝出版社，2000年），頁169。

7　陳寅恪：〈陳垣燉煌劫餘錄序〉，收入：《金明館叢稿二編》（北京市：三聯書店，2001
　　年），頁266。

〈王靜安先生遺書序〉中有如此一段屢被後人徵引的總括之辭：

> 詳繹遺書，其〔王國維〕學術內容及治學方法，殆可舉三目以概括之
> 者。一曰取地下之實物與紙上之遺文互相釋證。……二曰取異族之故
> 書與吾國之舊籍互相補正。……三曰取外來之觀念，與固有之材料互
> 相參證。……此三類之著作，其性質固有異同，所用方法亦不盡符
> 會，要皆足以轉移一時之風氣，而示來者以軌則。吾國他日文史考據
> 之學，範圍縱廣，途徑縱多，恐亦無以遠出三類之外。[8]

誠如陳寅恪所言，在「運用新材料」與「發掘新問題」兩方面，王國維都展
現了相當難得的學術敏銳力。王國維的學術成就自然不僅限於「文史考據之
學」，然而若論王氏「足以轉移一時之風氣」的學術影響力，或許仍以「經
史考證」為首。在王國維自述的文字中，數度申明他「探究經史」的學術旨
趣。他在〈殷卜辭中所見先公先王考〉文前，即自述撰作目的是為「使世人
知殷虛遺物之有裨於經史」[9]。而在他所作《齊魯封泥集存》的序文中，也
強調以「洹陰之甲骨，燕齊之陶器，西域之簡牘，巴蜀齊魯之封泥」等出土
文獻「考經證史」。[10]深究王國維的學術用心，仍以「闡發六經大義」為目
的。他甚至曾以此標準，衡視清儒戴震的學術成就；王國維說：

> 東原學問才力，固自橫絕一世；然自視過高，騖名亦甚。其一生心力
> 專注於聲音、訓詁、名物、象數，而於六經大義，所得頗淺。[11]

8　陳寅恪：〈王靜安先生遺書序〉，收入：《金明館叢稿二編》，頁247-248。

9　王國維：〈殷卜辭中所見先公先王考〉，《觀堂集林》（臺北市：世界書局，1991年影1940
　　年長沙《王國維全集》本），卷9，頁2。

10　王國維〈齊魯封泥集存序〉：「自宋人始為金石之學，歐、趙、黃、洪各據古代遺文，
　　以證經考史，咸有創獲。然塗術雖啟，而流派未宏，近二百年始益光大；於是三古遺
　　物應世而出，金石之出於邱隴窟穴者，既數十倍於往昔，此外如洹陰之甲骨，燕齊之
　　陶器，西域之簡牘，巴蜀齊魯之封泥，皆出於近數十年間，而金石之名乃不足以該之
　　矣。之數者，其數量之多，年代之古，與金石同，其足以考經證史，亦與金石同，皆
　　古人所不及見也。」《觀堂集林》，卷18，頁19。

11　王國維：〈聚珍本戴校水經注跋〉，《觀堂集林》，卷12，頁33。

對戴震之評價尚且如此，更遑論那些只拘泥於文字音韻的學者。

　　為了達此學術目的，並超邁前賢，王國維將關注的焦點，從傳世的經、史典籍，擴及到新時代「近數十年間」出土的新資料。不僅立即研究這批新出土的古文獻，王國維並於講學時，具體提出了運用這些新材料的研究方法。這也就是為後世學界所樂道的「二重證據法」。

　　《古史新證》是王國維於一九二五年，在清華學校研究院任教時撰寫的講義[12]。在此書第一章〈總論〉，王氏明確提出「二重證據法」一名，並述及此法的基本操作方式：

> 吾輩生今日，幸於紙上之材料外，更得地下之新材料。由此材料，我輩固得據以補正紙上之材料，亦得證明古書之某部分全為實錄。即百家不雅馴之言，亦不無表示一面之事實。此二重證據法惟在今日始得為之。雖古書之未得證明者，不能加以否定；而其已得證明者，不能不加以肯定，可斷言也。[13]

後世闡揚「二重證據法」的相關論述雖不少，實踐運用此法的學者也頗多，但對王氏自述的這段記載中的字句，似乎並沒有投入應有的注意。

　　後世對「二重證據法」理解的不足，主要在三部分：一是關於研究材料主、從地位認定的偏失；二是對於「二重證據」材料所含類型認知的出入；三是混淆了「證據」、「方法」與「目的」。以下試分別辨明。

（一）「紙上材料」與「出土材料」

　　在上引王國維陳述「二重證據法」的文字中，明確地指出：出自地下的新材料，是用以「補正紙上之材料」。言下之意，「紙上材料」（即「典籍」）是最主要的證據，而「地下之新材料」是用以佐證或輔助理解的參考性資

---

12 參見裘錫圭所撰《古史新證——王國維最後的講義》（北京市：清華大學出版社，1994年）一書〈前言〉。

13 王國維：《古史新證》第一章〈總論〉；《古史新證——王國維最後的講義》，頁2。

料；前者是主，後者是從。張舜徽已注意到王國維「二重證據法」此一最根本的原則，他指出王氏學術論著「以紙上材料為主，而以地下材料為輔」的傾向[14]。

　　就資料的可信度而言，傳世典籍在傳抄、刊刻過程中，可能產生了許多訛誤。這些訛誤，可能是非刻意因素造成（如典籍的散佚、缺斷，或抄寫、刊刻時的誤寫、誤刻）；也可能是人為刻意造成（例如，基於某種意識形態而修改、刪削典藉記載）。相較於此，新近出土的文獻，在其寫定之後所受到的人為干擾則較少（當然，「贗品」自不能以此標準衡論）。即然如此，為何仍以紙上文獻為主證據，地下材料為次要證據？我們首先可以就兩種材料「量」上考慮。雖然近代陸續出土了重要的甲骨、鐘鼎、簡牘、石刻等文獻，但出土文獻所承載的訊息量，仍不及傳世典籍所能傳達的訊息。其中原因，一則是地下材料出土的數量尚不及歷代傳世典籍，另一方面也因為出土文獻的考釋工作，仍有相當的困難[15]。即使是已能釋讀的文獻，也有部分仍存在相當大的理解歧異。

　　正因此，出土材料雖然可能比紙上材料更真切呈顯文獻著成時的樣貌，

---

14 張舜徽說：「王氏平日做學問的材料來源，仍然是以紙上材料為主，而以地下材料為輔。就他所做的幾篇最精粹的作品來看，像〈殷周制度論〉的大文章，十分之九的材料，是採之經傳；而〈先公先王考〉的取材，自經傳外，又旁徵博引，連常人所不注意的《山海經》、《竹書紀年》、《楚辭》、〈天問〉，也都成了他的重要證物。可知他把紙上材料的地位，是提得很高的。」參見〈考古學者王國維在研究工作中所具備的條件和態度〉，《訒庵學術講論集》（長沙市：嶽麓書社，1992年），頁381。

15 以甲骨材料為例，趙誠即指出：「殷墟甲骨文字發現之後，經過學者們七十多年來的努力，將數目字、干支字以及一些常用字、關鍵字考釋了出來，約一千左右。還有幾百字，雖尚未確釋，但已能隸定，大體知道其用義。……剩下來的二千來字，大多是人名、地名用字，以及當時一些慣用型詞語用字、特殊況下的用字等，大多不見於後世文獻，考釋起來的確相當困難。」參見趙誠：《二十世紀甲骨文研究述要》（太原市：書海出版社，2006年），下冊，頁894。在金文考釋方面，第四次校訂本《金文編》正編收錄的金文單字已達二四二〇個，附錄上「圖形文字」六一〇個，附錄下單字七四一個；三者合計三七七一字。而周法高主編的《金文詁林》正、續兩編收錄可釋之字共二二七三字。參見趙誠：《二十世紀金文研究述要》（太原市：書海出版社，2006年），頁320、364。

但由於字形、詞義隔閡所造成的理解困難，至少在目前仍不能躍昇為「第一重證據」。或許基於此種考量，王國維明確指出：於古書中未能以出土文獻獲得驗證的部分，也並不因此喪失其價值；因為它「不無表示一面之事實」。

（二）「二重證據」與「三重證據」、「四重證據」

受王國維「二重證據法」的啟發，後世學界又衍申出「三重」、「四重」證據。就開拓新的學術研究方法而論，「三重」、「四重」甚至更多重證據的提出，固然是可喜之事。然而，若深入探究新說的內容與王國維「二重證據法」的理論與實際操作，則後人的新說又恐有疊床架屋之嫌。

關於「三重證據」所包括的資料類型，又有數種不同的看法[16]。饒宗頤在〈論三重證據法──十干與立主〉一文中說：

> 我認為探索夏文化必須將田野考古、文獻記載和甲骨文的研究三個方面結合起來，即用「三重證據法」（比王國維的「二重證據法」多了一重甲骨文）進行研究，互相抉發和證明。[17]

此說之中，「田野考古」與「甲骨文的研究」原都可納入王國維「地下之材料」的範疇內。繼此，李學勤又進一步指出，饒氏的「三重證據法」是將「二重證據法」中的「紙上材料」再區分為「有字材料」與「沒字材料」二種[18]。

---

16 車行健撰有〈論「三重證據法」〉一文，收入《第七屆近代中國學術研討會論文集》（桃園縣：國立中央大學中文系，2001年）頁67-85，也可參看。

17 饒宗頤：〈論三重證據法──十干與立主〉，原載香港《文匯報》1982年5月11日，收入《饒宗頤史學論著選》（上海市：上海古籍出版社，1993年），頁22。

18 李學勤：「王靜安先生是講『二重證據法』，最近聽說香港饒宗頤先生寫了文章，提出『三重證據法』，把考古材料又分為兩部分。這第三重證據就是考古發現的古文字資料。如果說一般的考古資料和古文字資料可以分為兩種，那麼後者就是第三重證據。像楚簡就是第三類。考古學的發現基本上可以分為兩種，一種是有字的，一種是沒字的。有字的這一類，它所負載的信息當然就更豐富。有字的東西和挖出來的一般東西

　　第二種說法，則以「文化人類學」與王國維提出的二重證據並列為三。葉舒憲於回顧郭沫若的《甲骨文字研究》一書研究方法時提出「三重證據法」之說[19]，並獲前輩學者楊向奎贊同，認為此第三證「在考據歷史事實方面是更有說服力的」[20]。其實，在此之前，楊向奎撰於一九八七年的《宗周社會與禮樂文明》一書〈序言〉中，已提出以「民俗學的材料」為第三重證據的觀點，並說「鑒於中國各民族間社會發展之不平衡，民族學的材料，更可以補文獻、考古之不足，所以古史研究中的三重證據代替了過去的雙重證」[21]。

　　第三種「三重證據」的說法，則是陳東輝就「古漢語研究」的需要而提出，指的是「文獻典籍」、「實物資料」與「活材料」三類。其中第三類「活材料」包括方言、親屬語言及民俗等方面的材料。[22]

　　近時，葉舒憲又再提出以「物質文化及其圖像資料」作為「第四重證據」的新說。「圖像人類學」或「比較圖像學」原本被葉氏運用於比較文學和文化研究中作為「第四重證據」，但他同時認為，此法或許也可以被運用在文史研究領域，進而「給原有的第一、二、三重證據更好的發揮空間，使他們彼此之間相互結合和相互發明印證」[23]。

　　在《古史新論‧總論》的記述中，王國維只總括地將「第二重證據」以「地下之新材料」稱之，是就文獻的存在形態而言。地下之新材料，自然可

　　大不相同，當然也可以作為另外的一類。」李學勤：《走出疑古時代‧導論》（長春市：長春出版社，2007年），頁2。值得注意的是，饒宗頤所分出的「有字資料」，原本特指「甲骨文」；但在李學勤的說法中，凡出土的有字資料，都可視為第三重證據。李氏的說法，比饒說更為擴大。

19　參見葉舒憲：〈國學方法論的現代變革〉，《文史哲》1994年第3期，頁47。

20　參見楊向奎：〈歷史考據學的三重證〉，《中國社會科學院研究生院學報》1994年第5期。

21　楊向奎：《宗周社會與禮樂文明（修訂本）》（北京市：人民出版社，1997年），〈序言〉，頁1。

22　參見車行健：〈論「三重證據法」〉，頁70。

23　參見葉舒憲：〈第四重證據：比較圖像學的視覺說服力〉，《文學評論》2006年第5期。

以包括文字材料與非文字材料。饒宗頤、李學勤等學者，著眼於出土甲骨、鐘鼎、簡帛等資料的重要，將此類文字資料與出土器物、考古遺址區隔開，固然無可厚非；但在王國維以「紙上材料」為主證據的概念下，無論文字材料或非文字材料，都屬「地下材料」，沒有刻意區別的必要。

　　至於運用民俗學、方言學等「活材料」為論據，在王國維提出「二重證據法」之前，前人說經、解經之作中，並不乏見。如，清初學者毛奇齡，在探討《儀禮・昏禮》「婦至日即成昏」或「三日成昏」或「三月始成昏」的爭論時，即曾藉杭州民俗闡說他的經學見解[24]。據「方言」以說經，更於前人經注中常見。如《禮記・樂記》「始生者不殰，而卵生者不殈」，鄭玄《注》即引齊方言以解經：「殈，裂也。今齊人語有『殈』者。」孔穎達《正義》進一步：「齊語稱『裂』為『殈』，故以『殈』為『裂』也。」[25]因此，以「民俗學」、「方言學」為說解經義的證據，實不能算是「惟在今日始得為之」的新證據。

　　「圖像人類學」或「比較圖像學」的學理及相關資料，過去雖較少被運用在經典注解中，透過文化比較的形式闡述經義或古史，效力究竟如何，仍有待進一步商榷。即使如提出者葉舒憲也認為，此類證據是否適用文史研究領域，具體操作方法又如何，仍有待進一步探討。[26]

（三）「對象」、「資料」與「證據」

　　學術研究，一定有其對象；研究方法的選擇與運用，也因研究對象之不

---

24 毛奇齡：《昏禮辨正》，收入《續修四庫全書》（上海市：上海古籍出版社，1995年影印清康熙《西河合集》本），經部，冊95，頁18。

25 《禮記注疏》（臺北縣：藝文印書館，1989年影印清嘉慶二十年南昌府學本），卷38，頁17-18。

26 考古學者張光直《美術、神話、祭祀》一書中，曾以商、周青銅器裝飾藝術的特徵，探討商、周時期的思想意識、權力運作等問題，或許可視為運用「物質文化及其圖像資料」為第四重證據的先行者。參見張光直：《美術、神話、祭祀》（臺北市：稻鄉出版社，1993年），頁53-81。

同，而有差異。至於「證據」，則是論述過程中，用以支持論點的資料。以
清代學術為例，大致可抱括：經學、小學、史學、天算學、地理學、音韻
學、律呂學、金石學、校勘學、目錄學等[27]。這些類目，都是清人研究的
「對象」。對象確立之後，「資料」也即隨之明確。如以經學為研究對象，則
「經典」及歷代學者的「經說」與「經解」，都是它的「資料」。若以小學為
研究對象，則可見的字書、韻書、章句注疏及相關研究論著，即是它的「資
料」。在處理不同資料時，首先大多進行觀察與描寫的工作，將所見的資料
盡可能客觀的敘述出來。進而對這些資料進行「解釋」與「評價」。這二、
三階段，則需要運用適當的「研究方法」。如，胡適於〈清代學者的治學方
法〉一文中，曾統括出清代學者的研究，探取了「歸納與演繹同時並用的科
學方法」。[28]在研究過程中，為了說明所提出的「解釋」與「評價」並非空
妄之論，於是援引「證據」以為支持。研究不同對象時，所援引的證據自有
不同。

　　「資料」與「證據」的重疊與混淆，是當代史學中的一大難題。有的學
者「使用證據一辭，去描寫歷史學家進行研究時所用的資料（『證據在資料
中』）。另有一些學者認為，過去的遺跡不但由歷史學家進行整理，「而這些
遺跡所可能支持的解釋，有賴於史家所用的整理方法」；因此「當一個遺跡
被用來支持一種議論（解釋）時，它才成為『證據』。在此以前，它雖然存

27　參見梁啟超《清代學術概論》第十三節。朱維錚編：《梁啟超論清學史二種》（上海
　　市：復旦大學出版社，1985年），頁39。
28　〈清代學者的治學方法〉：「他們的方法的根本觀念可以分開來說：一、研究古書，並
　　不是不許人有獨立的見解，但是每立一種新見解，必須有物觀的證據。二、漢學家的
　　「證據」完全是「例證」。例證就是舉例為證。……三、舉例作證是歸納方法。舉的
　　例不多，便是是類推的證法。舉的例多了，便是正當的歸納法了。……四、漢學家的
　　歸納手續不是完全被動的，是很能用「假設」的。……他們所以能舉例作證，正因為
　　他們觀察了一些個體的例之後，腦中先已有了一種假設的通則，然後用這通則包涵的
　　例來證同類的例。他們實際上是用個體的例，精神上實在是把這些個體的例所代表的
　　通則，演繹出來。故他們的方法是歸納和演繹同時並用的科學方法。」《胡適作品集
　　4：問題與主義》（臺北市：遠流出版公司，1992年），頁166-167。

在，卻只不過是過去一件沒有用過的東西。」[29]第一種以「證據在資料中」的主張，期望秉持「客觀」的態度，透過描述資料內容，使事實呈現。然而，此種研究態度卻容易使研究成果有「散漫無紀」之弊。梁啟超在《清代學術概論》中曾提出他對清儒王念孫、王引之父子的治學方法有六；其中第三為「立說」：「研究非散漫無紀也，先立一假定之說以為標準焉。」第四為「搜證」：「既立一說，絕不遽信為定論，乃廣集證據，務求按諸同之事實而皆合。」[30]由此看來，在梁啟超的觀點中，在「假定之說」的標準下，先對資料進行去取整理；其後，再由業經整理、去取的資料中，尋找證據以為假說的支持。

在王國維為「考經證史」而提出的新研究法中，「經」與「史」是研究對象，經典與史書是研究材料，而「紙上材料」與「地下材料」都是的「證據」。換言之，研究的目的，並非考釋出土文獻。進一步言，王國維的研究目的，也不僅止於疏通經史文意，而在闡發典章制度背後的深微大義。且看他於〈殷周制度論〉一文最末明言：

> 欲知周公之聖，與周之所以王，必於是乎觀之矣。[31]

這種闡明聖人制作典章精義、發皇聖朝外王成因的治學理念，充分展現了王國維「經學家」的性格。無論「二重證據法」在後世被如何運用與衍申，其初始的目的，與民國以前的經學家，如出一轍。

三　由經學轉向史學

如上所述，在王國維的學術著作中，雖不乏闡發經義大旨的意圖，但在

29　參見凱斯・詹京斯（Keith Jenkins）著，賈士蘅譯：《歷史的再思考》（Re-Thinking History）（臺北市：麥田出版社，2011年三版），〈論一手資料與二手資料：論資料與證據〉一節，頁162。

30　參見梁啟超《清代學術概論》第十三節。朱維錚編：《梁啟超論清學史二種》，頁38。

31　〈殷周制度論〉，《觀堂集林》卷10，頁15。

他運用「二重證據法」實際說經的成果中，則又只偏向通解經典中難解的文句，對經義的闡發較少。王氏並沒有完整說解經典的著作傳世，我們所見的說經成果，只有學生吳其昌、劉盼遂所記王氏講說《尚書》、《儀禮》的片斷記錄[32]。據講授記，王國維解說經典時，不但用了他所提出的「二重證據法」（包括「文字材料」與「非文字材料」），也援引了屬「活材料」的民俗證據。今以劉盼遂《觀堂學禮記》為例，依援用證據類型之不同，分別舉例如下，以見王國維解經之趨向：

（一）以出土銘文為證

1　〈士冠禮〉「生無爵，死無諡」鄭注「殷时生不為爵，死不為諡」，王氏曰：

> 宋人解作「生無爵者則死無諡」。而實按之，古者生雖有爵，而死亦無諡。如周之文、武、成、康，皆非諡也，亦古時之美稱耳。……〈遹敦〉為穆王時器，其稱王曰「穆穆王」，亦一證矣。（《古史新證》頁 314-315）

2　〈燕禮〉「小臣戒與者」鄭注：「小臣相君燕飲之法」，王氏曰：

> 小臣義為近臣。《呂氏春秋》「伊尹，湯之小臣。」銅器中亦多言「小臣」，知不盡為卑屬也。（《古史新證》頁 317）

3　〈燕禮〉「遂獻左右正與內小臣」，鄭注：「左右正，謂樂正、僕人正也」。王氏曰：

---

32 參見吳其昌《王觀堂先生尚書講授記》、《王靜安先生儀禮講授記》；劉盼遂《觀堂學書記》、《觀堂學禮記》。四篇講記都收錄在《古史新證——王國維最後的講義》中，作為附錄。此外，吳其昌又記有《王靜安先生古史新證講授記》、《王靜安先生古金文字講授記》。劉盼遂所記，又收入轟石樵輯校：《劉盼遂文集》（北京市：北京師範大學出版社，2002年）。

「左右」，蓋為官名。「左右正者」，左右之長也。《詩·雲漢》「趣馬」、「師氏」、「膳夫」、「左右」，毛、鄭亦皆以「左右」為官名。銅器屢云「官　左右。」銅器凡言「官司」者，下皆為官名。則此處「左右」之為官名，復奚疑焉。（《古史新證》頁318）

所列第一則中，以穆王時器〈遹敦〉銘文為證，以王氏所提出西周共王、懿王之前無諡號的見解，解說《儀禮·士冠禮》「死無諡」一句[33]。在第二則中，以鐘鼎銘文中常見的「小臣」，說明經典中「小臣」的地位。第三則以出土銘文文例，證成鄭《注》「左右」為官名之說。

（二）以出土器物為證

1　〈士冠禮〉「有篚勺觶角柶」，王氏曰：

勺者　酒之器，周勺不可見，漢勺尚時有之，略同今日之羹匙。柶者漉酒之器，醴中兼有酒糟，故須以質滑而多孔之器斂之，此柶之用也。又如盛酒之器：有尊罍卣壺等，此以金製者。甒缶等，此以瓦製者，飲酒之器，則有爵觚觶角散觥之分。而尊與爵則又統盛酒器、飲酒器之共名焉。（《古史新證》頁313）

2　〈士冠禮〉「設扃鼏」，王氏曰：

鼏，鼎之蓋也。今所見小鼎往往尚有蓋相連，大鼎則絕無有鼏者，古或以布為之也。（《古史新證》頁314）

3　〈士喪禮〉：「鼏用疏布，久之」鄭注：「久，讀為灸。謂以蓋塞壺口也。」王氏曰：

---

33 據〈遹敦〉銘文提出關於諡法的新見，是王國維重要的學術見解之一，《觀堂集林》卷18另有一篇〈遹敦跋〉，專論此說。

古瓦鬲或多連蓋，銅器則不多見。（《古史新證》頁 321）

　4　〈鄉射禮‧記〉：「醢以豆」

　　師云：古者豆以木為之。然金器中亦有銅豆。（《古史新證》頁 317）

此四則，都是以非文字材料的器物，說明經典文意。其中第四則，則用「銅豆」質疑「古者豆以木為之」的前人成說，認為除木豆外，尚有銅豆。

（三）以風俗為證

　1　〈士冠禮〉「每曲揖」，王氏曰：

　　今高麗人尚存此風。（《古史新證》頁 314）

　2　〈鄉飲酒禮〉「主人降席自南方」，王氏曰：

　　……今蒙古人飲酒尚如此。甲飲訖送爵於乙，乙送於丙，丙送於丁，依次而徧也。（《古史新證》頁 316）

此兩則，正是主張「第三重證據」者所指的風俗學證據。

　　在以上所舉數例中，王氏雖然運用了多種證據說解經文，但對經典義理的闡釋，則較不易見。誠如前文所引，王國維雖然仍有心於闡發經義，但或許由於強調出土文獻重要的主張太過強烈，以致他在解說經典時，偏於展現「新材料」、「新方法」於解經時的實際操作方式與效力。正因此，王國維的弟子及後世學者，往往只注意到他「考經證史」的過程，而忽略了他的「目的」。甚至，部分學者混淆了材料與證據，便一心以為王氏醉心於出土文獻的考釋，並誤以為王氏有藉由「二重證據法」的運用，以「地下材料」取代「紙上材料」儒家經典的用心。[34]

---

34 黃永年於〈論王靜安先生「二重證據法」的歷史地位〉一文中曾指出：「靜安先生晚年在政治上毋庸諱言是頗為保守的，……而『二重證據法』又自覺不自覺地在學術上

　　王國維未必真有「由經學轉向史學」的用心，後世學者卻未必不由王氏的學術成就中獲得「由經學轉向史學」的啟發。於是，後世學者論及民國時期「信古派」、「釋古派」，甚至「疑古派」時，都必然不會避開「二重證據法」的意義與影響。於此，我們似乎看到，「經」，已經成為「史料」的一種；而「經學」成了「史學」的附庸。

　　在這種風潮下，新的「經學」研究趨勢，衍然已經展開；著力以出土文獻檢驗經典記載真偽的著作，也一部部問世。其中，大約是受《古史新證》啟發，而以「新證」為篇名、書名的著作，尤其值得我們注意。

四　于省吾「新證」著作的意義

　　近代學者于省吾於民國二十年代，發表了一系列以「新證」為名的著作；包括：《雙劍誃尚書新證》、《雙劍誃詩經新證》、《雙劍誃易經新證》、《雙劍誃諸子新證》[35]。一九六三年，于氏又撰作《楚辭新證》，並於一九七九年發表。一九八一年，八十五高齡的于省吾重刪定《雙劍誃詩經新證》，並加上陸續發表的解《詩》、論《詩》之作，合刊為《澤螺居詩經新證》[36]。由此可見，于氏畢身對「新證」一詞特有獨鍾。

　　近時有學者認為，于省吾所說的「新證」，與王國維對「新證」的理解，有所不同[37]。據于氏《雙劍誃諸子新證》卷頭凡例所言，「新證」之義為「發明新義，證成舊說」；該條凡例如下：

　　起了反封建作用，這說明有時候對人對事物確實需要一分為二的。」《王國維學術研
　　究論集》（上海市：華東師範大學出版社，1990年），第3輯，頁256。

35 《尚書新證》序文作於民國二十三年（1934），《詩經新證》序文作於民國二十四年
　　（1935），《易經新證》序文作於民國二十五年（1936），《諸子新證》序文作於民國二
　　十九年（1940）。以上各書原各自發行。本文所據，為近年重印之合刊縮印本《雙劍
　　誃群經新證、雙劍誃諸子新證》（上海市：上海書店，1999年）。

36 參見《澤螺居詩經新證》（北京市：中華書局，1982年），于氏所撰〈前言〉。

37 參見馮勝君：《二十世紀古文獻新證研究》（濟南市：齊魯書社，2006年），頁3。

是書以古文字、古器物為佐證者，約十之二三，依校勘異同、聲韻通假為佐證者，十之七八。其發明新義，證成舊說，或為昔賢及並世作者未道及，故名「新證」。[38]

這與王國維「以新材料為證」的「新證」意義，確實有別。然而于氏所揭示的，是運用傳統文字、聲韻、訓詁方法[39]，以典籍記載為主、出土文獻為從；此種態度，無疑正與王國維所指出「二重證據法」的運用原則，一般無二。

　　除了「所說」，我們更應直接從于氏解經之作中，考察其「所為」。在于氏以「新證」為名的著作中，《詩經新證》前後兩次出版，並有大幅增修，值得我們特別探討。以下，即以增修後的《澤螺居詩經新證》為例，探討于省吾說經時證據的運用情形，並藉此探討他在經學、史學兩方面的發展趨向。

（一）《詩經新證》[40] 運用出土文獻的概觀

　　《詩經新證》共分上、中、下三卷。卷上收納了《雙劍誃詩經新證》刪訂後的大部分內容；卷中則是原發表於《文史》的《澤螺居詩經札記》；卷下則是五篇關於《詩》的論述。卷上、卷中性質較相近，都是就《詩》的某一文句作說解。經統計，卷上說解共一百七十六條，卷中說解四十九條；合計二百二十五條[41]。每條中，或單出自一詩一句，或出自一詩中多句，甚至

38　《雙劍誃諸子新證・凡例》，頁1。合刊本頁202。

39　《雙劍誃諸子新證・序》也說：「清代學者輯佚覈異、考文通音，定其違悟，疏其疑滯，微言墜緒，於以宣昭。省吾末學淺識，竊嘗有志於斯；誦覽之餘，時得新解。本之於甲骨彝器、陶石鈢（化）〔印〕之文，以窮其原；通之於聲音假借、校勘異同之方，以究其變。」合刊本，頁202。

40　為求行文簡便，以下凡稱引《澤螺居詩經新證》，皆簡稱作《詩經新證》。

41　季旭昇〈《澤螺居詩經新證》述評〉一文中所統計條目數為二三一條，與本文所統計頗有出入。季文收入《「語文、情性、義理——中國文學的多層面探討」國際會議論文集》（臺北市：國立臺灣大學，1996年），頁741-760。

於一條中同時說解不同詩的詩句。

　　若以嚴格的標準檢視卷上、卷中的說解，其中說解過程完全未利用出土文獻或文物的條目，卷上有四十一條，卷中有十條，合計五十一條。換言之，在《詩經新證》一書卷上、中部分，利用古文字、古器物為證的條目，約佔總條目的百分之七十七。當然，其中也有部分僅僅利用某一古文字字形為證，或僅舉出鐘鼎銘文某一常用詞語為證的簡短條目。《詩經新證》利用古文字、古器物為佐證的比例，雖遠高於《雙劍誃諸子新證・凡例》所言「以古文字古器物為佐證者約十之二三」，但仍可見，于省吾所謂的「新證」，並不以新材料、新方法為標榜。

（二）《詩經新證》運用出土文獻的論證效力

　　在《詩經新證》中，確實有多條說解，因利用了古文字或古器物，而「發明了新義」。如魯頌・閟宮〉：「犧尊將將」，于省吾以出土的尊形，證明《詩》所言不誣。《詩經新證》卷上：

> 按近世出土之尊，其體制象物形者，有犧尊、象尊、羊尊、鴞尊、兕尊等。《說文》引《周禮》六尊，亦有犧尊、象尊。正義謂「犧尊有沙羽飾」[42]，非也。王肅謂「以犧牛為尊」，是也。王念孫謂「《宣和博古圖》所載周犧尊二皆為牛形，則又襲肅說而偽為之者」，豈其然乎？[43]

不但以出土器物說明詩中的名物，也同時糾正了前人之誤。

　　又如〈小雅・鴻雁之什・斯干〉「載弄之瓦」一句，毛《傳》解「瓦」為「紡塼」，《說文》「專」字下，則又解此字曰「紡專」。于省吾先從古音關係，說明「專」與「團」音義並相通；繼而指出：「然則毛傳訓瓦為紡專，

紡專即紡團，紡團即今考古所發現的『紡輪』。……此詩弄瓦之瓦，係指陶製的紡輪言之，決非塼瓦之瓦。」[44]如此的說解，更正了前人「弄磚瓦」的誤說。

　　然而，《詩經新證》運用古文字、古文物，其效力也有值得商榷之處。以下舉兩例說明。

1 〈周頌・閔予小子之什・賚〉「文王既勤止，我應受之」

　　于省吾先是援用了自己〈詩經中止字的辨釋〉研究成果，指出此句「止」字為「之」字之訛，繼而又提出質疑「『文王既勤之，我應（膺）受之』，這兩個之字都係指示代詞。但兩個之字所指的是什麼？即文王所勤勞的是什麼？後王所膺受的是什麼？這是從來所不能解答的問題。」于氏根據《書・梓材》記載及〈盂鼎〉、〈宗周鐘〉銘文[45]，以此三條「可信據的西周史料」彼此「互驗互足」，指出〈賚〉所言「很顯明是指著文王所致其勤勞於人民與疆土的事業和後王承受這一事業言之」。于省在此條之末特別指出：

> 由此可見，如果文獻資料與地下發掘的文字資料得不到交驗互證，則上面所提出的問題是無法解決的。[46]

關於〈賚〉一詩的大旨，是否果真如于氏所說，非得憑藉地下出土文獻才得以闡明？恐又未必。鄭玄在箋注此詩時曾指出：「文王既勞心於政事，以有天下之業，我當受之。」朱熹《詩集傳》也說：「言文王之勤勞天下至矣，其子孫受而有之，然而不敢專也。」[47]鄭、朱之意，都以「所勤」、「所受」

---

44 《經新證》卷中「載弄之瓦」條，頁113-115。

45 于氏所據《書・梓材》：「皇天既付中國民越厥疆土于先王，……惟曰，欲至於萬年，惟王子子孫孫永保民。」（參見《尚書正義》卷14，頁27）〈盂鼎〉銘文：「雩我其遹省先王受民受疆土」〈宗周鐘〉「我肇遹省文武勤疆土」。《詩經新證》，卷中，頁169-170。

46 《詩經新證》，卷中，頁170。

47 朱熹：《詩集傳》（臺北縣：藝文印書館，1974年影印日本靜嘉文庫藏宋刊二十卷

者為「天下」，于氏只是進一步詳言「天下」所指為「疆土與人民」。在《詩經新證》此條中，于氏認為〈宗周鐘〉銘文中的「文武勤疆土」為省略之言，「因為言疆土當然要包括人民在內」[48]；據此，我們何以不能將鄭、朱所說的「天下」，視作「疆土與人民」的概稱？

　　就此例而言，援引鐘鼎銘文為證的效力，並不在於提出新說，卻能為舊說提出有力的佐證。

2 《詩經・大雅・文王之什・緜》：「古公亶父，陶復陶穴，未有家室。」

　　毛《傳》：「陶其土而得之，陶其壤而穴之。」
　　鄭《箋》：「復者復於土上，鑿地曰穴，皆如陶焉。本其在幽時也。」

清人馬瑞辰《毛詩傳箋通釋》對於前人以「地上累土為之」解釋「復」，提出辨駁；馬氏據三家詩異文「覆」，認為詩中的「復」：

> 《淮南子・氾論》篇「古者民澤處復穴」，高《注》：「復穴，重窟也。一說，穴毀隄防崖岸之中以為窟室。」按高所引一說，正為復覆於地之制。……據《廣雅》「覆，窟也」，是窟室即「陶復」之「復」。《左傳》又云「吾公在壑谷」，是「復」實旁穿崖岸為之，亦掏其崖岸中之土為之，非累土於地上為之也。復之為言覆也，謂覆於上者。穴則鑿地為之窩。[49]

馬氏此說，是以「掏土」解說「陶」，並以「覆於地」解說「復」。

　　《詩經新證》卷上、卷中都各有一條探討〈緜〉「陶復陶穴」。在撰寫時間較早的卷上裡，提出的解說較為簡略，且完全以傳世典籍為證，並未援引任何出土文獻或文物為證。于省吾於徵引毛《傳》、鄭《箋》後，提出了他

本），卷19，頁27。
48 《詩經新證》，卷中，頁170。
49 馬瑞辰著，陳金生點校：《毛詩傳箋通釋》（北京市：中華書局，1989年），頁814-815。

的看法：

> 按，《說文》：「覆，地室也。詩曰：陶覆陶穴。」覆與穴為對文，
> 覆亦穴也。復，覆之叚字。《禮記‧月令》鄭注：「中霤猶中室也。
> 〔……〕古者複穴，是以名室為霤。」[50]朱駿聲云：「凡直穿曰穴，
> 旁穿曰覆，地覆于上，故曰覆也。」按覆與穴，總稱之曰穴。分
> 言之，逕直而簡易者曰穴，複出而多歧者曰覆。所謂散文則通，對
> 文則殊也。[51]

于省吾在此條中並未對「陶」字進行探討。由他所說「覆亦穴」、「散文則
通，對文則殊」，可見他同意如朱駿聲所言、以「地覆于上」解說「復」的
看法。然而，在撰作時間較晚的《詩經新證》卷中，于省吾再次對「陶復陶
穴」進行探究時，則提出了較為詳細的新說。首先，他先據傳世典籍，說明
「陶」為「燒土」之意，在此詩中是指「燒製穴底與穴壁」；他說：

> 二千年來說詩者對於「陶復陶穴」的陶字和復字一向訓釋不清，而清
> 儒又多拘泥於《說文》覆訓地室、穴訓土室之義，遂誤以為陶復是
> 於地上復築土室。按古者用火燒土和鎔鍊金屬均謂之冶。《史記‧鄒
> 陽傳》稱「獨化於陶鈞之上」，索隱引張晏訓陶為冶。燒土製器謂之
> 陶，燒製穴底與穴壁也謂之陶。「陶復陶穴」的陶字應作動詞用，是
> 說住穴與復穴的內部都用陶冶出來的紅燒土所築成，為的質地堅固，
> 以防潮濕。《禮記‧檀弓上》：「夏后氏堲周。」鄭注：「火熟（莊述祖
> 謂本作熱）曰堲，燒土冶以周於棺。」西安半坡仰韶文化墓葬中已有
> 木板的痕跡，山東大汶口龍山文化墓葬中已有木槨的發現。可見相當
> 於龍山文化的夏代墓葬，有的有了木棺當無疑問。鄭注的燒土冶，即
> 今之所謂紅燒土。華縣元君廟仰韶文化的兩個女孩合葬墓，下面用紅
> 燒土塊鋪底，上面用紅燒土塊填塞；邯鄲澗溝龍山文化所發現的圓坑

---

50 《禮記注疏》，卷16，頁15。
51 《詩經新證》，卷上「陶復陶穴」條，頁48。

墓葬，上面封以紅燒土。這都是「聖周」的一種表現。總之，古代墓葬既然如此，則自仰韶文化、龍山文化以來，尤其是相當於商代末期的周之先王「公亶父」（太王），其穴居陶居陶冶穴壁與穴底，取其堅實防潮，這是不難理解的。[52]

其次，于氏又結合了典籍記載與考古遺址，說明「復」與「穴」有所不同。他的論述是這樣展開的：

> 陶復的復字，舊說也均不得其解。「陶復陶穴」本應作「陶穴陶復」，其作倒文者，為的是與上下句𣲖、漆、室三字協韻。陶復之復，即《禮記・月令》「仲春之月」所說的竇窖，竇窖係開掘於住穴之內，用以儲藏穀物。《一切經音義》十一引《通俗文》，「藏穀麥曰窖也」。先掘成住穴，然後在住穴之內又掘成窖穴，大穴套小穴，故曰「陶穴陶復」。復、複古同用，《說文》引作「𥨍」，也就是《禮記・月令》鄭注所說的「複穴」。總之，從仰韶文化、龍山文化以迄商周之際，雖然已經有了半室半穴和地上房屋的建築，但穴居之風仍然時有所存，再說，周人地處西北，難免落後於中原。《詩・綿》的「陶復陶穴」，係周人詠太王在豳穴居之事，太王處於商代末葉，其住穴與復穴均用陶冶之土所築成，自然要比新石器時代的穴居更為完善。[53]

此段「新證」，以仰韶文化、龍山文化的居住遺跡為證，說明「𥨍（復）」與「穴」為半穴居的建築形。進一步，于氏又說明「𥨍（復）」與「穴」功用不同：前者用以儲物，後者為人所居。于氏並據《禮記》鄭注，闡明儲物之「𥨍（復）」，是「大穴套小穴」的「複穴」。經由這樣的論述，〈綿〉詩中的「陶復陶穴」一句的文意即是：以陶冶之土築其居住之「穴」，又以陶冶之土築穴中儲物的「復」。

　　經此一說，《詩》的文意確實獲得闡明。于氏對以古文化居室遺址為證

52　《詩經新證》，卷中，頁142-143。
53　《詩經新證》，卷中，頁143-144。

的作法，似乎頗有自信；他在該條之末，有如下的記述：

> 如果沒有近來考古發掘上的證明，則詩之「陶復陶穴」便無由得到明
> 確的解釋。[54]

然而，「考古發掘」在此則的運用中，實只能說是啟發了于省吾對「陶」字
的理解方向，並不能稱是「證據」。一者，于氏論證時引用的仰韶文化、龍
山文化遺址，是墓葬遺址，與〈綿〉所述的居室遺址，終究不能等而視之。
再者，〈綿〉所敘述古公亶父時代的居住環境，與于氏所引的仰韶文化、龍
山文化時代的居住環境，究竟是否相近，實未可確知。因此，于省吾於條末
的自述，似有過當之虞。

　　由此二則看來，與其說是于省吾援引古文字與古器物、遺址方才解開
《詩》義晦澀難明之處，倒不如歸功於于氏純熟的傳統訓詁手法。「二重證
據」在此，確實只發揮了佐助之力。于氏弟子陳公柔於〈懷念于省吾先生〉
一文中曾說：「先生一向主張以地下資料為主，典籍為輔。對於清代的考據
學，先生認為其對學術的研究方法，及豐富的成果都是值得學習與吸取
的。」[55]此話的後半，在于氏著作中可以充分得到驗證。

五　于省吾「新證」著作目的的轉向

　　在民國二十年代的著作序言中，于省吾幾乎無一例外地於文末指出了他
闡發經義的撰作目的。《雙劍誃尚書新證·序》：

> 然則考證經傳、抉隱發覆，釋其詰籍，通其幽眇，非識商周之語例、
> 撢古籀之源流者，奚足以語於此哉。

54　《詩經新證》，卷中，頁143-144。
55　陳公柔：〈懷念于省吾先生〉，原刊《社會科學戰線》1997年第4期，後收入陳公柔：
　　《先秦兩漢考古學論叢》（北京市：文物出版社，2005年），引文見頁279。

《雙劍誃詩經新證・序》：

> 要之，不諳文通叚與夫形體之演變，必蹈拘文牽義之譏矣。然史實、聲音、名物、訓詁，詩人之跡也；主文譎諫、敦風尚感，神明詩人之意也。課跡求意、觸類而長理，得將更犁然有當於人之心，而後詩人之玄解眇旨，可默契於千載之上。古之善相馬者，超乎牝牡驪黃之外，固未可執塗人而共喻之也。

《雙劍誃易經新證・序》：

> 《易》者，古人卜筮之書也。卜筮者涉乎「神道設教」以為言，處今世科學昌明之日，囿於吉凶占論之說，此非吾之所敢知也。孔子學《易》以寡過，荀子謂「善學《易》不占」，其深於《易》者乎。夫《易》隨物著象，因事示戒，往來動靜之機、消息盈虛之理、是非得失之效，無不該備。達者得之斂之而整躬存誠，散之而經世宰物，固百慮一致、殊塗同歸，貫乎古今，通乎中外。符於此者必治其理，異於此者必乖其方。省吾感於言行之多愆，懲於世變之日極，而知古先聖哲之至言精義，固有終古不可磨滅者在也。

這些著作的旨趣，都在於「抉隱發覆」、「課跡求意、觸類而長理」「犁然有當於人之心」，且要默契詩人之「玄解妙旨」，甚至要「知古先聖哲之至言精義」。然而，這些于氏早年經學研究的用心，於日後也有了轉向。

　　前文曾引《雙劍誃諸子新證・凡例》對清儒解經方法與成就的推崇，但在一九六〇年此書再版時，于省吾新寫就的序言中，不僅改文言為白話，看待清儒的態度也有了轉變：

> 清代考據學風，鼎盛一時，許多考據學家對於古籍之目錄、辨偽、輯佚、校勘以及文字、聲韻、訓詁之學，頗能實事求是，饒有發明。但極其弊也，則流於支離穿鑿，冗蔓繁瑣，無裨宏旨。我以為考據而得其當者，祇是史料之整理與復原工作，並不能闡明歷史之發展規律

也。叢者精力未衰，聚眾本以校異同，會群言而辨得失。邇來從事研
究歷史科學，稍有進益。[56]

此序中，對清儒的評價雖與先前有所不同，但仍儼然以「有裨宏旨」自期；
只是將這種著作旨趣，轉換成「闡明歷史之發展規律」一語。及至一九八一
年為《詩經新證》寫新序時，前時的序言已完全被刪削。這也表示，于省吾
《詩經新證》，已由經學著作，轉為史學著作，甚至只是詩經文句的訓詁著
作。職是，我們可以把于氏著作看作「古文獻新證」，而不再是「發明新
義，證成舊說」的經學著作了。

六　結語：民國經學的轉向

姚孝遂曾述及其業師于省吾的學術志向與研究途徑：

〔于氏〕很欣賞戴東原的一段名言：「經之至者道也；所以明道者辭
也；所以成辭者字也。必由字以通其辭，由辭以通其道。」因此，在
他的晚年，將其全部的精力投入到商周古文字的研討中去。而這種對
古文字的研討，又是與經學、史學的研討緊密相結合的。[57]

「通經」是過去經學家「明道」的主要途徑。王國維、于省吾等民國時期的
學者，原初也都存著「通其道」的職志。「二重證據法」原先也只是王國維
經學研究中運用的方法之一。隨著地下材料陸續出土，學者們從原先的用之
為佐證的態度，轉而投入絕大部份的時間、心力從事考釋、解讀出土文獻的
工作。就戴震「由字以通其辭，由辭以通其道」的步驟看來，這樣的研究工
作本也是必要且有助於經學研究的。

隨著時代的遞嬗，儒家思想與典籍的崇高地位被重新審視，「明道」的

56　《雙劍誃諸子新證》（北京市：中華書局，1962年）。

57　姚孝遂：〈勇於探索和開拓的一生——懷念于省吾先生〉，《古文字研究》（北京市：中
　　華書局，1989年），第16輯，頁14。

工夫，也不一定需由「通經」達成。因此，經學研究者不再企慕「經學第一義」的境界，甚至也認為沒有必要從事「體會、發揚聖人制作典制的用心」的第二層意義的經學研究，或「對聖人所制作典制的探究」的第三層意義經學研究。王國維、于省吾之後，以「新證」為篇名、書名的論著頗多，但真能承繼、發揚王、于二人最初著作旨趣者，則又未之見[58]。

　　經學史料或出土文獻的研究，或許未必呈現了民國經學的衰亡，我們更期待這是具有新時代意義的經學興起的準備工作。

---

58 後世又有明言「名物新證」的一類著作，大多標榜著「結合文獻與文物對古代名著進
　　行研究」，如揚之水：《詩經名物新證》（北京市：北京古籍出版社，2000年）、《古詩
　　文名物新證》（北京市：紫禁城出版社，2004年）等，則似乎只以「新證」為運用
　　「二重證據法」進行研究的同義詞，未見經義的闡發。

梁啟超清代學術史研究述評

張政偉

慈濟大學東方語文學系副教授

一　前言

　　梁啟超（1873-1929）是清末民初的風雲人物，積極參與各種政治社會運動。他是戊戌變法（1898）的主導人物之一，這段經歷讓他擁有全國性的知名度。變法失敗後，梁啟超隨即東渡日本避禍，此期創辦媒體，廣發言論，逐漸成為文化界重要的意見領袖。梁啟超涉獵廣博，文思泉湧，留下著作數量龐大，領域繁雜的著作。梁啟超過世後，對其著作的整理與研究幾乎同步展開，累積至今數量驚人。梁啟超身為戊戌變法的主要人物，因此對他的關注與定位有很大一部分著重在政治、文化方面。梁啟超也的確對清末民初的政治、社會制度的興替變革，做出重大的貢獻，並且具有實質影響力。長期以來學界對梁啟超的研究多集中在政治、社會領域，實其來有自。[1]

　　梁啟超在生命的後段，已絕意於政治活動，將重心轉向學術研究，有豐

---

[1] 大陸近百年來對梁啟超的研究作品，粗估有書籍三百六十多部，論文一千二百多篇。研究集中在梁啟超的政治、經濟、文化、思想與社會運動的論題上。相對而言，關於梁啟超清代學術史的專門研究就顯得較少些。參見侯傑、李釗：〈大陸近百年梁啟超研究綜述〉，《漢學研究通訊》第24卷第3期（總95期）（2005年8月），頁1-12。臺灣方面專論梁啟超清代學術史研究的論文數量不多，較著名者有岑溢成：〈梁啟超清代經學史觀析論〉，《第四屆近代中國學術研討會論文集》（桃園縣：國立中央大學，1998年3月），頁33-42。另有詹海雲：〈論梁啟超的清代學術研究〉、吳銘能：〈梁啟超清代學術史研究述評〉。以上二文收入國立中山大學清代學術研究中心編：《清代學術論叢》（臺北市：文津出版社，2002年11月），第3輯，頁389-419、頁421-451。

碩的成果。梁啟超最有貢獻的學術研究應是清代學術史，其相關著作是該領域學者的重要參考資料。梁啟超最早的清代學術史研究為〈近世之學術〉（1904），此後沈寂許久，直至民國五四運動（1919）後才有《清代學術概論》（1920）出版。幾年後梁啟超積極投入清代學術史的研究工作，先後完成〈戴東原先生傳〉（1923）、〈戴東原哲學〉（1923）、〈戴東原著述纂校書目考〉（1923）、〈顏李學派與現代教育思潮〉（1923）、〈朱舜水先生年譜〉（1923）、〈明清之交中國思想界及其代表人物〉（1924）、〈近代學風之地理的分布〉（1924）、〈說方志〉（1924），最後以《中國近三百年學術史》（1924、1929）收結。梁啟超的清代學術史研究大致可以分為兩類：一為專題研究；一為整體研究。二類研究皆展現出梁啟超創新的觀點與卓越的思辨。唯流傳最廣，影響較深，成績最好，能體現梁啟超思想重心者，是清代學術的整體研究。因此，本文選擇梁啟超〈近世之學術〉、《清代學術概論》、《中國近三百年學術史》為論述對象，整理梁啟超的重要見解，除找出貫串於其著作的基本思想外，尚試圖解釋其間重大轉變之意義，並且為其清代學術史著作進行簡約評價。

二　〈近世之學術〉述評

光緒二十八年（1902）梁啟超著手撰寫《論中國學術思想變遷之大勢》，然僅寫至「佛學時代」部分即停筆。[2]光緒三十年（1904）梁啟超跳過寫作計畫中的「佛儒混合時代宋元明」部分，完成〈近世之學術（起明亡以迄今日）〉，發表至《新民叢報》。[3]

2　一九○二年一月梁啟超由澳洲至日本暫居，開辦《新民叢報》，〈論中國學術思想變遷大勢〉於此時開始撰寫。一九○三年梁啟超赴美國遊歷，歷時近十個月，一切寫作停頓。回到日本後開始撰寫《大陸遊記》，是以〈論中國學術思想變遷大勢〉的寫作工作中斷一年有餘。見楊克己：《民國康長素先生有為梁任公先生啟超師生合譜》（臺北市：臺灣商務印書館，1987年），頁183、頁192-197。

3　〈近世學術〉刊載於《新民叢報》1904年9月、10月、12月之53、54、55、58號。

　　梁啟超〈近世之學術〉分為：「永歷康熙間」、「乾嘉間」、「最近世」三節，將近世學術以朝代劃分為四期。首節敘述第一期由明永歷（清順治）至康熙中葉的學術發展。此期重要學者有三種：第一種承接王學者，稱之為舊學派，代表人物是：孫奇逢（1584-1675）、李顒（1627-1705）、陸世儀（1611-1672）、張爾岐（1612-1677）、張履祥（1611-1674）、呂留良（1629-1683）六人；第二種是新、舊學派的過渡者，代表人物是：顧炎武（1613-1682）、黃宗羲（1610-1695）、王夫之（1619-1692）、顏元（1635-1704）、劉獻廷（1648-1695）五人；第三種是開創新學者，代表人物是：閻若璩（1636-1704）、萬斯大（1633-1683）、萬斯同（1638-1702）、胡渭（1633-1714）、王錫闡（1628-1682）五人。梁啟超以為第一期只有這十六人堪稱為「大師」，其他學者「或傳薪或別起，皆附庸也，不足以當大師」。[4]

　　舊學派的六位學者主要功績在於洗脫晚明王學流弊，特重篤行踐履。但是「所謂舊學派諸賢者，語其在學界上之位置，不過襲宋明之遺，不墜其緒，未足為新時代放一異彩也。」（頁 79）因此就學術上來說有傳承之業，無開創之功。

　　新舊學派過渡學者的功績在學術上走向「應用的」學問，[5]並且標舉顧炎武、黃宗羲、王夫之、顏元、劉獻廷為「五先生」。梁啟超除了簡略說明五人的個別學術成就之外，特別總合五人學行之共通性：「以堅忍刻苦為教旨」、「以經世致用為為學統」、「以尚武任俠為精神」、「以科學實驗為憑藉」。（頁 77）梁啟超將「尚武任俠」列為學術人物優點者，有其特殊用心。他特別說明武術為中國國粹，日後中國體育發展定要保留此項。他舉日本為例，說明該國長久以來提倡柔道、相撲、劍擊的武術，結果在日俄戰爭（1904-1905）中成為致勝關鍵。

　　梁啟超以為清初五先生的學術由王陽明心學走向應用、實踐的學問，開

4　梁啟超：〈論中國學術思想變遷之大勢・近世之思想〉，《飲冰室文集》（臺北市：臺灣中華書局，1983年），卷7，冊3，頁77。

5　梁啟超：「近世學術史之特色者，必推顧、黃、王、顏、劉五先生。五先生之學，應用的，而非理想的也。」〈論中國學術思想變遷大勢・近世之學術〉，頁79。

啟後來的乾嘉考據學學風。梁啟超解釋學術轉向的原因有三：一是明朝政府
糜爛，導致異族入佔中原，此階段「講求實際應用的政論不容已」；二是王
學末流空言狂恣，不談社會實用之學，「諸君子不得不以嚴整之戒律，繁博
之考證，起而矯之」；三是五先生「奔走國難，各間關數十年於一切政俗利
病，皆得之實驗調查。」（頁 86）梁啟超對於五先生的學行給予很高的評
價，盛讚諸先生是近世學術最耀眼的光芒。[6]梁啟超推崇五先生的原因在於
他們在異族入替之際，堅守氣節，足證學行相印。其中數人或有與清政府往
來，但是畢竟守住不仕異代（異族）的最低標準。[7]

　　新派學者的功績在拓展考據學的觀點、方法，並據此獲得傑出的成就。
在研究方法上，梁啟超認為清代發展的考據學的方法由演繹推論走向精細歸
納，而歸納法正是西方文明進步的動力。[8]在具體研究成果方面，閻若璩
《尚書古文疏證》論證東晉所出古文《尚書》為偽作。胡渭《禹貢錐指》校
正漢代以來註釋之誤，辨明山川郡國異同。這兩位學者不僅是影響後人最鉅
之學者，梁啟超稱他們是「清學正派之初祖」。萬斯大與萬斯同兄弟對三禮
與史學的研究最為精到。在應用科學方面，王錫闡《曉庵新法》天文曆算的
成就獨步清代。

　　梁啟超在本節提到清初之徐乾學（1631-1694）、湯斌（1627-1687）、李
光地（1642-1718）、毛奇齡（1623-1716），認為上述諸人阿諛時主，賣友求
榮而位居高位，生平所為至為可恥，因此激切地抨擊他們是「學術蟊賊」。

6　梁啟超：「近世學術史上，所以爛然其明者，為恃五先生。抑五先生不獨近世之光，
　　即置周、秦以後二千年之學界，亦罕或能先也。」〈論中國學術思想變遷大勢‧近世
　　之學術〉，頁84。

7　梁啟超：「孫、李、陸、呂、二張、顧、黃、二王、顏、劉、二萬，皆明遺民，於新
　　朝不肯受一絲一粟之養。非直其學之高，抑其節行又足以砥所學也。……三先生
　　（案：閻若璩、梅文鼎、胡渭）皆以處士終也。」〈論中國學術思想變遷大勢‧近世
　　之學術〉，頁89。

8　梁啟超：「言泰西近世文明進步之原動力者，必推倍根。以其創歸納論理學，掃武斷
　　之弊。……吾中國三百年來所謂考證之學，其價值固自有不可誣者。何也？以其由演
　　繹的而進於歸納的也。」〈論中國學術思想變遷大勢‧近世之學術〉，頁86。

（頁 90）

　　第二節「乾嘉間」主要敘述清代考據學的學術發展，梁啟超稱考據學興起的最大原因是清政府屢興文字獄，使學者只能埋首故紙，專力訓詁考據，以避文網。將考據學興盛的主因歸於「時主之操縱」（頁 91），這種論述至今仍有許多學者支持，認為是重要的外在環境因素。

　　梁啟超將自乾隆年間開始的考據學分為「吳派」與「皖派」二種學術派別。

　　「吳派」開山大師為惠棟（1697-1758），學術淵源為其祖惠周惕（1641-1697）、父惠士奇（1671-1741）之家學而來。門下著名弟子有江聲（1721-1799）、余蕭客（1729-1777）、王鳴盛（1722-1797）、錢大昕（1728-1804）、王昶（1724-1806）。

　　「皖派」開山大師為戴震（1723-1777），他曾師從江永（1681-1762），又曾與惠棟論學交遊。可歸為此派之著名學者有金榜（1735-1801）、程瑤田（1725-1814）、凌廷堪（1755-1809）、胡匡衷（1728-1801）、胡承珙（1776-1832）、胡培翬（1782-1849）、任大椿（1738-1789）、盧文弨（1717-1795）孔廣森（1752-1786）、段玉裁（1735-1815）、王念孫（1744-1832）。梁啟超以為「皖派」因戴震入四庫館而「掩襲天下」，影響力遠超過「吳派」。[9]

　　梁啟超以為考據學者大多專事訓詁考證，對於理學哲學方面的論述甚少著力。不過他特別標舉戴震，以為其有《孟子字義疏證》欲與宋明儒者相爭，但是書中「使人各得其情，各遂其欲」的主張，「頗有近於泰西近世所謂樂利主義者，不可謂非哲學中一支流。……二百年來學者記誦日博，而廉恥日喪，戴氏其與有罪矣。」（頁 93）這裡強烈指摘戴震，不贊同充滿個人主義立場的思想。

　　梁啟超對於考據學的整體評價是毀多譽少。他總結清代考據學的發展：「本朝學者以實事求是為學鵠，頗饒有科學的精神，而更輔以分業的組織。

9　梁啟超言此節「吳派」、「皖派」的劃分與敘述：「以上敘傳授派別，頗採章氏《訄書》而增補之，且自下斷案。」〈論中國學術思想變遷大勢・近世之學術〉，頁93。

惜乎其用不廣,而僅寄諸瑣碎之考據。」(頁 87)認為科學精神或方法是考據學在學術上最重要的進展,但是在致用上仍有極大的侷限。因此考據學產生出來的研究成果對「國學」有益,可惜在思想與實用上並沒有幫助。[10]梁啟超對此頗有深切感嘆,以為考據學雖有方法、觀點上的進化,但是研究方向錯誤,導致研究成績只停留在整理國學資料的層次。[11]

　　第三節「最近世」講述今文學的發展,與諸子學研究的興起。梁啟超以為「其最近數十年來崛起之學術,與惠、戴爭席,而駸駸相勝者,曰西漢今文之學。」(頁 96)。乾嘉時期首先鼓吹西漢今文經學者是莊存與(1719-1788),接續者為劉逢祿(1776-1829),這兩人治《公羊》學,頗能明家法。道光年間龔自珍(1792-1841)與魏源(1794-1857)亦以治今文經學聞名。梁啟超推崇龔自珍,稱其「吾見並世諸賢,其能為現今思想界放光明者」。(頁 97)之後在學統上有關連的著名學者為李兆洛(1769-1841)、宋翔鳳(1776-1860)、邵懿辰(1810-1861),但是成績平平。光緒末年間之今文學者為王闓運(1833-1916)與廖平(1852-1932),兩人著書眾多,但是其說多變。

　　梁啟超於此極力宣揚康有為(1858-1927),稱他是晚清今文經學研究最重要的學者,認為康有為的成就在於胸懷致用天下壯志,闡述今文經學大義,「則亦解二千年來人心之縛,使之敢於懷疑,而導入思想自由之塗徑而已。」[12]梁啟超稱康有為倡言孔子與諸子之學地位平等,皆有改制創教之

---

10 梁啟超:「惠、戴之學,固無益於人國,然為群經忠僕。使此後治國學者,省無量精力,其功固不可誣也。」〈論中國學術思想變遷大勢‧近世之學術〉,頁94。

11 梁啟超:「本朝考據學之支離破碎,汨歿性靈,此吾儕十年來所排斥不遺餘力者也。雖然平心論之,其研究之方法,實有不能不指為學界進化之一微兆者。至其方法何以不用諸開而用諸闔,不用諸實而用諸虛,不用諸新而用諸陳,則別有種種原因焉。若民性之遺傳,若時主之操縱,皆其最鉅者也。蓋未可盡以為諸儒病也。」〈論中國學術思想變遷大勢‧近世之學術〉,頁87。

12 〈論中國學術思想變遷大勢‧近世之學術〉,頁99。梁啟超又言:「(康有為)至於取其性質而研究之,則不惟反對焉者之識想一變,即贊成焉者之識想,亦一變矣。所謂脫羈軛而得自由者,其幾即在此而已」,頁100。

意，因而打破思想藩籬，使得諸子學研究得以興起，能與儒學研究相提並論。[13]

梁啟超綜述清代學術發展之後，宣稱時代與研究重心有一巧妙關連，即時間往後推移，但是研究重心或對象卻是逆往上溯。[14]梁啟超特別據此表列清代學術發展的變遷狀況：

第一期	第二期	第三期	第四期
順康間	雍乾嘉間	道咸同間	光緒間
程朱陸王問題	漢宋問題	今古文問題	孟荀問題孔老墨問題

表下有小字註明：「上表不過勉分時代其實各期銜接攙雜有相互之關係非能劃若鴻溝讀者勿刻舟求之。」（頁 102）製作此表用意在突顯顯明清代學術的研究重心與時代有次序上的關連性。

梁啟超以為：「由此觀之，本朝二百年之學術，實取此前二千年之學術，倒影而繅演之。如剝春筍，愈剝而愈盡裏；如啖甘蔗，愈啖而愈有味。不可謂非一奇異之現象也。」（頁 102）他解釋「學術史的倒演」現象，其原因在於「社會周遭種種因緣造之」。[15]所謂的社會因緣，主要是指當研究對象被徹底探索，窮盡其義，將迫使後繼者必須另尋研究對象、方法以發揮其智。不過，梁啟超對「社會因緣」並沒有較為完整的敘述，只是一種籠統

13 梁啟超：「二十年來，南海言孔子改制創新教，且言周秦諸子皆改制創新教，於是孔教宗門以內有游、夏、荀、孟異同優劣之比較，於孔教宗門以外，有孔、老、墨及其他九流異同優劣之比較。」〈論中國學術思想變遷大勢‧近世之學術〉，頁101-102。

14 梁啟超：「有清一代通二百六十年間，有一不可思議之理趣。順治康熙間，孫奇逢、黃宗羲、李顒仍主王學，故明學占學界第一之位置。康熙中葉考據家言盛起，於是宋學占學界第一之位置。自顧炎武勸讀注疏，六朝、三唐學逐漸占學界第一之位置。自惠棟、戴震而後，則東漢學占學界第一之位置。自今文家莊存與、劉逢祿、魏源、邵懿辰而後，則西漢學占學界第一之位置。自康有為前後諸子學興起，先秦學占學界第一之位置。」〈論中國學術思想變遷之大勢‧近世之思想〉，頁100。

15 朱維錚稱此為「學術史的倒演」，參見朱維錚：〈十八世紀的漢學與西學〉，《走出中世紀》（上海市：復旦大學出版社，2007年4月），頁140。

的稱呼。

　　梁啟超以「學術史的倒演」觀點為立論基礎，宣稱「二百餘年間，總可
命為古學復興時代。特其興也，漸而非頓耳。然固儼然若一有機體之發
達。」（頁 103）「古學復興」，即西方「文藝復興」（renaissance）。[16]西方文
藝復興發源於十四世紀的義大利，以恢復古典文化為手段，革新當時的文化
氛圍。梁啟超將清代學術發展視為西方文藝復興，表達對未來思想文化的革
新前景充滿期待。

　　對當時尚未脫離今文經學的梁啟超而言，利用類比「進化論」的方式，
說明「倒演」現象，以表明今文經學是學術的進化，其意義不僅是正向的演
變，更是積極的拓展。[17]有趣的是當時的古文經學家劉師培也觀察到「倒
演」現象，但是他認為由治學態度與方法來看，這是一種衰弱與倒退。[18]

　　梁啟超對清代學術的評價不高，其言：「綜舉有清一代之學術，大抵述
而無作，學而不思，故可謂之思想最衰時代。」（頁 100）但是學術發展
「至今日而蔥蔥鬱鬱，有方春之氣焉。吾於我思想界之前途，抱無窮希望

16 沈毅和於一八七九年出版的《西史彙函續編‧歐洲史略》，即以「古學復興」為標
　　題，介紹歐洲文藝復興。見鄭師渠：《晚清國粹派——文化思想研究》（北京市：北京
　　師範大學出版社，2000年11月），頁130。梁啟超於一九○二年撰寫之〈論學術之勢力
　　左右世界〉提到：「近世文明先導之兩原因，即十字軍之東征與希臘古學復興是
　　也。」參見《飲冰室文集》，文集之6，冊3，頁111。
17 一九○二年梁啟超受到日本與西方學者影響，撰寫《新史學》，文中對於進化觀點尤
　　為提倡，輔之以今文經學家的歷史思想，梁啟超早期的歷史學觀點。路新生：「梁啟
　　超對於今文家『重義輕事』的治學弊端不僅沒有加以實事求是的批評，反而予以肯
　　定，將『春秋重義不重事』的今文家方法論移用到了『新史學』中。」參見路新生：
　　〈今文經學與晚清民初的史學轉型〉，《經學的蛻變與史學的轉軌》（上海市：上海古
　　籍出版社，2006年1月），頁182。蔣國保、余秉頤、陶清：「梁啟超的新史學，既有現
　　代科學的進化論，也有今文經學的三世說，兩者同在進化史觀的範定下相容共處。新
　　的理論建構是通過原有理念與現代科學理論的重構，從而最終完成傳統文化向現代理
　　論的轉型。」見《晚清哲學》（合肥市：安徽人民出版社，2002年9月）頁567-568。
18 劉師培（1884-1919）：〈近代漢學變遷論〉，《左盦外集》卷9，收入錢玄同（1887-
　　1939）編：《劉申叔先生遺書》（南京市：江蘇古籍出版社，1997年11月影印民國二十
　　五年寧武南氏排印本），頁1541-1542。

也。」（頁 103）。梁啟超樂觀的理由在於「但使外學之輸入者果昌，則其間接之影響，必使吾國學別添活氣，吾敢斷言也。」（頁 104）梁啟超期望能藉由西學的引進，以翻新國學的立場，於此清楚表露。

　　梁啟超此時對清代學術的評論帶有鮮明的政治立場，以學者品行，以及對清政府的態度作為臧否人物的重要指標。另外，由於篇幅較短，論述暢快，因此所下的評論多無推演論證過程，僅直捷地抒發感想。

三　《清代學術概論》述評

　　《清代學術概論》發表於一九二〇年，[19]為五四運動以後第一部清學史專著。當時著名的軍事理論家蔣方震（1882-1938）完成《歐洲文藝復興史》（1923），請梁啟超撰寫序文。梁啟超以為當取中國類似文藝復興之時代相印證，故以清代時代思潮為序文切入點。未料下筆數萬言，幾與《歐洲文藝復興史》字數相當，索性獨立成書。梁啟超請蔣方震為此書撰寫序文，蔣氏在文章中附和梁啟超的論點，以為「清學之精神，與歐洲之文藝復興，實有同調焉」。[20]

　　《清代學術概論》初稿完成後，梁啟超在初〈序〉表明此書撰寫的第二動機源於胡適（1891-1962）的建議。後接受蔣方震、林志鈞（1879-1960）、胡適三人之意見，增加三節，改正數十處。因此書較為簡略，梁啟超認為不適合以「學術史」稱之，因此將此書命名為《清代學術概論》。[21]

19　《清代學術概論》首以〈前清一代思想界之蛻變〉為主篇名，刊載於《改造》第3卷第4、5期。後經梁啟超修訂，於一九二一年由上海商務印書館出版單行本。日人渡邊秀方隨即於次年翻譯全書，由東京二酉社出版。《清代學術概論》為學術界的暢銷書籍，單行版本眾多。朱維錚於一九八五年對《中國近三百年學術史》、《清代學術概論》進行校注，後由上海復旦大學出版合刊《梁啟超論清學史二種》，這是大陸學界較常用的文本。臺灣則有徐少知在朱維錚校注的基礎上進行勘誤校對，於一九九五年由臺北里仁書局出版《中國近三百年學術史（附清代學術概論）》，本文使用此版本。

20　蔣方震：《清代學術概論·序》，頁1。序文作於一九二一年一月二日。

21　梁啟超：《清代學術概論·第二自序》，頁5。序文作於一九二〇年十一月二十九日。

梁啟超在序文提到此書以〈近世之學術〉為基礎，用十五日便完成初稿。並宣稱：「余今日之根本觀念，與十八年前無大異同，惟局部的觀察，今視昔似較為精密。」[22]梁啟超在〈清代學術概論自序〉中得意地引述近二十年前發表的〈近世之學術〉：「此二百年間總可命名為中國之『文藝復興時代』。」（p3）。將清代學術發展視為中國學術的文藝復興，的確首出梁啟超。而這種論點至民國後逐漸為人所重視，成為重要的學術論題。[23]

　　《清代學術概論》全書共分三十三節，並無標目，類似札記體式，但是首尾完整，對清代學術的描寫具有整體性。本書第一至三節概括時代思潮，並以此歸納清代學術思潮變遷的重點。梁啟超借用佛教生、住、異、滅流轉之相，將清代學術分為四期：啟蒙期（生），代表人物有顧炎武、胡渭、閻若璩；全盛期（住），代表人物有惠棟、戴震、段玉裁、王念孫、王引之；蛻分期（異）：代表人物主要有莊存與、劉逢祿、魏源、龔自珍、廖平、康有為、梁啟超；衰落期（滅），代表人物是俞樾（1821-1906）、孫詒讓（1848-1908）和章太炎（1869-1936）。

　　梁啟超提出一個學術命題：清學發展與意義是「以復古為解放」。這是他解釋清代學術發展的重要論點，成為後來研究者屢屢論辯的課題。梁啟超約略說明這個概念：

> 綜觀二百餘年之學術史，其影響及於全思想界者，一言蔽之，曰：「以復古為解放。」第一步：復宋之古，對於王學而得解放；第二步：復漢、唐之古，對於程、朱而得解放；第三步：復西漢之古，對於許、鄭而得解放；第四步：復先秦之古，對於一切傳注而得解放。夫既已復先秦之古，則非至對於孔、孟而得解放焉不止矣。（頁11）

「復古」即是梁啟超於〈近世之學術〉的「學術史的倒演」觀點，只是當時

---

22 梁啟超：《清代學術概論・自序》，頁3-4。序文作於一九二〇年十月十四日。

23 梁啟超首以清代學術類比西方文藝復興，其後此種觀念開始發揮廣大影響，成為民初重要的學術論題，期間過程與發展可參看羅志田：〈中國文藝復興之夢：從清季的古學復興到民國的新潮〉，《漢學研究》第20卷第1期（2002年6月），頁277-307。

無法妥適地解釋此現象，僅能含糊帶過。此處以「解放」說明「復古」，即表示在學術發展過程中，某研究對象群被解析、闡發至某一高度，而產生解釋的僵化或思想上的桎梏，則研究者往往回溯思考前階段的學術研究對象群，以消除解放此種解釋或思想的羈絆。因此「復古」是一種進化，「解放」是追求學術的自由。就梁啟超此段的說法，則清末今文經學、諸子學研究大興，即代表自孔、孟以下的所有學術研究累積下來的歷史牽制都已消解，學術研究獲得全部解放，得到完全自由。這種解釋比〈近世之學術〉以「社會因緣」說明「學術史的倒演」來得巧妙高明，成為後來清代學術史研究中的重要說法。不過，「以復古為解放」的解釋奠基於歷史進化觀與今文經學的立場上，忽略了學術思想上的內在承續關係，而引起頗多爭論。[24]

　　第四至九節是清初學風及各派代表人物，敘述的重點是顧炎武、閻若璩與胡渭、黃宗羲與王夫之、「顏李學派」、梅文鼎（1633-1721）與劉獻廷，第九節綜述啟蒙期的特色。此期人物首推顧炎武，梁啟超推許他為清學「一代開派宗師」，其成就在於建設新的研究方法：「貴創」、「博證」、「致用」。（頁15-16）閻若璩《尚書古文疏證》除辨偽功績之外，特重打破經學神聖地位的勇氣與精神，從此「一切經文，皆可以成為研究之問題。」（頁17）胡渭《易圖明辨》辨析宋以來之「河圖洛書」之源流，證明非先秦之所有，「使其不復能依附經訓以自重。此實思想之一大革命也。」（頁18）對黃宗羲《明夷待訪錄》之民本思想評價更高，言「真極大膽之創論也。」、「於晚清思想之驟變，極有力焉。」（頁20）對清末學術評價節節上升的王夫之，則以為其學術雖未能卓成一派，但是影響深遠。還標舉以實學為本的顏元，以為其思想展現對王學的反動，不能以漢宋學拘之，「與最近教育新思潮最相合。」（頁24）

---

24 陳居淵考察清代學術研究史中對於清代學術發展的五種學說：章太炎「反滿說」、梁啟超與胡適「理學反動說」、錢穆「每轉益進」說、侯外廬「每轉益進」說、余英時「內在理路說」，對其理論觀點與基本意涵有歷史性的考察，對於其間學說的演變與質疑有扼要說明。詳參陳居淵：〈二十世紀清代學術史研究範式的歷史考察〉，《史學理論研究》2007年1期，頁87-97。

　　梁啟超言：「吾於清初大師，最尊顧、黃、王、顏，皆明學反動所產
也。」（頁 19）若與〈近世之學術〉相較，梁啟超推重的「五先生」中，劉
獻廷地位下降。在梁啟超眼中劉獻廷依舊是重要學者，與梅文鼎同列一節敘
述，但是與之前的「大師」稱號相比，在評價上略有抑低。梁啟超對劉獻廷
學術稱許來自於全祖望的記述。全祖望曾經介紹劉氏有《新韻譜》，發明創
新字母可拼出中國各地語音。但是劉獻廷學術的缺陷在於「而其學無傳於後
者」（頁 25）、「獻廷書今存者惟一《廣陽雜記》，實涉筆漫錄之作，殆不足
以見獻廷。」（頁 26）此處可看出梁啟超對學術史的寫作原則與清代學術的
認識，比早年更加深入。因為學術史的敘述重心在於描述學術成果累積與變
遷的過程，其中「影響」成為關鍵因素。再高明的學術研究，若其書不傳，
便無法發揮影響，自然稱不上對學術進展有何具體貢獻。另外，對顧炎武等
學者的評價標準集中在學術的開創性與對後學的影響上，一掃〈近世之學
術〉時期對人物品格的過度描寫與要求。學術史的評價標準當在於學術成就
與影響方面，氣節是人格問題，與「學術」較無直接關係。當然梁啟超無法
完全拋棄「學行相顧」的傳統評價標準，但是與前期相比，已能客觀地評價
學術成就，而不是全以品德為評判標準。如在〈近世之學術〉中，論及毛奇
齡學術者不多，將焦點放在他的德行，斥為「學術蠹賊」。此時梁啟超對於
毛奇齡的評價是：「平心論之，毛氏在啟蒙期，不失為一衝鋒陷陣之猛將，
但於『學者的道德』缺焉，後儒不宗之宜耳。」（頁 18）此處「學者的道
德」指的是毛奇齡為學有偽造改書，信口臆說的缺失。在《清代學術概論》
中，梁啟超承認毛奇齡在清初學術佔有一席之地，「後此清儒所治諸學，彼
亦多引其緒」（頁 18），與十幾年前的評價，有天壤之別。

　　第十至十九節論述乾嘉學術及其代表人物，敘述重點人物、學派與研究
領域為：惠棟、戴震、段玉裁與王念孫、王引之、正統派學風、經學與史
學、地理學與曆算學、金石學與校讎學、考據學方法、桐城派的反對立場。
其中菁華部分是對吳派、皖派的論斷，以及其研究方法的歸納。梁啟超對吳
派甚少嘉許，論其治學方法是「凡古必真，凡漢必好。」優點是堅守「漢
學」門壘，缺點是「膠固，盲從，褊狹，好排斥異己，以致啟蒙時代之懷疑

的精神、批評的態度，幾天閱焉。」（頁 32）對戴震及其後學則是推崇備至，以為他們代表清代考據學最高成就。梁啟超讚揚考據學的學術價值在於能瞭解某學之真相，可為進一步研究的堅實基礎。清代學術成績即在此點上，「然則諸公曷為能有此成績耶？一言以蔽之曰：用科學的研究法而已」（頁 41）。梁啟超歸納考據學所謂科學的研究法內容與步驟有六：注意（觀察）、虛己（保持客觀）、立說（成立假說）、（搜證）、斷案（判斷假說是否成立）、推論（擴衍至同類事物）。梁啟超宣稱考據學發展出的科學方法，讓「此清學所以異於前代，而永足為我輩程式者也。」（頁 42）梁啟超強調的是「方法」上的成績，但也承認其「致用」性頗有欠缺。梁啟超解釋中西學術差異，認為同樣的科學方法在西方產生高度的物質文明，但是在中國卻因為歷史的偶然轉向文獻的研究。也就是說中西雙方同時採用科學方法治學，卻因為研究對象不同，在成果質性上產生極大落差。

　　與〈近世之學術〉中的學術人物評價相較，差異最大的是戴震。此時梁啟超對戴震《孟子字義疏證》的論點大加揄揚，言「以『情感哲學』代『理性哲學』。就此點論之，乃與歐洲文藝復興時代之思潮之本質絕相類。⋯⋯其哲學之立腳點，真可稱二千年一大翻案；其論尊卑順逆一段，實以平等精神，作倫理學上一大革命。其斥宋儒之糅合儒佛，雖辭帶含蓄，而意極嚴正，隨處發揮科學家求真求是之精神，實三百年間最有價值之奇書也。」（頁 38）關於戴震由「罪人」轉至一代學人的評價，令人驚訝。有學者以為梁啟超評價的轉變，或許是受到新文化運動標舉「反禮教」、「求個性解放，崇尚個人主義有關。[25]

　　第二十至三十節論述晚清的學術，重點在於清學的今古文經學之爭、今文經學的發展、康有為的學術、梁啟超的革新與破壞、譚嗣同、章炳麟的學

---

25 關於此問題可參見李帆：《章太炎劉師培梁啟超清學史著述之研究》（北京市：商務印書館，2006年10月），頁200-203。另有學者以為梁啟超、胡適等民初學者之推崇戴震的原因是推重他展現出的科學精神與方法。參見劉巍：〈二三十年代清學史整理中錢穆與梁啟超胡適的學術思想交涉——以戴震研究為例〉，《清華大學學報》（哲學社會科學版）1999年第4期，頁63-72。

術、西方思想的輸入、佛學的研究發展。

　　此部分與〈近世之學術〉最大的差異在於對清代今文經學發展的價值評斷上。梁啟超認為清代今文經學在鴉片戰爭（1840-1842）之前尚是專門的學術研究，有家法有根據。但是戰後革新思潮湧現，海禁亦開，因此今文經學的走向開始扭曲，「對外求索之慾日熾，對內厭棄之情日烈。欲破壁以自拔於此黑闇，不得不先對於舊政治而試奮鬥。於是以其極幼稚之『西學』智識，與清初啟蒙期所謂『經世之學』者相結合；別樹一派，向於正統派公然舉叛旗矣。此則清學分裂之主要原因也。」（頁 62）梁啟超坦承晚清的今文經學者，與講求徵實的考據學有異。以淺薄的西方學術理解政治、學術上的變革。

　　此外《清代學術概論》對康有為的評價，與早年相較有天壤之別。梁啟超認為康有為是今文經學運動的中心，但是在學術上有很大的缺陷。首先是對康有為成名作《新學偽經考》的批判，認為「其主張之要點，並不必借重於此等枝詞強辯而成始成立；而有為以好博好異之故，往往不惜抹殺證據或曲解證據，已犯科學家之大忌，此其所短也。有為之為人也，萬事純任主觀，自信力極強，而持之極毅；其對於客觀的事實，或竟蔑視，或必欲強之以從我。」（頁 67）評論康有為《孔子改制考》則稱：「誤認歐洲之尊景教為治強之本，故恆欲儕孔子於基督，乃雜引讖緯之言以實之。」（頁 68）。對於《大同書》則予以較高的評價，認為「理想與今世所謂世界主義、社會主義者多合符契，而陳義之高且過之。」（頁 70）梁啟超提到自己與康有為因為政治理想之不同，因而毅然決裂。梁啟超對於自己追隨康有為掀起的今文經學運動風潮的定位是「猛烈的宣傳運動者」（頁 71）。

　　第三十一至三十二節比較中西學術差異，據此說明中國與西方文藝復興的異同。最後一節是清代學術總評，論及對未來學術發展的期望。梁啟超對於清代學術價值予以積極肯定，並且認為後人若能在清代學術的基礎上，進一步發揮，則前途光明。此書的最後結語：「吾感謝吾先民之飴遺我者至厚。吾覺有極燦爛莊嚴之將來橫於吾前。」（頁 92）表達對未來學術發展的樂觀態度。

　　《清代學術概論》十五天完成初稿，以六萬餘字的篇幅敘述清代學術演
變大要，因此在短時間內以簡約篇幅敘述大範圍的論題，缺漏在所難免。[26]
但是與〈近代之學術〉相較，更具整體性，某些觀點進行修正，增加論據
後，有更強的說服力。值得重視的是梁啟超此時對學術的內涵與意義，有更
清晰的認識。如對考據學實用性之質疑，梁啟超特別解釋：

> 正統派所治之學，為有用耶？為無用耶？此甚難言。試持以與現代世界
> 諸學科比較，則其大部分屬於無用，此無可諱言也。……凡真學者之態
> 度，皆當為學問而治學問。夫用之云者，以所用為目的，學問則為達此
> 目的之一手段也；為學問而治學問者，學問即目的，故更無有用無用之
> 言。……其實，就純粹的學者之見地論之，只當問成為學不成為學，不
> 必問有用與無用。非如此則學問不能獨立，不能發達。夫清學派固能成
> 為學者也，其在我國文化史上有價值者以此。（頁 43-44）

清代考據學之成果在應用上有所侷限，這是考據學在研究對象與方法上的先
天缺陷。梁啟超以為學術方法之實踐與研究，不能過於功利地問其實用性，
必須由不同層面考察其價值。以清代考據學而言，多是純粹的學術研究，本
身並不帶有現實生活或經驗上的功能性。因此不能以在現實、物質上的「無
用」，否定清代考據學在學術發展上的成績。

　　《清代學術概論》是梁啟超進入民國時期後的第一部清代學術史研究專
著，此時思想成熟，對學術瞭解更深，尤其是脫離了「宣揚」式的寫作，不
再以鼓動思潮，激勵人心為寫作目的。[27]簡單地說，梁啟超自《清代學術概

26 目前所知最早為《清代學術概論》進行辨正工作者為李詳（1859-1931），其有〈清代
　　學術概論舉正〉，然今未見，僅留存目。參見李稚甫：〈二研堂全集序錄〉，收入《李
　　審言文集・附錄》（南京市：江蘇古籍出版社，1989年6月），下冊，頁1464。辨正此
　　書較著名之論文為楊勇：〈清代學術概論考正〉，《新亞書院學術年刊》第3期（1969年
　　3月），頁1-14。
27 袁向東：「《清代學術概論》的寫作時間當屬於張所說的第四期（案：張蔭麟梁啟超自
　　歐遊歸國後，漸漸有為學問而學問的傾向），儘管本書完成時間短促，但還是可以說
　　梁啟超此時已擺脫了『傳媒學術』的影響。」見袁向東：〈梁啟超的科學精神和文

論》以後的清學史研究，都展現出迥異以往的客觀學術風格。

四　《中國近三百年學術史》述評

《中國近三百年學術史》為梁啟超於一九二三年冬至一九二五年春於清華學校（一九二八年改名「清華大學」）、南開大學任教時編寫的講義。書中後半部〈清代學者整理舊學之成績〉先行於一九二四年發表，[28]約至一九二六年集結成書，發行單行本。[29]

《中國近三百年學術史》分為十六節，第一至四節論述清代學術變遷的原因，敘述重點在於外緣的影響。梁啟超概括清代的學術主潮是：「厭倦主觀的冥想，而傾向於客觀的考察。」（頁 1）這句話表達此書對清學發展描述的主軸。他解釋清代學術思潮興起的原因與政治有密切關係，用三節的篇

德——清代學術概論〉，《晉陽學刊》2004年6期，頁64。

28 梁啟超於一九二四年四月二十三日致書張元濟徵詢刊載〈清代學者整理舊學之總成績〉一事：「項著有〈清代學者整理舊學之總成績〉一篇，本清華講義中一部分，現在欲在《東方雜誌》先行刊出（因全書總須一年後方能出版）。但原文太長，大約全篇在十萬字以外，不審與《東方》編輯體例相符否？」引自吳天任：《民國梁任公先生啟超年譜》（臺北市：臺灣商務印書館，1988年），冊4，「民國十三年先生五十二歲」條下，頁1601。後該文連載於當年六月至九月《東方雜誌》第21卷，第12、13、15、16、17、18號。

29 李國俊將《中國近三百年學術史》出版時間歸於一九二四年，稱有「民志書局單行本」。《梁啟超著述繫年》（上海市：復旦大學出版社，1986年11月），頁226。據楊克己於一九三八年所編之《民國康長素先生有為梁任公先生啟超師生合譜》後所附之〈本年譜引用及參考書目表〉中，提到梁啟超《中國近三百年學術史》於一九二六年由商務印書館出版。朱維錚：「我見到的《中國近三百年學術史》版本有三種：一九二九年上海民智局版。一九三二年中華書局版《飲冰室合集》的專集第十七冊。一九三六年中華書的單行版。」參見《梁啟超論清學史之二種‧引言》（上海市：復旦大學出版社，1985年6月），頁2。根據國家圖書館與中央研究院圖書館檢索，有一九二九年民志書店出版之梁啟超《中國近三百年學術史》。政偉案：梁啟超《中國近三百年學術史》最早的版本應為一九二六年七月上海民志書店所出版。參見北京圖書館編：《民國時期總書目（1911-1949）：哲學‧心理》（北京市：書目文獻出版社，1991年），頁133。

幅寫下「清代學術變遷與政治的影響」。他認為清初學風是對晚明王學流弊的反動，反動的原因是明亡清興，給予知識份子嚴重的刺激。清初學者「對於明朝之亡，認為是學者社會的大恥辱、大罪責，於是拋棄明心見性的空談，專講經世致用的實務。他們不是為學問而做學問，是為政為政治而做學問。」（頁 18）但是學者提倡的經世致用之學，無法在政治中實踐，漸漸成為空談。此時清朝屢興文字獄，加上帝王提倡學術，社會漸趨安定，故學術界「日趨健實有條理」（頁 23）。梁啟超特別強調帝王對於學術思想發展的影響，他說：「凡當主權者喜歡干涉人民思想的時代，學者的聰明才力，只有全部用去註釋古典。歐洲羅馬教皇權力最盛時，就是這種現象。我國雍、乾間也是一個例證。」（頁 29）所以考據學就在學術內部發展與政治影響下，漸趨興盛。梁啟超提到：「乾、嘉間考證學，可以說是，清代三百年文化的結晶體，合全國人的力量所構成。」（頁 33）本書後附有〈明清之際耶穌會教士在中國及其著述表〉，梁啟超對耶穌會教士來華相當重視，認為在文化史的發展上，這是第二次「中國智識線和外國智識線相接觸」、「此後清朝一代學者，對於曆、算學都有味，而且最喜歡談經世致用之學」（頁 11）。

　　第五至十二節講述清初重要學派及代表人物。在敘述人物時首先講述其生平，然後評論其重要學說與著作，而後予以評價，這是此部分處理的慣用模式。第五節「陽明學派之餘波及其修正」，講述黃宗羲學行，認為在學術上「梨洲不是王學的革命家，也不是王學的承繼人，他是王學的修正者。」（頁 69）黃宗羲的功績在於史學，尤其是《明儒學案》「極有價值的創作，將來做哲學史、科學史、文學史的人，於他的組織雖有許多應改良之處，對於他的方法和精神，是永遠應採用的。」（頁 74）梁啟超將黃宗羲放至人物首節，即是標舉本書之「方法和精神」是繼承《明儒學案》，其中隱含的繼承意圖相當明顯。[30] 故《中國近三百年學術史》對學風學派的整體性相當重

---

30 梁啟超：「著學術史有四個必要條件：第一，敘一個時代的學術，須把那時代重要各學派全數網羅，不可以愛憎為去取。第二，敘某家學說，須將其特點提挈出來，令讀者有很明晰的觀念。第三，要忠實傳寫各家真相，勿以主觀上下其手。四，要把各人的時代和他一生經歷大概敘述，看出那人的全人格。梨洲的《明儒學案》，總算具備

視，據此論述學說優劣得失，不作含混模糊的評斷，對於各家能中肯地予以
評價，更重要的是於人物的生平事蹟特別重視。這些都是有意學習、繼承
《明儒學案》的寫作模式。

　　第六節「清代經學之建設」，講述顧炎武、閻若璩之學行。梁啟超推崇
顧炎武為考據學之開山祖師，因為他具有學術開創性，表現在：「開學風」、
「開治學方法」、「開學術門類」（頁 95-96）。對於閻若璩則稱其《尚書古文
疏證》「不能不認為近三百年學術解放之第一功臣。」（頁 103）

　　第七節「兩畸儒」，主要講述王夫之、朱之瑜（1600-1682）學行。對於
王夫之的學術並沒有太多讚許，僅稱其「博大」，但推測對學界的影響將逐
漸擴大。朱之瑜的重要貢獻則是傳學日本，「不獨為日本精神文明界之大恩
人，即物質方面，所給他們的益處也不少了。」（頁 122）

　　第八節「清初史學之建設」，講述萬斯同、全祖望（1705-1755）之學
行。萬斯同於修《明史》之事頗有貢獻，以徵實的史學精神，讓《明史》成
為一部精善的史書，這就是他最偉大的學術功績（頁 127）。梁啟超推舉全
祖望（1705-1755）《鮚埼亭集》「最善論學術流派，最會描寫學者面目。」
（頁 133）。

　　第九節「程朱學派及其依附者」，主要講述張履祥（1611-1674）、陸世
儀、陸隴其（1630-1692）、王懋竑（1668-1741）之學行。梁啟超認為清初
朱子學興盛是王學反動結果，因此許多學者向朱學靠攏。「當晚明心學已衰
之後，清考證學未盛以前，朱學不能不說是中間極有力的樞紐。」（頁
148）。推崇程朱學者人數眾多，但是流品很雜。梁啟超對清初程朱學派興起
的評價很低：「總而言之，程朱學派價值如何，另一問題。清初程朱之盛，
只怕不但是學術界的不幸，還是程朱的不幸哩！」（頁 150）

　　第十節「實踐實用主義」，講述顏元、李塨（1659-1733）之學行。梁啟
超認為他們兩人提倡「實用之學」，以內觀方式明心見性，否定讀書，「破壞
方面，其見識之高，膽量之大，我敢說，從古及今未有其比。」（頁 156-

這四個條件。」《中國近三百年學術史》，頁73。

157）梁啟超看重的是顏元、李塨二人的實用之學，與「近世經驗學派本同一出發點，本與科學精神極相接近。」（頁175-176）

　　第十一節「科學之曙光」，講述王錫闡、梅文鼎、陳資齋等天文曆算學者。[31]梁啟超以為中國學術史的科學史料貧乏，唯有算學與曆學可算真正意義的「科學」。此外天文曆算之學「在清代極發達，而間接影響於各門學術之治學方法也狠多。」（頁195）故闢一節專門討論。第十二節「清初學海波瀾餘錄」，補述方以智（1611-1671）等清初學者學行。

　　第十三節至第十六節為「清代學者整理舊學之總成績」，記敘清代學者在經學、小學及音韻學、校注古籍、辨偽書、輯佚書、史學、方志學、地理學、傳記及譜牒學、曆算學及其他科學、樂曲學之發展與成就。梁啟超將考據學衍生的各種學門學科加以分類，對其學術的起源與發展和學者、著作的具體成績進行綜合評述。不僅論及每學門學科的內容與意義，更對學科的歷史與現況進行評論與介紹，可視為清代學術著作發展的具體提要，對清學史研究的人來說是很精到的入門書。[32]這部分的著述將清代考據學的研究成果條理地歸納，材料蒐集豐富，評論適切，顯現梁啟超對於清代考據學成果已有完整而深入的掌握。

　　整體看來梁啟超撰寫《中國近三百年學術史》並不完整。本書可以切割成兩個部分來看，其中並沒有良好的銜接：前半部（第一至十二節）是「清初思想史」，後半部（第十三至第十六節）是「清代考據學史」。

---

31 本節題目有「陳資齋」，然整節未提及一語。清代之「陳資齋」最著名者為陳倫炯，一七二六年擔任臺灣鎮總兵，著有《海國見聞錄》（1730）。參見劉寧顏編：《重修臺灣省通志》（臺北市：臺灣省文獻委員會，1994年）。清初數學家較著名之陳姓數學家為陳厚耀（1648-1722），字泗源，號曙峰，清初江蘇泰州人，曾經追隨梅文鼎學習過天文算法。康熙五十五年（1717）進士，頗受時主賞識，受命編撰大型類書《律曆淵源》（1721）。《中國近三百年學術史》第十六節「清代學者整理舊學之總成績」之「曆算學」項下有「王、梅流風所被，學者雲起。江蘇則有潘次耕（耒）、陳泗源（厚耀）。……御定《曆象考成》、御製《數理精蘊》，裒然巨帙，為斯學增重，則陳泗源、李晉卿等參與最多。」頁476-477。

32 杜蒸民：〈一本研究清代學術的入門書——重讀梁啟超的中國近三百年學術史〉，《史學史研究》1994年第2期，頁29-34。

　　梁啟超在清華學校講課時已準備將課堂講義彙編為《中國近三百年學術
史》（頁 1），由前半部內文高度口語化以及敘述較為雜亂的情況來看，應是
自編教學講義或是學生整理之上課記錄。另外，前半部屬於思想史性質的講
義應該尚未完成全部，只講述至清初學術發展，重要的乾嘉時期的思想家、
今文經學發展、西方思潮與諸子學、佛學興起都沒有提到。這或許是因為當
時梁啟超的身體與家庭狀況已不堪持續這種大型的學術撰作。另外，講義屬
於授課需要而撰寫，因此若依照前半部細緻深入的講述內容進行，課程能否
講述至清代晚期之思想也是問題。思想部分雖然只寫至清初，然而對清代中
葉的學術卻有豐富的論述，這就是後半部的「清代學者整理舊學之總成
績」。[33]

　　「清代學者整理舊學之總成績」是完整地將考據學成績，分門別類地歸
納條理，以歷史演進的方式敘述，這種論述方式是以「學術」為中心，而非
人物師從的繼承關係。因此，展現出來的樣態與前半部迥然有異，呈現精密
而富理則的風格。梁啟超以時間為軸，利用歸納分類的形式，敘述考據學的
成績，很能表現考據學在研究上的「累積」特色。畢竟思想的闡述有很大的
選擇空間，但是考據學的推進必須在前人研究的基礎上持續探究，在學術上
具有很高的傳承性。梁啟超的敘述表明了在考據學下的各個學門學科，多在
繼承前人的研究下開展，為後學做出巨大的貢獻。當然，這樣的陳述方式，
頗有印證考據學的方法與精神確接近「科學」的意圖。梁啟超寫作此部分時
展現細緻的歸納工夫，對材料也有深入的理解，就他的觀點而言當然是「科
學」的。以「科學」的敘述，整理「科學」的考據學成績，這或許是梁啟超
的深刻用心。

　　《中國近三百年學術史》與《清代學術概論》的關係在主要觀點上大致
上沒有根本性的改變。但是在內容與編排上讓這兩部書呈現不同面貌，梁啟
超言：「我三年前曾做過一部《清代學術概論》。那部書的範圍，和這部講義

---

33 周國棟以為《中國近三百年學術史》之所以未完成，可能的原因之一是「害怕與以前
　　寫的《清代學術概論》在組織上重複。」見周國棟：〈兩種不同的學術史範式──梁
　　啟超錢穆中國近三百年學術史之比較〉，《史學月刊》2000年4期，頁112。

差不多，但材料和組織，狠有些不同。」（頁 1）就組織上來說，《清代學術概論》類似總論性質，雖然簡略，然而首尾一貫。《中國近三百年學術史》則深入探討學派、學者、學門學科的發展，但是詳細的分論下，整體性就稍嫌薄弱。材料方面則是《中國近三百年學術史》多於《清代學術概論》，尤其在學者生平與著作內容、評述方面更是詳細。總體來看，兩書的承接關係相當明顯。簡單地說《清代學術概論》像是簡介，而《中國近三百年學術史》則是承接前者，進行細部論述了。[34]

五　梁啟超清代學術史研究的演變

　　梁啟超容易受到外緣因素的影響，卻又因緣際會地站在時代變動的前端，參與許多重要的政治社會與學術文化革新運動。因此，梁啟超思想變化多端，常發生前後抵觸的情況。正由於他始終參與甚至推動著思想潮流，讓他的觀點不受拘執，具有宏觀的角度與深厚的時代感。[35]梁啟超從〈近世之學術〉開始，展現論學的宏觀與論斷的氣魄。他擅長的不是推論，而是觀點的表達。他精於全局的把握，而不是局部的微觀，這在民初傑出學者中是難得的學術能力。[36]這種特點展現在所有梁啟超的清代學術史研究中，他能夠

---

34 李開、劉冠才：「該書（《中國近三百年學術史》）是一部清代主要學者的學案擷要與學派要論，它用為豐富的史料進一步論證了《清代學術概論》的主要觀點，彌補了《清代學術概論》在史料方面的某些薄弱之處，使其在內容方面更加縝密、嚴整和全面。《中國近三百年學術史》與《清代學術概論》異曲同工，相輔相成。」《晚清學術簡史》（南京市：南京大學出版社，2003年11月），頁253。

35 詹海雲：「梁啟超一生從事政治較久，故影響其對學術研究的深入探討。但也因他的家庭教誨、學海堂唸書、參與維新、介入民初政局，參加文化改革活動，從事中西差異探討，使他的清代學術研究較具宏觀的視野與可讀性。即使他的著作有這樣那樣的缺點，但瑕不掩瑜。」見詹海雲：〈論梁啟超的清代學術研究〉，收入國立中山大學清代學術研究中心編：《清代學術論叢》（臺北市：文津出版社，2002年11月），第3輯，頁419。

36 參見董德福：《梁啟超與胡適——兩代知識份子學思歷程的比較研究》（長春市：吉林人民出版社，2004年1月），第5章，〈整理國故的理論和實踐〉，頁286-289。

以宏觀的角度把握整體，清晰地表達論點，證據或許不夠充分，但是識見卓越，論理宏肆。

　　時代思潮對他的影響不僅是在對某人某派的評論上，還有觀點上的養成。梁啟超在變法失敗後遠渡重洋，在政治思想上逐漸轉變為排滿革命，對清初學者能拒絕仕清者深有好感，頗多讚譽。這裡的讚賞是人格的非學術的，因此撰寫出的學術史文章就充滿主觀意味。〈近世之學術〉時期，梁啟超就是以人格或是說與清政府之關係作為評價的首要標準。到了後期《清代學術概論》與《中國近三百年學術史》階段，評價的人物主要是以是否具有啟蒙時期的內涵，即反對封建主義，發揚近代人文精神為指標。[37]

　　梁啟超對於學者的評價有幾個基本的標準：如是否有創新意義？能否有破除舊有學術思想的大氣魄？能否「經世致用」而非流於空談？梁啟超會以這些標準進行對學術的衡斷，與時代的巨大變動的歷史性有高度關連。清末民初以來，如何革新救國，一直是政治、社會、教育、文化各領域的重大議題。在此氛圍下，學術是否有開創性，是否具有實用性，往往成為評價的關鍵。如梁啟超對清初學者單純繼承陸王程朱學派的學者很不滿意，關鍵就是他們沒有開創性，學說無法致用。[38]以此標準觀察清初的學者，梁啟超所謂「啟蒙期」的大師，多是其對學術有所創發，並且注重致用性。

　　清代學術的發展累積龐大的學術成就，學派之間的分化競爭複雜多變，在梁啟超卓越的識見下，能條理出清代學術發展的輪廓，給予明確的評斷。[39]

---

37 參見史革新：〈思想啟蒙與學術研究之間──以梁啟超論宋明清理學為考察對象〉，《天津社會科學》2004年4期，頁129-134。

38 張灝：「就梁來說，使經世理想變得模糊不清的不是漢學而是宋學。……梁的抨擊決不意味著他對宋代新儒學持全盤否定的態度。梁非常尊敬朱熹的有關修身的一些思想。使梁感到痛惜的不是宋代新儒學強調修身重要性，而是新儒學沒有將修身與更廣泛的社會和國家問題聯起來。」崔志海、葛夫平譯：《梁啟超與中國思想的過渡（1890-1907）烈士精神與批判意識》（北京市：新星出版社，2006年2月），頁51。

39 朱維錚：「兩部著作，在梁啟超的學術論著中堪稱佳製。近三百年的學術變化，數以十計的學科概貌，好幾百種的專門論著，在合計不過三十二、三萬字的兩本書裏，縱橫論列，鉅細兼顧，頭緒清楚，體系粗具，的確證明梁啟超的學問識見，都不同於那

梁啟超的學問廣博，但是在西方知識上，並不如中學紮實。因此在以中西學
對比討論時，往往停留在淺層的比附。不可諱言的是：梁啟超在論述時勇於
論斷，證據往往不足。對於有興趣的研究課題可以長篇累牘，但是關鍵處卻
又片語帶過。這種情況在其清代學術史的研究中是較為常見的缺陷。[40]

　　整體而言梁啟超的清代學術史研究是不斷進步完善的，這點不管在數量
還是質量上都是如此。更重要的是梁啟超能夠拋棄成見，在研究漫長的歷程
中，他會修正過去的意見。[41]這種修正與過去的論述相較，更為妥適客觀，
這無疑是自身學術的進步。

　　如在〈近世之學術〉中，梁啟超對許多學術人物進行尖銳的攻擊，脫離
學術，而進入人格私德的價值判斷。如直指湯斌等人是學術蟊賊，如對戴震
的哲學不屑一顧，直指有罪後人。對考據學風之無用瑣碎，大表不滿。梁啟
超在〈近世之學術〉也表達強烈的主觀好惡，如對今文經學的發展與其師康
有為的地位幾乎是給予最高的肯定。這些論述在後來的《清代學術概論》、
《中國近三百年學術史》都進行較大幅度的修正。

　　如在《清代學術概論》概論中，湯斌等人的學術地位被肯定，戴震哲學
也獲得讚揚。對於今文經學的影響與康有為的評價，都能摒除主觀情感，給
予較為客觀的陳述。更重要的是梁啟超能夠對考據學的學術價值予以釐清，
不再是籠統地以「科學」的方法概括。梁啟超深刻認識學術的基本性質，不
再以功利實用的角度批判考據學，而是正面承認其純粹的學術價值與立場。
這些都是梁啟超由早期的情感式論述進展到客觀陳述的例證。

　　最值得推崇的是：梁啟超的觀點常常表現出超越時代的銳利，加上他很

　　些明察秋毫而不見輿薪的考據學家。」《梁啟超論清學史二種‧校注引言》（上海市：
　　復旦大學出版社，1985年9月）。

40 吳銘能指出梁啟超清代學術史研究的缺失有四：「政治外緣說不足以解釋清代學術史
　　的發展」、「將清學比附歐洲文藝復興之偏頗」、「專業知識的缺乏」、「偶有資料不足，
　　以致詳略不一」〈梁啟超清代學術史研究述評〉，頁447-450。

41 梁啟超：「啟超務廣而荒，每一學稍涉其樊，便加論列，故其所述者，多模糊影響籠
　　統之談，甚者純然錯誤，及其自發現而自謀矯正，則已前後矛盾矣。」《清代學術概
　　論》，頁76。

注意著作的宣揚與散布，因此梁啟超很快地能吸引眾人目光，鼓動風潮。但是當風潮漸盛時，他卻悄悄地離開「主流」，傾向保守的一方，展現出「調適」的立場。[42]

　　以用「科學」解釋考據學方法為例，在〈近世之學術〉時期梁啟超深受西方科學文明吸引，期望能找出中國與西方科學接軌之處。由於考據學在操作上具有強烈的歸納性質，因此梁啟超很高興地宣稱考據學的方法就是科學方法。考據學方法與精神即科學之方法與精神的觀點，在他一生對清代學術史的理解中大致上沒有改變。在《清代學術概論》與《中國近三百年學術史》的寫作時期，中國面臨「科學與玄學」的論戰，「唯科學主義」之風大盛。身為論戰始作俑者的梁啟超對於過去極力宣傳的「科學」卻保持一定的距離，重新省思中國文化與西方科學的價值及其界限，跟主流保持距離，展現「調適」的立場。從「科學」的堅決擁護者，到有限度的支持，[43]梁啟超的改變不僅證明他的卓見，這也影響到他的清代學術史研究。

　　在《清代學術概論》階段，梁啟超已經很少談到「科學」的字眼，在內容與宣揚的強度上與之前或當時學者有很大不同，能較為平實地敘述考據學的發展。到《中國近三百年學術史》階段，梁啟超對科學瞭解更為深入，在

42　黃克武：「民國之後的梁啟超是『以調適之人而處於轉化盛行的時代』。……梁啟超思想變遷的方向與上述的『主流』發展截然相反，當大多數青年知識分子愈來愈激烈的時候，梁氏卻愈來愈保守。」《一個被放棄的選擇：梁啟超調適思想之研究》（臺北市：中央研究院近代史研究所，1994年2月），頁179。

43　梁啟超並非「唯科學主義」者，在第一次世界大戰後，梁啟超被政府任命至歐洲考察後開始懷疑西方科學與物質文明的效用，並撰寫《歐遊心影錄》宣稱「歐洲人做了一場科學萬能的大夢。到如今卻叫起科學破產來。」郭穎頤以為梁啟超掀起稍後「科學與玄學」大論戰，而認為梁啟超對科學的態度是：「對唯科學論信仰的攻擊給傳統論者注入了新的生命，並給他們提供了『大論戰』中進攻的出發點。由於指出了內在生活與外在生活的區別，梁啟超為他們提供了堅持多元為基礎的人生觀的權威。……梁啟超絕未明確說過要完全逃避科學。他戰後的觀點是力勸人對西方的反應要適當。」雷頤譯：《中國現代思想中的唯科學主義（1900-1950）》（南京市：江蘇人民出版社，2005年4月），頁101。

當時學者熱衷於梁啟超多年前進行的國學與科學比附研究時，[44]梁啟超已經跳脫侷限，他只是淡淡地說「乾、嘉間學者，實自成一種學胤，相近世科學的研究法極相近，我們可以給他一個特別名稱，叫做『科學的古典學派』。」（頁 31）「相近」並不「等同」，這代表梁啟超已經走出以科學比附考據學的階段，真正認識到考據學的對象與方法，畢竟與西方科學有本質上的差異。另外，在《中國近三百年學術史》中，梁啟超對於人物生平與思想與著作的成就功績的興趣，遠遠高於如何國學如何與西方科學、學術結合。在以西方學術妝點中國學術意義的民初，[45]其作法雖非主流，日後卻證明其以「中國的解釋中國的」的角度相當正確，能較好地詮釋出中國學術的意義。

　　梁啟超對於中國文化常抱信心，他在〈近世之學術〉即以為未來中國學術必走向光明的道路。對於中西文化交流傳播方面，更宣稱：「今日欲使外學之真精神普及於祖國，則當傳輸之任者，必邃於國學，然後能收其效。以嚴氏與其他留學歐美之學僮相比較，其明效大驗矣。」（頁 104）。在《清代學術概論》則為中國文化未來的研究領域提供前瞻性的預告。在《中國近三百年學術史》偶有以正面的態度讚揚前人，但是較之前兩種著作的樂觀宣告迭出文中，在本書就顯得罕見。如他對乾嘉考據學之文獻研究頗為讚賞，但是也承認：「講得越精細越繁重，越令人頭痛，結果還是供極少數人玩弄光景之具，豈非愈尊經而經愈遭殃嗎？依我看，這種成績，只好存起來算做一代學術的掌故，將來有專門篤嗜此學之人，供他們以極豐富的參考。」（頁287）此時梁啟超對於學術史描述的客觀態度讓他作出此種斷語，沒有激昂

---

44 二十年代以來在中國掀起整理國故的風潮，清代考據學的意義又被重新詮釋，嫁接為西方的科學方法，期與西方學術接軌，其中北京大學許多教授與學生特別熱衷。參見陳以愛：《中國現代學術研究機構的興起：以北京大學研究所國學門為中心的探討（1922-1927）》（臺北市：國立政治大學歷史學系碩士論文，1999年），頁87-97。

45 羅志田：「國學或整理國故如果不『科學化』，其實難以成為中國學界注目的（哪怕是短暫的）主流。因此，『科學』落實到以史學為中心內容的『整理國故』之上這一過程同時也是國學『科學化』的進程；沒有科學的支撐，國學便上不了臺面。」見羅志田：〈走向國學與史學的賽先生〉，《裂變中的傳承——二十世紀前期的中國文化與學術》（北京市：中華書局，2003年5月），頁253。

的情緒，沒有個人好惡，只是忠實地陳述學術的得失。這種態度並非對中國學術與文化喪失信心，而是革新、開創前的準備與回顧，換言之整理清代學術思想是一種繼承中超越的準備工作。[46]梁啟超揮別了過去激情的宣言式論述，成熟地綜理清代學術，這是他清代學術研究作品最後展現的風貌。

六　結論

梁啟超對於新的思想、文化有很高的接受度。他總會快速地消化，然後積極地創發出異於過往的新論點，然後大加宣揚，希望能快速更新暮氣已深的舊文化。清末民初的各種新文化、思想的宣揚與創發，幾乎都可以看到梁啟超的身影。但是梁啟超所談之「新」，未必能實踐於學術研究之中，這是他的學思與時代之侷限。

在梁啟超過世後，其極力宣導的新思想與新方法開始在學術界發芽。[47]以清代學術史研究來看，梁啟超沒有建立新的學術方法與理論，他只是很勇敢地陳述對清代學術演變發展與學派人物的觀點。當然這些觀點富有深刻的洞察力，儘管證據顯得薄弱，但是啟發後學，引導出清代學術史研究的許多課題。[48]雖然梁啟超某些論述被質疑，但是距離梁啟超過世已近八十年的今

---

46 陳平原：「不管是章太炎、梁啟超，還是羅振玉、王國維，都喜歡談論清學，尤其推崇清初大儒的憂世與乾嘉學術的精微。對於清學的敘述成為時尚，並非意味著復古，反而可能是意識到變革的歷史契機。……之所以談論清儒家法，很大程度是為了在繼承中超越，在回顧中走出。」見陳平原：《中國現代學術之建立——以章太炎、胡適之為中心》（北京市：北京大學出版社，1998年2月），頁5-6。

47 葛兆光：「在二十世紀的中國學術史，凡是新思想和新方法，似乎大都與梁啟超有關，尤其歷史學，盡管本人所實踐的，還未必真的是『新』思想和『新』方法，……竟一種新思路和一種新方法，從被意識到被實踐，總要有一段過程。……在他去世的這年前後，也就是一九二九年前後，真正可以稱上『新』的歷史學，就開始在國學術界初現端倪了。」見葛兆光：〈新史學之後〉，《西潮又東風：晚清民初思想宗教與學術十論》（上海市：上海古籍出版社，2006年5月），頁194-195。

48 陳祖武指出梁啟超的清代學術史研究有五個功績：「開創性的宏觀研究」、「對清代學術發展規律的探索」、「一系列重要研究課題的提出」、「進行東西文化對比研究的嘗

日，他的研究仍是清學史研究的重要參考，[49]學者對梁啟超提出的清代學術相關的議題，仍保持高度的關注。於此，可以得知梁啟超在清代學術研究上的豐碩成績與崇高地位。

　　試」、「學術史編纂體裁的的創新」。但是也有總結性的論斷錯誤之處，如對清代學術　　演進歷史之劃分過於簡化，與「以復古為解放」的觀點過於牽強。參見〈梁啟超對清　　代學術史研究的貢獻〉，《清儒學術拾零》（長沙市：湖南人民出版社，1999年8月），　　頁315-325。

49 羅志田：「關於清代『學術史』最權威的梁啟超和錢穆的兩本著作，便顯然是清代　　『思想史』的必讀書；且依今日的後見之明看，或還更多是思想史著作。……因對清　　代學術始終沒有一個相對均衡的系統整理，顯帶傾向性的梁、錢二著才能長期成為清　　代學術史和思想史的權威參考書。」〈探索學術與思想之間的歷史：清季民初關於國　　學的思想論爭〉，《裂變中的傳承——二十世紀前期的中國文化與學術》，頁192-193。

梁啟超對整理國故之理論與實踐
——以經學為論述重心[*]

張政偉

慈濟大學東方語文學系副教授

一　前言

　　一九一九年十一月胡適（1891-1962）發表〈新思潮的意義〉，以「評判的態度」對傳統文化進行價值重估，並將五四新文化運動定位為文化重新評價的運動。胡適明確提出「研究問題、輸入學理、整理國故、再造文明」四項綱領。[1]之後胡適在演講授課時，多次提到整理國故的重要性，並且公開發表文章、宣言，深化整理國故的內涵與方法。[2]胡適以及他的追隨者強調整理國故運動必須堅持批判觀點，講求科學方法以形成系統。[3]胡適與追隨者某些激切的言論，讓整理國故的主張與內涵，以及中西學該如何定位的問

---

[*]　本論文刊登於《中國學術年刊》第34期（2012年3月），謹此向該刊編輯委員會致謝。

[1]　胡適：〈新思潮的意義〉，《胡適作品集》（臺北市：遠流出版社，1986年2月），冊2，頁48。

[2]　其中比較重要的是一九二三年一月，胡適〈國學季刊發刊宣言〉中提到整理國故要「用歷史的眼光來擴大國學研究的範圍」、「用系統的整理來部勒國學研究的資料」、「用比較的研究來幫助國學的材料整理與解釋」。胡適特別提到要以「索引式」、「專史式」的方式整理國故，利用西方現代學術知識，對國故材料進行分析解釋。胡適：〈國學季刊發刊宣言〉，《胡適作品集》，冊2，頁245。

[3]　胡適：「有系統和帶批評性的整理國故是中國文藝復興運動中的一個部門。」唐德剛（1920-2009）譯註：《胡適口述自傳》（臺北市：傳記文學出版社，1986年12月），頁235。

題，引發熱烈的論爭，形成歷時久遠而影響廣闊的學術論辯。[4]

　　梁啟超（1873-1929）早年追隨康有為（1858-1927）發揚今文經學，意欲推翻傳統經學價值基礎開始，至東渡日本辦報積極宣揚西學，乃至民初返國參政，長期熱衷於西方思想的引介。在學術研究上，梁啟超嘗試中西學互相為證，大量援引「新知」，在當時具有廣大的影響力。在某個角度上來看，新文化運動的諸多主張，梁啟超早有論述，並且具體實踐、宣揚。所以，梁啟超被視為新文化運動的先驅。如在「整理國故」的論題上，被視為早期的代表人物。[5]然而，於清末民初擁護西學，標舉革新大旗的梁啟超，對五四運動以後之「整理國故」思潮，不僅沒有熱情的支持，甚至鮮明地表達反對立場。尤其在國故整理思潮逐漸走向激化之際，梁啟超呼籲人們反思西方科學或學術的侷限、弊病，鼓勵學者發揚東方思想的精粹。與當時積極宣揚整理國故的胡適等人相比，在目的與方法上有所不同，所以學者將梁啟超劃入國故整理運動中的「保守派」。[6]就在「新文化」聲勢最昂揚的時候，梁啟超在政治革新上的熱情不減，然而在學術上的論述卻日趨保守，研究重

4　新文化運動在二十年代在北京興起，但是以全國地域與學者派別來看，新文化運動的影響非暴起驟興，而是逐漸擴大其影響。請參見桑兵：《晚清民國的學人學術》（北京市：中華書局，2008年3月），頁183-224。

5　錢玄同（1887-1939）認為「國故研究之新運動」為晚清至民初「進步最速、貢獻最多，影響於社會政治思想文化者亦最巨」的思潮革新運動。錢玄同將國故研究分為兩期，第一期由一八八四年至一九一六年，稱之為「黎明運動」，代表人物有康有為、梁啟超、劉師培等人。見〈劉申叔先生遺書序〉，《錢玄同文集》（北京市：中國人民大學出版社，1999年6月），卷4，頁319-320。案：此〈序〉撰於一九三七年三月三十一日。

6　黃克武：「民國之後的梁啟超是『以調適之人而處於轉化盛行的時代』。……梁啟超思想變遷的方向與上述的『主流』發展截然相反，當大多數青年知識分子愈來愈激烈的時候，梁氏卻愈來愈保守。」《一個被放棄的選擇：梁啟超調適思想之研究》（臺北市：中央研究院近代史研究所，1994年2月），頁179。劉黎紅：「五四時期整理國故的潮流中有兩股勢力，一為以胡適、顧頡剛為代表的新文化人士；一為以梁啟超、柳詒徵、顧實為代表的文化保守主義人士。雙方在整理國故的目的、方法和態度上有明顯的不同。」〈五四時期兩種整理國故活動的比較〉，《東方論壇》第3期（2006年6月），頁102-107。

心也轉向中學。其中，較為明顯的轉變在於重新評估經學價值，並積極在著作中大量使用經學為材料，進而詮釋經學研究著作的意義。

二　對國學認識的轉變

梁啟超在一九一九年以前對國學與西學如何取捨依違或轉化融合觀點，大抵是依循「中學為體，西學為用」的概念開展，對於國學有很高的尊重。除了跟隨康有為時期，對傳統經學的源流與內容有激烈批判之語之外，其一生對於經學的價值抱持肯定態度。如一八九六年梁啟超應學生與弟弟企讀西學的要求，作《西學書目表》，在〈後序〉中首先提到：「今日非西學不興之為患，而中學將亡之為患。」對西學興盛與致用之利，頗有戒慎恐懼之感。梁啟超在最後提出：「舍西學而言中學者，其中學必為無用；舍中學而言西學者，其西學必為無本。無用無本皆不足以治天下。」[7]中西學皆不可偏廢，但是有「本」、「用」之別。以「中學」為基礎之本，「西學」為致世之用，是梁啟超早年對中、西學術的觀點。梁啟超認為中、西學都要學習，既然有本有用之別，則必須分出先後。他在《變法通議》引述西方學制，表達先通本國之學，再求萬國之學的主張。[8]

一八九七年杭州知府林啟（1839-1900）籌辦新式高等教育學校「求是書院」（民國後改制為浙江大學），梁啟超特別去函建議該校要以「中學」為經，「西學」為輔，並確立本末體用之次序，以免偏廢。[9]稍後，梁啟超至長

7　梁啟超：〈西學書目表後序〉，收入張品興主編：《梁啟超全集》（北京市：北京出版社，1999年7月），冊1，卷1，頁85-86。案：撰於一九八六年。

8　梁啟超：「自古未有不通他國之學，而能通本國之學者。亦未有不通本國之學，而能通他國之學者。西人之教也，先學本國文法，乃進求萬國文法；先求本國輿地、史志、教宗、性理，乃進求萬國輿地、史志、教宗、性理。此各國學校之法同也。」《變法通議・學校》《全集》，冊1卷1，頁42。案：撰於一八九六年。

9　梁啟超：「以六經諸子為經，而以西人公理公法之書輔之。……當中西兼舉，政藝並進，然後本末體用之間，不至有所偏喪。」〈與林迪臣太守書〉，《全集》，冊1，卷1，頁145。案：撰於一八九七年。

沙時務學堂講學，主要教授《公羊》、《孟子》，以當時流行的西方民權理論
解釋經義。梁啟超在〈學約〉中強調，必須先有中國經史根柢，才能進一步
研讀西學。[10]梁啟超在東渡日本之前，是積極的孔教擁護者。東渡日本對梁
啟超來說是思想轉變的重大契機，雖然流亡國外，卻也因此拓展視野，增加
接觸西學的管道。[11]此期梁啟超思索變法的失敗原因與中國的未來，遂放棄對
孔教的堅持。這種放棄只是祛除孔子被神化的形象，不代表價值上的否定。

　　另外，梁啟超對於西學的欽慕與讚揚是根源於現實的功能性。當清末國
族生存遭遇危機，又親見日本接受西方文明後的高速進展，梁啟超以為引
進、援用西學，是中國富強的唯一道路。所以梁啟超積極地援用西方學術觀
點或意見對中國學術進行整理、解釋，雖然多有比附牽強或理解錯誤的地
方，但是在當時藉報紙刊載，對中國有很大的影響力，成為宣揚西學新知的
重要媒介。有學者以為從學術史的角度來看，梁啟超等人比附中西學術的工
作，可視為中國傳統學術進入近代新知識體系的先聲。這些嘗試整合中、西
學的工作，為日後整理國故運動做出良好的基礎。[12]但是這樣的解釋是不是
能用在梁啟超身上，或可商榷。畢竟梁啟超早年鼓吹、參與變法，至東渡日
本積極辦報，宣揚政治社會改革。直至後來民國建立，返國參政，最後於一
九一七年遠離權力中樞。梁啟超此期在學術上雖有著述，但是其撰述往往不
是以學術研究為目的，而是以宣揚西學與政治理念為主軸。此外，梁啟超的
學思歷程來看，其中學基礎深厚，雖然熱衷西學，然而對西方學術思想或方
法的理解有相當的侷限，[13]終究不如胡適等受過西方教育體制系統性學術訓

---

10 梁啟超：「吾愈不能不於數十寒暑之中，劃出期限，必能以數年之力，使學者於中國
　經史大易，悉已通徹。根柢既植，然後以其餘日肆力於西籍，夫如是而乃可謂之
　學。」〈湖南時務學堂學約〉，《全集》，冊1，卷1，頁108。案：撰於一八九七年。

11 參見崔志海：〈梁啟超：學術回顧與展望〉，鄭大華、鄒小站主編：《思想家與近代中
　國思想》（北京市：社會科學文獻出版社，2005年5月），頁115-129。

12 關於晚清學者整理舊學，揭示融入近代知識體系問題，請參見左玉河：〈中國舊學納
　入近代新知是體系之嘗試〉，收入鄭大華、鄒小站主編：《思想家與近代中國思想》，
　頁214-252。

13 根據張朋園分析梁啟超接受西方文化的歷程，在戊戌變法以前，由於吸收西方知識的

練的學者來得深刻。

　　梁啟超觀點改變的一大轉折發生在一九一八年十二月。此值第一次世界大戰結束，梁啟超以巴黎和會中國代表團會外顧問的身分，赴歐洲考察遊歷。他親眼目睹戰火摧殘後的歐洲，也初步瞭解工業文明與資本主義的缺陷，開始積極反思西學的侷限。一九二〇年三月梁啟超返國，此後遠離政治權力中樞，投身文化教育事業，展現其豐沛的學術能量。

　　梁啟超自歐洲返國後思想起了重大轉變，開始質疑西方物質文明的缺陷，從此在學術上傾向回歸傳統的路線。此時中國正經歷五四運動後反傳統的思想波瀾。反傳統的另一面是擁抱西方的民主與科學，以此走向強國之路。但是在民主與科學僅能是宣傳的口號，尚無法迅速落實之際，「反傳統」成為最高亢的聲音，而儒家思想是中國傳統重要的構成要素，至此成為一種需要被打倒的符號、象徵。[14]清洗傳統，擁抱西方的主張五四運動之後逐漸興盛，而且越形激烈。許多學者、文化界人士紛紛表達對傳統與儒家的敵意，「打倒孔家店」成為響亮的口號，以為這是救國的先決條件。[15]儒家

　　來源有限，所以所得甚淺，多「浮泛之論」。東渡日本之後，則廣泛閱讀日文譯介之西書，對他的政治思想甚有「啟發作用」。參見張朋園：《梁啟超與清季革命》（臺北市：中央研究院近代史研究所，1999年6月），頁25-34。鄭匡民進一步研究梁啟超東渡日本時期的思想背景，認為日本的思想流派對他影響很大，而他「在日本所接受的西方思想，又是一種被『日本化』的思想。」《梁啟超啟蒙思想的東學背景》（上海市：上海書店出版社，2009年7月），頁282-283。因為認知途徑的侷限，梁啟超對西方思想瞭解未能深入。其雖宣揚西學甚力，但是影響較大者僅是政治主張，傳統的思維與學養，才是梁啟超的思想主線。

14　林毓生以「整體性的反傳統思想或整體性的反傳統主義」（totalistic iconoclastic thought or totalistic anti-traditionalism），表達民初對中國傳統社會與文化進行全面而整體的抨擊的意識型態。《思想與人物》（臺北市：聯經出版公司，1983年7月），頁146-147。杜維明描述民國初年的反傳統思潮：「把中國傳統，特別是有代表性的儒家傳統歸約為封建遺毒，並以此作為一個符號，即所有中國人不爭氣、不前進、不能進入現代社會的原因。一切的問題都丟到這個垃圾箱裡。這個符號與儒家傳統解了不解之緣，好像不反對儒家不僅沒有理性，而且是自暴自棄。」《現代精神與儒家傳統》（臺北市：聯經出版公司，1996年1月），頁325。

15　錢玄同：「孔家店真是千該打，萬該打的東西。……不能全盤受西方化，如此這般的

重要的文獻被視為腐舊的學問，許多人開始疑古，藉著疑古否定儒家核心文獻的價值。於是經學研究者堅持的神聖性被消解殆盡，學者要求傳統意義上的經學必須消失。[16]

梁啟超在一九一五年即針對當時否定孔子價值的呼聲寫下〈孔子教義實際裨益於今日之國民者何在欲昌明之其道何由〉、〈復古思潮平議〉二篇文章，對孔子在文化上的貢獻與地位給予高度肯定。[17]自歐洲返國後，面對新文化運動後越來越高漲，甚至趨向極端的反傳統的思潮相當不以為然，他在《儒家哲學》中提到：

> 青年腦筋中，充滿了一種反常的思想。如所謂「專打孔家店」、「線裝書應當拋在茅坑裏三十年」等等。此種議論，原來可比得一種劇烈性的藥品。無論怎樣好的學說，經過若干時代以後，總會變質，攙雜許多凝滯腐敗的成分在裏頭。……中國民族之所以存在，因為中國文化存在；而中國文化離不了儒家。如果要專打孔家店，要把線裝書拋在茅坑裏三十年，除非認過去現在的中國人完全沒有受過文化的洗禮。這話我們肯甘心嗎？[18]

一九二一年胡適在為吳虞（1872-1949）的文集作序時，稱讚其為「打孔家店的老英雄」。[19]宣稱要把國故、「線裝書丟在茅廁裡三十年」則是吳稚暉（1865-1953）針對梁啟超〈國學入門書目及其讀法〉所發表的激烈言論。[20]

下去，中國不但一時將遭亡國之慘禍，而且還要永遠被驅逐於人類之外！」〈孔家店裏的老伙計〉，收入《錢玄同文集》，卷2，頁58。

16 顧頡剛（1893-1980）：「治經學不是延長經學的壽命，而是正要促進經學的死亡，使得我們以後沒有經學。」劉起釪：《顧頡剛先生學述》，（北京市：中華書局，1986年5月），頁54。

17 梁啟超：《全集》，冊5，卷9，頁2811-2818。

18 梁啟超：《儒家哲學》，《全集》，冊9，卷17，頁4956-4957。

19 胡適：〈吳虞文錄序〉，《胡適文存》（臺北市：遠東圖書公司，1990年3月），集1，卷4，頁97。

20 吳稚暉：〈箴洋八股化的學理〉，《晨報副刊》，1923年7月23日。

梁啟超此時的評論完全是針對這些激烈的反傳統主義者而發。梁啟超深刻地
以為文化是民族的精神，是生存的基石，文化傳承更是無法抹煞的事實。

　　一九二二年梁啟超在北京大學哲學社演講，評論胡適《中國哲學史大
綱》（1919 年出版），認為該書第一個缺點是「把思想的來源抹殺得太過」，
其以為：

> 夏、商、周三代（最少宗周一代）總不能說他一點文化沒有，《詩》、
> 《書》、《易》、《禮》四部經，大部分是孔子以前的作品，那裏頭所含的
> 思想，自然是給後來哲學家不少的貢獻。……（《中國哲學史大綱》）不
> 惟排斥《左傳》、《周禮》，連《尚書》也一字不提。殊不知講古代史，若
> 連《尚書》、《左傳》都一筆勾消，簡直是把祖宗遺產蕩去一大半，我以
> 為總不是學者應采的態度。[21]

梁啟超認為經學文獻既是歷史材料，也是中國文化思想的源頭，更是豐富的
文化遺產。如果寫中國哲學史之類的書籍，在源頭上無法迴避經學，尤其是
《尚書》、《左傳》之類本身就具有史書性質的經書，更是直接材料。如果因
為某些特定立場而任意抹去，則有失學者求真的態度。

　　一九二三年胡適在《努力週報》增刊的《讀書雜誌》上發表〈一個最低
限度的國學書目〉，本書目原是應清華學校（一九二八改制為清華大學）幾
個將要前往外國留學的學生請求而撰寫，未料〈書目〉公布後，立刻引起質
疑。《清華週刊》記者寫信給胡適，以為所擬的書目著重於文學史於思想
史，「範圍太窄」，而這些書又「談得太深」，似乎不符合「最低限度」的要
求。記者請求胡適重新擬定書目。胡適回信說明擬定書目的原則，在原開的
一百八十四種書目上圈選三十八種，然後增加《九種紀事本末》，成為三十
九種。

　　梁啟超應《清華週刊》記者之請，在胡適之後發表〈國學入門書目及其
讀法〉，並在文後附上〈最低限度之必讀書目〉、〈治國學雜話〉、〈評胡適之

21　梁啟超：〈評胡適之中國哲學史大綱〉，《全集》，冊7，卷13，頁3986。

的一個最低限度的國學書目〉。以經書部分來看，梁啟超在〈國學入門書目
及其讀法〉、〈最低限度之必讀書目〉皆有《四書》、《易》、《書》、《詩》、《禮
記》、《左傳》。但是胡適〈一個最低限度的國學書目〉開出的經書卻無
《易》、《書》，《禮記》也只要求讀〈檀弓〉。梁啟超在〈評胡適之的一個最
低限度的國學書目〉針對此部分尖銳地批評：「連《尚書》、《史記》、《禮
記》、《國語》沒有讀過的人，讀崔述《考信錄》懂他說的什麼？……思想史
之部，連《易經》也沒有。什麼原故，我也要求胡君答復。」[22]梁啟超的批
評相當有力，並且在學界引發討論。然而胡適終究沒有解釋未於〈書目〉開
列傳統經書的原因。[23]實際上胡適所開的書目沒有激起太大迴響，反而是梁
啟超的〈國學入門書目及其讀法〉，因宣稱儒家經書有益道德，希望學生摘
記其中身心踐履之言以資修養，被當時激烈的反傳統者大肆批判，如吳稚暉
稱線裝書可以丟到茅廁，陳問濤稱此為「國學遺老化」。[24]

　　梁啟超批評《中國哲學史大綱》與〈一個最低限度的國學書目〉都提到
胡適在經學文獻上的缺漏問題。梁啟超的批評代表著：無論是專門的學術史
研究，或是象徵文化傳承的必讀書籍，經學文獻都有其重要性。其意義不僅
是歷史的，也是經學的，更是傳統的、文化的，如此才能保有國性的完整。

　　一九二一年梁啟超於天津南開大學講述歷史研究方法問題，次年出版
《中國歷史研究法》。本書對於中國歷史研究有較完整的理論與操作方法的
建構。《中國歷史研究法》提到經學文獻的在史料價值方面的問題：

---

22 梁啟超：〈評胡適之的一個最低限度的國學書目〉，《全集》，冊7，卷14，頁4245。

23 關於梁啟超、胡適這兩份國學書目的比較問題，可參見董德福：《梁啟超與胡適：兩
　　代知識分子學思歷程的比較研究》（長春市：吉林人民出版社，2004年1月），頁145-
　　159。董德福雖然積極地為胡適辯解書目的開列原則與用心，但最後也認為就書目的
　　對性而言，胡適的書目的確「不太合適」。董德福還以為梁啟超在一九二五年前後發
　　表關於書目解題、文獻評介與治國學方法的專論，包括《中國歷史研究法》、《要籍解
　　題及其讀法》、《中國歷史研究法補編》、《古書真偽及其年代》等，有為青年解決讀古
　　籍難題的用心。彷彿梁啟超這些著作是延續〈國學入門書目及其讀法〉而寫，這樣的
　　論述沒有考量到梁啟超在史學方面的學術思路，也忽略古籍佔有史料方面的重要地位
　　的觀點。

24 陳問濤：〈國學之「遺老化」〉，《學燈》第5卷第16號（1923年10月16日）。

群經之中如《尚書》，如《左傳》，全部分殆皆史料。《詩經》中之含有史詩性質者亦皆屬純粹的史料，前既言之矣。餘如《易經》之卦辭、爻辭，即殷周之際絕好史料。如《詩經》之全部分，如《儀禮》，即周代春秋以前之絕好史料。因彼時史跡太缺乏，片紙只字，皆為瓌寶，抽象的、消極的史料，總可以向彼中求得若干也。以此遞推，則《論語》、《孟子》，可認為孔孟時代之史料；《周禮》中一部分，可認為戰國史料；二戴《禮記》，可認為周末漢初史料。[25]

以六經皆存史料的角度來面對傳統經典。於是，每一部經書都有相對應的歷史材料意義，可以作為歷史研究的素材。經學文獻既視為史料，則必要用「科學方法」進行研究，才能有堅實可信的論述，這也是梁啟超一貫的意見。[26]

該書提出史學著作的具體方向：

今日所需之史，當分為專門史與普遍史之兩途。專門史如法制史、文學史、哲學史、美術史等等；普遍史即一般之文化史也。治專門史者，不惟須有史學的素養，更須有各該專門學的素養。[27]

梁啟超以為歷史研究需走向專門課題與通史性質兩種不同的著作上。梁啟超也提出研究歷史的方法：

吾儕治史，本非徒欲知有此事而止；既知之後，尚須對於此事運吾思想，騁吾批評。雖然，思想批評必須建設於實事的基礎之上；而非然者，其思想將為枉用，其批評將為虛發。須知近百年來歐美史學之進步，則彼輩能用科學的方法以審查史料，實其發軔也。[28]

---

25 梁啟超：《中國歷史研究法》，收入《全集》，冊7，卷14，頁4112-4113。
26 梁啟超在為學生劉節（1901-1977）《洪範疏證》題記時提到：「經科學方法研究之結果，令反駁者極難容喙。」《全集》，冊9，卷18，頁5274。案：作於一九二七年。
27 梁啟超：《中國歷史研究法》，收入《全集》，冊7，卷14，頁4105。
28 同前註，頁4138。

梁啟超以為要用科學的方法進行歷史研究，在資料整理之後，進行詮釋，賦
予意義。一切意義的基點在於資料處理的正確性，這是研究價值的重要基
礎。梁啟超很重視「求真」的學術態度，以為不管問題大小，重要的是求真
的研究精神與過程。[29]

　　一九二二年梁啟超發表〈治國學的兩條大路〉，指出研究國學的兩個途
徑：「文獻的學問，應該用客觀的科學方法去研究；德性的學問，應該用內
省的和躬行的方法去研究。」對於文獻的學問，梁啟超特別說明：

> 一切古書，有許多人見為無用者，拿他當歷史讀，都立刻變成有用。章
> 實齋說：「六經皆史」，這句話我原不敢贊成。但從歷史家的立腳點看，
> 說「六經皆史料」，那便通了。……我們只要把這種方法（科學方法）運
> 用得精密巧妙而且耐煩，自然會將這學術界無盡藏的富源開發出來。[30]

梁啟超以為時人宣揚「整理國故」之類的主張，主要是處理知識體系轉換以
及解釋的問題。這類的問題以文獻用途的角度來看，就是將其當成歷史材
料，然後用「科學方法」處理，使之成為有學術價值意義的知識。

　　梁啟超進一步指出文獻的學問可以開發的種類很多，如「文字學」、「社
會狀態學」、「古典考釋學」、「藝術鑒評學」等，其中對「古典考釋學」的努
力方向，梁啟超以為：

> 我們因為文化太古，書籍太多，所以真偽雜陳，很費別擇。或者文義艱
> 深，難以索解。我們治國學的人，為節省後人精力而且令學問容易普及
> 起見，應該負一種責任，將所有重要古典，都重新審定一番，解釋一
> 番。這種工作，前清一代的學者已經做得不少。我們一面憑借他們的基
> 礎，容易進行；一面我們因外國學問的觸發，可以有許多補他們所不

29　梁啟超：「吾又以為善治學者，不應以問題之大小而起差別觀。問題有大小，研究一
　　問題之精神無大小。學以求真而已：大固當真，小亦當真。一問題不入吾手則已，一
　　入吾手，必鄭重忠實以赴之。」同註27，頁4129。

30　梁啟超：〈治國學的兩條大路〉，《全集》，冊7，卷14，頁4067。

及。[31]

梁啟超此處提到「審定」與「解釋」，亦即鑒別真偽，以及整理、解釋後的知識，以增進學習效率，也可達到知識普及的作用。梁啟超以為這方面的工作可以利用清儒的研究成果，加上西方學術的啟發，可以在學術進程上達到更新的作用。

　　梁啟超提出的治國學第二條道路是發揚德性的學問，「此學應用內省及躬行方法來研究，與文獻學之應以客觀的科學方法研究者絕不同。這可說是國學裏頭最重要的一部分，人人應當領會的。必走通了這一條路，乃能走上那一條路。」梁啟超以為「整理國故」不僅有知識性的文獻整理，還要有「道德哲學」上的整理與傳承。梁啟超自歐洲返國後，對西方的文明、思想開始懷疑，進而開始宣揚中國文化的優點。是以在〈治國學的兩條大路〉，梁啟超對西方機械文明導致人民生活枯燥感到憐憫，並以為西方哲學以科學方法進行研究的方式並沒有實質上的意義。梁啟超以為中國的儒家、佛教思想可以解救西人物質生活的貧乏，對國故中蘊含的人生哲學寶藏深具信心。這種態度轉變相當微妙。梁啟超自日本流亡之時，仍相信西學可以拯救中國的苦難。當梁啟超目睹歐洲工業、物質文明的弊病後，卻呼籲要以中國的「人生哲學」來拯救西方的心靈。這不僅展現出文化平等的觀點，[32]由另外一的角度看，梁啟超想要以中國哲學、思想進行文化建設工作，這是他此期提出最引人矚目的救國方法。

　　梁啟超對中國傳統學術的認識大致如〈治國學的兩條大路〉分為「文獻」與「德性」兩種方式，皆是「整理國故」的重要內容。以學術研究的角度來看，文獻的研究是主要內容；以對人生的價值來看，「德性」的學問才是根本。不過這裡要特別指出的是：梁啟超所謂的文獻的學問，不僅是經

31　同前註，頁4068。

32　〔美〕列文森（Joseph R. Leveson）：「（梁啟超）準備再一次為中國的文化聲望辯護，而且他現在在很大程度上是維護文化的平等。」劉偉、劉麗、姜鐵軍譯：《梁啟超與中國近代思想》（成都市：四川人民出版，1986年5月），頁290。案：據 *Liang Ch'i-ch'ao and the Mind of Modern China*, University of California Press, 1959. 翻譯。

學，而是中國一切傳統典籍；德性的學問，不僅是儒家，而是中國的一切哲學思想。梁啟超學問淵博，興趣多方，本非一家所能囿限。[33]

三　經學史料的運用

梁啟超在日本流亡時期發表〈歷史上中國民族之觀察〉，本文利用聲韻學以及《尚書》、《春秋》、《周官》、《禮記》、《史記》、《爾雅》、《說文》等材料，論述八個中國原始時代之民族分布、活動與文化特徵。文後附有〈史記匈奴傳戎狄名義考〉、〈春秋夷蠻戎狄表〉，則以《史記》、《春秋》為基本材料，考察先秦之外族活動、歷史。[34]此期梁啟超堅持今文經學觀點，引證不取古文經。

一九一七年十一月梁啟超隨段祺瑞（1865-1936）第二次內閣總辭而卸下財政總長職務，於是開始潛心著書。梁啟超原欲撰作「中國通史」、「中國文化史」二書，不僅擬定寫作計畫，[35]也有十餘萬字的著述。後因赴歐洲考察，遂無成書。這些著述後來都以論文形式發表。其中有〈陰陽五行說之來歷〉（1920年發表），在先秦源流部分，以《易經》、《尚書》、《詩經》材料討論陰陽五行說法的來源。[36]另外被視為研究先秦宗教與政治關係極為精闢的〈志三代宗教禮學〉（1920年發表），則論述先秦以教為政，以禮為法的現

---

33 研究梁啟超文獻學的專門著作有吳銘能：《梁任公的古文獻思想研究初稿：以目錄學、辨偽學、清代學術史及諸子學為中心的考察》（北京市：北京大學中國古典文獻學博士論文，1997年）、彭樹欣：《梁啟超文獻學思想研究》（北京市：光明日報出版社，2010年5月）。

34 梁啟超：〈歷史上中國民族之觀察〉，《全集》，冊6，卷11，頁3419-3434。案：本文作於一九〇六年。

35 梁啟超：〈原擬中國通史目錄〉、〈原擬中國文化史目錄〉，《全集》，冊6，卷12，頁3593-3602。

36 梁啟超：「陰陽兩字相連屬成一名辭表示無形無象之兩種對待的性質，蓋自孔子或老子始。孔老以前之書確實可信者，一曰《詩經》，二曰《書經》，三曰《儀禮》，四曰《易經》之〈卦辭〉、〈爻辭〉。《儀禮》全書中無陰陽二字，可置勿論。」〈陰陽五行說之來歷〉，《全集》，冊6，卷11，頁3357。

象，主要運用的研究材料為《易》、《尚書》、《詩》、《左傳》、《周禮》、《禮記》等書。

另有《太古及三代載記》（1922 年發表）有〈古代傳疑章〉，附〈三苗九黎蚩尤考〉、〈洪水考〉、〈古代民百姓釋義〉；〈紀夏殷王業〉章，附〈論後代河流遷徙〉、〈禹貢九州考〉、〈又禹貢九州考〉；〈春秋載記〉章，附〈春秋年表〉；〈戰國載記〉章，附〈戰國年表〉。這些論述最主要的研究素材為《尚書》、《春秋》、《左傳》、《國語》、《史記》，對上古至戰國時代之歷史發展進行多方面的描述。這篇論文篇幅較長，論證嚴謹，材料編排很有次序，展現出梁啟超歸納整理歷史材料的傑出能力。《太古及三代載記》耗費梁啟超近兩年時間，原為「中國通史」之寫作而撰，後僅止於三代。《中國歷史上之民族研究》（1922 年發表），利用的材料更家豐富，主要有《尚書》、《詩經》、《左傳》、《論語》、《孟子》、《戰國策》、《國語》、《史記》等，考察中國諸種族發展之大略。這些著作引進西方當代史學方法，結合多種學科，對單一論題進行探究，體現梁啟超的史學觀點。以上諸文多有涉及歷史人文地理學，成為中國此領域之先河。[37]

梁啟超於一九二〇年以淺近的白話寫出《孔子》，第一節〈孔子事蹟及時代〉提到關於孔子生平、事蹟主要以《史記》〈孔子世家〉為底本，「拿《左傳》、《論語》、《禮記》及其他先秦子書來參證，或可以比較的正確。」[38]第二節「研究孔子學案所根據的資料」言：「六經雖然都是舊日所有，經過孔子的手，便成為孔子的六經。所以說六經是孔子的著述，亦未為不可。但這六部經裏頭添上孔子的分子之多少，各經不同。」其後各節為〈孔學提綱〉、〈孔子之哲理論與《易》〉、〈孔子之政治論與《春秋》〉、〈結論〉等。另有〈世界偉人傳第一編：孔子〉殘稿。[39]尚有〈老孔墨以後學派概觀〉一

---

37 石瑩麗：《梁啟超與中國現代史學：以跨學科為中心的分析》（北京市：中國社會科學出版社，2010年12月），第2章〈歷史人文地理學的先行者〉，頁37-64。

38 梁啟超：《孔子》，《全集》，冊6，卷11，頁3123。

39 梁啟超：〈世界偉人傳第一編：孔子〉，《全集》，冊6，卷11，頁3155-3157。

文，全文僅有三節，第三節「孔子所衍生之學派」僅講至《孟子》。[40]

另有〈周秦時代之美文〉寫作年代不詳，約在一九二二年至一九二四年間。本文很短，應該是草稿。第一章「《詩經》之篇數及其集結」完整，第二章「《詩經》的年代」僅有數行。第一章談及《詩經》的篇章數目與孔子是否刪《詩》的問題，字數不多。本章附有〈釋四詩名義〉，對「南」、「風」、「雅」、「頌」之名義提出解釋。[41]

梁啟超以經書為歷史材料的觀點，是基於歷史研究的操作層次上說。其《太古及三代載記》提到：

> 不知經訓本與史籍殊科，經以明義，非以記事。（近儒或倡六經皆史之說，實偏見也）史實足借以明義者采之，否則置之，此孔子刪定《詩》、《書》，筆削《春秋》所以為大業也。……故群經中記載涉及史事者，誠不失為較確之史材。然必欲混經史以同其範圍，叫其道反為兩失。[42]

此處涉及到經學文獻的意義問題，梁啟超以為經書是歷史研究的材料，所代表的歷史時代是中國文化的源頭，是思想的黃金時代，因此可以利用經書為素材，考察先秦思想意義。是以，經學在文獻上具有歷史的與經學的兩種意義。然而，就文獻整理的角度來看，將經書作為史料，在操作上的確較為便利。

尤其某些經書本身就具有史書性質，如《尚書》、《春秋》等。[43]但是，梁啟超早年深受今文經學影響，在利用這些材料上頗為謹慎。如其引證不取古文《尚書》，另外在使用古文經材料上，也盡量做到多方互證，或是重新

---

40 梁啟超：〈老孔墨以後學派概觀〉，《全集》，冊6，卷11，頁3319-3325。案：本文作於一九二○年。

41 梁啟超：〈周秦時代之美文〉，《全集》，冊8，卷15，頁4384-4388。

42 梁啟超：《太古及三代載記》，《全集》，冊6，卷12，頁3453。

43 梁啟超：「純以記事為職志完書傳于今者，惟《左傳》與《國語》。次近古者，則史邊之《史記》，今述古代史，則《尚書》、《春秋》以外，惟當信據此三書，夫人而知之矣。」同前註。

解釋文獻意涵。如梁啟超於《要籍解題及其讀法》，[44]以為《左傳》應該與《國語》同編，但是被劉歆抽出部分，改為編年，並有一部分文字是劉歆竄入。然而「大部分蓋本諸當時史官之實錄」，所以認為：

> 《左傳》一書，無論其原本為分國紀載或編年紀載，要之不失為一種有系統有別裁的作品，在全人類歷史學界為一先進者。……欲斷代的研究國史，當以春秋時代為出發點。若侈談三代以前，則易為神話所亂，失史家嚴正態度。若僅注重秦、漢以後，則中國國民性之根核，社會組織變遷之脈絡等，將皆無從理解。故吾常謂治國史者，以清代史為最要；次則春秋、戰國。而春秋時代幸有一《左傳》，吾儕宜如何珍惜而實習也！[45]

與前期攻擊《左傳》，並且在著述中排除徵引的情況，可見梁啟超此期對於古文經成見已稍有改變。這種改變象徵著此期梁啟超對學術研究的徵實精神，超越早年所堅持的經學家法或是政治的目的。除了具有史書性質的經書之外，其他經書也有歷史研究上的意義，如《要籍解題及其讀法》提到：

> 現存先秦古籍，真贋雜糅，幾于無一書無問題。其精金美玉，字字可信可寶者，《詩經》其首也。故其書于文學價值外尚有一重要價值焉，曰可以為古代史料或史料尺度。[46]

梁啟超以為《詩經》來源絕無問題，必為春秋初年以前之作品。其中有許多史詩，可為直接史料。可由這些史料，判斷其他同期史料的真偽。另外，某些經書的價值在於可以做為專門史的素材，如《要籍解題及其讀法》提到：

---

44 梁啟超於一九二五年整理清華大學講課紀錄，刊出《要籍解題及其讀法》。該書講述《論語》、《孟子》、《史記》、《荀子》、《韓非子》、《左傳》、《國語》、《詩經》、《楚辭》、《禮記》、《大戴禮記》等書之編輯者、作者、年代、真偽、內容與價值、讀是書之法、相關書籍等基礎知識，書後附〈先秦學術年表〉。梁啟超：《要籍解題及其讀法》，《全集》，冊8，卷16，頁4617-4674。

45 梁啟超：《要籍解題及其讀法》《全集》，冊8，卷16，頁4649。案：作於一九二五年。

46 同前註，頁4657。

《禮記》之最大價值，在於能供給以研究戰國、秦、漢間儒家者流（尤
其是荀子一派）學術思想史之極豐富之資料。蓋孔氏之學，在此期間始
確立，亦在此期間而漸失其真。[47]

因此，研究先秦學術思想流變的專門史研究論題上，《禮記》就是重要的研
究材料。梁啟超對經學或經學成果的研究大致上符合《中國歷史研究法》的
敘述，即設定研究課題或方面，然後以經學文獻為材料，進行專門史或文化
史的寫作。

　　梁啟超對於經學文獻的基礎研究工作，比較重要著作為《古書真偽及其
年代》，他特別提到：

有許多偽書，足令從事研究的人，擾亂迷惑，許多好古深思之士，往往
為偽書所誤。研究的基礎，先不穩固，往後的推論、結論，更不用說
了。……幾千年來，許多學問，都在模糊影響之中，不能得忠實的科學
根據，固然旁的另有關系，而為偽書所誤，實為最大原因。所以要先講
辨偽、考證年代之必要。[48]

辨偽與年代考證工作是使用文獻前的基礎工作，這些資料的真偽、性質、年
代、來源無法確定，或是無法限制在某個限度之下，則研究工作很難開展，
所得的意義也將無法穩定。這部份的研究成果牽涉到經學文獻成為歷史材料
的可能性及其相關的應用範圍。考證辨偽工作在歷代學者的努力下，已經做
了許多豐碩的研究成果。尤其在清代學者的研究成績作為基礎，經學文獻的
真偽、年代、源流、內容，已經有長足進展。梁啟超對此項工作並沒有特殊
的貢獻，只是在前人的研究成果上進行整理擇取的工作。《古書真偽及其年
代》共三卷，卷一部分對辨別偽書的必要性、偽書的種類與來歷、辨偽的歷
史與方法、偽書的評價等進行講述。卷二、三則開闢專章，專講十三《經》

---

47 同前註，頁4671。

48 梁啟超：《古書真偽及其年代》，收入《全集》，冊9，卷17，頁5009。案：是書為一九
二七年梁啟超於燕京大學課堂講述，其學生周傳儒、姚名達、吳其昌筆記。

之訛偽問題。梁啟超主要參考胡應麟《四部正訛》、宋濂《諸子辨》、姚際恆《古今偽書考》、萬斯同《群書疑辨》崔述《考信錄》等書，以及清代辨偽學的研究成果，講述各書之真偽問題。

　　整體來看：梁啟超以經書為歷史材料進行研究工作很早就開始，但是以一九二〇年自歐洲返國為界線，可分為前後期。前期數量較少，水準較低，且文中流露濃厚的政治意圖與思想，又喜與西方學術進行連結對比。後期數量較多，水準較高，能專就文獻材料進行整理分析，並且進一步詮釋意義。

　　梁啟超在一九二六年至一九二七年之間於清華國學研究所講述「中國歷史研究法」，對過去《中國歷史研究法》進行補充與局部修正，梁啟超對當時史學研究風氣提出批評：

> 發現前人的錯誤而去校正他，自然是很好的工作。但其流弊乃專在瑣碎的地方努力，專向可疑的史料注意，忘了還有許多許多的真史料不去整理。……譬如鄭玄箋注的《毛詩》、《三禮》已夠研究了，反從《太平御覽》、《冊府元龜》去輯鄭注《尚書》和《易經》，以為了不得。乾嘉以來的經學家便是這樣風氣。其實經學不止輯佚，史學不止考古……大規模做史的工作很難，因為盡管史料現存而且正確，要拉攏組織，并不容易。[49]

梁啟超以為當時的史學研究針對某些局部資料進行研究，卻不知還有大批的史料等待整理、分析。過去梁啟超以為問題不論大小，只要有求真的正確研究態度，就值得鼓勵。現在梁啟超卻修正之前的看法，治史的格局要大，應該要有貫通整理大量材料的能力。

49　梁啟超：《中國歷史研究法補編》，《全集》，冊8，卷16，頁4875。

四　撰寫專門學術史

　　梁啟超《清代學術概論》發表於一九二〇年，[50]為五四運動以後第一部清學史專著。《清代學術概論》十五天完成初稿，以六萬餘字的篇幅敘述清代學術演變大要，因此在短時間內以簡約篇幅敘述大範圍的論題，缺漏在所難免。[51]《清代學術概論》全書共分三十三節，並無標目，類似札記體式，但是首尾完整，對清代學術的描寫具有整體性。本書第一至三節概括時代思潮的概念，並以此展開對清代學術思潮的變遷的原則性歸納。梁啟超借用佛教生、住、異、滅流轉之相，將清代學術分為四期：啟蒙期（生），代表人物有顧炎武、胡渭、閻若璩；全盛期（住），代表入物有惠棟、戴震、段玉裁、王念孫、王引之；蛻分期（異）：代表人物主要有莊存與、劉逢祿、魏源、龔自珍、廖平、康有為、梁啟超；衰落期（滅），代表人物是俞樾（1821-1906）、孫詒讓（1848-1908）和章太炎（1869-1936）。

　　梁啟超提出清學發展與意義是「以復古為解放」，這是解釋清代學術發展的重要論點。梁啟超約略說明這個概念：

　　綜觀二百餘年之學術史，其影響及於全思想界者，一言蔽之，曰：「以復古為解放。」第一步：復宋之古，對於王學而得解放；第二步：復漢、唐

50　《清代學術概論》首以《前清一代思想界之蛻變》為主篇名，刊載於《改造》第3卷第4、5期。後經梁啟超修訂，於一九二一年由上海商務印書館出版單行本。日人渡邊秀方隨即於次年翻譯全書，由東京二酉社出版。《清代學術概論》為學術界的暢銷書籍，單行版本眾多。朱維錚於一九八五年對《中國近三百年學術史》、《清代學術概論》進行校注，後由上海復旦大學出版合刊《梁啟超論清學史二種》，這是大陸學界較常用的文本。臺灣則有徐少知在朱維錚校注的基礎上進行勘誤校對，於一九九五年由臺北里仁書局出版《中國近三百年學術史（附清代學術概論）》。

51　目前所知最早為《清代學術概論》進行辨正工作者為李詳（1859-1931），其有〈清代學術概論舉正〉，然今未見，僅留存目。參見李稚甫：〈二研堂全集序錄〉，收入《李審言文集‧附錄》（南京市：江蘇古籍出版社，1989年6月），下冊，頁1464。辨正此書較著名之論文為楊勇：〈清代學術概論考正〉，《新亞書院學術年刊》第3期（1969年3月），頁1-14。

之古，對於程、朱而得解放；第三步：復西漢之古，對於許、鄭而得解放；第四步：復先秦之古，對於一切傳注而得解放。夫既已復先秦之古，則非至對於孔、孟而得解放焉不止矣。

此處以「解放」說明「復古」，即表示在學術發展過程中某研究對象群被解析闡發至某一高度，而產生解釋的僵化或思想上的桎梏，則回溯更前階段的學術研究對象群，以消除解放此種解釋或思想的羈絆。因此「復古」是一種進化，「解放」是追求學術的自由。就梁啟超此段的說法，則清末今文經學、諸子學研究大興，即代表自孔、孟以下的所有學術研究累積下來的歷史牽制都已消解，學術研究獲得全部解放，得到完全自由。梁啟超的解釋成為後來清代學術史研究的重要觀點。不過，「以復古為解放」的解釋奠基於歷史進化觀與今文經學的立場上，忽略了學術思想上的內在承續關係，而引起頗多爭論。[52]

《中國近三百年學術史》為梁啟超於一九二三年冬至一九二五年春於清華學校（一九二八年改名「清華大學」）、南開大學任教時所編寫的講義。書中後半部〈清代學者整理舊學之成績〉先行於一九二四年發表，[53] 約至一九二九年全書集結，發行單行本。[54]

---

52 陳居淵考察清代學術研究史中對於清代學術發展的五種學說：章太炎「反滿說」、梁啟超與胡適「理學反動說」、錢穆「每轉益進」說、侯外廬「每轉益進」說、余英時「內在理路說」，對其理論觀點與基本意涵有歷史性的考察，對於其間學說的演變與質疑有扼要說明。詳參陳居淵：〈二十世紀清代學術史研究範式的歷史考察〉，《史學理論研究》第1期（2007年1月），頁87-97。

53 梁啟超於一九二四年四月二十三日致書張元濟徵詢刊載〈清代學者整理舊學之總成績〉一事：「頃著有〈清代學者整理舊學之總成績〉一篇，本清華講義中一部分，現在欲在《東方雜誌》先行刊出（因全書總須一年後方能出版）。但原文太長，大約全篇在十萬字以外，不審與《東方》編輯體例相符否？」引自吳天任：《民國梁任公先生啟超年譜》（臺北市：臺灣商務印書館，1988年7月）冊4，「民國十三年先生五十二歲」條，頁1601。後該文連載於當年6月至9月《東方雜誌》第21卷，12、13、15、16、17、18號。

54 李國俊將《中國近三百年學術史》出版時間歸於一九二四年，稱有「民志書局單行本」。《梁啟超著述繫年》（上海市：復旦大學出版社，1986年11月），頁226。朱維

　　整體看來梁啟超撰寫《中國近三百年學術史》並不完整。本書可以切割成兩個部分來看，而其中並沒有良好的銜接。可以說前半部（第一至十二節）是「清初思想史」，後半部（第十三至第十六節）是「清代考據學史」。

　　第十三節至第十六節為「清代學者整理舊學之總成績」，記敘清代學者在經學、小學及音韻學、校注古籍、辨偽書、輯佚書、史學、方志學、地理學、傳記及譜牒學、曆算學及其他科學、樂曲學之發展與成就。梁啟超將考據學衍生的各種學門學科加以分類，對其學術的起源與發展和學者、著作的具體成績進行綜合評述。不僅描述出每學門學科的內容與意義，更重要是對其歷史與現況的評論與介紹，可以視為清代學術著作發展的具體提要，對清學史研究的人來說是很精到的入門書。[55]這部分的著述將清代考據學的研究成果有條理地歸納，材料蒐集豐富，評論適切，顯現梁啟超對於清代考據學成果有很高的水準的掌握。

　　梁啟超在清華學校講課時，很明確地表達預備將課堂講義，彙編為《中國近三百年學術史》，由前半部內文高度口語化以及敘述較為雜亂的情況來看，應是自編教學講義或是學生整理的上課記錄。本書前半部屬於思想史性質的講義應未完成，只講述至清初學術發展。這或許是當時梁啟超的身體與家庭狀況已不堪持續這種大型的學術著作撰寫。另外，講義屬於授課需要而撰寫，因此依照前半部細緻深入的講述內容進行，課程能否講述至清代晚期之思想也是問題。思想部分雖然只寫至清初，然而對清代中葉的學術卻有豐

錚：「我見到的《中國近三百年學術史》版本有三種：一九二九年上海民智書局版。一九三二年中華書局版《飲冰室合集》的專集第十七冊。一九三六年中華書的單行版。」《梁啟超論清學史之二種‧引言》（上海市：復旦大學出版社，1985年6月），頁2。據楊克己於一九三八年所編之《民國康長素先生有為梁任公先生啟超師生合譜》後所附之〈本年譜引用及參考書目表〉中，提到梁啟超《中國近三百年學術史》於一九二六年由商務印書館出版。案：感謝審查委員提供之資料，得知梁啟超《中國近三百年學術史》最早的版本應為一九二六年七月上海民志書店所出版。參見北京圖書館編：《民國時期總書目（1911-1949）：哲學‧心理》（北京市：書目文獻出版社，1991年），頁133。

55 杜蒸民：〈一本研究清代學術的入門書——重讀梁啟超的中國近三百年學術史〉，《史學史研究》第2期（1994年6月），頁29-34。

富的論述，這就是後半部的「清代學者整理舊學之總成績」。[56]

　　《中國近三百年學術史》中「清代學者整理舊學之總成績」是完整地將考據學成績，分門別類地歸納條理，以歷史演進的方式敘述，這種論述方式是以「學術」為中心，而非人物師從的繼承關係。因此，此部分展現出來的樣態與前半部迥然有異，呈現細緻而富理則的風格。梁啟超如此敘述考據學的成績，很能表現考據學在研究上的「累積」特色。思想的傳承有很大的選擇空間，但是考據學的推進必須在前人研究的基礎上持續探究，在學術上具有很高的傳承性。梁啟超的敘述表明了在考據學下的各個學門學科，對於前人的研究繼承與對後學的貢獻。

　　《中國近三百年學術史》與《清代學術概論》的關係在主要觀點上沒有太大改變。但是在內容與編排上讓這兩部書呈現不同面貌，就結構上來說，《清代學術概論》類似總論性質，雖然簡略，但也首尾一貫。《中國近三百年學術史》則深入探討學派、學者、學門學科的發展，但是詳細的分論下，整體性就稍嫌薄弱。材料方面則是《中國近三百年學術史》多於《清代學術概論》，尤其在學者的生平方面與著作的內容、評述方面更是詳細。但是總體來看，兩書的承接關係相當明顯，簡單地說《清代學術概論》像是簡介，而《中國近三百年學術史》則是承接前者，進行細部論述了。[57]

　　《清代學術概論》、《中國近三百年學術史》是梁啟超《中國歷史研究法》中的「專門史」類的著作。其中涉及大量清代學者的經學研究成果，可視為經學史研究，對經學研究的發展上很具有意義。另外，兩部專著也可視為梁啟超口中的文獻的國故整理的具體實踐。尤其梁啟超本身的經歷，讓他

---

56 周國棟以為《中國近三百年學術史》之所以未完成，可能的原因之一是「害怕與以前寫的《清代學術概論》在組織上重複。」〈兩種不同的學術史範式──梁啟超錢穆中國近三百年學術史之比較〉，《史學月刊》第4期（2000年8月），頁112。

57 李開、劉冠才：「該書（《中國近三百年學術史》）是一部清代主要學者的學案擷要與學派要論，它用為豐富的史料進一步論證了《清代學術概論》的主要觀點，彌補了《清代學術概論》在史料方面的某些薄弱之處，使其在內容方面更加縝密、嚴整和全面。《中國近三百年學術史》與《清代學術概論》異曲同工，相輔相成。」《晚清學術簡史》（南京市：南京大學出版社，2003年11月），頁253。

不僅對清代經學有深刻的掌握，其對西方史學與民初積極引進的現代學術體
系有直觀的了解，所以，他所撰寫的學術史在材料選擇與意義詮釋上，都有
異於前人。在此點上，梁啟超的學術史不僅是對國故的整理，更是引領國故
走出傳統，進入現代的意義與價值。[58]

　　除清代學術史之外，梁啟超最有學術價值的專題史著作當屬《先秦政治
思想史》。[59]是書雖只講先秦時代的政治思想，但是學術史上卻是開啟中國
政治思想史研究的先聲，為民國以後較早的政治思想史專著。[60]此書將先秦
分為部落期（唐虞迄殷末約千餘年）、封建期（西周約三百年）、霸政期（周
東遷后至孔子出生前約二百年）。梁啟超在「前論」部分第一章「時代背景
及研究資料」中分析各種材料的性質及其可信度，最後言：「本篇所采資
料，以《詩經》、《尚書》、《國語》、《左傳》為主，而慎擇其餘，庶幾可以寡
過云爾。」[61]本書底本雖為講稿，但是經過較為精細的整理，在引證方面大
致完備。

　　一九二七年梁啟超有《中國文化史：社會組織篇》在敘述中國古代社會
組織情形時，多以五經為研究素材。[62]本年最重要的著作是《儒家哲學》，
本篇為梁啟超於一九二五年至一九二六年於清華學校的授課講義彙整而成，
為貫串先秦至清代的專門史著作，內容講述二千五百年以來儒學思想的沿
革、重要人物、研究方法與重要問題討論。[63]本書可見梁啟超對儒家思想的

---

58 參見陳平原：《中國現代學術之建立——以章太炎、胡適之為中心》（北京市：北京大
　學出版社，1998年2月），頁5-6。蔣廣學：《梁啟超和中國古代學術的終結》（南京市：
　江蘇教育出版社，1998年6月），頁305-342。
59 本書是梁啟超一九二二年年底於北京法政專門學校、東南大學之課堂講稿，一九二四
　年由中華書局出版。
60 民國以後最先出現的中國政治思想史研究書籍應為謝無量（1884-1964）《古代政治思
　想研究》，於一九二三年由商務印書館出版。
61 梁啟超：《先秦政治思想史》，《全集》，冊6，卷12，頁3612。
62 本書共分〈母系與父系〉、〈婚姻〉、〈家族及宗法〉、〈姓氏〉、〈階級（上）〉、〈階級
　（下）〉、〈鄉治〉、〈都市〉八章。凡提及先秦制度、社會組織者，多用五經為證。梁
　啟超：《中國文化史：社會組織篇》，《全集》，冊9，卷17，頁5079-5129。
63 梁啟超：《儒家哲學》，《全集》，冊9，卷17，頁4954-5008。

掌握相當全面，敘述極有條理，與當時激進主義與保守主義的主張相對照，梁啟超藉著理性的整理分析，對儒家思想與發展進行歸納，進行「現代詮釋」的工作。[64]

　　梁啟超對諸經有很深的認識，但是他並沒有固守一家。他將經學文獻視為歷史材料，然後隨著研究目的或論題設定的需要，將各部經書加以剪裁，以專門史的形式闡述意義。當然，梁啟超以為經學不只是歷史材料，更是「德性的」學問，也將其列入整理國故的重要工作。然而，梁啟超受限於從政、講學等諸多外在限制，其著作不是與政治相關，就是課堂講稿，這種外緣環境限制，影響其著作內容與呈現方式，更讓他很難有機會以文字表述「德性的學問」。是以梁啟超雖然知道內在反思的德性學問相當重要，但是他並沒有形諸文字，建立理論，這或許與其家庭狀況與壽算有關。一九二五年梁啟超在清華學校講「儒家哲學」時，其夫人過世。此後梁啟超健康狀況不佳，至一九二六年入協和醫院，卻被誤割腎臟。至此，梁啟超為病痛所苦，終至過世。其學術文化之著述，亦隨著病情加劇而快速減少。梁啟超在人文學者思考力最顛峰的時期，遭遇病痛，乃至於身故。這讓他沒有機會進一步在文獻的基礎上，進行更深刻的德性學問的探究與論述。

　　回顧梁啟超的著作，他沒有做過輯佚鉤沉的工作，也沒有瑣碎的考證文章。他擅長以宏觀的角度進行研究，對於大量資料的處理條目分明，歸類清晰。但是，梁啟超受到傳統的影響仍深，其學術史著作仍不脫傳統的架構與思維。[65]梁啟超能利用西學，對學術史現代化工作，踏出很成功的第一步，這是他對學術最大的貢獻。

---

64 對梁啟超《儒家哲學》進行「現代詮釋」的問題，請參見李茂民：《在激進與保守之間：梁啟超五四時期的新文化思想》（北京市：社會科學文獻出版社，2006年4月），頁117-142。

65 關於梁啟超史學觀點與著作之演變、貢獻、侷限等問題，可參見汪榮祖〈論梁啟超史學的前後期〉，收入李喜所主編：《梁啟超與近代中國文化》（天津市：天津古籍出版社，2005年1月），頁96-120。

五　結論

　　一九二七年梁啟超對當時爭議許久的學校讀經問題提出看法，他說：「吾自昔固疑讀經之難，固頗祖不讀之說，謂將經語編入教科書已足。吾至今亦仍覺其難也，然從各方面研究，漸覺不讀之不可。」梁啟超舉出五點理由，其中第一點是「經訓為國性所寄，全國思想之泉源，自茲出焉。廢而不讀，則吾儕與吾儕祖宗之精神，將失其連屬，或釀國性消失之病。」[66] 梁啟超晚年對於經學義理價值的體認越加深刻，認為經學之閱讀、認知關係到國性、文化命脈之絕續問題。梁啟超對一生對經學的態度，雖然維持尊重與肯定的基調，[67] 但是綜觀其歷程卻有程度上的差異：由早年與西學比附，至視經學為材料，再至撰寫學術史以明前人經學研究之成果，最後通述《儒家哲學》嘗試義理論題開展。一層轉進一層，逐漸加深。由學術方法與觀點來看，梁啟超與西學越來越遠，卻與中國傳統學術越來越近。[68] 雖然梁啟超此期著作沒有了過去的強烈批判性，但是其宏觀的論述與精到的評價，允當地重新估計國學的價值，尤其對經學材料的利用或價值認識，在當時的學術界，仍有很大的影響，甚至可以說對中國現代學術進展有重要的奠基作用。所以當反傳統的浪潮消退，當時學者對梁啟超整理舊學成績，給予很高的評價。[69]

——原載《中國學術年刊》第三十四期（2012 年 3 月），頁八七～一一一

66　梁啟超：〈學校讀經問題〉，《全集》，冊9，卷17，頁4933。

67　張灝：「梁（啟超）在內心裏基本上是一個改良主義者，他在對中國文化傳統的態度上是有辨別力的。」葛平夫譯：《梁啟超與中國思想的過渡（1890-1907）》（北京市：新星出版社，2006年2月），頁207。

68　余英時：「我可以負責地說一句：二十世紀以來，中國學人有關中國學術的著作，其最有價值的都是最少以西方觀念作比附的。」《論士衡史》（上海市：上海文藝出版社，1999年1月），頁459。

69　郭湛波：「整理成績最佳、影響最大的就算胡適、梁啟超、馮友蘭。」《近五十年中國思想史》（濟南市：山東人民出版社，1997年3月），頁208。案：原書前身為《近三十年中國思想史》，修改後訂為《近五十年中國思想史》，於一九三六年出版。

王樹榮《紹邵軒叢書》評介

張厚齊

東吳大學中國文學系博士

一　作者簡介

（一）生平

　　有關王樹榮生平，臺灣地區文獻不足；據安慶東方印書館刊印所撰《紹邵軒叢書》[1]，封面次頁自署「吳興王樹榮」，知為今浙江省吳興縣人。另據臺北文海出版社刊印清代稿本百種彙刊，有光緒末年同姓名者所撰《元秘史潤文》，序末自署「歸安王樹榮」。按宋代歸安縣與烏程縣並為湖州治，明、清並為浙江省湖州府治，民國廢併二縣為吳興縣[2]，故推測二者可能係同一人。《元秘史潤文》成書於清末，故署為歸安人；《紹邵軒叢書》成書於民國初，故署為吳興人。

　　又據《紹邵軒叢書》，其中《續公羊墨守》序：「吾鄉崔懷瑾先生以所著《春秋復始》一書見貽。」[3]《箋箋何篇》亦云：「曩游京師，承崔君以《春

1　中央研究院傅斯年圖書館現存線裝《紹邵軒叢書》七種原本，係安徽安慶東方印書館鉛印本，於一九三五年印行；臺北藝文印書館編輯《叢書集成三編》時，將《紹邵軒叢書》影印收入，於一九七一年印行；林師慶彰主編《民國時期經學叢書》第一輯時，亦將《紹邵軒叢書》影印收入，於二〇〇八年七月由臺中文听閣圖書有限公司印行。

2　中華書局辭海編輯委員會：《辭海》（臺北市：臺灣中華書局，1984年10月），頁2486。

3　王樹榮：《續公羊墨守》，收入《紹邵軒叢書》（安慶市：東方印書館，1935年），序頁4。

秋復始》見貽。」[4]知崔適與王樹榮為同時代人；崔適所撰《春秋復始》收
錄於上海古籍出版社出版《續修四庫全書》中。按臺北文史哲出版社出版
《清人室名別稱字號索引》所載，崔適，字觶廬，號懷瑾，歸安人，生卒年
闕[5]；王樹榮，字仁山，號戟髥、王晚山、卍龕老衲、苕上騎驢客，室名紹
邵軒，生卒年亦闕[6]。另吉林人民出版社出版《民國人物別名索引》所載，
崔適（1852-1924），字懷瑾，又字鮮甫，浙江吳興人[7]；王樹榮（1871-？），
字仁山，又字相人偶，號戟髥，浙江吳興人[8]。崔適年齡較王樹榮長十九
歲，二人年代相合，籍貫相同，俱為清末民國初人。《清人室名別稱字號索
引》與《民國人物別名索引》所載雖稍有出入，但應係有據，惜均未註明出
處，無法循線蒐求更豐富的資料。

（二）春秋學思想

　　清代中葉以後，曾經盛極一時的乾嘉考據學風走上沒落之途，代之而起
的是漢學與今文經學的復興。公羊學的復興，始自乾隆年間的經學大師莊存
與，其《春秋正辭》即以公羊學的理論解說《春秋》，致力於發揮《春秋》
的微言大義，強調《春秋》經世致用的功能。自此以後，孔廣森、劉逢祿、
凌曙、龔自珍、魏源、陳立、皮錫瑞、廖平、康有為等人紛紛著書立說，闡
揚公羊學說，發揮《春秋》的微言大義，以經世致用為務，終於形成一股強
大的政治改革風潮。

　　《春秋》微言大義究竟有多少？太史公曰：「《春秋》文成數萬，其指數
千。」（《史記‧太史公自序》）康有為則提出質疑：「今《公》、《穀》二傳所

4　王樹榮：《箴箴何篇》，收入《紹邵軒叢書》，頁9。

5　楊廷福、楊同甫：《清人室名別稱字號索引》（臺北市：文史哲出版社，1989年11
　　月），頁870。

6　楊廷福、楊同甫：《清人室名別稱字號索引》，頁1295。

7　蔡鴻源：《民國人物別名索引》（長春市：吉林人民出版社，2001年9月），下編，頁
　　182。

8　蔡鴻源：《民國人物別名索引》，下編，頁20。

傳大義，僅二百餘條，則其指數千安在？」[9]不僅康有為，提出質疑者大有人在。因此，除非孔子復生，親自說明，否則，過度發揮《春秋》的微言大義，往往容易發生兩種弊端：一是援引他說，二是失之穿鑿。王樹榮的春秋學思想，正可由此作反向的觀察。

1　《公羊傳》與《春秋》為一體

援引他說，是過度發揮《春秋》微言大義的第一種弊端。王樹榮云：

> 吾謂如莊方耕《春秋正辭》、劉申受《公羊解詁箋》往往攔入《穀梁》義，亦不啻魚目之混珠，於此愈信任城墨守之學，誠顛撲不破矣。[10]

又云：

> 俗儒不察，猶於何氏《解詁》「以《春秋》當新王」之說，動多訾議，其亦勿思之甚矣。雖然，援《左》、《穀》以亂《公羊》者，固不免喪其所守。[11]

從表面來看，在王樹榮的觀念中，《左傳》與《穀梁傳》都是相對於《公羊傳》的他說，都足以紊亂公羊學說。其實，說得更深入、更確切一點，王樹榮並不承認《左傳》與《穀梁傳》在春秋學中的地位，只有公羊學才是唯一真正的春秋學，故云：

> 今所謂《公羊傳》者，在西漢以前統名之曰《春秋》，不但無公羊之名，並不稱之曰傳，固合經與傳，而統以《春秋》名之者也。[12]

9　〔清〕康有為：《春秋筆削大義微言考》，收入《康南海先生遺著彙刊》（臺北市：宏業書局，1976年9月），第7集，頁17。

10　王樹榮：《續公羊墨守》，收入《紹邵軒叢書》，序頁2-3。

11　王樹榮：《續公羊墨守》，收入《紹邵軒叢書》，序頁3。

12　王樹榮：《續公羊墨守》，收入《紹邵軒叢書》，序頁1。

又云：

> 《漢書・鄒陽傳》曰：「慶父親殺閔公，季子緩追逸賊，《春秋》以為親親之道也。」〈終軍傳〉曰：「《春秋》之義，大夫出疆，有可以安社稷、存萬民，專之可也。」皆引《公羊傳》文，而不稱《公羊》，不稱傳，直曰《春秋》，以為《春秋》之義者，此傳與經為一體。[13]

可見王樹枏認為，《公羊傳》與《春秋》本為一體，自始即是《春秋》的一部分。

　　至於《左傳》與《穀梁傳》該如何定位？王樹枏云：

> 《春秋》之作，《左氏》及《穀梁》無明文。[14]
> 崔懷瑾謂：「歆偽造《左》、《穀》二傳，藉以破壞《春秋》，為莽飾非，為己文過之詭計。」[15]

以為《左傳》有「六謬」，云：

> 一曰《左氏》非編年之史，二曰《左氏》無釋經之例，三曰《左氏》有增竄之文，四曰《左氏》多乖牾之事，五曰《左氏》多違經之處，六曰《左氏》非傳經之傳。[16]

又以為「《穀梁》為經學中之鄉愿」[17]，云：

> 《春秋經》之有《穀梁傳》，直如鄉愿之亂德，令人非之無舉，刺之無刺。蓋《左氏傳》就原文加以竄亂，故其偽易見，《穀梁》則合眾手造成，或剽竊他書為己有，或移《公羊》甲傳以作乙傳，故其偽難

---

13 王樹枏：《續公羊墨守附篇》，《紹邵軒叢書》，卷1，頁1。
14 王樹枏：《續左氏膏肓》，收入《紹邵軒叢書》，序頁2。
15 王樹枏：《續穀梁廢疾》，收入《紹邵軒叢書》，序頁3。
16 王樹枏：《續左氏膏肓》，收入《紹邵軒叢書》，序頁3。
17 王樹枏：《續穀梁廢疾》，收入《紹邵軒叢書》，序頁3。

知。[18]

至於劉歆偽造《穀梁傳》的目的，乃是「以為《左氏傳》之前驅」，云：

> 歆之所以必偽造《穀梁》者，亦自有故。哀帝時，歆欲立《左氏》於學官，諸儒師丹、公孫祿等群起而攻，謂《左氏》不傳《春秋》，歆雖悍然移書讓太常博士，卒以眾怒難犯，懼而求外，於是知《左氏傳》已有破綻，不得不召集數千人，記說於廷，別造一《穀梁傳》，託諸於今文，託諸於衛太子所好，託諸於傳自荀卿，並以習《穀梁》誣乃父，以為《左氏傳》之前驅。[19]

2 「以《春秋》為《春秋》」

失之穿鑿，是過度發揮《春秋》微言大義的第二種弊端。王樹榮云：

> 而末流之弊，動輒援《公羊》以遍鑿群經。自莊珍藝作《夏時等例》，以夏小正比附〈禮運〉「吾得夏時」之說。劉逢祿推衍其意，作《論語述何》，自序稱：「《藝文類集》[20]引《論語》『女為君子儒』何休註，大類董生正誼明道。」實則所引「君子為儒，將以明道；小人為儒，則以為名」，乃何晏能[21]《論語集解》，「晏」字偶誤作「休」，而劉申受輒援以為據，已為李越縵所糾。戴子高作《論語註》，至謂樊遲從游於舞雩之下，即為「季辛又雩」而發，尤失之鑿。宋于庭復作《大學古義》以牽合《公羊》，廖季平則援二伯之說以附會〈王制〉，至龔定庵專以張三世主義遍通群經；其尤變本加厲者，遂流為

---

18 王樹榮：《續穀梁廢疾》，收入《紹邵軒叢書》，序頁1。
19 王樹榮：《續穀梁廢疾》，收入《紹邵軒叢書》，序頁3。
20 「《藝文類集》」，當係「《北堂書鈔‧藝文部》」。按劉逢祿《論語述何》敘曰：「惟虞世南《北堂書鈔》有何休《論語》一條，大類董生正誼明道之旨。」〔清〕劉逢祿：《論語述何》，收入《皇清經解》（臺北縣：藝文印書館，年月份不詳），卷1298，頁10。
21 「能」字衍。

> 孔子改制之說，而《春秋》真成斷亂朝報矣。吾故謂以《春秋》為
> 《春秋》，彼援《左》、《穀》以亂《公羊》者，固非；而援《公羊》
> 之說，強他經以就我者，尤一無是處也。[22]

「援《公羊》以遍鑿群經」是清末公羊學的普遍現象，但當時的公羊學者意
在致用，不專為通經，因為中國正陷於危急存亡之秋，學者意識到不能繼續
躲在書齋內作瑣細的考證工作，而公羊學中的大一統、尊王、攘夷、復讎、
三世等學說，正是學者經世致用、為國效力的良方。然而，就學術立場而
言，過度穿鑿附會，反將不利於公羊學的正常發展。王樹榮主張「以《春
秋》為《春秋》」，意指用公羊學說闡釋《春秋》義理，反對「援《公羊》之
說，強他經以就我」，應該是合理的看法。

二　《紹邵軒叢書》概述

（一）成書動機

1　紹述何休公羊學

　　何休（129-182），字邵公，生於東漢末年，任城樊人。據《後漢書‧儒
林列傳》載，何休「為人質樸訥口，而雅有心思，精研六經，世儒無及
者」，曾「作《春秋公羊解詁》，覃思不闚門，十有七年」，「又以《春秋》駁
漢事六百餘條，妙得公羊本意」，並「與其師博士羊弼，追述李育意以難二
傳，作《公羊墨守》、《左氏膏肓》、《穀梁廢疾》」。以上除《春秋公羊解詁》
之外，諸書均已亡佚，其中《公羊墨守》、《左氏膏肓》、《穀梁廢疾》清人有
輯本。何休公羊學的精神，集中表現於《春秋公羊解詁》一書中，王樹榮對
之極為推崇，云：

> 崔懷瑾云：「何君注《春秋》，出自胡毋生《條例》，本七十子之遺

說。」范《書》又稱其「覃思不闚門，十有七年。」此經注之最深造有得者也。下走平生服膺何君，於研究三傳之暇，間取何注加以攷訂，冀少延何學墜緒於一線。[23]

所謂「少延何學墜緒於一線」，不僅是王樹榮攷訂何注的目的，也是《紹邵軒叢書》成書的最大動機。

2 不滿鄭玄攻訐何休之學

何學不振將近二千年，原因何在？王樹榮完全歸咎於鄭玄，云：

> 今文家學說所以塵霾數千載，終不能別白而定一尊者，良由鄭君雜采古今，淆亂家法，作《鍼膏肓》、《起廢疾》、《發墨守》，以難邵公。……劉申受云：「康成兼治三傳，故於經不精。」今所存《發墨守》，可指說者惟一條，然多牽引《左氏》，其於董生、胡毋生之書，研之未深，概可想見。而何君稱為入室操矛，宏獎之風，斯異於專己黨同者哉？[24]

又云：

> 蓋自康成氏有《鍼膏肓》、《起廢疾》、《發墨守》之作，二千年來偽《左》之氣焰日張，而今文家薪火一線之傳，或幾乎熄。[25]

按東漢末年，經學雖仍存在今古文的壁壘，但學者已開始崇尚兼綜的學術風氣，其中鄭玄「括囊大典，網羅眾家」（《後漢書‧張曹鄭列傳》），形成了古今兼綜的「鄭氏家法」（同前引）。何休堅守今文學的學術立場與鄭玄完全不同，故鄭玄兼採古文學說以攻訐何休是不足為怪的。室名「紹邵軒」的由來，即是標榜作者志在紹述何休（邵公）之學，間接對鄭玄之學表達不滿，

23　王樹榮：《公羊何注攷訂》，收入《紹邵軒叢書》，序頁1。

24　王樹榮：《公羊何注攷訂》，收入《紹邵軒叢書》，序頁1。

25　王樹榮：《續公羊墨守》，收入《紹邵軒叢書》，序頁4。

云：

> 曾顏所居，曰「紹邵軒」。自署楹帖於座右，曰：「高密禮堂漫云寫
> 定，任城墨守未許輕攻。」[26]

作者不滿鄭玄對何休之學輕率地加以攻訐，正凸顯對何休之學的推崇。

（二）體例及內容

　　《紹邵軒叢書》係王樹榮彙集自己的春秋學著作而成，計有《續公羊墨守》三卷、《續穀梁廢疾》三卷、《續左氏膏肓》六卷、《公羊何注攷訂》一卷、《箴箴何篇》一卷、《續公羊墨守附篇》三卷、《讀左持平》一卷，凡七種十八卷。七種著作仿《春秋》編年體例，分別按魯隱、桓、莊、閔、僖、文、宣、成、襄、昭、定、哀十二公二百四十二年先後編次。其中《續左氏膏肓》六卷較為繁複，乃各卷自為編次；又第六卷獨分為四節，各節自為編次，「使之以類相從，庶閱者目眉較為清醒耳」[27]。

　　由《紹邵軒叢書》七種書名可以窺知，作者的春秋學志在篤守何休的公羊學。分述如下：

1 《續公羊墨守》

　　何休《公羊墨守》者，范曄云：「言公羊義理深遠，不可駁難，如墨翟之守城也。」（《後漢書・張曹鄭列傳》范曄注）王樹榮《續公羊墨守》乃續何休之志，墨守公羊義理，云：

> 宦游汴梁，同僚孫淑仁藏書頗多，因得盡借凌曉樓莊方耕、劉申受、宋于庭、龔定庵、王壬秋、廖季平諸家之書，博觀而審思之，由是諸家向之致疑於《公羊傳》者，如祭仲知權之說，黑肱通濫之文，大齊

---

26 王樹榮：《公羊何注攷訂》，收入《紹邵軒叢書》，序頁1。

27 王樹榮：《續左氏膏肓》，收入《紹邵軒叢書》，卷6，頁22。

侯九世復讎，譏宋君三世內娶，稱曼姑之師為伯討，比宋襄之戰於周
文，其他郭公、夏五、齊仲孫、楚頵熊、伯于陽諸疑義，與夫張三
世、通三統、黜杞、故宋、親周、王魯之微言大義，莫不冰釋，理順
相說以解，然後知邵公墨守之學，誠夐乎不可幾及也已。……故必使
公羊之大義炳如日星，而後《春秋》筆削之微權昭回雲漢矣。[28]

　姑舉《春秋》莊公四年夏：「紀侯大去其國。」為例。《公羊傳》云：

大去者何？滅也。孰滅之？齊滅之。曷為不言齊滅之？為襄公諱也。
《春秋》為賢者諱，何賢乎襄公？復讎也。何讎爾？遠祖也。哀公亨
乎周，紀侯譖之，以襄公之為於此焉者，事祖禰之心盡矣。盡者何？
襄公將復讎乎紀，卜之，曰：「師喪分焉，寡人死之，不為不吉
也。」遠祖者，幾世乎？九世矣。九世猶可以復讎乎？雖百世可也。
家亦可乎？曰：不可。國何以可？國、君一體也。先君之恥，猶今君
之恥也；今君之恥，猶先君之恥也。國、君何以為一體？國君以國為
體，諸侯世，故國、君為一體也。今紀無罪，此非怒與？曰：非也。
古者，有明天子，則紀侯必誅，必無紀者。紀侯之不誅，至今有紀
者，猶無明天子也。古者，諸侯必有會聚之事，相朝聘之道，號辭必
稱先君以相接。然則，齊、紀無說焉，不可以並立乎天下，故將去紀
侯者，不得不去紀也。有明天子，則襄公得為若行乎？曰：不得也。
不得，則襄公曷為為之？上無天子，下無方伯，緣恩疾者可也。

齊襄公的九世先君哀公因紀侯譖謗而被周王烹殺，齊襄公為了替哀公復讎而
消滅紀國。《公羊傳》認為當初沒有英明的天子，紀侯才會得逞，齊哀公才
會被殺；到了九世之後，依然沒有英明的天子或正義的霸主為齊哀公主持公
道，所以齊襄公滅紀復讎的行為是正當的，無可非議的。

　然而，何休《春秋公羊解詁》皆為字義訓詁，未深入闡發《公羊傳》之
義。如「《春秋》為賢者諱，何賢乎襄公」句下，云：「据楚莊王亦賢，滅蕭

28　王樹榮：《續公羊墨守》，收入《紹邵軒叢書》，序頁4。

不為諱。」「哀公亨乎周」句下，云：「亨，責而殺之。」「師喪分焉」句下，云：「龜曰卜，蓍曰筮。分，半也。師喪亡其半。」「寡人死之」句下，云：「襄公苔卜者之辭。」「雖百世可也」句下，云：「百世，大言之爾。猶《詩》云：『嵩高惟嶽，峻極于天，君子萬年。』」「先君之恥也」句下，云：「先君，謂哀公。今君，謂襄公。言其恥同也。」「故國、君為一體也」句下，云：「雖百世，號猶稱齊侯。」「今紀無罪」句下，云：「今紀侯也。」「此非怒與」句下，云：「怒，遷怒，齊人語也。此非怒其先祖，遷之於子孫與？」「齊、紀無說焉，不可以並立乎天下」句下，云：「無說，無說懌也。」「則襄公得為若行乎」句下，云：「若，如也。猶曰：『得為如此行乎？』」「上無天子，下無方伯」句下，云：「有而無益於治。曰無，猶《易》曰：『闃其無人。』」「緣恩疾者可也」句下，云：「疾，痛也。賢襄公，為諱者，以復讎之義，除滅人之惡。言大去者，為襄公明義，但當遷徙去之，不當取而有，明亂義也。不為文實者，方諱不得貶。」[29]

王樹榮《續公羊墨守》則云：

> 陳蘭甫云：「《公羊》以紀侯大去其國，為賢襄公復九世之讎，此蓋有激而言，未可以為《公羊》病也。下文公及齊侯狩于郜，《公羊》以為譏與讎者狩，讎者無時，焉可與通。可見《公羊》深惡魯莊公不復讎，遂以為賢襄公復讎耳。《公羊》又云：『襄公……事祖禰之心盡矣。』九世安得云禰？明譏莊公之忘其禰也。」李莼客亦稱蘭甫之說「真善讀《公羊》」，謂其說猶未盡，從而申之，曰：「莊九年公『及齊師戰于乾時，我師敗績。』《公羊》云：『內不言敗，此其言敗何？伐敗也。曷為伐敗？復讎也。此復讎乎大國，曷為使微者？公也。公，則曷為不言公？不與公復讎也。曷為不與公復讎？復讎者在下也。』則《公羊》於此事，不啻反覆言之，深切著明矣。夫敗而猶榮，何況能復。以名復者猶足錄，何況以實伐者誇大也。既非以實，

29　〔漢〕何休：《春秋公羊解詁》，收入《十三經注疏》（臺北市：大化書局，1982年10月），卷6，頁32。

又以致敗，猶誇大之，其責臣子之復讎，言至痛而意至切。」觀陳、
李二家之說，於《公羊》大復讎之義，可以無庸致疑矣。若程子以
「大」為紀侯之名，援諸侯失地名之例，固顯與傳文相悖，不免望文
生義。屬鶚〈齊襄復九世之讎議〉以《公羊》為俗說。按《困學紀
聞》云：「臣不討賊，非臣也。子不復讎，非子也。讎者無時，焉可
與通。此三言者，君臣、父子、天典、民彝係焉。公羊子大有功於聖
經。」又云：「九世猶可復讎乎？漢武用此義伐匈奴，儒者多以《公
羊》之說為非。朱子序〈戊午讜議〉曰：『天子者，承萬世無疆之
統，則亦有萬世必報之讎。』吁！何止百世哉！」屬氏作《宋詩紀
事》百卷，號稱於宋史掌故最熟，豈王厚齋之說亦概乎未之有聞耶！
宜陳卓人《公羊義疏》譏其不知《春秋》，而謂服盡、讎盡，尤屬氏
之謬說已。[30]

王樹榮引陳澧（字蘭甫）、李慈銘（號蒓客）之說，以申《公羊傳》齊侯九
世復讎、紀侯大去其國之義，且以為《公羊傳》乃借題發揮，譏魯莊公不復
父讎而與讎者狩；又引王應麟「復讎何止百世」、朱熹「天子有萬世必報之
讎」之說，以駁屬鶚「服盡、讎盡」之說。其徵引眾說，駁斥異說，以墨守
公羊義理，若有己說，則下按語（「榮按」云云），全書體例大致皆如此。

2 《續穀梁廢疾》

王樹榮《續穀梁廢疾》亦是續何休之志，揭發《穀梁傳》與《左傳》皆
為劉歆偽造，別有用心，云：

崔懷瑾謂：「歆偽造《左》、《穀》二傳，藉以破壞《春秋》，為莽飾
非，為己文過之詭計。凡與《公羊傳》義略同者，率其常義，傳之精
義，《穀梁氏》削除之以孤其援，《左氏》反對之以篡其統。如王氏世
卿，故《左》、《穀》盡去譏世卿之文；新室篡漢，故《左》、《穀》始

---

30 王樹榮：《續公羊墨守》，收入《紹邵軒叢書》，卷1，頁17-18。

終不見一「篡」字，此歆之為莽飾非也。《春秋》崇正，則造醜語以
誣之；如《穀梁》詆隱公探先君之邪志，《左氏》誣孔父艷妻賈禍之
類。《春秋》惡諼，則多陳陰謀以矯之；如《穀梁》誣公子友紿殺莒
挐，《左氏》謂先軫請執宛春以怒楚，樂枝使輿曳柴偽遁之類，此歆
之為己文過也。好聖人之所惡，惡聖人之所好，顧謂好惡與聖人同，
幾以隻手掩天下之目者二千年。甚矣！其禍經也。」洵知言哉！然
則，吾謂《穀梁》為經學中之鄉愿，夫豈深文周內之辭歟！[31]

姑亦舉《春秋》莊公四年夏：「紀侯大去其國。」為例。《穀梁傳》云：

> 大去者，不遺一人之辭也。言民之從之者，四年而後畢也。紀侯賢，
> 而齊侯滅之；不言滅，而曰大去其國者，不使小人加乎君子。

其中未見《公羊傳》齊侯九世復讎之說，且將齊侯比於小人，若按照前引王
樹榮《續穀梁廢疾》的說法，應該就是「傳之精義，《穀梁氏》削除之以孤
其援」，目的在與《左傳》一搭一唱，篡奪《春秋》之學的正統地位。

《續穀梁廢疾》云：

> 何休曰：「《春秋》楚世子商臣弒其君，其後滅江，亦不言大去。又大
> 去者，於齊滅之不明，但知不使小人加乎君子，而不言滅，縱失襄公
> 之惡，反為大去也。」鄭君釋之曰：「商臣弒其父，大惡也，不得但
> 為小人。江、六之君，又無紀侯得民之賢，不得變滅言大去也。元年
> 冬齊師遷紀，三年紀季以酅入於齊，今紀侯大去其國，是足起齊滅之
> 矣，即以變滅言大去，為縱失襄公之惡，是乃經也，非傳也。且《春
> 秋》因事見義，舍此，以滅人為罪者，自多矣。」榮按：鄭以商臣弒
> 父，大惡，不得但為小人。《易》曰：「小人以小善為無益，而勿為
> 也；以小惡為無傷，而不去也。故惡積而不可掩，罪大而不可解。」
> 故曰：「臣弒君，子弒父，非一朝一夕之故，其所由來者，漸矣。」

---

31 王樹榮：《續穀梁廢疾》，收入《紹邵軒叢書》，序頁3。

弒父與君，正小人無忌憚之尤者耳，鄭說殊牽強。至云：「即以變滅言大去，為縱失襄公之惡，是乃經也，非傳也。」然正惟其是經，非傳，則作傳者當依經立義，不應創為「不使小人加乎君子」之說，致令經文有「縱失襄公之惡」之嫌。則《公羊》以大去其國為大襄公之復讎，其說固不可易矣。《春秋繁露・玉英》篇言紀侯「率一國之眾，以衛九世之主，……上下同心，而俱死之，故謂之大去。」《穀梁傳》云：「大去者，不遺一人之辭。民之從之者，四年而後畢。」乃襲《繁露》語而失其旨，不知紀已亡矣。紀伯姬且葬於齊侯，民之從之者又將安歸耶？[32]

所引「何休曰」及「鄭君釋之曰」之文，出自鄭玄《起廢疾》。何休以為，《穀梁傳》「但知不使小人加乎君子」，反而是「縱失襄公之惡」，譏《穀梁傳》之失；鄭玄駁之，以為「縱失襄公之惡」，乃是經義，而非傳義；王樹榮復下按語反駁鄭玄，以為《穀梁傳》未能依經立義，不明《春秋》「變滅言大去」之義，反而另創「不使小人加乎君子」之說，以致使人誤認《春秋》有「縱失襄公之惡」之嫌。王樹榮藉由反駁鄭玄之說，證明《穀梁傳》有廢疾而不可為，相對彰顯出《公羊傳》齊侯九世復讎之說符合《春秋》大義。

3　《續左氏膏肓》

何休《左氏膏肓》者，范曄云：「《說文》曰：『肓，隔也。心下為膏。』喻《左氏》之疾不可為也。」(《後漢書・張曹鄭列傳》范曄注) 王樹榮《續左氏膏肓》亦續何休之志，除前引以為《左傳》有「六謬」之外，又云：

夫援《左氏》以解經，濫觴於劉歆，本如無源之泉，涸可立待，無如涓涓不塞，寖成江河。賈逵曲學阿世，以歆之媚莽者媚漢，傅會圖

32　王樹榮：《續穀梁廢疾》，收入《紹邵軒叢書》，卷1，頁20-21。

識，又從而揚其波。降及晉代，杜元凱以歆之獎助新室者，擁戴司馬
氏，巧立胸有左癖之名，為之推波助瀾。孔穎達躬為聖裔，不能匡正
杜謬，專務隨波逐流，詆毀先人，數典忘祖。於是偽《左》之禍經，
遂如巨浸稽天，汨沉千載，狂瀾既倒而莫迴，頹波一往而不反，而
《左氏》真成相斫書矣。[33]

於是「不憚條析縷辨，發幽摘伏，務令洞見癥結，使劉、杜之偽跡盡彰，斯
盲《左》之真面乃出。」[34]王樹榮先後提及「偽《左》之禍經」、「使劉、杜
之偽跡盡彰」，可知「左氏之疾不可為」的根本原因，就在於劉歆不但偽造
《左傳》，甚至用來解經。

　　姑再舉《春秋》莊公四年夏：「紀侯大去其國。」為例。《左傳》云：

紀侯大去其國，違齊難也。

紀侯大去其國，只是為了避難，其中亦未見《公羊傳》齊侯九世復讎之說。
若按照前引王樹榮《續穀梁廢疾》的說法，乃是《穀梁傳》「削除之以孤其
援」在先，《左傳》「反對之以篡其統」在後。至於紀侯避難何處，未見交
代。

　　《續左氏膏肓》引崔適《春秋復始》云：

左氏曰：「紀季以酅入於齊，紀於是乎始判。」「紀侯不能下齊，以與
紀季。夏，紀侯大去其國，違齊難也。」穀梁氏曰：「大去者，不遺
一人之辭也。言民之從之者，四年而後畢也。」皆言紀侯不死，民皆
從之而去。不審紀已無國君，民去將何之？為不通也。不然，伯姬何
以不葬，而待齊侯葬之？叔姬何為不從紀侯，而歸於酅耶？[35]

因此，紀侯大去其國，不是去避難，而是「紀已無國君」。王樹榮將《左

33　王樹榮：《續左氏膏肓》，收入《紹邵軒叢書》，序頁3-4。
34　王樹榮：《續左氏膏肓》，收入《紹邵軒叢書》，序頁4。
35　王樹榮：《續左氏膏肓》，收入《紹邵軒叢書》，卷5，頁8。

傳》與《穀梁傳》之說同時予以駁斥，指出其史實錯亂，理不可通，以維護
何休之學的正統地位。

4 《公羊何注攷訂》

王樹榮《公羊何注攷訂》自序云：

> 下走平生服膺何君，於研究三傳之暇，間取何注加以攷訂，冀少延何
> 學墜緒於一線。[36]

所謂「何注」，指何休《春秋公羊解詁》一書。但王樹榮如何攷訂何注，自
序中並未說明。茲仍舉《春秋》莊公四年夏：「紀侯大去其國。」為例。《公
羊傳》云：

> 古者，有明天子，則紀侯必誅，必無紀者。紀侯之不誅，至今有紀
> 者，猶無明天子也。古者，諸侯必有會聚之事，相朝聘之道，號辭必
> 稱先君以相接；然則齊、紀無說焉，不可以並立乎天下。故將去紀侯
> 者，不得不去紀也。有明天子，則襄公得為若行乎？曰：不得也。不
> 得，則襄公曷為為之？上無天子，下無方伯，緣恩疾者可也。

《公羊何注攷訂》云：

> 《經義述聞》云：「『必無紀』下，不當有『者』字。蓋涉下文『至今
> 有紀者』而衍。」「猶無明天子」句，惠棟云：「『猶』、『由』同
> 文。」「然則齊、紀無說焉，不可以並立乎天下」當作一句讀，猶
> 云：「齊、紀不待說，而皆知其不可並立於天下。」與《孟子》「人莫
> 大焉無親戚、君臣、上下」句法相似。何君從「焉」字斷句，《解
> 詁》云：「無說，無說憚也。」不合語氣。「有明天子，則襄公得為若
> 行乎？」《解詁》云：「若，如也。猶曰：『得為如此行乎？』」《經傳

---

36 王樹榮：《公羊何注攷訂》，收入《紹邵軒叢書》，序頁1。

釋辭》[37]云：「若，猶此也。『則襄公得為若行乎』，猶此行也。」視《解詁》為直捷。但「若」字亦有作「如此」解者，《孟子》：「以若所為，求若所欲。」未注云：「若，如此也。」則何注亦仍可通。[38]

這一大段文字，對何注的攷訂有兩個重點。其一，《公羊傳》：「齊、紀無說焉，不可以並立乎天下。」王樹榮以為，「無說」是「不待說」的意思；但何休將「說」解為「悅」，故斷句為：「齊、紀無說焉，不可以並立乎天下。」王樹榮明言「不合語氣」。其二，《公羊傳》：「有明天子，則襄公得為若行乎？」何休將「若」解為「如」，即「如此」的意思；王樹榮則採用《經傳釋辭》之說，認為將「若」解為「此」比較直捷，但何注仍可通。王樹榮旁徵《經義述聞》、《經傳釋詞》等著作，以為攷訂何休《春秋公羊解詁》的依據，全書體例大致皆如此。

5 《箴箴何篇》

　　王樹榮對崔適的學問頗為敬重，二人在春秋學思想方面亦頗為契合，因此，《紹邵軒叢書》中，屢見徵引崔適《春秋復始》之說。王樹榮云：

> 曩游京師，承崔君以《春秋復始》見詒，發明《穀梁》亦偽古文，謂《左》、《穀》比而叛《春秋》，凡傳之精義，《穀梁氏》削除之以孤其援，《左氏》反對之以篡其統；又謂《穀梁》者，乃引人背《公羊》而趨《左氏》之伏流也。其言皆深切著明，真知灼見，由是慎思明辨者有年，得以盡發《左》、《穀》之覆，灼然如晦之見明，區區一得之愚，淵源有自。[39]

　　但崔適《春秋復始》卷三十七有〈箴何〉一篇，專門探討何休《春秋公

---

37 「《經傳釋辭》」，當係「《經傳釋詞》」。

38 王樹榮：《公羊何注攷訂》，收入《紹邵軒叢書》，頁8。

39 王樹榮：《箴箴何篇》，收入《紹邵軒叢書》，頁9。

羊解詁》雜引讖緯的問題，認為「其所失者，雜引讖緯」[40]。崔適云：

> 緯書乃古文之支流，圖讖其尤妖妄者，創自劉歆以媚莽，賈逵之徒即
> 假之以詔漢。自光武以〈赤伏符〉即尊位，因重讖緯。至明帝永平
> 中，賈逵上言，《左氏》與圖讖合，五經家皆言顓頊代黃帝，而堯不
> 得為火德；《左氏》以為，少昊代黃帝，即圖讖所謂帝宣也；如今堯
> 不得為火，則漢不得為赤；其所發明，補益實多。書奏，帝嘉之，令
> 逵自選公羊嚴、顏諸生高才者二十人，教以《左氏》。然則，《左氏》
> 以合圖讖，見重於世主，且令公羊學家高材生改習《左氏》矣。何君
> 乃亦引讖緯注《公羊》，以抵制之，此亦不得已之苦心，然於經旨則
> 誣矣。刺取之以為〈箴何〉篇。[41]

這一段文字的意思是，東漢時期《左傳》結合當代流行的讖緯學說，形成一
股龐大的勢力，使公羊學者幾乎沒有立足餘地，何休不得已，只好仿效《左
傳》學者的做法，引讖緯注《公羊傳》，以抵抗《左傳》的勢力；但這種作
法，對於學術發展有害而無益。故崔適撰〈箴何〉的目的，就是將何休「雜
引讖緯」的問題指出來，計「六天帝之屬」類三條，「郊祀之月」類一條，
「三皇」類二條，「媚漢」類五條，凡四類十一條。

　　姑舉《春秋》成公八年秋七月：「天子使召伯來錫公命。」為例。《公羊
傳》云：

> 其稱天子何？元年、春、王、正月，正也。其餘皆通矣。

何休《春秋公羊解詁》云：

> 德合元者，稱皇。孔子曰：「皇象元，逍遙術，無文字，德明諡。」[42]

40　〔清〕崔適：《春秋復始》，收入《續修四庫全書》（上海市：上海古籍出版社，2002
　　年3月），冊131，卷37，頁1。

41　同前註。

42　〔漢〕何休：《春秋公羊解詁》，收入《十三經注疏》，卷17，頁99。

崔適《春秋復始》云：

> 案：此《春秋緯》也。皇，即三皇。……「皇象元」四句，係三言韻
> 語，與「天下血書魯端門」相似。誣孔甚矣。[43]

《春秋》為何書「天子」？《公羊傳》以為，天子是承「元年、春、王、正
月」的正統，《春秋》書周王為「天子」，表示周王仍是正統。然而，何休引
《春秋緯》「孔子曰」為《公羊傳》作注，以為天子是「德合元者」的皇；
因此，崔述箴之，以為「誣孔甚矣」。

　　王樹榮不同意崔述的見解，云：

> 《解詁》云：「德合元者，稱皇。德合天者，稱帝。仁義合者，稱
> 王。」此傳本論或稱天王、或稱天子、或稱王之義，但當就由皇而
> 帝、由帝而王，加以疏明；況三句文法，一氣貫注，烏能橫斷語脈，
> 於「稱皇」、「稱帝」、「稱王」各句下，插入「孔子曰：『皇象
> 元，……。』」云云。諸緯說不嘗自為注，而又自為之疏者。然，蓋
> 妄人因鄭君有「《公羊》長於讖」之說，遂雜採讖緯之文，以偽亂
> 真，邵公何至荒誕若此！崔氏不察，而箴之過矣。[44]

崔適批評何休《春秋公羊解詁》「雜引讖緯」而箴之；王樹榮則為何休辯
駁，以為「雜採讖緯之文」乃是「妄人」所為，崔適的見解有誤。

　　雖然王樹榮《箴箴何篇》箴崔適〈箴何〉之過，但「吾於崔君之說，非
敢有心立異也。西儒亞里士多德有言：『吾愛吾師，吾尤愛真理。』庶於任
城一家之學，聊盡墨翟環帶之責云爾。」[45]可見王樹榮對於崔適〈箴何〉之
說，雖然意見相左，但態度仍是相當恭維的。

43　〔清〕崔適：《春秋復始》，收入《續修四庫全書》（上海市：上海古籍出版社，2002
　　年3月），冊131，卷37，頁3。
44　王樹榮：《箴箴何篇》，收入《紹邵軒叢書》，頁5。
45　王樹榮：《箴箴何篇》，收入《紹邵軒叢書》，頁10。

6 《續公羊墨守附篇》

　　王樹榮《續公羊墨守附篇》凡三卷。卷一計「《史記‧儒林傳》糾竄」五條，「《漢書‧藝文志》糾竄」十一條，「《漢書‧儒林傳》糾竄」三條，「〈景十五王傳〉[46]糾竄」二條，凡二十一條。所謂「糾竄」，乃是將竄入正史的偽古文說糾出。姑舉「《史記‧儒林傳》糾竄」第一條為例，《史記‧儒林列傳》云：

> 今上即位，趙綰、王臧之屬明儒學，而上亦鄉之，於是招方正賢良文學之士。自是之後，言《詩》，於魯則申培公，於齊則轅固生，於燕則韓太傅；言《尚書》，自濟南伏生；言《禮》，自魯高堂生；言《易》，自菑川田生；言《春秋》，於齊、魯自胡毋生，於趙自董仲舒。

王樹榮《續公羊墨守附篇》云：

> 榮按：五經師說，太史公定此八家，《書》、《禮》、《易》無異師，申、轅、韓、胡毋、董無異說，皆折衷於夫子，未有門戶之分也。自偽古文出，於是《詩》托諸毛氏，《書》託諸孔壁，古文《禮》託諸周官，《春秋》託諸左氏、穀梁，專務破壞各家師說；此師丹所以劾劉歆變亂舊章，公孫祿彈劾其顛倒五經、毀師法也。且所稱傳經八家，於《春秋》不及《穀梁》，則後文謂「瑕丘江生為《穀梁春秋》」，其為後人所增竄，不辨自明。[47]

---

46 按《漢書》有〈景十三王傳〉，依序為：河閒獻王德、臨江哀王閼、臨江閔王榮、魯恭王餘、江都易王非、膠西于王端、趙敬肅王彭祖、中山靖王勝、長沙定王發、廣川惠王越、膠東康王寄、清河哀王乘、常山憲王舜。王樹榮則稱「景十五王」，實際列舉只有十四王，依序為：河間獻王德、臨江哀王閼、臨江閔王榮、江都易王非、膠西于王端、趙敬肅王彭祖、中山靖王勝、廣川惠王越、膠東康王安、六安共王慶、清河哀王乘、常山獻王舜、泗水思王商、魯恭王餘。王樹榮：《續公羊墨守附篇》，收入《紹邵軒叢書》，頁12-13。

47 王樹榮：《續公羊墨守附篇》，收入《紹邵軒叢書》，卷1，頁1。

《史記‧儒林列傳》記載傳五經者有八家，其中傳《春秋》者為胡毋生、董仲舒二家，但〈儒林列傳〉篇末憑空冒出「瑕丘江生為《穀梁春秋》」一句，前此未有任何著墨，故王樹榮認定「其為後人所增竄」的偽古文說。

　　卷二乃迻錄崔適《春秋復始》卷十八「滅國五十二更正顏師古注《漢書‧劉向傳》之誤」、卷二十三「弒君三十六更正顏師古注《漢書‧劉向傳》之誤」。前者「原文係備錄經傳注疏為一卷」，後者「但挈經文總綱一語，分注數目於下」，二者體例不一，王樹榮乃將前者比照後者，使體例一致，「以歸簡易」[48]。按「弒君三十六，亡國五十二」語出《春秋繁露‧王道》、〈盟會要〉，顏師古統計有誤，崔適予以更正，王樹榮未有己說，僅附篇備考而已。

　　卷三為「駁正《春秋》總論三則」。第一則為駁正「《春秋》之義之不明，皆似是而非之說誤之也，而說《公羊》者為尤甚」[49]之說；第二則為駁正袁枚「《公羊》之非」[50]之說；第三則為駁正管世銘（字緘若）「《穀梁》先有經，而後以義理釋之」[51]之說。皆王樹榮藉駁正他人之說，以闡述公羊學說，茲不詳述。

7 《讀左持平》

　　《紹邵軒叢書》七種著作中，最耐人尋味者，就是《讀左持平》。王樹榮紹述何休公羊學，既撰《續左氏膏肓》，卻又撰《讀左持平》，是否自失立場？蓋王樹榮亟欲辨明《左傳》有二：一是「紀事之史」，為「姓左名邱[52]而失明之人」所撰；二是「說經之傳」，為劉歆依據左邱所撰而改，假託

---

48 王樹榮：《續公羊墨守附篇》，收入《紹邵軒叢書》，卷2，頁2。
49 王樹榮：《續公羊墨守附篇》，收入《紹邵軒叢書》，卷3，頁1。
50 王樹榮：《續公羊墨守附篇》，收入《紹邵軒叢書》，卷3，頁2。
51 王樹榮：《續公羊墨守附篇》，收入《紹邵軒叢書》，卷3，頁4。
52 清世宗雍正三年諭令，除四書五經外，凡遇「丘」字，並用「邱」字，以迴避孔子名諱。本文從王樹榮所書，以下皆作「邱」。參見臺灣華文書局編：《大清世宗憲（雍正）皇帝實錄》（臺北市：華聯出版社，1964年9月），頁584。

《論語》中「姓左邱名明之人」所撰[53]。

　　所謂「紀事之史」，王樹榮云：

> 左邱明作《國語》，一名《左氏春秋》；猶諸呂不韋作《呂覽》，又名
> 《呂氏春秋》。太史公敘次，本極明白，左氏之作《春秋》也，其意
> 固以為孔子之成《春秋》，於百二十國之寶書有所去取，於其間各國
> 之史異說紛糅，因撰《左氏春秋》一書，乃一代之史，與經相輔而
> 行，初非說經之傳也。[54]

　　又所謂「說經之傳」，王樹榮云：

> 左邱明懼後人各安其意，而失其真，因成《左氏春秋》一書，又詎料
> 後有劉歆假之以解經，而妄改為《春秋傳》乎！[55]

　　以上兩段文字即在說明《左傳》本是「紀事之史」，不是「說經之傳」。
故《讀左持平》乃是將後人對「紀事之史」產生的誤解，給予持平之論；至
於劉歆所改的「說經之傳」，則撰《續左氏膏肓》譏評之。姑舉《左傳》襄
公十四年秋：「范宣子假羽毛於齊而弗歸，齊人始貳。」為例，《讀左持平》
云：

> 杜注云：「析羽為旌，王者游車之所建，齊私有之，因謂之羽毛，宣
> 子聞而借觀之。」杜謂「析羽為旌，王者游車所建」，是也；謂「齊
> 私有之，因謂之羽毛」，未免望文生義。上文「王使劉定公賜齊侯
> 命」，所假之羽毛，當是周室錫命時所須之分。物假而不歸，齊人貳
> 也宜矣。於此可見，《左氏》紀事，無一語虛設也。[56]

如果「羽毛」只是旌旗上的裝飾品，范宣子借而不還，應該不是什麼大不了

53　王樹榮：《讀左持平》，收入《紹邵軒叢書》，頁12。
54　王樹榮：《讀左持平》，收入《紹邵軒叢書》，頁11。
55　王樹榮：《讀左持平》，收入《紹邵軒叢書》，頁12。
56　王樹榮：《讀左持平》，收入《紹邵軒叢書》，頁7。

的事；正因為是周王錫命齊君的信物，范宣子借而不還，才會造成齊對晉有
貳心的嚴重後果。杜預不知「羽毛」是周王錫命齊君的信物，誤以為只是齊
君旌旗上的裝飾品，故《讀左持平》將杜預的誤解予以辨正，肯定《左傳》
「無一語虛設也」，為《左傳》發出了持平之論。

　　至於王樹榮所謂「姓左名邱而失明之人」，應稱為左邱，非《論語》中
的左邱明；但《史記‧十二諸侯年表》為何稱之為左邱明？王樹榮云：

> 劉歆巧借「懼弟子人人異端」一語，牽涉《論語》之左邱明，以為親
> 受業於孔子之門，好惡與聖人同，後人因之，遂將〈十二諸侯年表
> 序〉之魯君子左邱，妄增一「明」字，而謬說遂日以滋，此則不得不
> 亟予辨正者爾。[57]

王樹榮以為，《史記‧十二諸侯年表》中左邱明的「明」字，不是原文，而
是後人妄增；由於劉歆將《史記》中的左邱與《論語》中的左邱明牽扯在一
起，造成後人混淆，才會出現妄增「明」字的情形。

三　《紹邵軒叢書》纂例指瑕

（一）為何休《春秋公羊解詁》「雜引讖緯」辯護之理由自相矛盾

　　前述王樹榮撰《箋箋何篇》之旨，在箋崔適〈箋何〉之過。崔適認為，
何休《春秋公羊解詁》之失，在於「雜引讖緯」；王樹榮不以為然，謂「邵
公何至荒誕若此」。《春秋公羊解詁》中「雜引讖緯」乃是存在的事實，王樹
榮亟欲為之辯護，所持理由有二：

57　王樹榮：《讀左持平》，收入《紹邵軒叢書》，頁12。

1 第一個理由：歸咎於「妄人」或「後人」所為

王樹榮將何休「雜引讖緯」歸咎於「妄人」或「後人」所為者，凡六例，全數列舉並說明如下：

例一，《春秋》隱公二年冬：「紀子伯、莒子盟于密。」《公羊傳》云：「紀子伯者何？無聞焉爾。」《解詁》云：「孔子畏時遠害，又知秦將燔《詩》、《書》，其說口授相傳。」[58]《箴箴何篇》云：

> 「又知秦將燔《詩》、《書》」句，亦妄人所增竄也，蓋「又知」二字，與上句文氣不屬。假使云：「孔子知諸侯將去其籍，又知秦燔《詩》、《書》，其說口授相傳，則因著竹帛不免被去被燔，因而口授相傳。」斯可通耳。若因畏時遠害而口授相傳，則雖有百始皇焚書，於口說亦復何害！就文理、事理論之，此句之為贅設，灼然明矣。[59]

王樹榮明言「就文理、事理論之」，《春秋公羊解詁》「又知秦將燔《詩》、《書》」句為「妄人所增竄」；但事實是否「妄人所增竄」，則未見任何佐證，如此推論方式，恐流於主觀、臆斷，難以令人採信。

例二，《春秋》宣公三年春正月：「郊牛之口傷，改卜牛。牛死，乃不郊，猶三望。」《公羊傳》云：「帝牲不吉。」《解詁》云：「帝，皇天大帝，在北辰之中，主揔領天地、五帝、群神也。」[60]《公羊傳》又云：「自外至者，無主不止。」《解詁》云：「故《孝經》曰：『郊祀后稷，以配天；宗祀文王於明堂，以配上帝。』五帝，在太微之中，迭生子孫，更王天下。」[61]《箴箴何篇》云：

> 上傳「帝牲不吉」句，當就「帝牲」二字為之注：「禮，祭天，牲角繭栗。」云云，已見僖三十一年注文，故此傳僅注「不吉」二字，更

58　〔漢〕何休：《春秋公羊解詁》，收入《十三經注疏》，卷2，頁9。

59　王樹榮：《箴箴何篇》，收入《紹邵軒叢書》，頁7。

60　〔漢〕何休：《春秋公羊解詁》，收入《十三經注疏》，卷15，頁84。

61　〔漢〕何休：《春秋公羊解詁》，收入《十三經注疏》，卷15，頁84。

無專就一「帝」字作注之理。下傳「自外至者，無主不止」，乃言以
人鬼配享天神之禮，故《解詁》云：「必得主人乃止者，天道闇昧，
故推人道以接之。」復引《孝經》「郊祀后稷」二句，以明其義，亦
無再就「上帝」二字復加以引伸之理。況邵公墨守之學甚堅，決不援
用鄭康成《周禮注》「六天帝」之說，其為後人所竄入無疑。[62]

鄭玄「六天帝」之說出於緯說，何休《春秋公羊解詁》引用「六天帝」之
說，王樹榮認係「後人所竄入」。按何休《公羊墨守》十四卷早已亡佚，清
代王謨《漢魏遺書鈔》[63]蒐輯佚文，僅得五條，其中的確未見鄭玄「六天
帝」之說，但王樹榮據此推論何休決不援用鄭玄「六天帝」之說，恐有以偏
概全之嫌。

　　例三，《春秋》成公八年秋七月：「天子使召伯來錫公命。」《公羊傳》
云：「其稱天子何？元年、春、王、正月，正也。其餘皆通矣。」《解詁》
云：「德合元者，稱皇；孔子曰：『皇象元，逍遙術，無文字，德明謚。』德
合天者，稱帝；河、洛受瑞，可放。仁義合者，稱王；符瑞應，天下歸
往。」[64]《箴箴何篇》云：

　　《解詁》云：「德合元者，稱皇。德合天者，稱帝。仁義合者，稱
　　王。」此傳本論或稱天王、或稱天子、或稱王之義，但當就由皇而
　　帝、由帝而王，加以疏明；況三句文法，一氣貫注，烏能橫斷語脈，
　　於「稱皇」、「稱帝」、「稱王」各句下，插入「孔子曰：『皇象
　　元，……。』」云云。諸緯說不嘗自為注，而又自為之疏者然。蓋妄
　　人因鄭君有「《公羊》長於讖」之說，遂雜採讖緯之文，以偽亂真，
　　邵公何至荒誕若此！[65]

62　王樹榮：《箴箴何篇》，收入《紹邵軒叢書》，頁1-2。
63　見嚴一萍選輯《叢書集成續編》，由臺北藝文印書館據原刻景印發行。
64　〔漢〕何休：《春秋公羊解詁》，收入《十三經注疏》，卷17，頁99。
65　王樹榮：《箴箴何篇》，收入《紹邵軒叢書》，頁5。

王樹榮以為，在「稱皇」、「稱帝」、「稱王」各句下插入文字，是「橫斷語脈」，故斷言插入的讖緯文字是「妄人」所為。但隨手翻閱《春秋公羊解詁》，何休「橫斷語脈」者並不少見，如《春秋》莊公二十四年冬，《解詁》云：「諫有五：一曰諷諫，孔子曰：『家不藏甲，邑無百雉之城，季氏自墮之。』是也。二曰順諫，曹羈是也。三曰直諫，子家駒是也。四曰爭諫，子反請歸是也。五曰贛諫，百里子、蹇叔子是也。」[66] 比較兩段「橫斷語脈」的引文，句式並無不同，後者未聞是「妄人」所為，王樹榮的斷言恐難成立。

　　例四，《春秋》成公十七年秋九月辛丑：「用郊。」《公羊傳》云：「用者何？用者，不宜用也。九月，非所用郊也。然則，郊曷用？郊用正月上辛。」《解詁》云：「魯郊博卜春三月。言正月者，因見百王正所當用也。三王之郊，一用夏正。言正月者，《春秋》之制也。」[67]《箴箴何篇》云：

> 既斷定為百王所用、當用，又特申明為《春秋》之制，兩「言正月者」句，語氣緊相啣接，則中間「三王之郊，一用夏正」二語，其為後人所增無疑。何氏《解詁》所謂正月，乃指建子之月而言，故下文又出書「正月者，歲首上辛，尤始新」句，正與「用夏正」示區別，作偽者竄亂之跡顯而易見。崔氏謂：「『言正月者，《春秋》之制也。』更與經義不合。」蓋誤以何君所云「《春秋》之制」，為指上文「三王之郊，一用夏正」二句而言，其目光未免為作偽者所蒙矣。[68]

王樹榮以為，何休所謂《春秋》之制的正月，是指建子之月而言，建子之月為周正，故推論「三王之郊，一用夏正」二句為後人所增。但依本文淺見，這一段文字涉及公羊學的曆法理論，須參見董仲舒《春秋繁露・三代改制質文》「三統」說。「三統」說以黑、白、赤三統循環：夏為黑統，曆正建寅；殷為白統，曆正建丑；周為赤統，曆正建子；《春秋》復為黑統，曆正建

66　〔漢〕何休：《春秋公羊解詁》，收入《十三經注疏》，卷8，頁44。
67　〔漢〕何休：《春秋公羊解詁》，收入《十三經注疏》，卷18，頁104。
68　王樹榮：《箴箴何篇》，收入《紹邵軒叢書》，頁5。

寅。故何休所謂《春秋》之制的正月，應是指建寅之月而言，建寅之月為夏
正，王樹榮之說可能有誤；至於「三王之郊，一用夏正」二句，尚涉及郊祀
之法，夏、殷、周三代舉行郊祀是否皆用夏正，公羊學中未見其他明文可
稽，該二句究係何休原文，或後人所增，有待商榷。

　　例五，《春秋》襄公二十九年夏：「閽弒吳子餘祭。」《公羊傳》云：「閽
者何？門人也，刑人也。」《解詁》云：「以刑為閽。古者肉刑：墨、劓、
臏、宮與大辟而五。孔子曰：『三皇設言，民不違。五帝畫象，世順機。三
王肉刑，揆漸加。應世黠巧，姦偽多。』」[69]《箋箋何篇》云：

> 此傳係論古者不使刑人守門。故《解詁》於上文云：「以刑為閽。古
> 者肉刑：墨、劓、臏、宮與大辟而五。」即欲加以申說，亦當釋明
> 「臏」字，言刖足者不可使之為閽人。今忽就「肉刑」二字引「孔子
> 曰」云云，未免節外生枝，其為不諳注疏體裁者所妄增抑明矣。[70]

王樹榮以為，何休既引肉刑有五，未再進一步說明不可使刑人為閽人的道
理，反而節外生枝，就「肉刑」二字引「孔子曰」云云，故認定「孔子曰」
一段讖緯文字是「不諳注疏體裁者所妄增」。然而，何休尚有節外生枝更為
明顯的例子，如《春秋》宣公十七年冬十一月壬午：「公弟叔肸卒。」《公羊
傳》無說。《解詁》云：「稱字者，賢之。宣公篡立，叔肸不仕其朝，不食其
祿，終身於貧賤。故孔子曰：『篤信好學，守死善道，危邦不入，亂邦不
居，天下有道則見，無道則隱。』此之謂也。《禮》盛德之士不名，天子上
大夫不名。《春秋》公子不為大夫者不卒。卒而字者，起其宜為天子上大夫
也。孔子曰：『興滅國，繼絕世，舉逸民，天下之民歸心焉。』」[71]魯宣公篡
弒自立，其弟叔肸隱居不仕，《春秋》以為賢，故書其卒而稱其字，位比天
子上大夫；但下文引「孔子曰」云云，魯宣公既非興滅國、繼絕世，其弟叔
肸隱居為逸民亦未見舉，上、下文完全脫節，若謂何注不夠嚴謹猶容商榷，

69　〔漢〕何休：《春秋公羊解詁》，收入《十三經注疏，卷21，頁118。

70　王樹榮：《箋箋何篇》，收入《紹邵軒叢書》，頁6。

71　〔漢〕何休：《春秋公羊解詁》，收入《十三經注疏》，卷16，頁94。

若驟然認係「不諳注疏體裁者所妄增」，恐將大有爭議。據此，王樹榮以何休就「肉刑」二字引「孔子曰」一段讖緯文字是「不諳注疏體裁者所妄增」，論證尚嫌不足。

　　例六，《春秋》哀公十四年春：「西狩獲麟。」《公羊傳》云：「孰狩之？薪采者也。」《解詁》云：「麟者，木精。薪采者，庶人，燃火之意。此赤帝將代周居其位，故麟為薪采者所執。」[72]《箴箴何篇》云：

> 何君決不援用鄭氏「六天帝」之說，辨詳上節「帝牲不吉」章。崔氏謂：「何君以稷配郊為祀皇天大帝，以文王配明堂為祀感生帝，皆與鄭義不同。」不知此皆妄人增竄之辭，並鄭義亦不明白，致有此亂雜無章之謬說，決非何邵公之言。況「郊則曷為必祭稷？王者必以其祖配。」宣三年傳有明文。何君引《孝經》：「郊祀后稷以配天，宗祀文王於明堂以配上帝。」正與經義吻合；其以帝為皇天大帝，五帝為感生帝，妄竄之跡，無俟燭照。崔氏箴之，殆失檢矣。[73]

何休以「赤帝將代周居其位」、「稷配郊為祀皇天大帝」、「文王配明堂為祀感生帝」，其中赤帝、皇天大帝、感生帝皆出於鄭玄「六天帝」之說。王樹榮再度強調「何君決不援用鄭氏『六天帝』之說」，本文已認為恐有以偏概全之嫌；又推論「此皆妄人增竄之辭」、「決非何邵公之言」，未見提出其他具體證據，徒然顯得空口無憑，難以指責崔適失檢。

　　綜據前舉六例，王樹榮所謂何休《春秋公羊解詁》「雜引讖緯」乃是「妄人」或「後人」所為，其實證據極為薄弱，甚至缺乏證據，不足為何休辯駁。

2 第二個理由：出於權宜或不得已而為

　　王樹榮以何休「雜引讖緯」出於權宜或不得已而為者，凡二例，全數列舉並說明如下：

---

72 〔漢〕何休：《春秋公羊解詁》，收入《十三經注疏》，卷28，頁159。

73 王樹榮：《箴箴何篇》，收入《紹邵軒叢書》，頁3。

　　例一，《春秋》桓公三年春正月。《解詁》云：「無『王』者，以見桓公無王而行也。……二月，非周之正月，所以復去之者，明《春秋》之道亦通於三王，非主假周以為漢制而已。」[74]《箴箴何篇》云：

> 何君明言，非主假周以為漢制，則其意仍主《春秋》通三統之義。而篇末西狩獲麟為漢制作，所謂「赤帝將代周」云者，特一時權宜假託之辭，不曾聲明在先，惜讀者未能虛心體會耳！[75]

按公羊學「三統」說，乃以《春秋》之黑統代周之赤統。所謂「赤帝將代周」，則是出於讖緯之說，本非公羊學說。復按《春秋》哀公十四年春：「西狩獲麟。」《公羊傳》云：「孰狩之？薪采者也。」《解詁》云：「麟者，木精。薪采者，庶人，燃火之意。此赤帝將代周居其位，故麟為薪采者所執。」[76]「赤帝將代周」之說出現於何休《春秋公羊解詁》中，王樹榮以為，「特一時權宜假託之辭」；易言之，即王樹榮是承認何休以「赤帝將代周」之說為《公羊傳》作注的。然而，對照前述第一個理由中的第六例，王樹榮對於「赤帝將代周」之說出現於何休《春秋公羊解詁》中，堅稱「此皆妄人增竄之辭」、「決非何邵公之言」，前後說法不一，明顯自相矛盾。

　　例二，《春秋》哀公十四年春：「西狩獲麟。」《公羊傳》云：「孰狩之？薪采者也。……孔子曰：『孰為來哉！孰為來哉！』反袂拭面，涕沾袍。……何以終乎哀十四年？曰：備矣。君子曷為為《春秋》？撥亂世，反諸正，莫近諸《春秋》。」《解詁》云：「夫子素案圖錄，知庶姓劉季當代周，見薪采者獲麟，知為其出，何者？麟者，木精；薪采者，庶人，燃火之意。此赤帝將代周居其位，故麟為薪采者所執。西狩獲之者，從東方王於西也，東卯西金象也。言獲者，兵戈文也，言漢姓卯金刀，以兵得天下。不地者，天下異也。又先是螟蟲冬踊，彗金精掃旦，置新之象，夫子知其將有六國爭彊，從橫相滅之敗，秦、項驅除，積骨流血之虐，然后劉氏乃帝，深

74　〔漢〕何休：《春秋公羊解詁》，收入《十三經注疏》，卷4，頁20。
75　王樹榮：《箴箴何篇》，收入《紹邵軒叢書》，頁7。
76　〔漢〕何休：《春秋公羊解詁》，收入《十三經注疏》，卷28，頁159。

閔民之離害甚久，故豫泣也。……絕筆於春，不書下三時者，起木絕火王，
制作道備，當授漢也。……得麟之后，天下血書魯端門，曰：『趨作法，孔
聖沒；周姬亡，彗東出；秦政起，胡破術；書記散，孔不絕。』子夏明日往
視之，血書飛為赤鳥，化為白書，署曰：『演孔圖』，中有作圖制法之狀。孔
子仰推天命，俯察時變，卻觀未來，豫解無窮，知漢當繼大亂之后，故作撥
亂之法以授之。」[77]《箴箴何篇》云：

> 自賈逵上書，謂《左氏》以少昊代黃帝，傅會圖讖「帝宣」之說，而
> 《左氏》遂得立於學官。明帝且令逵自選公羊嚴、顏諸生高才者二十
> 人，教以《左氏》，一時偽古文氣燄高張，今文一線或幾乎熄。邵公
> 不得已，亦援讖緯之說，以為抵制，其用心亦良苦矣。學者正當深原
> 其心，豈容泥其跡，而妄肆詆諆！況以獲麟為為漢制作，乃西漢以來
> 公羊家相傳舊說，謂邵公囿於風氣則可，竟詆為公羊罪人，不太過
> 乎！……今作《箴箴何篇》，證明何君援用讖緯，僅「西狩獲麟」章
> 數條，其他皆妄人所增竄。[78]

這一段文字的前半段（「自賈逵上書」至「其用心亦良苦矣」），與前引崔述
〈箴何〉所說，幾乎完全相同。王樹榮以為，「何君援用讖緯，僅「西狩獲
麟」章數條，其他皆妄人所增竄。」然而，同樣對照前述第一個理由中的第
六例，王樹榮對於何休《春秋公羊解詁》於「西狩獲麟」章出現「赤帝將代
周居其位」云云，堅稱「此皆妄人增竄之辭」、「決非何邵公之言」；何休
「援讖緯之說」，究竟是為了抵制偽古文，用心良苦不得已而為，或是「妄
人」所為，王樹榮又出現第二種自相矛盾的說法。

77 〔漢〕何休：《春秋公羊解詁》，收入《十三經注疏》，卷28，頁159-160。
78 王樹榮：《箴箴何篇》，收入《紹邵軒叢書》，頁9。

（二）未針對鄭玄《鍼膏肓》、《起廢疾》、《發墨守》之說逐一反駁

　　鄭玄《鍼膏肓》、《起廢疾》、《發墨守》早已亡佚，清初王謨《漢魏遺書鈔》蒐輯《左氏膏肓》、《穀梁廢疾》、《公羊墨守》佚文時，已將《鍼膏肓》、《起廢疾》、《發墨守》佚文一併著錄，頗利於對照參考。王樹榮既不滿鄭玄攻訐何休之學，以致何學不振將近二千年，自當研究鄭玄遺說，逐一予以反駁；若未予反駁，即無異於接受鄭玄之說。經檢視《紹邵軒叢書》，發現如下：

1 《續左氏膏肓》部分

　　（1）《續左氏膏肓》對《鍼膏肓》之說予以反駁者，凡四條：

　　「《左傳》莊公元年秋」條（「築王姬之館于外。為外，禮也。」）[79]

　　「《左傳》莊公六年冬」條（「騅甥、聃甥、養甥請殺楚子，鄧侯弗許。」）[80]

　　「《左傳》文公二年冬」條（「襄仲如齊納幣，禮也。」）[81]

　　「《左傳》宣公五年冬」條（「來，反馬也。」）[82]

　　（2）《續左氏膏肓》與《鍼膏肓》各自為說者，凡五條：

　　「《左傳》桓公四年夏」條（「周宰渠伯糾來聘，父在，故名。」）[83]

79　〔漢〕何休：《左氏膏肓》，收入《叢書集成續編》）（臺北縣：藝文印書館，年份不詳），頁3。王樹榮：《續左氏膏肓》，收入《紹邵軒叢書》，卷5，頁7。

80　〔漢〕何休：《左氏膏肓》，收入《叢書集成續編》，頁3-4。王樹榮：《續左氏膏肓》，收入《紹邵軒叢書》，卷5，頁8-9。

81　〔漢〕何休：《左氏膏肓》，收入《叢書集成續編》，頁5。王樹榮：《續左氏膏肓》，收入《紹邵軒叢書》，卷5，頁21-22。

82　〔漢〕何休：《左氏膏肓》，收入《叢書集成續編》，頁7。王樹榮：《續左氏膏肓》，收入《紹邵軒叢書》，卷5，頁25-26。

83　〔漢〕何休：《左氏膏肓》，收入《叢書集成續編》，頁3。王樹榮：《續左氏膏肓》，收入

「《左傳》莊公二十五年秋」條（「凡天災，有幣無牲。非日月之眚，不鼓。」）[84]

「《左傳》僖公三十一年夏四月」條（「四卜郊，不從，乃免牲，非禮也。猶三望，亦非禮也。禮不卜常祀。」）[85]

「《左傳》文公元年冬」條（「凡君即位，卿出並聘，踐脩舊好，要結外援，好事鄰國，以衛社稷。忠、信，卑讓之道也。忠，德之正也；信，德之固也；卑讓，德之基也。」）[86]

「《左傳》文公五年春」條（「王使榮叔來含，且賵，召昭公來會葬，禮也。」）[87]

（3）《續左氏膏肓》對《鍼膏肓》之說無說者，凡十六條：

「《左傳》隱公元年春正月」條（「不書即位，攝也。」）[88]

「《左傳》隱公元年秋七月」條（「士踰月，外姻至。」）[89]

「《左傳》桓公九年冬」條（「曹大子來朝，賓之以上卿，禮也。」）[90]

「《左傳》僖公二十二年冬十一月」條（「宋公及楚人戰于泓。」）[91]

「《左傳》文公九年冬」條（「秦人來歸僖公成風之襚，禮也。」）[92]

「《左傳》宣公二年春二月」條（「狂狡輅鄭人，鄭人入于井，倒戟而出

　　入《紹邵軒叢書》，卷5，頁4。

84　〔漢〕何休：《左氏膏肓》，收入《叢書集成續編》，頁4。王樹榮：《續左氏膏肓》，收入《紹邵軒叢書》，卷2，頁3-4。

85　〔漢〕何休：《左氏膏肓》，收入《叢書集成續編》，頁5。王樹榮：《續左氏膏肓》，收入《紹邵軒叢書》，卷5，頁20。

86　〔漢〕何休：《左氏膏肓》，收入《叢書集成續編》，頁5。王樹榮：《續左氏膏肓》，收入《紹邵軒叢書》，卷2，頁7。

87　〔漢〕何休：《左氏膏肓》，收入《叢書集成續編》，頁5-6。王樹榮：《續左氏膏肓》，收入《紹邵軒叢書》，卷1，頁5。

88　〔漢〕何休：《左氏膏肓》，收入《叢書集成續編》，頁2。

89　〔漢〕何休：《左氏膏肓》，收入《叢書集成續編》，頁2-3。

90　〔漢〕何休：《左氏膏肓》，收入《叢書集成續編》，頁3。

91　〔漢〕何休：《左氏膏肓》，收入《叢書集成續編》，頁4-5。

92　〔漢〕何休：《左氏膏肓》，收入《叢書集成續編》，頁6。

之，獲狂狡。」）⁹³

「《左傳》成公八年冬」條（「衛人來媵共姬，禮也。凡諸侯嫁女，同姓媵之，異姓則否。」）⁹⁴

「《左傳》成公十四年秋」條（「宣伯如齊逆女，稱族，尊君命也。」）⁹⁵

「《左傳》襄公七年夏四月」條（「是故啟蟄而郊，郊而後耕。今既耕而卜郊，宜其不從也。」）⁹⁶

「《左傳》襄公十一年春」條（「季武子將作三軍。」）⁹⁷

「《左傳》襄公十九年夏六月」條（「晉侯請於王，王追賜之大路，使以行禮也。」）⁹⁸

「《左傳》襄公二十二年春」條（「臧武仲如晉，雨，過御叔。御叔在其邑，將飲酒，曰：『焉用聖人。』」）⁹⁹

「《左傳》昭公四年春」條（「雹之為菑，誰能禦之！〈七月〉之卒章，藏冰之道也。」）¹⁰⁰

「《左傳》昭公七年夏」條（「從政有所反之，以取媚也。」）¹⁰¹

「《左傳》昭公十八年夏五月」條（「宋、衛、陳、鄭皆火，梓慎登大庭氏之庫以望之。」）¹⁰²

「《左傳》昭公二十六年冬十二月」條（「王后無適，則擇立長，年鈞以德，德鈞以卜。王不立愛，公卿無私，古之制也。」）¹⁰³

以上（1）、（2）、（3）合計二十五條，其中《續左氏膏肓》對《鍼膏

---

93 〔漢〕何休：《左氏膏肓》，收入《叢書集成續編》，頁6-7。
94 〔漢〕何休：《左氏膏肓》，收入《叢書集成續編》，頁8。
95 〔漢〕何休：《左氏膏肓》，收入《叢書集成續編》，頁8-9。
96 〔漢〕何休：《左氏膏肓》，收入《叢書集成續編》，頁9。
97 〔漢〕何休：《左氏膏肓》，收入《叢書集成續編》，頁10。
98 〔漢〕何休：《左氏膏肓》，收入《叢書集成續編》，頁10。
99 〔漢〕何休：《左氏膏肓》，收入《叢書集成續編》，頁10-11。
100 〔漢〕何休：《左氏膏肓》，收入《叢書集成續編》，頁11-12。
101 〔漢〕何休：《左氏膏肓》，收入《叢書集成續編》，頁12-13。
102 〔漢〕何休：《左氏膏肓》，收入《叢書集成續編》，頁13-14。
103 〔漢〕何休：《左氏膏肓》，收入《叢書集成續編》，頁14-15。

肓》之說予以反駁者四條，占百分之十六；《續左氏膏肓》與《鍼膏肓》各自為說者五條，占百分之二十；《續左氏膏肓》對《鍼膏肓》之說無說者十六條，占百分之六十四。可見王樹榮對鄭玄《鍼膏肓》之說，反駁的比例極低，無說的比例高達一半以上。

2 《續穀梁廢疾》部分

（1）《續穀梁廢疾》對《起廢疾》之說予以反駁者，凡十五條：

「《穀梁傳》隱公元年冬十二月」條（「大夫日卒，正也；不日卒，惡也。」）[104]

「《穀梁傳》隱公五年冬十二月」條（「苞人民，毆牛馬，曰侵。斬樹木，壞宮室，曰伐。」）[105]

「《穀梁傳》桓公十三年春二月」條（「公會紀侯、鄭伯。己巳，及齊侯、宋公、衛侯、燕人戰。」）[106]

「《穀梁傳》莊公四年夏」條（「大去其國者，不使小人加乎君子。」）[107]

「《穀梁傳》莊公九年夏」條（「當可納而不納，齊變而後伐，故乾時之戰不諱敗，惡內也。」）[108]

「《穀梁傳》莊公二十三年春」條（「其不言使，何也？天子之內臣也。不正其外交，故不與使也。」）[109]

---

104 〔漢〕何休：《穀梁廢疾》，收入《叢書集成續編》，頁1。王樹榮：《續穀梁廢疾》，收入《紹邵軒叢書》，卷1，頁3。

105 〔漢〕何休：《穀梁廢疾》，收入《叢書集成續編》，頁1。王樹榮：《續穀梁廢疾》，收入《紹邵軒叢書》，卷1，頁7。

106 〔漢〕何休：《穀梁廢疾》，收入《叢書集成續編》，頁2-3。王樹榮：《續穀梁廢疾》，收入《紹邵軒叢書》，卷1，頁17。

107 〔漢〕何休：《穀梁廢疾》，收入《叢書集成續編》，頁3。王樹榮：《續穀梁廢疾》，收入《紹邵軒叢書》，卷1，頁20-21。

108 〔漢〕何休：《穀梁廢疾》，收入《叢書集成續編》，頁3-4。王樹榮：《續穀梁廢疾》，收入《紹邵軒叢書》，卷1，頁21-22。

109 〔漢〕何休：《穀梁廢疾》，收入《叢書集成續編》，頁4-5。王樹榮：《續穀梁廢疾》，收入《紹邵軒叢書》，卷1，頁24。

「《穀梁傳》莊公三十二年秋七月」條（「公子牙卒。」）[110]

「《穀梁傳》僖公十一年秋八月」條（「雩，得雨曰雩，不得雨曰旱。」）[111]

「《穀梁傳》僖公二十二年冬十一月」條（「須其成列而後擊之，則眾敗而身傷焉，七月而死。」）[112]

「《穀梁傳》僖公二十三年夏五月」條（「以其不教民戰，則是棄其師也。」）[113]

「《穀梁傳》僖公二十五年秋」條（「蓋納頓子者，陳也。」）[114]

「《穀梁傳》宣公十年夏」條（「氏者，舉族而出之之辭也。」）[115]

「《穀梁傳》襄公十九年秋」條（「還者，事未畢之辭也。」）[116]

「《穀梁傳》襄公二十七年夏」條（「專之去，合乎《春秋》。」）[117]

「《穀梁傳》昭公十二年冬」條（「不正其與夷狄交伐中國，故狄稱之也。」）[118]

---

110 〔漢〕何休：《穀梁廢疾》，收入《叢書集成續編》，頁5。王樹榮：《續穀梁廢疾》，收入《紹邵軒叢書》，卷1，頁25-26。

111 〔漢〕何休：《穀梁廢疾》，收入《叢書集成續編》，頁6。王樹榮：《續穀梁廢疾》，收入《紹邵軒叢書》，卷1，頁31。

112 〔漢〕何休：《穀梁廢疾》，收入《叢書集成續編》，頁8-9。王樹榮：《續穀梁廢疾》，收入《紹邵軒叢書》，卷1，頁33-34。

113 〔漢〕何休：《穀梁廢疾》，收入《叢書集成續編》，頁9-10。王樹榮：《續穀梁廢疾》，收入《紹邵軒叢書》，卷1，頁34。

114 〔漢〕何休：《穀梁廢疾》，收入《叢書集成續編》，頁10。王樹榮：《續穀梁廢疾》，收入《紹邵軒叢書》，卷1，頁35。

115 〔漢〕何休：《穀梁廢疾》，收入《叢書集成續編》，頁13-14。王樹榮：《續穀梁廢疾》，收入《紹邵軒叢書》，卷2，頁5。

116 〔漢〕何休：《穀梁廢疾》，收入《叢書集成續編》，頁14。王樹榮：《續穀梁廢疾》，收入《紹邵軒叢書》，卷2，頁14-15。

117 〔漢〕何休：《穀梁廢疾》，收入《叢書集成續編》，頁14-15。王樹榮：《續穀梁廢疾》，收入《紹邵軒叢書》，卷2，頁15-16。

118 〔漢〕何休：《穀梁廢疾》，收入《叢書集成續編》，頁15-16。王樹榮：《續穀梁廢疾》，收入《紹邵軒叢書》，卷3，頁3。

（2）《續穀梁廢疾》與《起廢疾》各自為說者，凡九條：

「《穀梁傳》隱公元年秋七月」條（「仲子者何？惠公之母、孝公之妾也。禮，贈人之母則可，贈人之妾則不可。」）[119]

「《穀梁傳》僖公九年秋九月」條（「桓盟不日，此何以日？美之也。為見天子之禁，故備之也。」）[120]

「《穀梁傳》僖公十八年夏五月」條（「言及，惡宋也。」）[121]

「《穀梁傳》僖公十八年冬」條（「伐衛，所以救齊也。」）[122]

「《穀梁傳》僖公二十五年夏」條（「其不稱名姓，以其在祖之位，尊之也。」）[123]

「《穀梁傳》僖公二十七年冬」條（「人楚子，所以人諸侯也。」）[124]

「《穀梁傳》文公五年春正月」條（「其不言來，不周事之用也。」）[125]

「《穀梁傳》宣公二年春二月」條（「華元雖獲，不病矣。」）[126]

「《穀梁傳》宣公八年冬十月」條（「葬既有日，不為雨止，禮也。」）[127]

---

119 〔漢〕何休：《穀梁廢疾》，收入《叢書集成續編》，頁1。王樹榮：《續穀梁廢疾》，收入《紹邵軒叢書》，卷1，頁2-3。

120 〔漢〕何休：《穀梁廢疾》，收入《叢書集成續編》，頁5-6。王樹榮：《續穀梁廢疾》，收入《紹邵軒叢書》，卷1，頁29-30。

121 〔漢〕何休：《穀梁廢疾》，收入《叢書集成續編》，頁7-8。王樹榮：《續穀梁廢疾》，收入《紹邵軒叢書》，卷1，頁32。

122 〔漢〕何休：《穀梁廢疾》，收入《叢書集成續編》，頁8。王樹榮：《續穀梁廢疾》，收入《紹邵軒叢書》，卷1，頁32。

123 〔漢〕何休：《穀梁廢疾》（《叢書集成續編》），頁10。王樹榮：《續穀梁廢疾》（《紹邵軒叢書》），卷1，頁34-35。

124 〔漢〕何休：《穀梁廢疾》，收入《叢書集成續編》，頁11。王樹榮：《續穀梁廢疾》，收入《紹邵軒叢書》，卷1，頁36-37。

125 〔漢〕何休：《穀梁廢疾》，收入《叢書集成續編》，頁12。王樹榮：《續穀梁廢疾》，收入《紹邵軒叢書》，卷2，頁1-2。

126 〔漢〕何休：《穀梁廢疾》，收入《叢書集成續編》，頁13。王樹榮：《續穀梁廢疾》，收入《紹邵軒叢書》，卷2，頁4-5。

127 〔漢〕何休：《穀梁廢疾》，收入《叢書集成續編》，頁13。王樹榮：《續穀梁廢疾》，收入《紹邵軒叢書》，卷2，頁5。

（3）《續穀梁廢疾》對《起廢疾》之說無說者，凡十四條：

「《穀梁傳》桓公四年春正月」條（「春曰田，夏曰苗，秋曰蒐，冬曰狩。」）[128]

「《穀梁傳》桓公五年秋」條（「大雩。」）[129]

「《穀梁傳》莊公六年春三月」條（「王人，卑者也；稱名，貴之也。」）[130]

「《穀梁傳》莊公十三年春」條（「齊人、宋人、陳人、蔡人、邾人會于北杏。」）[131]

「《穀梁傳》莊公十八年春三月」條（「不言日，不言朔，夜食也。」）[132]

「《穀梁傳》僖公十四年春」條（「其曰諸侯，散辭也。」）[133]

「《穀梁傳》僖公二十一年冬十二月」條（「不言楚，不與楚專釋也。」）[134]

「《穀梁傳》僖公三十年冬」條（「以尊遂乎卑，此言不敢叛京師也。」）[135]

「《穀梁傳》文公五年春正月」條（「含一事也，賵一事也，兼歸之，非正也。」）[136]

「《穀梁傳》文公八年冬」條（「其以官稱，無君之辭也。」）[137]

「《穀梁傳》宣公八年夏六月」條（「有事于大廟。」）[138]

「《穀梁傳》襄公三十年夏四月」條（「其不日，子奪父政，是謂夷

128　〔漢〕何休：《穀梁廢疾》，收入《叢書集成續編》，頁2。
129　〔漢〕何休：《穀梁廢疾》，收入《叢書集成續編》，頁2。
130　〔漢〕何休：《穀梁廢疾》，收入《叢書集成續編》，頁3。
131　〔漢〕何休：《穀梁廢疾》，收入《叢書集成續編》，頁4。
132　〔漢〕何休：《穀梁廢疾》，收入《叢書集成續編》，頁4。
133　〔漢〕何休：《穀梁廢疾》，收入《叢書集成續編》，頁6-7。
134　〔漢〕何休：《穀梁廢疾》，收入《叢書集成續編》，頁8。
135　〔漢〕何休：《穀梁廢疾》，收入《叢書集成續編》，頁11。
136　〔漢〕何休：《穀梁廢疾》，收入《叢書集成續編》，頁11-12。
137　〔漢〕何休：《穀梁廢疾》，收入《叢書集成續編》，頁12。
138　〔漢〕何休：《穀梁廢疾》，收入《叢書集成續編》，頁13。

之。」）[139]

「《穀梁傳》昭公十一年冬十一月」條（「其曰世子，何也？不與楚殺也。」）[140]

「《穀梁傳》哀公六年秋」條（「陽生其以國氏，何也？取國于荼也。」）[141]

以上（1）、（2）、（3）合計三十八條，其中《續穀梁廢疾》對《起廢疾》之說予以反駁者十五條，占百分之三十九；《續穀梁廢疾》與《起廢疾》各自為說者九條，占百分之二十四；《續穀梁廢疾》對《起廢疾》之說無說者十四條，占百分之三十七。可見王樹榮對鄭玄《起廢疾》之說，反駁的比例為三分之一強，各自為說及無說的比例居多。

3　《續公羊墨守》部分

（1）《續公羊墨守》對《發墨守》之說予以反駁者，凡一條：

「《公羊傳》僖公二十四年冬」條（「王者無外，此其言出何？不能乎母也。」）[142]

（2）《續公羊墨守》與《發墨守》各自為說者，無。

（3）《續公羊墨守》對《發墨守》之說無說者，凡三條：

「《公羊傳》隱公元年春正月」條（「公何以不言即位？成公意也。」）[143]

「《公羊傳》桓公十一年秋九月」條（「古者鄭國處于留。」）[144]

「《公羊傳》哀公十二年春」條（「譏始用田賦也。」）[145]

以上（1）、（2）、（3）合計四條，其中《續公羊墨守》對《發墨守》之說

139　〔漢〕何休：《穀梁廢疾》，收入《叢書集成續編》，頁15。

140　〔漢〕何休：《穀梁廢疾》，收入《叢書集成續編》，頁15。

141　〔漢〕何休：《穀梁廢疾》，收入《叢書集成續編》，頁16。

142　〔漢〕何休：《公羊墨守》，收入《叢書集成續編》，頁2。王樹榮：《續公羊墨守》，收入《紹邵軒叢書》，卷1，頁32。

143　〔漢〕何休：《公羊墨守》，收入《叢書集成續編》，頁1。

144　〔漢〕何休：《公羊墨守》，收入《叢書集成續編》，頁1-2。

145　〔漢〕何休：《公羊墨守》，收入《叢書集成續編》，頁2-3。

予以反駁者一條，占百分之二十五；《續公羊墨守》對《發墨守》之說無說者三條，占百分之七十五。可見王樹榮對鄭玄《發墨守》之說，反駁的比例亦低於無說的比例。

四　結論

綜據上述，本文歸納幾點結論如下：

第一，王樹榮的春秋學思想，認為只有公羊學才是真正的春秋學；並承襲清末康有為以來的主張，認為《左傳》與《穀梁傳》都是出於劉歆偽造，目的在篡奪春秋學的正統地位。

第二，王樹榮的公羊學，主張「以《春秋》為《春秋》」，用春秋學（公羊學）的立場來發揮《春秋》微言大義，以避免發生援引他說或失之穿鑿兩種解經的弊端。這種主張，一反清末公羊學為了經學致用，而普遍「援《公羊》以遍鑿群經」的現象，意在引導春秋學（公羊學）走上正常的學術發展路線。

第三，王樹榮對何休之學極為推崇，室名「紹邵軒」，以及《紹邵軒叢書》成書的動機，即是意在紹述何休（邵公）之公羊學；並繼何休《公羊墨守》、《穀梁廢疾》、《左氏膏肓》之後，以《續公羊墨守》、《續穀梁廢疾》、《續左氏膏肓》為名，間接對鄭玄兼採古文學說以攻訐何休表達不滿。

第四，崔適《春秋復始‧箴何》專門探討何休《春秋公羊解詁》雜引讖緯的問題，認為何休是為了維護今文學，抵抗古文學《左傳》的勢力，而仿效《左傳》學者的做法，援引當代流行的讖緯學說以注《公羊傳》。王樹榮對崔述的意見不以為然，故撰《箴箴何篇》為何休辯駁，並舉出六例，斷言《春秋公羊解詁》雜引讖緯乃是「妄人」或「後人」所為，澈底否認與何休有關，以箴崔適〈箴何〉之過。但本文根據該六例逐一分析，發現證據極為薄弱，甚至缺乏證據，不足為何休辯駁。

第五，王樹榮為何休《春秋公羊解詁》「雜引讖緯」辯護，既將之歸咎於「妄人」或「後人」所為，卻又附和崔適之說，認為「雜引讖緯」乃是何

休出於權宜或不得已而為。兩種說法明顯自相矛盾。

　　第六，王樹榮標榜篤守何休公羊學，並對鄭玄兼採古文學說以攻訐何休頗為不滿，既以《續公羊墨守》、《續穀梁廢疾》、《續左氏膏肓》為名，自當研究鄭玄遺說，逐一予以反駁；若未予反駁，即無異於接受鄭玄之說。但經檢視《紹邵軒叢書》，發現王樹榮對鄭玄《鍼膏肓》、《起廢疾》、《發墨守》之說，反駁的比例偏低，各自為說及無說的比例則偏高，是為《紹邵軒叢書》纂例上的一大瑕疵。

唐文治（1865-1954）經學研究
——二十世紀前期朱子學視野下的
經義詮釋與重構

鄧國光

澳門大學中國語文系教授

前言：研究唐文治經學的思想意義

　　民國肇建，政權詭移，呼應世界局勢的譎變。全新的政黨政治，與及西式學府的普設，外來異質的思想淺薄而凌亂地販進，各式各樣的主張充斥社會，激發起傳統學術的全盤反省與拷問，二千年來一直是學術主流的經學，面臨嚴峻考驗。承接晚清急遽的救亡圖強的時代思潮，[1]學術思想狂烈湧動，翻起前無古人的波濤，席捲每一角落。傳統與西方的意識衝突，未有甚於此時，成為思想史上前所未有的劇變時代。二十世紀初中國政治上的關鍵改變，是以「政黨」為基礎的全新統治型態，取代了天子孤家一人的統治。面對著史無前例的政治體制的改變，以天下為己任的經學家，必然較其他人反應強烈。時移勢易，天下一人變成一群「黨人」，朝廷變成議會，經學運用於昔日政治的種種主張，足以左右大政，至是時地位一落千丈。經學基礎動搖，不成其為學術主導。如何挽救，並面對新的挑戰，是二十世紀經學的難題。

1　王爾敏：〈清季知識分子的自覺〉，收入《中國近代思想史論》（北京市：社會科學文獻出版社，2003年），頁81-139。

　　亂極而思治，國家興亡，匹夫有責，況且為道術自負之士！國家和文化如何自保與往前？再不能紙上談兵，知識界必須本其社會良知，主領帶動傳統學術的反省和更生，對現狀提出整治及改良的正面建設方案，對未來提出強盛的圖景，而表現出導引政治及社會的發展的強烈欲望。其強烈的程度，與西方學術湧入的猛烈成正比。自清嘉慶、道光期間泛脹的今文經學，求變求新，帶動了高昂的自救圖存的思潮。於大時代焦慮的情景中，即使漢學訓詁的文獻研究，也難免轉向經世的方向。[2]

　　民國時期的經學，處於新舊交替的轉變時刻，透過西式大學或傳統書院的學術教育的建制，繼續以講學或著述的形式展示學術的關懷與追求，回應新的時代訴求。一九一一年至一九四九年之間短短三十八年，經學不但未曾中斷，而且研治的範圍與深度，不亞以往任何朝代。於文化論戰過程中，更激發熾烈的維護傳統的意識，以挽救世道人心的道義自許，迸發獨清的時代哀音，顯示極強的悲劇性格，為過去的經學所不曾有。民國時代經學拼勁之強，絕不能輕視。

　　救亡意識之表現於民國時期的經學，突出在「救國運」與「救學統」的自覺。救學統顯示於尊孔讀經，救國運則顯示於極強烈的道德重整意識。二者結合，國魂斯復。[3]跟新文化運動的終極關懷，並行不悖。全面審視二十世紀前期五十年的中國學術思想的流變，實在有必要客觀地理解經學的情況。

　　論民國時期的經學，更須正視學人主持和維繫的作用。其中長期在長江下游鼓吹經學救國的唐文治，其經學主張與成果，足以顯示這五十年經學自新運動的特點，對梳理民國學術至為重要。遺憾的是：唐文治的經學向來不在學術思想研究的視野，至今只得一篇碩士論文討論。[4]以唐文治研治經典

2　羅檢秋：〈漢學走向經世致用〉，《嘉慶以來漢學傳統的衍變與傳承》（北京市：中國人民大學出版社，2006年），頁154-259。

3　鄭師渠：〈國粹派的文化觀〉，《國粹、國學、國魂——晚清國粹派文化思想研究》（臺北市：文津出版社，1992年），頁125-174。

4　張晶華：《唐文治學術思想研究》（濟南市：山東師範大學碩士論文，2006年）。

的精與勤，與及創立「無錫國學專修學校」的倡導經學救亡和培養大量學術人材的努力，其貢獻顯然不能忽略。

　　本文以學術史的流變通觀唐文治的經學，顯示民國經學獨特的一面；突顯唐文治出於學人良知的讀經救國論，重整傳統主流學術的意願，展示經學與理學在二十世紀融合的思想進路。見學術良知，未泯斯世。

一　唐文治行誼：從政與興學[5]

　　唐文治（1865-1954），字穎侯，號蔚芝，別號茹經，生於江蘇太倉市的瀏河。其父唐受祺，號若欽，恩貢生，以塾師維生，曾編輯明清之際太倉大儒陸世儀（1611-1672）的著作，成《桴亭先生遺書》。其母胡氏，通經史，母教甚嚴。唐文治自幼發奮向學，十四歲讀完《五經》，十六歲中秀才，十八歲（1882）省試中舉。於十七歲受業於太倉儒者王祖畬，習理學。王氏以理學治《春秋》，[6]長於制義，對唐文治日後的學術發展深具影響。通融經學與理學，是晚清主流學術的自身重整。唐文治深具這種通融的學術精神，服膺朱子之學，以朱子之學統攝王陽明心學，體用兼該。其治經的精神與日後提倡讀經，均刻意通融宋、明儒學與漢、唐經學。二十一歲入江陰南菁書院，受業於經師黃以周與王先謙。曾協助王先謙校訂《續皇清經解》。唐文治學而優則仕，時有否泰，後則辦學救時，所以依其仕行與興學兩大類目綜述其行誼。

　　唐文治於一八八二年中舉後，分派戶部江西司主事。座師翁同龢極為賞識，稱許「學問、性情、品行，無一不佳」，而延聘於家塾。一八九四年甲

5　唐文治行實依據唐文治《茹經先生自訂年譜》，收入《茹經堂文集》（臺北市：中國文獻出版社，1970年影印本），及王桐蓀等選注：《唐文治文選》（上海市：上海交通大學出版社，2005年）。

6　《翁同龢日記——光緒十八年壬辰（1892）》載：「王子祥（祖畬，散館改縣）來見。此人理學有《左傳質疑》、《春秋……》三十卷，尤長於制義。張季述推為江南第一也」（北京市：中華書局，1993年），冊5，頁2549。

午之戰，上書軍機大臣翁同龢，因戰情的發展而呈上〈邊務芻言〉五書。第一篇諫直言國情事實於人君，令中樞充分了解大局以應變；第二篇力主重整東北防務，以衛北京；第三篇力主痛懲護國無方的高級將領；第四篇建議國內官員募集軍餉，避免騷擾商人與百姓，力言舉外債之弊；第五篇陳請當局堅定意志，嚴守內地，迅速反擊，規復朝鮮。同年並上萬言書〈請挽大局以維國運折〉，呼應康有為的維新主張。次年中、日〈馬關條約〉簽訂，康有為與江蘇舉人汪曾武等人發動「公車上書」，唐文治代擬〈上察院呈〉文，力爭保存臺灣主權。一八九六年任總理各國事務衙門章京，閱讀評點傳教士丁韙良譯的國際法著作《萬國公法》，以提高處理外交交涉的能力，但從此眼疾加劇。一八九八年二月，即戊戌變法的前三月，上〈謹殫血誠以維國脈折〉，提出政革救時的主張；並附呈〈請停止搜括之政片〉，呼籲停止一切向民間紳商小民盤剝的劣政。凡此皆顯示了知識分子發自良知的時代呼聲。

　　一八九八至九九年間，任戶部雲南司正主稿，反覆討論並條陳整頓流通貨幣，主張自鑄銀圓，流通全國，取代銅錢和外國銀圓並用的混亂貨幣政策，於晚清商政建樹良多。一九〇〇年庚子義和團亂作，八國聯軍入京，唐文治留守北京總理各國事務衙門，偶與拳民面相對質，既親歷極慘痛的屠殺場面，唐文治哀憫生民之心盡表無餘。作〈記庚子六月冤獄〉，記團禍的種種慘事；並作〈記徐桐、崇綺事〉，控訴邪臣禍國殃民，借理學之名破壞洋務和新法。唐文治因此特別注意真正的理學，其後的學術均不離理學「明體達用」的精神，皆誘發於時代的傷痛。

　　一九〇一年九月，唐文治隨同戶部侍郎那桐赴日本道歉，代那桐撰寫《奉使日本國紀》，觀察出日本上下一心，專意於新學以維新，國運日隆；致慨於中國官員營私舞弊，乖違中朝的意旨，以致改革無效。一九〇二年五月隨專使載振外訪歐、美，以參贊身份外訪，取道香港及新加坡，順便考察民情風俗，眼界大開；然後官式訪問法國和比利時。獲比利時國王授四星勳章；赴英國倫敦祝賀英王愛德華七世登基的儀式；橫渡大西洋，考察美國，觀察新大陸政、經、社會與文教，深為所動，而強調民主制度的優長。西渡太平洋回國，途經日本；在日本訪問考察，日皇授予四星勳章。此行環地球

一周，唐文治大增見聞，更堅定其素來所抱政經更革的主張；對照西方現
狀，而更明確人心道德於現代社會為關鍵的主張。為大臣載振代筆撰寫《英
軺日記》，通觀英、美、法、比、日五國政治、經濟、教育的狀況，以作中
國自強的參借，一意重振士氣；強調美國國父華盛頓大公無私之情，意在砥
礪人君心術，皆用意良苦的筆墨。

　　一九〇三年代載振作〈議復張振條陳商務折〉，條列復興國家商務和金
融制度，並建議效法香港，鑄造統一的貨幣形態。一九〇四年十一月上〈請
設立商會折〉力主設立商會，慈禧太后親詢釋疑而後允准，中國自始有商會
的設立。自唐文治倡議建立商會之後，全國四十餘都市均設立了商會，為晚
清及民初的政府融資及金融管理建立基本的支援性網絡。唐文治是中國二十
世紀初重商主義的代表人物。一九〇五年日俄戰爭之後，上〈請飭東三省速
舉要政折〉凡十條，力陳先發制人以改革東三省的政治經濟，以免淪為日本
的殖民地。同年七月復上〈請設立勘礦總公司以保主權折〉，力主立法制訂
採礦的活動，而保持土地的自主權。一九〇六年以農工商部左侍郎並署理尚
書，上〈議復北洋大臣、政務處，奏路務議員辦事章程不無窒礙折〉，請各
省設鐵路事務監察的路務議員，整頓借公謀私之風，與直隸總督袁世凱不
合。此後袁世凱當國，唐文治從此絕意仕途。是年代載振致函日本近衛篤
麿，勸日人和中國禍福與共，並以《萬國公法》譴責日、俄兩國爭奪中國土
地的失義，義正辭嚴。

　　一九〇六年冬丁憂離京，守制南歸。載振也被參而離職，唐文治失去朝
廷重臣的支持；種種建議，亦不能落實；例如甲午戰後，反對和議，堅持力
保臺灣；辛丑和約之後，為建立商部躬力策劃和部署；日、俄戰爭後，力陳
消除滿、漢的閡隔。凡所提出的興利救弊的建議，皆遭到抵制。政治上已無
所作為，於是引退。南歸上海後，全力辦學，以「救民命、正人心」，鼓勵
氣節，尋求恢復民族尊嚴之途。

　　唐文治從政之時，目睹時艱，深刻體會士風頹敗、民心散渙、氣節淪喪
諸種痛疾；認為國運之頹是多方面的原因，而關鍵在為政者的道德品質，能
否存公道去私心。改變士習，乃承弊起衰的要務。基於這種認識，唐文治極

重視教育，期望透過師友的講習，砥礪道德，培養志尚，則民族的復興，並非遙不可及。唐文治主持學堂，逆抗時風而力倡經學，其活力淵源自這堅強的信念。

一九〇六年八月唐文治任郵傳部上海高等實業學堂總監督，辛亥革命後改號南洋大學。於一九一三年改稱交通部上海工業專門學校，一九二一年正式定名為交通大學。在這十四年間，唐文治特設專業學科，專款購置設備和圖書，禮聘中外名師任教，同時遣送學生留學，提昇工業專科學校的性質，辦成中國第一所完整的理工科大學。唐文治全力打造一所新型大學，培養具備創新能力的優秀科技人才，足以自製汽船與飛機。唐文治堅持的道德意志主導行為的信念，所主持的交通大學雖主理工科目，但不廢德育、體育、國文和外語；甚至每週為學生親授國文，勵淬學生的意志。唐文治治事極勤，凡事親力親為，更嚴於律己，讀書甚勤。然不善護目，早年攻讀《萬國公法》而視力耗損，至此日甚。一九二〇年，唐文治五十六歲，跡近失明，為此而辭去交通大學校長的職務，休養無錫。

居無錫期間，富商施肇曾（1867-1945）議設「國學專修館」，力邀唐文治主持。一九二七年改名「國學專門學校」，一年後名「無錫國學專修學校」，自始定名，簡稱「國專」。唐文治以此延續明、清書院的學術傳統，於主流的西式學校體制外，甦生被抑壓的傳統學術，發揚師友互相砥礪的精神，為傳統學術開闢生存和發展的空間。唐文治具豐富的管理現代工程學科學府的經驗，極深刻體會大學和書院的差異，運用兩種不同的育才機制，相輔相成，以培養振興國家的人才。

「國專」特重經學，唐文治親自編訂《十三經讀本》，及撰寫各經的「大義」，以作門徑。由於學術訓練嚴格，培養自發的研究能力，門下多成為日後中國人文學科之中獨當一面的學者，各以其深厚的學術力量，反過來主持現代大學的學術研究和傳授。「國專」和北大、清華等大學的文科科系觭峙，成為中國大學文科的重要師資來源，學術影響之深遠自不待言。錢仲聯回憶「國專」的學習生活說：

　　唐文治辦國專，教學方式類似舊時的書院，主要講授五經、四書、宋
明理學、桐城派古文、舊體詩，旁及《說文》、《通鑒》和先秦諸子。
義理、詞章、考據，學生可以就性之所近偏重，漢、宋學兼采。[7]

　　這是兼容並蓄，集傳統學術的大成，並因材施教，於是培育大批人才。
其門人如陳柱、唐蘭、吳其昌、王蘧常、錢仲聯、蔣天樞、湯志鈞等，大都
是極具實力的專家，為中國現代學術的中流砥柱，即使學有專門，非關經
學，但以「國專」的訓練，根深柢固，因而在不同的學術領域取得成就。

　　綜觀唐文治一生行實，親歷滿清、中華民國而至中華人民共和國，不論
從政與辦學，俱以民族文化為意，一生光明磊落，是經師而兼人師。傳統學
術的經世精神，得唐文治而傳揚。唐文治以經學為教，提倡讀經至為積極，
在三十年代，乃倡導讀經的大旗手。論民國時期經學，此極為關鍵。以民國
初年手編《十三經讀本》並諸經「大義」，因文明道，其表現為一具道德和
學術實效的力量，根本於淑世情懷而施用於世的熱情，而非徒以文獻研究為
尚的文字功夫。其中深厚歷史意識與時代關懷，有異於「夷經為史」的經學
史研究。故論民國期間的經學，不能繞過唐文治。

二　民國時期尊經論的強音：唐文治「讀經救國」論

　　「讀經」是民國時期爭論不休的問題，唐文治是積極的支持者，鼓吹
「讀經救國」，提倡不遺餘力，其信念之堅定，歷經世變而毫不動搖，至耄
老而越堅固。一九四七年七月唐文治在交通大學演說，謂：

　　近世生民之困苦，奚啻孺子之入井！何以救之？有力者以經濟，無力
　　者以學說。[8]

7　馬亞中主編：《學海圖南錄：文學史家錢仲聯》（南京市：南京大學出版社，2000
　　年），頁7。
8　唐文治：《茹經堂文集》六編卷一。又收入《唐文治文選》，頁512。

　　唐文治概括對治及擺脫時代困境之塗，不出經濟與教育，這是經歷了二十世紀上半葉所有的國難和浩劫之後的貞定。唐文治以「興養」一詞概括復甦國民經濟的舉措，而以「興教」一詞為學說救國的標誌。「有力」、「無力」，意指政治權力。擁有權力的人指當政者，運用政策復甦經濟是其當然的責任。無力者是唐文治這類在野學人，振興教育是其理所當然的天職。朝野同心共力，各盡其責，才是復興的基礎。

　　唐文治強調朝野兩種力量共治天下，是典型的傳統「治統」、「道統」的理學觀念的投射。治統在養民。道統的責任在教民，維繫道義，保存社會的理性與良知。唐文治是以肩負道統為己任，道德感於是極其強烈，強調「興教」的效用，集中於「氣節」的自覺；以此自覺糾正「人心」，而其途徑，則以「讀經」入手。此唐文治的「讀經救國」論：

> 鄙人以為方今最要者「氣節」二字，近撰聯語云「人生惟有廉節重，世界須憑氣骨撐」，若氣骨不應，如洪爐之溶化，非我徒也。然氣節要有本源，在拔本清源，非「讀經」不足以救國。要知經典所載，不外興養、興教兩大端。興養者何？「救民命」是也。興教者何？「正人心」是也。鄙人常兢兢以此六字為教育宗旨。[9]

　　唐文治提倡讀經救國，提點「經典」的內容兩大價值指向：興養與興教。不論治統或道統，都須要從經典之中厚培「興」的精神力量，各自在政經、文教兩方面重新樹立清晰的道德觀，本此建設經濟與重建道德。經濟建設在於「救民命」，道德重建意在「正人心」，其精神資源俱源自經典。朝野齊心，身體力行，「讀經救國」，並非遙不可及的口號。唐文治強調：

> 切望以「讀經救國」一言，廣播而推衍之，則拯民命、正人心之道在是矣。或有笑我為迂者，可置之不理。[10]

9　《唐文治文選》，頁512。

10　《唐文治文選》，頁511。

　　「讀經救國」論是唐文治貫徹終始的主張，透過辦學與講學的長期奮鬥，潛移默化，發揮積極的作用，進而影響政治的決策者。唐文治有自知之明，深知讀經的主張不合時宜，但身負道統，從長遠及根本處考慮，即使不諧於世俗，與時相違，亦在所不惜，堅持信念。

　　一九三五年上海商務印書館印行的《教育雜誌》第二十五期，專題是「讀經問題專號」，選錄全國知名文科學人對讀經的正反面的意見。唐文治便是首列「絕對贊成者」。唐文治詳述「讀經救國」的宗旨和實踐方式，是民國時期主張讀經的重要宣言，為方便讀者免於翻檢之勞，實錄如下：

> 竊惟「讀經」當提倡久矣。往者英人朱爾典與吾華博士嚴幼陵相友善。嚴嘗以中國危亡為慮，朱曰：「中國決不至亡。」嚴詢其故，朱曰：「中國經書，皆寶典也。發而讀之，深入人心，基隆扃固，豈有滅亡之理？」余謂朱說良然。
>
> 吾國經書，不獨可以固結民心，且可以涵養民性，和平民氣，啟發民智。故居今之世而欲救國，非「讀經」不可。
>
> 顧「讀經」所以無統系者：一、程度淺深，較難支配；二、難得通達之教師；三、難得顯明易解之善本。以上三端，以得善本為尤要。蓋既得善本，教師即可循是以講授，主持教育者，即可循是以核定功課。譬諸行路然，可按圖而計程矣！
>
> 今擬自初級小學始，以至大學文科研究院，按照各經淺深緩急，分年支配，規定課本，附以說明，若能切實講貫，尚不甚難。
>
> 惟更有進者，「讀經」貴乎致用。而致用之方，必歸於躬行實踐。故凡講經者，必須令學生一一反諸於身，驗諸於心，養成高尚人格，庶可造就其德性才能，俾腦經清晰，氣質溫良，學道愛人，方有實用。若徒務考據，騖訓詁，自命奧博，浮泛不切；或好立新義，亂名改作，非徒無益，而又害之矣。
>
> 至於實事求是之法，尤貴有恆。若試行一二年後，動輒更張，學生耳目淆雜，無所適從，亦決無成效也。

爰述管見，先定統系，再於說明中列方法如左：

（一）初級小學三年級應讀《孝經》。

孫文先生民族主義，謂《孝經》所講孝字，幾乎無所不包，無所不至云云。誠以《孝經》教愛敬之原，立養正之本也。今考其書，若一千九百零二字，當於初級小學三年級起讀之，分兩學期，務期熟誦。（經文及註語精要者概須熟讀，以下各經皆然）是書唐明皇註本，無甚精義。明黃石齋先生《孝經集傳》，又嫌太深；鄙人所編《孝經大義》亦嫌略深。惟須善講者譬況使淺，引證故事，開導學生良知良能，是為立德立品第一步根柢。

（二）高級小學三學年應讀《大學》及上半部《論語》。

（說明）孫文先生民族主義謂中國最有系統政治哲學，如《大學》所說格、致、修、齊、治、平，自內達外，推及於平天下，此等理論，外國哲學家所不能道云云。蓋《大學》之精微，膾炙人口久矣。至於《論語》一書，言學言仁言政，言孝弟忠信，言禮義廉恥，莫非修己治人之要。

今考《大學》共一千七百四十九字，《論語》自〈學而〉篇至〈鄉黨〉篇，共六千八百九十三字，於高級小學三年中支配之，可以一律熟誦。

《大學》以朱子《章句》為主。明王陽明先生復古本，實與《禮記注疏》本同。鄙人所編《大學大義》，兼採鄭、朱二家注，亦可作課本。

《論語》以朱子《集注》為主，鄙人所編《論語大義》，貫串義理，亦可作課本。

或疑《大學》、《論語》皆政、教合一之書，初學讀之，似嫌躐等。此說誠然。但須知童年知識初開，正當以此等格言，俾之印入腦經，養成德性。若教慮其沉悶，可略舉史事以證之，自能引起趣味矣。

（三）初級中學三年應讀下半部《論語》及《詩經》選本。

（說明）自〈先進〉篇起至〈堯曰〉篇止，計共八千九百八十六字，

定二學年必可畢業。或疑下半部《論語》有後人偽託之處。非也。鄙人嘗編《論語外篇》，已詳論之矣。

《詩經》溫柔敦厚，足以涵養性情，考見政治風俗。且有韻之文，易於誦讀。當以朱子《詩集傳》為主。但恐一年尚不能卒讀。鄙人嘗編《詩經大義》，共分八類，曰：倫理學、性情學、政治學、社會學、農事學、軍事學、義理學、修辭學，共選詩九十餘篇，每篇均有注釋並詩序、詩旨，可作課本。

（四）高級中學三學年應讀《孟子》及《左傳》選本。

（說明）《孟子》一書尊重民權。民貴君輕，用人取舍，壹順民之好惡，惟其嚴公私義利之辭，故其政見精覈若此。他如孝弟人倫之本，出處取與之經，察識充之幾，闢邪崇正之道，與夫不嗜殺諸學說，皆足為今世良藥。

其書共三萬六千五百八十九字；當以朱子《集注》為主，附以鄙人所編《孟子大義》，於兩年中支配之。

至《左傳》為禮教大宗，旁逮外交等學，無所不備。惟卷帙繁多，短期中難以卒讀。鄙人有《左傳》選本，分八類，曰：禮教類、政治類、國際類、兵事類、諷諫類、文辭類、紀事類、小品類，可作課本，於一年內支配之，注解以杜林合注為善。

（五）專科以上各大學及研究應治專經之學。

（說明）凡通經宜就性之所近，專治一經。精通之後，再治他經，循序漸進，不能拘定年限。務宜研究「微言大義」，與涉獵章句者不同。其尤要者，實施之政治，推廣文化，致良人心風俗。如《禮記・經解篇》所謂「絜靜精微」為《易》教，「疏通知遠」為《書》教，「恭儉莊敬」為《禮》教諸端，纂言鉤玄，確得要領。他如《大戴禮記》、《國語》二書並宜精究。

鄙人所編《十三經提綱》、《周易消息大義》、《尚書大義》、《洪範大義》、《禮記大義》、《中庸大義》各書，均可藉以入門。此外博考群籍，如《十三經註疏》、《古經解》、《小學彙函》、《通志堂經解》、《七

經精義》、《皇清經解正續編》，及諸大儒經說，均宜分門參考。總之不尚新奇，不務隱僻，庶學有實用，蔚成通才矣。

以上所述是否有當，未敢自信。茲事體大，宜集思廣益。請　中央政府並　教育部採擇施行。鄙人默察近來世變，人心日尚欺詐，殺機循環不窮，倘不本孔、孟正道以挽迴之，竊恐世界刼運，靡所底止。深望海內賢豪相與講道論德，以期經明行修，正人心以拯民命，救中國以救世界。此鄙人馨香以祝之者也。[11]

《教育雜誌》上刊出的論「讀經」諸文，在課程、教科書與學生能力的配合等的操作性考量，沒有比唐文治這篇來得周至具體。唐文治「讀經救國」論設計施教方案，規劃清晰，不是一時的意興，實經過長期默察，不徒空論讀經的見解，而是推廣一套在現代學校體制實踐的授經方案，提供全國施行。唐文治不嫌標榜，推介「讀經」的用書，不離其在無錫「國專」刊印的《十三經讀本》的「善本」和親自撰寫的眾經「大義」。這都是其辭官南歸之後，耗十多年功夫蒐集的善本與研治心得。

唐文治提倡讀經的強烈信念，乃源自親歷；在風雨欲來之前，見出深藏時局中的「殺機」，這是極其敏銳的政治觀察力，體會到一股不祥的政治氣候。於是有盼民國政府施行「讀經」的方案，化解「殺機」。迷處當時，則「殺機」之論可能給視為危言聳聽。但反觀歷史的進程，則其默察世變而高瞻遠矚的智慧，的確出乎流俗，究非人云亦云的守舊迂腐所可擬於萬一。

唐文治「讀經救國」論並非抗拒現代文明，反對西方文化。唐文治從政期間，已經極注意西學，與康有為等維新學人相呼應；任職總理各國務衙門，精讀《萬國公法》，以處理涉外事宜；創辦商部，大力推動金融改革；奉使考察西方，周遊全球；主持理工科大學，提倡西方科技；於西學西法的認識和體會，非尋常可比。因此，其提倡「讀經」的殷切，實乃是在通透天下形勢和深切了解世情之下的紓難對策，不能視之為思想落伍的復古守舊。

---

11 商務印書館編：《教育雜誌》（上海市：商務印書館，1935年）第25期第5號，「全國專家對於讀經問題的意見」，頁5-6。

一九四七年於上海交通大學五十一週年校慶訓辭，便強調親歷，說：

> 余從前遊歷歐、美各國，考察民風，大都兢兢業業，以保存基本國粹
> 為宗旨。《四書》、《五經》，吾中國之國粹也。蔑棄國粹，人心因而好
> 利，人格因之日墮。於見利趨之若鶩，廉恥斯喪，實由於此；而民命
> 之流離痛苦，遂不忍言矣。[12]

唐文治識多見廣，強調西方列強工商百業高度發展，並沒有放棄文化傳統，
更不忘保存和繼承。提倡經學，乃重視傳統文化的精粹，不違社會現代化之
途，而且更相輔相成。讀經在正人心，經濟在養民命。前者是道統的責任，
後者是治統的職志。唐文治關懷百姓痛苦，出自衷腸，切望解脫蒼生所受的
荼毒與痛苦，指出統治者鮮廉寡恥，唯利是逐，百姓的福祉尚且不顧，則遑
論傳統文化的精髓。這是唐文治極沉重的信念。一九四五年三月，抗戰尚未
結束，唐文治序《茹經堂文集五編》，自表一生學術宗旨說：

> 余行年五十後，專心講學，惟以「正人心，救民命」為宗旨。[13]

唐文治的經學堅守「正人心，救民命」的宗旨。處於民族存亡的時刻，
強烈表現於辦學、講學、撰述，用志之堅與毅力之強，高風亮節，人格與學
術到了無可挑剔的地步。論唐文治經學，此為第一義；充滿憂患意識的「讀
經救國」論是其終生奮鬥的目標。

三　從《十三經讀本》看唐文治的「經學家法」論

唐文治《十三經讀本》序文提出「經學家法」和「經學義理」兩項重要
觀念，以「經學」收攏清儒所強調的漢、宋兩大學術氣脈。唐文治一本其時
代關懷的真切用心，駕越一切門戶，兼容並蓄，開拓氣象恢宏的學術空間。

12　《唐文治文選》，頁500。
13　《唐文治文選》，頁482。

　　唐文治自幼力學，目力由此而衰，至一九二〇年五十六歲壯年之際完全
失明。失去學問研究至重要的條件，是一生極大的打擊。但生理的缺憾未能
阻遏其治學、講學、傳道的熱誠，此後唯仗記憶與體會，口授祕書筆錄，敷
陳諸經的「大義」，述說朱子與王陽明學術宗旨，未嘗中斷，學術生命力依
然極其旺盛，繼續實現正人心的道統關懷。書成之時，適值新文化運動之
後，自然被認為刻意針對時代思潮；兼篇幅繁雜，傳習不易，令人望而生
畏，在二十世紀的學術界未能產生即時的影響，而難以獲得重視。綿綿若
存，以至於今。但理解民國經學的進程，《十三經讀本》則不容忽視。

　　清末阮元刻《十三經注疏》，集漢、唐注疏，乃研治傳統經學的必備。
唐文治適逢其時，亦非常重視，實可不必改作，因循而標榜。假如是遺民式
的標榜，抗橫時代的新變，則於所主持的學校硬推《十三經注疏》，已可以
達到保存辮子之姿態作用。其尊經學而不相沿阮刻《十三經注疏》，卻耗用
大量心血，以十多年的寶貴歲月，在友人的資金支持下刊刻《十三經讀
本》，其中不盡是曖昧抵制的遺民行為，其經世的初衷始終是關鍵。

　　一九二一年刻成《十三經讀本》，是唐文治一意於經學以挽救人心、國
運，累積了十多年心血的鉅撰。〈《十三經讀本》序〉表明尊經的用心，全從
救世的憂患意識出發：

> 夫欲救世，先救人。欲救人，先救心。欲救心，先讀經。欲讀經，先
> 知經之所以為經。[14]

　　經學意義重大，「讀經」必須知經。唐文治本學術史的流變，指出「經
學」含有「經學家法」和「經學義理」兩大範疇，從這兩層面理解經典，方
才得到根本。先從「經學家法」說：

> 往者秦火之餘，典籍蕩盡，然而抱殘守缺，代有師承。若董江都，若河
> 間獻王，若劉子政、馬季長，至鄭君出，「經學家法」，於焉大明。[15]

---

14 唐文治編纂：《十三經讀本》（臺北市：新文豐出版社，1980年），冊1，頁7。
15 唐文治：《十三經讀本》，頁7。

　　「經學家法」具指兩漢經學的學術譜系，意義遠大於傳統所稱的「漢學」。唐文治指出董仲舒、劉德、劉向、馬融是漢代經學承傳過程中的關鍵人物，而鄭玄則大明經學的家法。這是從經學義理演變的角度來建立的學術譜系。

　　董仲舒與宗室獻王劉德是同時代的人，董仲舒固然是西漢經學重要人物，[16]而唐文治之表揚董仲舒，乃出於清代中葉今文經學的習慣，但標舉劉德，而不突出專傳《尚書》的伏生，便須要說明。《漢書》記載，劉德於漢景帝收集了《周官》、《尚書》、《禮》、《禮記》、《孟子》、《老子》等「經傳說記，七十子之徒所論」，此皆古文先秦舊書。即使就《尚書》論，伏生所傳也不是獨家，尚有劉德的本子。則唐文治舉劉德，便不是從文本角度考慮，而家法的用義顯然高出文本。根據任銘善〈西京學三論〉遍考文獻，得出的研究結論是：

> 漢武獨忌獻王，故其業不得光顯，而學官之守愈嚴，自宣帝以下，今文家法始漸採雜，河間舊書亦稍稍間出，其本義在掇輯亡佚，故亦時有今文說焉。《春秋繁露》載河間獻王問五行於董君，則固未嘗守門戶之陋也。[17]

　　劉德意在「掇輯亡佚」，儘可能收集秦火的餘燼，而非專門墨守門戶。唐文治的家法論強調的是治學態度，尤其是存真的意識。存真是為挽救秦火之餘的傳統學術，因此必須如劉德所體現的「實事求是」。但尊重家法不等於墨守成說。家法背後自有一套義理。明家法不是守家法，亦非破家法，而目的在明義理。講「經學家法」，則「經學義理」並存其中。

　　唐文治本來服膺程、朱理學。在南菁書院學習，師從黃以周。黃以周

16　董仲舒於漢學術為關鍵人物，乃學術共識。其於經學，李源澄〈西漢思想之發展〉強調「其對於禮教之重新說明」。載林慶彰、蔣秋華編：《李源澄著作集（二）》（臺北市：中央研究院中國文哲研究所，2008年），頁471。李氏據史立言，說法通透，可證唐文治的主張的徵實性。

17　任銘善：《無受室文存》（杭州市：浙江大學出版社，2005年），頁201。

漢、宋兼融，體現道、咸以來學術新變的特色。但在肄業南菁書院前，已從
王祖畬研習宋儒義理之學；在南菁書院期間，亦未廢義理之學的思考。唐文
治於黃以周門下，已經關注到經學的「家法」。在唐文治《南菁書院日記》
中，可以追溯其研習與思考朱子學的情況。日記「後記」唐文治自述：

> 余自十七歲辛巳受業於紫翔夫子之門，即從事於周、程、張、朱諸家
> 集，及小學《近思錄》各書，沉潛反復，頗有心得。至乙酉歲肄業南
> 菁，受業於定海黃元同先生之門，始從事漢學，粗識各經「家法」。[18]

「家法」是從經傳文本體現復原經典的治學原則，所以說「各經家
法」。唐文治之特別關注漢代經學的家法，乃受宋、明儒學的啟發，明體達
用的觀念早已奠基。在義理層次的審視角度下，其意在知經學之歷史面貌，
不在標榜，非必謹守門戶藩籬。一八八五年正月初六的日記記述：

> 燈下抄《北溪字義》三頁。……此書得見，狂喜。此後限定抄三頁一
> 日。[19]

於正月十四日的日記載：

> 抄《字義》一頁，說立志曰：「人若不立志，只泛泛地同乎流俗，合
> 乎污世，便做成甚人？」因思吾輩尤易失足，謹之！謹之！毋為小人
> 之歸。午饍後，取所抄《字義》點校。[20]

正月十七日載：

> 錄《字義》一頁，說立志謂：「顏子以舜自期，孟子亦以舜自期，皆
> 是能立志。」因思先儒謂才遜第一等人與別人做，便是自棄。吾輩欲
> 希孔、孟，則程、朱地位不可不以自期。

18　《唐文治文選》，頁7。
19　《唐文治文選》，頁2。
20　《唐文治文選》，頁3。

靜中細味〈尚志〉一章，覺孟子之言自有壁立萬仞氣象。……抄《字
義》一頁，即睡。[21]

又於是年三月初一日記：

午饍後，抄《字義》一頁。至「太極」條，論道是以理之通行而言，
太極是以理之至者而言，剖析明白。[22]

朱子門人陳淳《北溪字義》對唐文治影響極深刻。唐文治雖然自陳在南
菁書院期間「於義理之學則稍稍隔膜矣」，[23]但已自覺到漢學的訓詁和宋學
的義理不能偏廢，更不能因漢學家的門戶成見而忌諱「理」。三月初六的日
記便說：

近日講學誠難言矣。有避「道學」之名者，則絕口而不談。……學問
原在躬行，然絕口不道，則「理」何自明？此二者不足避也，所患
者，言學之分別門戶耳。近世有訓詁之學，有義理之學，其外又有頓
悟之學。言訓詁者病義理之空疏；言義理者，病訓詁為泛騖；而言頓
悟者，更病義理為支離。其有主訓詁之學目未見程、朱之書，而亦痛
斥宋儒者；主義理之學目未見許、鄭之書，而亦痛斥漢儒者。……夫
學術不明，吾黨之責也。[24]

日記痛陳的是學術不明義理的現狀。唐文治從政後，經歷種種巨變，於
文字門戶之爭更為生厭，故此唐文治對乾、嘉漢學頗有微言。其自序《十三
經讀本》謂：

人心之害孰為之？廢經為之也。廢經而仁義塞，廢經而禮法乖，廢經
而孝悌廉恥亡，人且無異於禽獸。嗟呼！斯道之在，天下其將澌滅矣

---

21 《唐文治文選》，頁3-4。
22 《唐文治文選》，頁4。
23 《唐文治文選》，頁7。
24 《唐文治文選》，頁6。

乎！於是正其本者則曰反經；挽其流者則曰治經。……或曰：經之過高過晦，階之戾也。不知非經之咎也，自來說經者之咎也。非經之晦也，說經者鑿之使晦也。非經之高也，說經者歧之而高也。當是之時，倡廢經之議，人樂其淺陋而便己也，是以靡然從風，而遂中於人心，當是之時，雖日告以讀經之益，人且昧然知其徑途也。向壁而行，得其門者蓋寡也。[25]

　　批評乾、嘉漢學尖巧穿鑿，晦塞經學，令後學無法入門，嚴重阻礙經學的發展，更無法啟導時代思想的步伐，明體達用的精神完全不存，甚至成為廢經論者的口實。唐文治為此痛心疾首，於是費勁十數年，蒐集經書善本以及簡明的前賢傳注本，編為《十三經讀本》，指示學經的門徑，令後學能夠更深刻理解經學的真面目，期望有益於世道人心。唐文治後來在《十三經讀本》中說：

比年官京師，目擊世道人心，慨然有感。竊不自揣，力任名教，欲以程、朱墜緒，振屬後學。……凡學問之道，當務其大者遠者。處今之世，為今之學，明忠孝之大旨，辨義利之根源，其體也；究民生之利疾，裕經世之大猷，其用也。[26]

　　「經學家法」的所歸，在程、朱明體達用之學。本程、朱義理詮釋經典，超越乾、嘉的考證之學，在義理上求經旨，是唐文治治經的本色。唐文治謂「讀經」應知「經」為何物，乃指明體達用的義理，而非書本文字。今存唐文治一九二〇年所撰〈讀《思辨錄》劄記〉的遺文之中說：

乾、嘉諸老多詆宋儒以意讀經，不知宋儒非以意讀經，所以不墨守故訓者，乃因聖經之言而反之於身也。即如《易‧乾》卦「九二，見龍在田，利見大人」，周公之意，未嘗及言行也，而孔子釋之曰：「庸言

25　《十三經讀本》，頁6。
26　《唐文治文選》，頁7。

之信，庸行之謹，閑邪存其誠，善世而不伐，德博而化。」……可見
孔子釋經，並不墨守故訓，所言事之反之於身。若程、朱之說經，真
得聖門家法者也。[27]

　　不論早年或中年，唐文治躬行實踐的是朱子的理學。「體用」源自心靈
的自覺，力量源源不絕，是朱子理學的關鍵，唐文治以之構成其「經學義
理」的核心。一九二○年後儘管完全失明，仍堅持不懈辦學、講學，提點人
心，表現勇毅可嘉的氣度和胸襟。在朱子竣高的氣象下，融攝一切可以體現
「讀經救國」精神的所有學問，而無所謂門戶藩籬。從這方面說，所稱的
「讀經家法」，亦必然納入「經學義理」之中，以「義理」展示家法。

　　唐文治所說的「經學家法」，並非指末流漢學的考據文字，而是指兩漢
經學的授受源流和發展，授受有法可循，同時展示傳承文化的抱負。明家
法，表明無須刻意與古來經說立異，更不高自標榜。本家法讀經，方得真
際。《十三經讀本》的採擇顯示「經學家法」的取徑。編纂《十三經讀本》
是為抉示經之所以為經，還經本來的面目。指出以往說經的偏失，不是「過
高」，便是「過晦」。兩者失宜，失去經的本來面目，治經淪為文字功夫，無
關於治，直接導致「廢經」。面目盡失，是經所以受廢棄的原因。經之見
棄，不在西化論者，罪在說經者：

　　或曰：「經之過高、過晦，階之屬也。」不知非經之咎也，自來說經
　　者之咎也。非經之晦也，說經者鑿之使晦也。非經之高也，說經者歧
　　之而高也。[28]

　　晚清廢經，唐文治強調禍首是「自來說經者之咎」。這些說經著作，徒
見高頭煌煌，而其中眾說紛紜，意義歧出而繁雜無流，令學者入手無從，難
以顯示經的真實面目。如此則無怪乎推倒傳統之論囂然世上。

　　本著顯豁經學真面目的用心，表明經學必須還原經的真貌，唐文治以

27　《唐文治文選》，頁194。
28　《十三經讀本》，頁6。

《十三經讀本》糾正說經過高過晦的弊端，顯示「經之所以為經」。具體方
法如下：

> 搜集《十三經》善本，擇其注之簡當者，屏其解之破碎而繁蕪者，抉
> 其微言，標其大義，撰為提綱，附於諸經簡末。
> 復集昔人評點，自鍾、孫以逮方、劉、姚、曾諸名家，參以五色之
> 筆，閱十數年而成書。由是各經之文法顯、文義明，犖然燦然，（中
> 略）無復鄉言艱澀不通之患矣。[29]

　　從文本入手，誦讀良好的版本，根據可信的經典版本學習，方知經典為
何物。則一切無謂的辯駁，都消解於無形。乃直接與文本對話，與《孟子》
所說的「以意逆志」相通，真切的理解，便超脫了所謂漢、宋門戶之見。不
介入學術意見的紛爭，不標榜門戶，一意熟讀文本，理解文本的「是」，不
在乎「古文」、「今文」的派性；進一步貫通「經學」、「理學」、「心學」的藩
籬，而達到會通的目的。

　　其次選擇簡明的注本，這是為了避開自來經說的穿鑿隱晦。認識經之所
以為經，撥開過去說經的迷霧，是關鍵的一步。單刀直入，讀者需要自身的
進取和努力。刻意蒐集明、清以來的經文評點本，加以綜合整理，顯示經文
的「文法」，透過「文法」而體會「文義」。這套「文法」存在於經典文本自
身的敘述，不是外加的解釋，而是文本的原來成分。評點目的為引起讀者注
意文本的表達方式，對象是文本。以文法顯示文義，則義是其讀者自己領會
的義理，而非覆述現成的詮釋。唐文治主張朱子讀書的方式，讀者務必反覆
閱讀和善加體會，透過評點本為指引門徑，直接理解經文的意義，不受向來
高而晦的經說所左右，而直接認識經典的真面目。唐文治主張：

> 《十三經》權輿，祇有本文熟讀而精思焉，循序而漸進焉，虛心而涵
> 泳、切己而體察焉，則聖道之奧，不煩多言而解矣。[30]

29　《十三經讀本》，頁6-7。
30　《十三經讀本》，頁7。

　　透過精讀深思，切實把握文本意義，這原是朱熹所主張的方式。唐文治
愷切提點，表明這是認識經典真面目的切實途徑，是踏進經學殿堂的初階。
高與晦是方式錯誤的結果，解決的方式，唯有熟讀，然後精思，經過一段真
實功夫，便了然經的真實面目，而胸有成竹。以下列出唐文治開出的《十三
經讀本》書目：

一、《周易》，用朱熹的《易本義》，附其師黃以周的《周易故訓訂》
　　及《乾坤屯卦注疏》。

二、《尚書》，用馬融、鄭玄注，附任啟運《尚書約注》和其自撰的
　　《洪範大義》。

三、《詩經》，用毛傳及鄭箋，附陳澧的《讀詩目錄》。

四、《三禮》，用鄭玄注，而附朱熹《大學章句》、《中庸章句》，其師
　　王紫翔《禮記經注校證》及其自撰的《大學大義》及《中庸大
　　義》。

六、《左傳》，用乾隆欽定本。

七、《公羊傳》，用何休《解詁》。

八、《穀梁傳》，用范甯《集解》。

九、《論語》，用朱熹《集注》，附其自撰《論語大義》。

十、《孝經》，用黃道周《集傳》，附其自撰《孝經大義》。

十一、《爾雅》，用郭璞的注及邢昺疏。

十二、《孟子》，用朱熹《集注》，附其師王紫翔《讀孟隨筆》及其自
　　　撰的《孟子大義》。

　　從以上的大目已經顯示兼容漢、宋而以朱子為主導的治經法門，放棄現
成的《十三經注疏》，刻意擺脫漢學門戶之見的拘執。唐文治於嚴辨今古文
經學流變的周予同先生十分欣賞和認同。一九四五年撰〈送周予同先生赴臺
灣序〉，肯定周予同的經學史研究：

　　宗旨一出於純正，與余心心相印，而其識見之卓越群倫，廣博無津

涯，遠出余上。[31]

　　唐文治指出「宗旨」、「識見」是周予同兩漢經學研究的優長。所謂「宗旨」、「識見」，目的不在後儒的家數和經說，更多的是明體達用的懷抱的流露，民族文化的存亡關懷。強調「經學家法」，是為了更好理解經義的真象，重建「純正」的心術，而非拘束於一家一法，乃「讀經救國」論的組成部分。

　　程、朱之學是唐文治學術的根本。唐文治於經學家法與經學義理的論述，基本建立朱子學之上。一八九二年唐文治二十七歲時所撰的〈書《左傳考釋》後〉，便顯示這種以程、朱明體達用的標準省察清儒經學的眼界：

> 蓋向之所云鉤稽故訓，辨析名物之學，降之今世，其弊則已不可究極。或析言而破律，或碎義以逃難，往往刺取經中一字一義，解說至累十萬言，聚眾而不能決。又其甚者，分別門戶，當著書之始，先存一凌駕古人之心，於是穿鑿附會，汎剽舊典，務使其說之新奇，足以駭學者之耳目而後止。而於是古聖人之「微言大義」，所以勸善懲惡，蘇世覺民之怡，則迷謬不省，甚或斥為空言，而以為非漢學家之宗旨。[32]

　　唐文治區別後世門戶的標榜與原本漢代經學家法的分野，清楚指出清代「漢學」門戶是丹非素的弊端，乃至於穿鑿取巧，刻意排斥宋學，固步自封。唐文治極為反感末流漢學，置大道義理於不顧，失去道統指正人心的自覺，痛斥為誘發「廢經」論者的罪魁禍首。

　　「經學家法」，歸根究底，是為把握「經學義理」。講究家法，終歸「會通」。會通指義理，此義理指向世道人心，是唐文治經學的關節。在會通的基礎上，回歸經典，於經典自身尋求「經之所以為經」，方能認識經典的真面目，準確把握傳統學術的精義，知所消融並轉化強大的西方文化。朱子明體

31　《唐文治文選》，頁486。

32　《唐文治文選》，頁28。

達用，唐文治本其義以為讀書、立身與致治的基本方向。反覆涵泳熟讀並會通經義，同時也是修身的過程，人間世的一切事業，均以此倫理軸心開展。

四　唐文治「經學義理」論

（一）本「體用」求「經學義理」

「經學義理」是唐文治經學的關鍵詞，乃指西漢經學所說的「微言大義」。「微言」與「大義」對立，乃清末公羊學陣營之中，康有為與蘇輿之間的爭持。康有為從董仲舒《春秋繁露》整理一套孔子的「大義」，而蘇輿亦注《春秋繁露》以顯示「微言」，各執一是。唐文治講「經學家法」，也以董仲舒為頭緒，此顯然屬晚清經今文學的基本思路。唐文治經學的優長，是嚴辨家法而貫通不拘，所以對「微言」與「大義」亦採取融通調和的態度，不偏主一家。《十三經提綱》很明確說「抉其微言，標其大義，撰為提綱」，[33]置於《十三經讀本》之首，標示融通的宗旨。

宋、明儒者談義理，乃從「體用」見義。唐文治本「體用」論學術，見於一八九六年給沈增植的〈上沈子培先生書〉：

> 且夫理學之慶興，我朝盛衰之機也。國初有湯文正、李文貞、陸清獻、張清恪諸公，中興時曾文正、羅忠節、倭文端、唐確慎諸公，明效大驗，章章可睹。蓋理學經濟相須而成，理學為體，經濟為用。故理學興則人心純固，而國家於以隆盛。……今之理學幾於碩果矣，及其未盡而維持之，庶幾轉否而為泰乎！[34]

宋儒所說的明體達用的義理之學，向為唐文治所服膺，目的為了挽救世運人心，顯示一種出於憂患意識的考量，以理學拯救人心。正是基於這種救

33　《十三經讀本》，頁6。
34　《唐文治文選》，頁34。

世救心的憂患感，其主張的體用之學，支配了經學的主張，不屑於文字訓詁之間，而必歸入倫理的意念。於是，一本明體達用的朱子學的觀念，構成唐文治闡釋詮解經典大義的根源，而與晚清流行的「中體西用」論旨趣有異。「中體西用」論乃側重文化的層面尋求駕馭外來文明的策略。[35]這種策略的運用，其內涵會隨時代改變。時移世易，中和西之間的糾纏日漸複雜，觀念內涵再難以明確區劃，則「中體西用」論自然無法對應而遭唾棄。唐文治的「明體達用」的「經學義理」，則從士人本志上開出，以發揮倫理的最大作用，所以本質是強韌的。

　　唐文治既以程、朱的義理為經學的家法準則，則詮釋經典，關懷的便是這個「理」，而非文字之表或名物之相；終生堅持「以理學為體，以經濟為用」的主張，治經為的是實現這理想。一九二○年唐文治於所撰〈無錫國學專修館學規〉強調：

> 吾館所講經學，不尚考據瑣碎之末，惟在攬其宏綱，抉其大義，以為修己治人之務。……顧治經之要，尤其學禮。……經師之所貴，兼為人師，禮學之所推，是為理學。孔子說《易》曰「窮理盡性」。窮理者，人生莫大之學問，即莫大之事業也。[36]

　　這是唐文治詮釋經典的基本主張，顯示於「大義」的追尋。求索經典的大義，必先學禮。禮以立體，立而後窮理。所以無錫「國專」極重視禮，大部分學員皆須親赴禮學家曹元弼學禮。學禮是研習經義的基礎。禮是體，而理是用。義理不是空論，必先自立，然後有以作用於現實的政教。因為政治教化的任何措置皆足以影響天下群萌。這是修、齊、治、平的思路，所以說是人生莫大的事業。

　　由一身而及天下，本義理詮經的大旨。現特舉述唐文治《周易》、《詩經》、《尚書》等諸經《大義》，以顯示其經學義理的大端。敘述如下。

---

35 薛化元：《晚清「中體西用」思想論（1861-1900）》（臺北市：弘文館出版社，1987年）。

36 《唐文治文選》，頁182。

（二）《易》學的門徑與大義

　　《易》是經學義理的重要淵源，學《易》的門徑直接影響義理的把握。唐文治《十三經讀本》的「凡例」專示入門路徑：

> 朱子《易本義》以寶應劉氏仿宋本為最善。初刻於淮南局，再刻於金陵局。近貴池劉氏刻有影宋本。彼此對校，似不若仿宋本之完善。是刻專據仿宋本。合象、象、文言傳於經，以便學者誦讀。九圖、五贊、筮儀，悉依原本。先師黃元同先生《周易故訓訂》及《乾坤屯卦注疏》，雖係未成之書，而闡明《易》例。最為精審，附刻於後。[37]

　　本朱子的《易本義》為入門，乃會通象與數，顯示義理，用意深刻。顧名思義，朱子《易本義》是研求《易》的本義。朱子考實《易》義，論定《易》屬卜筮之書，還原《易》數的面目，而超越王弼以來的義理談說。朱子《易本義》的好處，是注釋「雖簡略而能得其大體」，[38]方便讀者。根據卜筮書的思路，朱子特別揭示「九圖」、「五贊」、「筮儀」，以不同的表達形式，展示其本質。唐文治選用朱注，意義在顯示晚清經學於存古與空議兩大漩渦之外，選擇求是的路向，而避免今古文之間的標榜。唐文治指出劉德是漢代經學家法的代表，「實事求是」之論便是出於劉德，這是反本求真。

　　唐文治附錄黃以周《周易故訓訂》及《乾坤屯卦注疏》各一卷。一八八五至一八八八年間，唐文治在江陰南菁書院師從黃以周。今存的日記顯示，唐文治此時精研漢《易》學，指出過張惠言《周易虞氏消息》的駁犯處。[39]如果搬弄學術，數學是一種方便。唐文治雖然通漢《易》數學，但沒有刻意標榜，這是基於淑世的初衷。漢《易》數學說繁難，若作為初導，正恐其說

37　《唐文治文選》，頁10。

38　潘雨廷：《讀易提要》（上海市：上海古籍出版社，2003年），卷5，頁168。

39　唐文治：《南菁書院日記》，收入《唐文治文選》（上海市：上海交通大學出版社，2005年），頁1。

之「晦」，有失《易》學的本真。

收錄黃以周兩部書稿，非為標榜，一方面保存師說於舊學已墜的時候，另一方面透過黃以周〈周易故訓訂序〉彰顯會通的學術原則：

> 學者必廣搜古注，互證得失，務求其是。若夫舍古求是，詎有獨是，多見其不知量也。雖然學必求古，而古亦未必其盡是矣。（中略）惟願學者擇是而從，勿矯異，勿阿同，斯為善求古、善求是也。[40]

治學一本於「是」，持平研習，博取眾說而加以詳參。唐文治附錄黃以周的遺教，表明會通式的治經態度，淵源有自，乃自覺承傳和發揚師說。不掠美，體現了唐文治崇高的學品。

黃以周的《易》詁甚重視「例」。歸結《易》例，執簡以馭繁，是唐文治強調閱讀文本、直接理解的法門，用朱子的《易本義》便是出於這層考慮。唐文治跋《周易故訓訂》及《周易注疏》的未定本謄稿說：

> 光緒戊子（1888）夏，文治與先生論《易》學，評析漢、宋義例。先生欣然出此二卷，曰：「此余未成之書也，子宜秘之。惟讀此則於《易》例得半矣。」（中略）學者循「是」以求，自可悟讀《易》之法矣。[41]

記黃以周叮囑，表明這分未定稿有助把握《易》例。唐文治附刻這兩部未完之篇，並非偏阿師說，標榜門戶，而在突出黃以周貫徹「以是求通」的治經原則：在前人研究基礎上，「實事求是」，概括文本的表達義例。掌握義例，循序漸進，讀者自能夠透悟其中的道理，即其中的「是」。這是自得之學，「是」從自得而得，不需假借。「經之所以為經」，因為自得其「是」而了解。

唐文治於《十三經讀本》中首先標示《十三經提綱》，在「廢經」的時代宣示經學的門徑和經的真面目所在。論《易》的提綱列下：

---

40 黃以周：《周易故訓訂》，收入《十三經讀本》，頁172。
41 黃以周：《周易故訓訂》，收入《十三經讀本》，頁242。

一、〈學易大旨〉；

二、〈周易名義〉；

三、〈四聖作述源流及彖象文言名義〉；

四、〈先儒說易家法義例〉；

五、〈學易緒言〉；

六、〈易微言〉（一至五凡五篇）。

以上六專題儼然一部《易》學通論。〈學易大旨〉指出「修身」乃學《易》的宗旨。〈周易名義〉重申黃以周解釋「周」為「周流相易」說，書名的周不專指時代。〈四聖作述源流及彖象文言名義〉強調「發揮大義者謂之傳」，[42]強調孔子作〈易傳〉，發揮《易》的「大義」。〈易傳〉是「孔子家法」，讀《易》必須先通孔子〈易傳〉。〈先儒說易家法義例〉首先肯定唐李鼎祚《周易集解》輯存古說之功。唐文治於南菁書院時涉習《周易集解》，見載於日記，[43]表揚惠棟的《周易述》，[44]以之和張惠言的輯述對照，認為這些論著足以顯示漢代《易》學的家法和義例。與此同時，唐文治稱讚李光地《周易折中》，指出其書顯示宋以後的《易》學門法與義理。於是，綜之以黃以周的《易》說，兼采漢、宋，宗歸「孔門家法」，[45]完整理解而《易》的面目。〈學易緒言〉更進一步說明「義例」的重要性：

> 凡說經者，必先明義例。不知其例，不足以言通經。[46]

透過「義例」，通讀經典文本，以簡馭繁，不務空言，方足以把握聖人著述的用心，而孔子在〈易傳〉所寄托的「憂患」之旨，自能切實體會。知孔子的「憂患」，是讀《易》的關鍵認識；治《易》，務於「深得作《易》憂

---

42 黃以周：《周易故訓訂》，收入《十三經讀本》，頁16。

43 《唐文治文選》，頁1。

44 《周易述》凡十五卷。潘雨廷《讀易提要》論定此書為研述漢《易》學之始，頁393。

45 《十三經讀本》，頁18。

46 《十三經讀本》，頁18。

患之旨」。[47]

　　殿後的五篇〈易微言〉，發揮《易》學憂患精神，伸述「修身」的宗旨。惠棟已有《易微言》二卷，乃未定稿的遺篇，以鍼貶宋儒「天即理」之說，推《易》義本原於「太極」。[48]朱子早已論定《周易》為卜筮之書，專門之業，非學者所急。唯孔子於〈易傳〉中發揮的義理，方是治《易》的重心。因此，唐文治關注的是〈十翼〉，而非《易》卦爻之辭。同名的五篇〈易微言〉，意不在辯解或維護經學的門戶，亦非承述惠棟，而在解釋孔子作〈十翼〉的微言大義。

　　唐文治主張治《易》的途徑，是用朱子而會通漢、宋，歸入〈易傳〉的義理，本其中的義理以駕馭傳統經說。〈易微言〉開宗明義說：

> 學《易》之法，備於孔子之〈繫辭傳〉。[49]

　　此直指心源，以〈繫辭〉通解孔子的用心。五篇〈易微言〉，與其說是解釋《周易》，不如直截看作為孔子思想論，最終歸結於聖賢憂世的精神。〈繫辭〉的憂患意識為體，本此體以立教，以提撕後學的精神境界。此可見身處大時代變遷的唐文治，透過體用兼該的義理，展示力挽狂瀾於既倒的心意。

（三）以「悟道」說《詩》

　　唐文治說經義的體用，終歸「孔子家法」。說《詩》而談「孔子家法」，也宗尚於義理。孔門論《詩》，心思開發，舉一反三，不滯乎文字事象，而領悟種種道理，是謂讀《詩》的「孔子家法」。這中間強調的是讀者如何遣調心思，這是明、清以來古文家的批評傳統，唐文治運用此因文而悟道的古文義法說《詩》，可以說自身正實現舉一反三的孔門家法。心思領悟，能近

47　《十三經讀本》，頁18。

48　潘雨廷：《讀易提要》，頁392。

49　《十三經讀本》，頁21。

取諸身，遠取諸物，本一身而至天下國家，則體用兼該，不徒文字工夫。唐
文治一本此理，以批評清儒說《詩》的不足：

> 漢、唐以來，治《詩》諸儒，如毛公，如鄭君，如朱子，各自深造，
> 未敢輕議。其餘滯心章句，沉溺訓詁，皆不免局於一隅，豈能儕賜、
> 商之列而可謂知「道」乎哉！[50]

　　讀《詩》悟道，是孔門學術的至高造詣。唐文治認為明、清的儒者但注
意考證，於悟道有所不足。唐文治認為詮解經義不限一途，章句訓詁是基本
功夫，不是目的；效法孔子門人之間讀《詩》以悟道的方式，則無事不可通
透。自經世的層面言之，可以從「倫理學」、「性情學」、「政治學」、「社會
學」、「農事學」、「軍事學」等六方面，透悟經世治民、安邦定國之理。舉舉
六大類別，反映出唐文治的學術關懷，讀書始終以道統的立教為依歸。
　　《詩》學六大類並非指《詩》的文本內容，而是因《詩》而推拓對世界
的關懷。從《詩經》開出「倫理學」，則見「孔子嘆想大同之治」[51]，這是
終極的道統意義，無以復加；從《詩經》開出「性情學」，則溫柔敦厚的性
情，感化生命世界；從《詩經》上講「政治學」，德政禮治措施的美善，不
是空談，皆於人心見端倪，心術支配政治；從《詩經》開到「社會學」的角
度說，則體會人心或心術與時代運會、學風淳厚與浮躁之間的本末關係，以
見國運的興衰，匹夫有責；從《詩經》開出的「農事學」，因讀《詩》而體
會農事之艱辛，厚培對平民百姓的同情與關懷，重視民命，則蒞政施恩，惠
流天下，於此啟端；從《詩經》開出的「軍事學」，因詩人哀慟之文，培養
惻隱之心，則用兵而知其所以，王師之道自此出。凡此六大方面，皆從讀
《詩》透悟而得。悟道不是泛泛的抽象意念，關鍵還在關心民瘼、重視民命
的人道觀念。
　　唐文治開示讀《詩》之道，力主從聖人主張「中和之氣」的自覺上，開

50　《十三經讀本》，頁726。

51　《十三經讀本》，頁735。

啟精神世界，培養「與天地同和」的用心，而非鼓勵獨樂的私意欲念。因
《詩》而彰顯無私的天理，實在是推拓朱子的學說。

五　唐文治的《書》學及其經世的「皇極」觀的重構

（一）今古並尊

　　自明迄清，《尚書》真偽之案大明。辨《尚書》今古之真偽，朱子為關
鍵。在此學術基礎上，唐文治引導後學面對經典的真實相，自然不會因循阮
元刻的孔穎達《尚書正義》。但朱子雖有辨於真偽，其門人沈蔡編纂的《尚
書集傳》，對比於明、清的研究成就，顯然陳陋。選擇符合入門本子，的確
遇到困難。孫星衍的《尚書今古文注疏》號為精覈，但屬專門的考述，不便
初學。經過慎重的考慮，唐文治選定宋人王應麟輯集，孫星衍補集的《古文
尚書馬、鄭注》為讀本。唐文治在〈凡例〉交代說：

> 庚戌歲（1910），得孫氏補集《古文尚書馬、鄭注》，深為欣喜。蓋本
> 宋王厚齋所輯而加詳，於漢經師遺說，大致備矣。是刻即用此本。惟
> 於二十八篇外，增〈泰誓〉一篇，不無可商之處耳。至梅氏偽
> 《書》，其中亦多名言，足資參考。任氏《尚書約注》依據蔡《傳》，
> 易簡而明，附刻於後。[52]

　　用《古文尚書馬、鄭注》與任啟運的《尚書約注》，解注簡明不冗，符
合選旨：唐文治目的在顯示漢、宋學者解說《尚書》的大體面貌，而二書都
具備充分的文獻存真意識，適合向世人展示《尚書》真實面目。
　　唐文治《尚書》學的整體面貌，具見於《洪範大義》附綴的《尚書大
義》。是書分外、內篇。外篇十篇，敘述《尚書》的發展沿流，疏明經學家
法，屬於經學史的基礎知識，而特別強調成書過程中的摻偽。但唐文治於後

---

52 《十三經讀本》，頁10。

出之《書》不一概否定，還肯定其中保留了漢、晉儒者的治理格言，對後世
統治者如何去私意而行公道，還是值得取鑑。在「辨真偽」方面，唐文治不
一概否定《古文尚書》，亦肯定所謂偽《書》的價值：

> 梅賾本雖作偽，亦有精當可採之處。如
>
> 〈大禹謨〉：「惠迪吉，從逆凶，惟影響」、「與其殺不辜，寧失不經。
> 好生之德，洽于民心」。
>
> 〈仲虺之誥〉：「佑賢輔德」兩節。
>
> 〈湯誥〉：「惟皇上帝，降衷于下民，若有恆性」。
>
> 〈咸有一德〉：「德惟一，動罔不吉；德二之，動罔不凶」。
>
> 〈太誓〉：「吉人為善，惟日不足；凶人為不善，亦惟日不足」。
>
> 〈旅獒〉：「不寶遠物，則遠人格；所寶惟賢，則邇人安」。
>
> 〈君陳〉：「無依勢作威，無倚法以削。寬而有制，從容以和」之類，
> 語皆精粹不磨，足為法戒。蓋晉時去漢未遠，凡此粹語，必從漢儒傳
> 來者也。故後人讀梅氏《書》，以為漢、晉間極純粹文字可也。[53]

　　唐文治摘引的《書》辭，都是人君「為治」的金石良言。從「為治」的
角度言，反應該正視其中所蘊涵的政治智慧，這是漢、晉儒者累積寶貴精神
財富，梅賾的《古文尚書》不應以後出而受輕視。所謂「辨真偽」，最終也
是回歸到政道的義理上。

（二）宣示經世的政治倫理

　　唐文治基於道統訓正人心的動機，透過詮釋《尚書》的義理，以期重建
從政者以身作則的政治倫理。《尚書大義》「內篇」二十篇，概括《尚書》的
「政體」，以至「政治學」，唐文治努力構建經學政治倫理，此見大體。先列
《尚書大義》內篇的標題如下：

53　《十三經讀本》，頁36-37。

〈堯典〉、〈皋陶謨〉篇為政治學（論三微五著心法要典）；

〈湯誓〉篇政鑑（論聖人革命順天應人）；

〈盤庚〉篇政鑑（論盤庚能融新舊之界、不尚專制）；

〈西伯戡黎〉、〈微子〉篇政鑑（論亡國之殷鑑）；

〈洪範〉篇政治學一（論禹用九數盡州立極以治民）；

〈洪範〉篇政治學二（論五行篇天人相與之理）；

〈洪範〉篇政治學三（論五事篇大人相與之理）；

〈洪範〉篇政治學四（論八政之原理、農工商兵宜相通而不相害）；

〈金縢〉篇政鑑（論周公戒成王不敢荒淫，以造周代八百年之基業）；

〈大誥〉篇政鑑（論聖人禪繼之公心與不滅人國之大義）；

〈康誥〉篇政治學（論明德新民之要旨）；

〈召誥〉篇政治學（論政治學必本於性命學）；

〈洛誥〉篇政鑑（論《尚書》學通於《孝經》學）；

〈無逸〉篇政鑑（論聖人自強不息之學）；

〈君奭〉篇政鑑（論周公付託召公政事之重）；

〈多方〉篇政鑑（論君狂民頑所以亡國）；

〈立政〉篇政治學（論政治學本於九德，用人貴能灼見其心）；

〈呂刑〉篇政鑑（論聖人精意在破迷信、除肉刑、去贖刑）；

〈費誓〉篇政鑑（論軍紀之當整、軍法之當嚴）；

〈文侯之命〉、〈秦誓〉篇政鑑（論周、秦二代國祚盛衰強弱與存亡所以久暫之理）。

　　《十三經提綱》開宗明義指出「道政事」是《尚書》的旨意。篇題歸屬的兩大範疇，「政鑑」與「政治學」，均不離「道政事」的詮釋方向。兩大類都是建立在「道政事」的理解平臺上，然後解說其中的政治涵義。解說過程亦同時是立義的過程。

　　「道政事」是顧炎武所強調的立文宗旨。唐文治表揚晚明氣節之士，激

勵時人，深表傾佩顧炎武與黃道周（不是黃以周）的職志。「道政事」指向「治道」，而非行政庶務，目的在為政，是解讀《尚書》的第一義。唐文治認為「治道」即後世的「政治學」，《尚書》是「政治學」的本原。其次才是「辨真偽」方面，然後是「審文法」。

於「審文法」一項，唐文治強調「求其精神」，[54]把握作者的精神是審文法的目的。透過《尚書》文辭表達的「義法」，熟讀深思，聖人論「治道」的精神自見。文以見道，審《尚書》義法而可知。唐文治貫徹直面經典的主張，強調的是讀者精讀深思。

唐文治一意以「經學」救人心，從倫理的層面說《尚書》的政道，自然轉出本子文字之外，精讀深思而透進聖人的「精神」。《尚書》為「政治學」的起點，不是在制度和形式方面著眼，乃推本於統治的倫理自覺，原「心」以論治。唐文治的《尚書》學，歸宿於帝王為治的心法，是朱子以來儒學的基本思路。《十三經提綱》概述《尚書》二十八篇的精神，是從統治意志上開展論述。論〈堯典〉，則說：

> 此帝王之心學也。惟治心而後能敬天，惟敬天而後代天以成功。所以贊天地之化育者，發為萬幾，而實基於一心。[55]

說明統治意志輈控所有政治運作，統治者的心術是政治的得失關鍵。從心的角度切入，開出倫理的世界，自然與王陽明相會。唐文治會通理學和心學，不分彼此，是以倫理之化成作用而說。

論〈皋陶謨〉強調舜「無為而治」，發揮《論語》的說法，而指出為治的原則，在統治意志之適當運用「時」與「幾」，這足以顯示「人君之德」。唐文治沉痛說：

> 漢、唐以後之人君，知德者鮮矣。[56]

54　《十三經讀本》，頁37。
55　《十三經讀本》，頁34。
56　《十三經讀本》，頁34。

　　在「人君之德」的原點上，唐文治伸述《大學》「克明俊德」的大義，本朱子遺說，指出〈大學〉「明明德」是帝王治心之學，而《尚書》〈康誥〉顯示：

　　　　凡治天下國家者，首在治心。[57]

　　治心不是空言。帝王心法之運用，成於政治的基本信念，具現於箕子的〈洪範〉。唐文治對《尚書》的理解層次，並非侷限於辨別今古文經的真偽與高下，這些已經反覆討論於明、清數百年的學界，無庸置喙。唐文治為倡導其經世精神而選擇經注，這用心決定了詮解《尚書》的方向。在其處境來說，強調《尚書》經世的意義，較之於學術辨析，對正人心的層面更為切要。這種關切以添附唐文治自撰的《洪範大義》三卷於其後而更為顯著。從經世的動機而言，〈洪範〉稱得上是唐文治《尚書》學的重點。事實上，〈洪範〉學本來就是朱子學的要目，唐文治之用力於〈洪範〉，根本啟發於朱子。

（三）修己以敬：〈洪範〉的要義

　　諸經之中，《尚書》的〈洪範〉之學便成為唐文治經學義理的核心，最能彰顯經學義理對治社會政治和種種重大現實問題的適用性。

　　〈洪範〉之學又稱帝範之學，自漢、唐以來，是經學家用以經世建言的重要途徑。清代經學中的《尚書》研究，其根本建立在朱子的疑經基礎上，對作偽的問題予以深入的探討和判定，然基於康、乾兩朝君主對治統和道統注以前所未有的心力，從不同的途轍融化道統於治統之中，形成帝力左右經學發展的局面，士人經學只能下降到文獻與文物的考釋之間，不能觸諱，則所謂〈洪範〉之學，並未能真正開展。唐文治以宋儒的義理為法門，則宋儒所極用力的〈洪範〉學，自必成為其刻意張皇的對象。為此，唐文治撰寫

---

57 《十三經讀本》，頁34。

《洪範大義》凡三卷，以承宋儒言義的統緒。

唐文治深望人君修德，樹立倫理榜樣，這是朱子之說〈洪範〉大義，有異於漢儒所說的「中道」義。唐文治順用朱子之說，標榜君德，強調約束君心，以經文遷就義理。謂古人亦有指稱人君為臣，相對於天下，人君應該稱臣。這種詮解不一定廣為接受，但理解唐文治的理路，則釋臣為君，屬於詮釋的策略，目的在說明〈洪範〉之為治法，雖天子亦莫能外，當遵守而勿失，則用意可嘉。

「道政事」之大者，莫過於展示「聖王」經世的大義。〈洪範〉宣示「古聖王之行政，在仁慈而行」，人君之仁與不仁，國政興衰的所由，治心的方向在此仁政慈行。唐文治陳明身為遺民的箕子敢於向新朝的周武王直諫，是蒞政治民所應該親行實踐的典範。箕子是良臣的榜樣。〈洪範〉的大義關乎國運，不可輕忽。為此，唐文治譴責後世儒者解讀〈洪範〉「臣無以作威作福」句，誤以為人君無有拘檢。這種誤讀，助長人君放肆權力而敗壞政事，誤說經典而誤盡天下。此皆有為而發，顯示道統照領治統的朱子學意願。

《洪範大義》三卷乃參照古今諸家解注而成，發揮人君以身作則的君德論。是唐文治經學的代表作。《洪範大義》的主意全在「敬」義，乃本朱子「涵養須用敬」而說。唐文治釋〈洪範〉「初二曰敬用五事」，說：

> 敬者，千聖百王之心法也。[58]

指出敬意是王者心法，王道從這點道德自覺開端，引晚明黃道周之說：

> 敬者，思之權量也。五事皆敬，則無所不休。五事皆肆，則無所不咎。以敬為事，因之以為德性，因之以為學問，而後天人之行事，可得而言矣。[59]

58　《十三經讀本》，頁424。

59　《十三經讀本》，頁427。

「天人之行事」指王者之事。王者以道通天人，是稱王道，是〈洪範〉的關節。唐文治綜論五事的王道意義說：

> 夫五事者，人道備焉，聖功全焉，蓋自一身接於萬事，貌言視聽思五者盡之。五者各舉其職，則五者之職皆將不舉而萬事之理亂矣。此固敬勝義勝、直內方外之學所權輿，而夫子所謂「修己以敬」者，則尤合於此經之義。一語傳心之要典也。[60]

「修己以敬」見《論語》，是對天子極高的要求，孔子說「堯、舜其猶病諸」，即使堯、舜也未能完全符合標準。唐文治承朱子說經之旨，標榜君德，指出統治意志「修身」，彰明政治行為務必從自身的道德修養為起點。釋〈洪範〉「皇極」引黃道周，說人君「當涵養德性」。[61]「修身」是治平天下的為政要義，這是儒家一貫的主張。修己以敬，目標甚明確，就是以敬重具體的「事」為治平的起點。治統的責任在養民命，其「事」自然是養民之事，敬其「事」是治統其本分。

唐文治於《洪範大義》一直堅持朱子解釋「皇極」為以身作則的標準義，不取漢、唐經說中的「大中」義，並據朱子的「標準」義，糾繩明、清以來諸家之說。這種現象，完全體現以義理讀經的態度。唐文治一而再高舉朱熹的「標準」義，為此項義理尋求指導現世政治或治統的總原則：

> 既屬稿，或見之曰：「子言皇極，不與近世共和政體相刺謬乎？」
> 余曰：此不讀書之論也。皇極者，標準也。不獨天下國家有一標準，即一身一心亦有標準。惟立一心之標準，推而至於一身一家一國天下，乃無不有標準，所謂本身以作則也。古人訓皇為君，篇中曰汝，曰臣，皆指君言，而與民為一體者也。故曰「錫汝保極」，惡得以為天子之制而譁言之乎？且即以天子之制言之，苟其合於大同之義，即無悖乎共和之理者也。苟違乎大同之義，則雖名為共和，而實則偏黨

---

60 《十三經讀本》，頁428。
61 《十三經讀本》，頁430。

營私，為〈洪範〉之罪人。天下之以日亂，正由於經義之不明也，惡足與言治道乎哉？爰大書之，以告後世之讀〈洪範〉者。[62]

唐文治以「皇極」的朱子義倡導大公無私的精神，以充實孫文先生切切為念的「大同」的再造。則〈洪範〉「皇極」之義，並不因為是帝制時代的思想產物而褪色。若以公、私之念為標準，則朱子的以身作則的標準義，正符合大公無私的「大同」的追求，非但有益於當前「共和」的政體。

（四）農政為先：〈洪範〉的政事要務

據〈洪範〉說君德，不離八政，為君德之事。君德不是空言，必須能實行八政。八政不修，則君德無存。所謂「政治」，指治理此八事。八政之首為「食」，這是人君為治的要務。食必重農，申明農政為急務。《洪範大義》中卷說：

> 後世農政不講，經國者絕無根本之計。始則士人兼併農人，繼則商人兼併農人，迄於今，工人、軍人無不兼併農人。舉全國之人數而統計之，十成之中，農民無二三焉。舉全國之土地而統計之，十成之中，五穀之田無三四焉。如是則人事失其司，土政棼其序，民無升斗之儲，有不鋌而走險者哉！美洲號稱富國，吾考其歲入，其取於農田者，百分之七十六，其重農之制，與中國古時相仿。近東方之國不明此理，率以工廠、商場、道路，一切佔奪農田，穀價騰踴，民不得食，乃求助於他國，此豈持久之道乎？且穀價貴則民之生活愈苦，生活苦則民之廉恥愈喪，劫奪欺詐，相因而至，根本之患，孰有大於是哉！（中略）今吾國棄神農之教，違箕子之範，背〈王制〉之謨，重末輕本，懵然不察，十年而後，出穀日少；五十年後，稻田盡為平原，百姓之饑饉流離，更不知若何景象矣。（中略）此吾所以深望當

事者之讀〈洪範〉，而以農政為兢兢也。[63]

　　唐文治以極實在的民眾生存權、發展權，極論失落二千年的「君德」，致無視國命根本的農政。提昇農業生產既乏良方。唐文治尤其譴責無理吞併農地的罪行，破壞本來極有限的耕地，導致農作物遠不能滿足整體社會需求，而竟坐待外國的糧食救援，形如乞討。如此境況，尚何國家尊嚴之可言！而國家財政收入，因農業發展萎縮而大減，根本沒有辦法重投資金於土地利用。限制於緊絀的財政，國家更難以運用金融的手段調平物價，唯有坐視大批農民破產，甚至逃亡，中國變成一個充滿流民的無家可歸者。逃亡的民眾逼於生計，無計可施，唯有鋌而走險，勾當不法，嚴重危害社會的平穩安全。造成這流民遍野的困局，罪在歷朝當政者的無識，唯短利是射，輕忽農政。三代以來聖人如箕子的重視民食，《孟子》重視經界，就是重視農政，保障民食，持養民命，這是王道的基本原則。但後世之在位者，卻反其道而行。於土地所有權的整理與安頓，不但未受正視，還以各種名目盤剝農民，破壞水土。政之失，莫大於不敬百姓相生相養的農政。

　　唐文治重農的思想極濃，更因觀察過美國的農業的情況而強化，極陳復甦民生，非切實理順農政不可。強調土地兼併的危害，破壞農地，唯務建設大量工廠、商場、公路，本末倒置，得不償失。唐文治考察美國稅收之中百分之七十八來自農業，奠定國家富強的基礎；其管理工地農產的形式，有類於先秦重農的措施。但對照中國，農業和土地利用不是政治的關懷。地力凋耗，農民生計不保，體質智力都遠不如西方，或鋌而走險。處於生死線上的農民，竟由善良的百姓聚成破壞天下秩序的負力量。這不是危言聳聽。

　　唐文治論〈洪範〉而痛陳自來失政，推民於水火，陷民於貧困，若不從統治意志上提醒，堅決實施有效的農政，改善民生的狀況，則國政難有清明之日。唐文治一意寄望主事的官僚政客能夠正視〈洪範〉的智慧，以端莊的態度治事，以天下百姓的長遠福祉為關懷對象，而省定用心合乎「皇極」的人主為民模範義。因己之敬重國是，而影響下屬以及百姓，各自克盡其職。

63　《十三經讀本》，頁443。

國民是否有活力、有上進心，全仗乎在上層展示出關懷民生的對策。

　　唐文治要求為政者讀〈洪範〉，精讀深思聖人為政的精神。人君苟能敬用五事，本敬心以治農政，終可以走向和平康莊的社會。不然，上下漁利百姓，破壞耕地，以營目前之小利，坐待糧價日漲，必然造成嚴重的不安。《洪範大義》成書於二十世紀二十年代，其中預言五十年後的民生慘況，對照歷史，其想像與現實之境況，相距不遠。「經學」之所以經世，唐文治的實踐足以明之。

（五）反思「黨治」:〈洪範〉學的經世批判

　　〈洪範〉「皇極」章向來是中國政論的基本話語來源，深刻影響傳統的政治觀念。十九世紀傳入的西方政治話語與型態，難免與傳統的話語產生滲合與排拒，而出現歧義。傳統的文詞辭彙，用於另一時空環境，涵意卻有別，這類詞意的演變，於六朝稱之為「格義」，是文化接解過程中的必然結果。〈洪範〉「皇極」章之「黨」義，與現代政治的「黨」義，便是一重要的例子。而唐文治於此刻意著墨，伸述政治的抱負並抨擊時政。與其說是經解，不若視之為政論更為切合。唐文治貞定《尚書》的根本之義在「道政事」，是本仁愛之心紓解及扭轉現實政治運作的困局，農政便是關鍵。

　　唐文治以〈洪範〉「王道平平，無偏無黨」為立論基礎，開展內涵全然不同的政黨統治的新型態的批判。這型態唐文治稱之為「黨治」。於字面義來說，「黨治」一詞，與〈洪範〉「王道平平」、〈禮運〉「天下為公」字面是違背的。在唐文治的語境中，「黨治」是貶義。唐文治亦集中力度於「阿黨」和「不公」的問題，從統治意志的倫理層面上開展政治批評。《洪範大義》「皇極章」說:

> 生民之禍害，皆起於偏黨。偏黨生而好惡私焉。於是有「作好」、「作惡」之士。（中略）惟有黨，於是有所偏吾之黨，而邪焉、惡焉、非焉，不得不「作好」也，亦不敢不「作好」也。非吾之黨而正焉、善

焉、是焉，不得不「作惡」，也不敢不作惡也。日作日偽，久之而邪
正、善惡、是非之本心，顛倒於中而不自知。於是好人所惡，惡人所
好，拂人之心而不自知。於是「作好」、「作惡」者，遂成真好、真
惡。於是人心之為正、為邪、為善、為惡、為是、為非，亦皆顛倒無
所判別。而天下於是大亂。（中略）綜觀《二十四史》，滅亡之禍，未
有不由於偏黨者也。[64]

　　唐文治不是說風涼話，關注的不在「政黨」的構建型態，而是「政黨」
如何用人運作國家機器。這問題涉及政黨如何組成、黨員運用權力以至招攬
入黨的準則等實際的政黨運作。唐文治解讀經典與批判時代，一以貫之，從
動機的運動過程中把握要義。

　　他根據〈洪範〉的「不偏不黨」的王道義，對「政黨」這個新的內容，
予以相違經典的完全否定，再以道德的標準判決統治意志的非善：判定其必
然墮落，必然拐向私惡、私利、私欲的人性黑洞，而成為藏污納垢、無惡不
作的罪惡淵藪，與〈洪範〉開出的公道正直的王道義，背道而馳。唐文治揭
露的是政黨上假公濟私、公器私用的醜陋行徑普遍泛濫，這是運作過程中顯
示出來的弊端，並非新與舊的觀念衝突。

　　相反，以「黨」治為中心的共和政體，處處以「黨」的利益為施政的考
量，而甚至借以謀取「私」利，大違中山先生「大同」之旨，此又表明「共
和」的制度，如果沒有大公無私的精神以相應，則徒具虛名，無益於家國。
唐文治以〈洪範〉之學伸述朱熹的無私天理義，實有感而發，亦有為而作，
這就是唐文治以理說經的特別處。

　　以無私無偏之義說「皇極」的榜樣和標準義，唐文治特別痛心於民國時
期「黨治」的禍國殃民，於《洪範大義》中卷說：

　　或曰：「今西國之政黨甚矣。蓋民生而後有群，有群而後有黨，有黨
　　而勢力盛，範圍廣。故國家不可無黨。善為政者，利用握機，斯可

64　《十三經讀本》，頁445。

矣。子何戒黨之深也？」

曰：不然。凡為學說者，必當考其地與時，與其風俗人情，宜乎否
乎，而後言之而行之。夫然後可以無弊，非可膠柱而鼓瑟也。

考「黨」字之義，從尚從黑。尚者，上也。黑者，地色也。居上天下
地之中，知識未開之世，聚黑暗之人，發黑暗之言，論黑暗之事，則
以最上之道與民，浸成黑暗之政與世，豈不痛哉！此古人制字之本誼
也。

且「黨」也者，以心術為主，以學術為歸者也。彼西國所謂政黨者，
惟有政而沒有黨。有政治之學識，有政治之經驗，而後可以為黨也。
若徒知有黨而不知有政，譬諸稱政客者，客則客矣，未見其能為政
也，其可乎？然則黨乎黨乎，可輕言乎？

凡人有氣質心知之偏而不能無私。一二人之私有限也，一二十人之私
為害已無窮也，積而至於數十人、數百人，又至於千人，發之而不得
其正，則其為私也彌大矣！

且夫水之流也，涇、渭不同科；馬之馳也，良駑不並駕；人之相處
也，善惡邪正不並立。然而自古以來，正人必不勝邪人，惡人必不避
善人者，何也？彼其所處之勢既盛，則必有法以驅除之。而善人、正
人者難進易退，小人之道長，則拱手以去，入山林而惟恐其不深不
密。嗚呼！此黨禍之害，所以自古為昭，於今尤烈也。然則箕子之敷
言，在數千年以前已明燭及此，豈非智深而慮遠哉！

……而況比年以來，閭閻凋敝，死亡載道，靡知所終。而政治之紛
更，乃如一龍一蛇，一玄一黃，倏忽變幻而不可究結。當事者每操一
反覆勝負之端，在下者即會遭一水火兵戈之厄。百姓方哀號而無措，
黨派正角逐而紛哌。

夫太平者，人心皆平之大效也。今黨派之不平，適足以啟人心之不
平，而詎有太平之望乎？……吾故特本箕子之訓，痛哭流涕言之，世
有達者，當不可河漢斯言。[65]

65　《十三經讀本》，頁446。

　　唐文治於釋經義之際，痛陳時事的弊端，慷慨激昂，發乎肺腑。如此釋
經取義，已經不再是文字訓詁的功夫，而關係當前政局與及中西政情。唐文
治在《論語大義》之中，復對黨治的問題發表更直接的看法：

> 天下患無實行之人，而尤患多議論之士。《禮記》曰：「天下有道，則
> 行有枝葉；天下無道，則辭有枝葉。」空言多而實事少，國其可危
> 也。周而不比，戒政黨也。為政黨者，先政而後黨，猶不免朋黨之
> 禍。若知有黨而不知有政，其為私也大矣。吁！可懼哉！可懼哉！罔
> 與殆，學術之偏也。異端蠭起，生於其心，害於其政，此有國者之大
> 憂也。[66]

　　唐文治對黨治問題的關注，實源於自身的深切體會。據日本宗方小太郎
記錄的民國初年中國政黨社團的情況顯示，唐文治在當時屬於共和黨的幹
事。[67]共和黨的成立是為了防止小黨分裂而謀求多數政黨團結力量，一同實
現共和政治。唐文治原屬的中華民國聯合會、共和統一會及國民協會，便是
聯合的政黨之一。當中，中華民國聯合會及國民協會都主張穩健，會員亦多
為縉紳官吏，唐文治更為後者之名譽會長，至一九一二年四月離任。[68]另外
的共和統一會，唐文治為發起人，該會以國內統一為願景，故成立不久後已
不見任何政黨活動。唐文治對黨治的看法就是在參與這些政黨之際形成，黨
派紛亂，以權謀私，令國家無法團結統一，成為唐文治至為關切的政局之
患。

　　唐文治說〈洪範〉的大義，根治病源，從統治意志的修養開始，新的政
體方才有希望，國家元氣始可恢復。為政者的倫理自覺，決定政治的良窳。
唐文治稱為「操守」，云：

66　《十三經讀本》，頁2815。
67　宗方小太郎著，馮正寶譯：《一九一二年中國之政黨結社》，收入《辛壬日記、一九一
　　二年中國之政黨結社》（北京市：中華書局，2007年），《一九一二年中國之政黨結
　　社》，頁141。
68　《一九一二年中國之政黨結社》，頁159。

操守為政治之命脈。未有不謹於操守而能辦天下之事者也。修其行而邦斯昌。行之不修，而邦之不昌可知也。無操守之人長國家而務財用，災害並至時，人斯其辜矣。[69]

唐文治概括當時主政者兩大病患，是為失德與斂財，皆原於私心作祟。全無操守的政客把持國家，其禍無窮。唐文治溯源敗象之由，在於統治意志的比周偏私，這是一切政治邪惡的根源。造成這種惡濁的漩渦，強調統治意志是根源所在。統治意志處事有欠光明正大，更不斷透過種種權謀施政。因此，雖然新的政情出現，國家機器的運作，亦必須以堅強的政治倫理駕馭，此即孔子所說的「為政以德」。

（六）唐文治〈洪範〉的歸宿：重建「大公」為軸心的政治倫理

唐文治《洪範大義》極力宣揚朱子解「皇極」為「標準」之義，宣示朱子所說人君理所當然必須為天下百姓「以身作則」。本朱子義融攝王陽明「致良知」的「心學」，開出「治心」之義，不在區判朱、王的優劣高下，而統納「理學」、「心學」為「經學」的經世資源。於此通貫的基礎上，開出的對治時代問題的經世意義，顯豁在《洪範大義》「皇極」義的詮釋之中。唐文治的《洪範大義》關懷民瘼，宣示仁政的主張，指陳政治之利弊，本《尚書》具體闡明國政的發展，思考整個民族未來的出路和發展，體現其憂患精神。

唐文治概述自宋以來對〈洪範〉「皇極」的詮解，謂：

〈洪範〉一篇，曾子固、王介甫、歸熙甫均有傳。子固為最精，為王、歸二家所不逮。惜解「皇極」為「大中」，不無錯誤。至蘇氏解經。向稱武斷，此篇文義甚明晰，足破五行家之迷惑。《朱子語類》載謨問老蘇著〈洪範論〉不取〈五行傳〉，而東坡以為漢儒〈五行

69　《十三經讀本》，頁445。

傳〉不可廢。如何？「漢儒也穿鑿。如五事，一事錯，則皆錯。如何卻云：聽之不聰則其事應，貌之不恭則其事應。」是朱子亦以老蘇之說為然。[70]

　　表明採用朱熹之義，放棄漢、唐儒者解讀「皇極」為「大中」，並捨棄劉向以「五行」說〈洪範〉「休咎」的附會。選擇詮解經典的方式，與其經義的主張相輔相成。

　　綜觀《尚書大義》分列的「政鑑」與「政治學」兩大類，前者就「事」而論，而後者就「理」而說。從「事」的政鑑概括三代政事，包括「革命」、通融、政事不振、戒慎、不私、孝道、自強、任賢、去蔽、治軍、治法等，俱從興亡的史實汲取統治的教訓，這是以史為鑑的方式。唐文治正視《尚書》所載的興亡教訓，充滿濃厚的憂懼意識，與其運用「憂患」的觀念界說《周易》相通。但止於戒慎恐懼尚不足以樹立「經之所以為經」的導世義理，能否超越或結合孫文先生倡導的「革命」，唐文治顯然很在意。「政鑑」開宗明義論「革命」，標榜「順天應人」的古訓，已顯示用心。解說〈洪範〉「皇極」，用朱子的標準義詮釋立極的義涵，也同時發揮修德為根本的天下為公義。《大學》所說的「修身、齊家、治國、平天下」之所以可能，其實踐之道，不假外求，乃溯原人主之良知本心。如此則運朱子而兼攝王陽明，運用傳統的思想資料，重組對治時弊以及與革命黨人所標榜的「天下為公」義抗衡。

　　這原是極強烈的思想交鋒。革命黨人也是運用傳統的思想資料，尤其是王陽明的心學，以強化實踐革命的意志，而孫文打出「天下為公」的旗號，以鼓動人心。但戰國以來，「天下為公」已經異化成「天下非一人之天下」，而屬於打天下、爭權力土地的口實，這種思維勢態，一直保存於歷代革命之際、爭奪之時。因此，革命黨以叛黨身份張開「天下為公」的口號，於執政者必視之為掩飾篡奪，亦必然迫入垂死戰爭的局面。

　　唐文治同情革命者，亦支持孫文，這是從民族大義與國民長遠的幸福考

---

70 《十三經讀本》，頁459-460。

慮。在現實世界，唐文治是晚清要員，主持過外交與商業，辦過大學，於康莊的建國大路亦存無限憧憬。如果清廷能夠接納他的重商政策，整頓農業，加強資本家融資興辦公共事業與公共工程，這都足以活躍整個政治經濟與社會活力。假如外憂內患不是紛至沓來，唐文治的育才大計更可為未來增添新力大軍，則中國的發展步伐，減少跚蹣的程度。唐文治以遺民身份，自不能熱烈擁「叛黨」的主張，否則自己亦淪為逆黨，犯下了無父無君的彌天大罪。他只能同情，或暗中呼應。通敵，於任何時代都不容許。這是唐文治說經的苦惱。唐文治於一九三五年撰文提倡讀經，例以孫文助說。這是此一時、彼一時的表達方式。在中華民國時期，國民黨執政，引用國父之言以助啟發政治與民眾，方向是對的，並非說唐文治既屬遺民，不應向新政權獻媚。唐文治道德觀念強，但未致蒙蔽理性。

孫文提出的「天下為公」，原來便是中國政治理想的核心。孫文之提出，亦毫無疑問出自公心。歷朝以「天下非一人之天下」為營私的口實，但孫文的確情懷純粹，一心一意挽救中國，務令中國進入富庶的局面。因此，唐文治詮釋「皇極」章的朱子「以身作則」義，在現世中確有典範。於解經的過程中重彈「天下為公」的實踐義，展示一向所堅守的救心以救國的原則。建立「天下為公」的實踐義理，與其說是針對對手孫文，不如說是出於對民族存亡及文化延續的長遠理想思考而內在呼應。唐文治《洪範大義》雖抨擊「黨治」的專權和偏私的舉措，但沒有挑戰「黨治」存在於中國的合理性和理據。他表面上罵民國初年的政黨是惡行的淵藪，這倒可以提醒各黨派反省其施政，是否存在公私不明的情況，而更有助黨治的正常發展和運作。

「政治學」從理的層面說。理指為治之理，本諸人心，施之四海。此心同則此理同，所施用亦不限一時一地。「政治學」首列王者治世的「心法」，次舉列四篇發揮〈洪範〉建州、天人、群治三義的論文，然後本「性命」論為政的基本理念，殿之以洞鑒人才論，皆意在平治。唐文治的危機意識雖然通貫整套經學思想，在具體詮釋和演繹的過程中，對如何構建具備內在邏輯合理性的經義，還是自覺及有分寸的，以避免過分意氣用事。政理相對於政鑒，客觀的分析和論證比較切要。因此，唐文治於宣示政理的「政治學」詮

釋過程中，很重視理據及對理據的說明。以下順《尚書大義》列述唐文治詮解《尚書》「政治學」的客觀理據。

首先在「性情」立論。據性情的感通，開展「政治」的教化功能。唐文治認為《尚書》之學，不在乎文字詁訓，乃是汲取「政治」的智慧，務求達到「德行學問與政治合而為一」，[71]以「拯今日之人心」。諄諄於德性與政治的內在關係，強調兩者密不可分，是實現政治上長治久安的大前提。基於德行為主導的大原則，執政者理應以此為要務，這與唐文治向來主張的「修身」為本的朱子立教主張，互相呼應。

唐文治提出這觀念，是其闡述《尚書》「心法」的基本理據，並刻意向標榜西方政體的「共和」追求者進言：

> 世有誠求「共和」之治法者，當先與之讀《書》。[72]

「共和」是希臘哲學家認為最理想的政體，也要求統治者擁有美德。唐文治於時代轉變的時刻，不因勢利而阿附執政，而堅持實現良好政治的人性因素，這是一種對時代和民族的責任感，大異於趨炎附勢的戲論。不過，要求執政者讀《尚書》，而能超脫訓詁的桎梏，又能把握朱子《經》論的宗旨，這便不是新學出身的人蹴然而至了。

其次在本公心以立標準的〈洪範〉義立論。唐文治始終堅持朱子對〈洪範〉「皇極」即君德的主張，其政理建基於君主必須「以身作則」的信念。為政者先得修身，進而齊家、治國、平天下，皆一氣而下。唐文治解釋朱子的「以身作則」義之適合於「共和」的政體，實現「與民一體」的理想。

「與民一體」不是空言，與「大同」之義相通：

> 苟其合於「大同」之義者，即無悖乎「共和」之理者也。天下之所以治也。苟違乎「大同」之義者，則雖名為「共和」，而實則舞弊營

---

71 《十三經讀本》，頁481。

72 《十三經讀本》，頁481。

私，為〈洪範〉之罪人。[73]

　　唐文治本「大同」正「共和」的名實，於執政的北洋政府或許有所違迕，但其實是有根據的。人皆知「大同」出《禮記》〈禮運〉，卻不一定知其源出〈洪範〉。唐文治的政理從〈洪範〉取義，並非守舊和反動。

　　〈洪範〉「大同」義本來是殷遺民箕子總結殷政失敗的教訓，唐文治也屬遺民身份，其中感同身受的切膚之痛，交織種種辛酸的經歷。「實則舞弊營私」句，是迸發出來的痛苦陳述。他強調的「與民一體」的「大同」，並非一紙空言。至於「共和」政府能否實現所標榜的口號，則完全在乎執政者的心術。心術公的，自然可以挨近「大同」的理想。然而「舞弊營私」的統治心術，每令唐文治痛心疾首，故每發為極嚴正的公私邪正的心術論，融攝王陽明致良知的理於朱子以身作則的「皇極」大義之中。

　　本此君民一體的精神，則在唐文治的政治語言之中，無所謂「階層」，強調的是士、農、工、商、兵五者互濟相容，並生並育。唐文治於傳統的「四民」，加上「兵」一類，是時代情勢使然。北洋政府本身由軍人支撐，軍人左右軍政大局，而軍人的利益，也超越四民之上。在一個極度扭曲的政情中高論「君民一體」的「大同」，事實極不討好。況唐文治早與袁世凱分途，原非一丘之貉。於民國初建，軍人政府立刻以財政抵制其主持的交通大學，已見雙方的緊張。唐文治於政理中強調軍民和洽，實有深刻的時代因素。

　　唐文治面對軍人的統治，於政理上更強調國家用人之公。只有公平用人，選賢任官，方能有效解決軍人統治的種種弊端。唐文治慨歎：

　　乃至軍人則縱恣淫荒，法吏則貪賄黑暗，民不聊生，天下事尚堪問耶？[74]

　　則所謂「共和」，其實是「軍人」與「法吏」驕橫世界。唐文治對政情

73　《十三經讀本》，頁484。

74　《十三經讀本》，頁496。

了解極深刻，他的「經世」的經說，原不是取悅執政集團。如果套用孔子
「知其不可為而為之」一語解讀，則可體諒其尊經的苦心。

結論：因禮以達理的新禮教精神

　　唐文治主張運用經學對治二十世紀初民族所面對的困厄，並企圖透過復
興經學重振國運，以「經學義理」啟導國政，視經學為挽救中國、復興中國
的良方，以復興禮教為安頓社會的唯一選擇。其瞻顧所及，皆是中國如何走
出困境，再現生機，而開萬世太平的基礎。如此主張，若考慮到他親自經歷
過甲午屈辱、辛丑悲劇以至易代的慘痛事實，以及曾周遊歐、美、日，深考
西方的政治、經濟、社會、文化與教育，對比中國的敗象，親證興亡，遺民
式的精神狀態，發而為政鑑，其感受出自肺腑，自較真切；其救亡圖存之意
念，亦比困守鄉隅的文士更為強烈。其尊經救世，非一時意氣之論。

　　問題已遠超越學術門戶的派性考慮，在新的政治體制下，要求新事物、
新思想，勢所必然。所謂「經學」、「理學」、「心學」，在新時代平臺上，意
義無別，都給歸類為「舊學」。給標籤為「舊」，亦面臨淘汰的威脅，傳統學
術的存在已非天經地義。到這關頭，舊學彼此之間較量優劣高下，意義不
大。相融互通，是勢所必然的步伐。唐文治倡導經學，以經學為義理平臺，
提倡程、朱理學，也標榜陸、王心學，兼攝兩者，溝通漢學與宋學的門戶，
融化今文經學與古文經學，企圖匯聚出強大的原生學術力量，面對強大的外
來對手，既以貫通學脈為出路，也抱著「救世」的抱負，闖開新局面。

　　自其處境考察，唐文治熱切期盼經學的甦生，與二十世紀初的反傳統文
化的思想狂潮，並非刻意針鋒相對。如果以新文化運動為觀察指標，順標為
進步，反之則守舊與反動，固然歪曲歷史，亦誤解唐文治復興經學與禮教的
意義。觀察歷史不能限於一種思路。尊經不必守舊。唐文治於主持上海交通
大學時期，已經建樹良多。從實情實事上理解並轉化西方科技文明，提昇社
會生產力的角度推動工業教育，培養具備創造能力的專才，開展晚清以來的
科技高等教育。其對西方科技文明以至社會、政治面貌的深刻認識，思考的

是如何利用、轉化，務求有益於中國長遠的建設。唐文治對待西學，不同於初出茅廬的年輕人的冒進情緒，而態度遠為成熟周至。唐文治對西方認識的廣度深度，不下當時任何提倡西化的先進人物，這是必須正視的事實。

　　二十世紀初，因為對西方世界的正面幻象而引伸出的否定傳統論，立意未必惡。但國是日非之際，眾議喧騰，無補於國運，則是鐵一般的事實。辛亥革命後的政治、經濟、文化、社會諸問題所引致的緊張勢態，不下之前；而新的政治形態，即「黨治」的政治運作形式，也無力應付新的局面，更不能有效處理日本與西方種種挑釁與掠奪，民族尊嚴掃地無餘。唐文治曾經擔任總理各國事務衙門的差事，於列強輕賤中國的情態，瞭如指掌。辛亥以後的種種卑屈侮辱，唐文治感受的深刻和痛苦，絕不下於當時上街遊行的年青學生。但唐文治經歷世變，見識廣博，思慮較成熟，不為當前局勢而遷怒古人。他在這時刻提醒時代，不要眩惑於表象，欲挽狂瀾於既倒，必須從意志上自我更新，統治意志務必以「公」治國，方能強立天下。這是唐文治痛定思痛的識見。他雖然是遺民，對國是的理解，新人物的眼界未必及，關心的是民族的未來，而非刻意對抗新的統治意志，惜懷故主。他尊經，不是復古；相反，是為開新，提振民族文化的靈魂。

　　但唐文治身處江南，遠離政治漩渦的北京，高揚尊經救國，不一定能立竿見影。唯精神上的感染力，也會燃亮後繼者的自強精神。強調唐文治為新文化運動對立的守舊人物，不但曲解歷史，也無視社會發展過程中不同思想並存的事實。廓清非此則彼的思維葛蔓，方能顯豁其經學的經世意義。

　　唐文治政論與客觀世界的距離，無疑是很巨大的，這決定了其言論在現實的影響力，甚至於到了闇而不彰的地步。但從歷史的進程觀察，以傳統的學理駕馭一全新的政治運作，也可以說是發揮了經世的力量，起碼唐文治沒有助紂為虐，處處本良心為民請命，即使螳臂擋車，但亦應該正視和顯豁。其中的真知灼見，只有超越時代的浮躁及功利的考慮，才能夠真切地體會。

　　唐文治言人生莫大的學問和事業的「窮理」，乃是究極實現天下為公的大同境地的基本元素，即與私欲無緣的公心。始終以大公無私之道解說諸經的大義，這是經學的說法，不是哲學或文獻學的功夫。經學指經世致用與明

體達用之學，唐文治的詮經，是典型的經世的經學。唐文治於《自訂年譜》壬戌五十八歲之下，於其經解核心的《洪範大義》極感滿意，謂其書能夠：

> 上契堯、舜之心傳，下開周、孔之統緒，本治己以治人，政治之學，莫精於此矣。[75]

　　總言之，唐文治一本孔子開出的天下為公之義為義理的根本，說經為了張揚堯、舜相禪的無私政治，千言萬語，不過如此，是稱「經學義理」。本此義理成教為治，則學政相副，君師合一，治、道二統同途。唐文治本此主張詮經，先立詮說的大本。其強調的「家法」，乃指孔子一脈的德政禮治的為政主張。唐文治之所以把握這「孔子家法」的學脈的觀念，有體有用，實從朱子之學中深切體會而得。可以確定說：唐文治因朱子而了解孔子，而在此理解平臺上申說《十三經》中的孔子的政治大義。

　　唐文治的「經學義理」是以朱子的理義所樹立的體用觀，離不開躬行實踐，修己以治人，以至內聖而外王的原則。從一身以至天下，都屬於其經學義理關心的內涵。於是，如何把此心此德，循此情此願開出，表現為一股淑世的精神力，拯人生之溺，救民於水火，進而平治天下而至大同的境界，將此義此理豎立起來，便是唐文治的經世理念。此心此志故然在於經世，但若停留於心志，亦徒勞無功。所以實踐經世意念外須憑借途轍。此途轍在唐文治的學術視野之中，必定從其學術經驗及傳統範疇中，尋求構建的資源。在唐文治「讀經救國」的儒學大原則下，「禮教」這一概念自然成為其經世的樑柱。

　　唐文治於〈無錫國學專修館學規〉強調「治經之要，尤其學禮。……經師之所貴，兼為人師，禮學之所推，是為理學」[76]，唐文治既一生服膺朱子，復曾師從禮學大師黃以周，集大成而結合二者，故要求本義理詮經，復要求禮學踐履之義，相輔相成，履者履此理，則禮之為踐履，是理能否實現

---

75 唐文治：《茹經年譜》（臺北市：中國文獻出版社，1970年影印本），頁89。

76 《唐文治文選》，頁182。

的關鍵。

禮之為履，其實是東漢鄭玄的義說，鄭玄釋禮說：「禮者體也、履也，統之於心曰體，踐而行之曰履。」鄭玄的履行義，朱熹進一步發揮說：「先王之世，上自朝廷，下達閭巷，其儀品有章，動作有節，所謂禮之實者，皆踐而履之。」唐文治《十三經讀本》，於《三禮》全用鄭玄注，而《十三經提綱》引述朱子之申述踐履義，概括說：

> 然則讀《禮記》者，卑之在乎踐履之實，尊之達乎德性之原。未有外身心而可以學禮者。[77]

治、平的根源在修、齊，皆源於此「德性之原」，層層伸拓而開出強大的意志動力，實現理想的生活世界，這不是蹈空之談，而是可以實現而至，是依靠對此志此願加以踐履的實在成果。因此唐文治耗數十年的工夫，撰寫了《禮記大義》。[78]經世的宏業，實現之途在良知良能的踐履。踐履有其道，不是胡踏亂踐。有道有原則有終極人類前途關懷的踐履，行之有道，一出於良知血性，是謂之禮。唐文治於《儀禮提綱》說：

> 禮者，天命秩序之原，民彝物則之要，人心世道，惟斯為大。《記》曰：「以舊坊為無所用而壞之者，必有水敗。以舊禮為無所用而去之者，必有亂患。」凡壞國喪家亡人，必先去其禮。自老子以禮為忠信之薄而戰國啟爭殺之端，自晉人以禮室為我輩而設而六朝肇夷狄之禍。上下數千年歷史，國之治亂，皆視乎禮之興廢。……迄於近世而諱言禮，嗚呼！人無異於禽獸矣。[79]

這是唐文治一貫的主張。唐文治明確斷定政治的興廢甚至種族的存亡，一繫於禮教的存亡。唐文治一生實踐的讀經救國，蘊含極深沉的歷史和未來

77　《十三經讀本》，頁53。

78　有關唐先生禮學，請參拙文：〈民國時代禮教救國的強音：唐文治先生禮學及其《禮記大義》的新禮教初探〉，《國學學刊》2012年第3期，頁1-27。

79　唐文治：《十三經提綱》，卷5，頁49。

的真誠關懷，儘管可以不認同他的主張，但他對民族興亡的真摯憂患意識，
以及運用所能動用的傳統思想資源，結合經學和理學，運「禮」以通理，以
祈願大公無私的政治超越偏私的黨治，俱經學的經世精神的實在呈現，須要
認真對待與尊重。

　　唐文治運體、用的觀念詮解經的大義，亟主讀經以彰顯「明體達用」之
學，本心為體，以禮為用。心之取義並攝程、朱與及陸、王，溝通了傳統理
學、心學的屏障。禮之為用，由一身以至天下，本《儀禮》「喪禮」臨哀之
心以養淑世的善良意念。通變《周禮》，說明《周禮》之寫內庭之制，是化
私為公的精神，鄭玄誤以化公為私的「漢制」為說，是違背《周禮》原義，
開啟了後世王安石借《周禮》以遂私人思慮的先河。唐文治刻意以公、私的
用心說經說與制度，都是與所處的政情相應。尊禮則不在後世務為私欲的規
矩，非「借以文私」的禮，[80]而是能夠「通知古今」而不泥的適合國情與時
宜，並足以促進持續發展的制度。這套制度，需要的是「作」，即創造的能
力與能力之實現。則禮之為用，乃在彰顯善良統治意志的種種精神或物質的
自覺意志，發展成為新禮教，而不是維持帝王極權私欲的統治手段。唐文治
對於漢、唐以來的帝王統治發出不滿的聲音：

　　　漢、唐以後之人君，知德者鮮矣！[81]

　　唐文治尊重傳統禮學，而不是盲目推崇漢、唐以來的帝制。唐文治之說
「禮」，而其之所以通於公心的「理」，關鍵在此。

　　唐文治的經學在時代中衍育產生，並提出一套對治時代危機的救世主
張，並身行實踐，是二十世紀前期中國學術思想的重要組成部分。在生死存
亡之際，傳統的思想元素均被動員。[82]唐文治自覺意識調動和整合他力所
及、學所至與心所之的一切傳統主流學術，致力倡導本於至公無私的用心的

---

80 唐文治：《周禮提綱》，收入《十三經提綱》，卷4，頁45。
81 唐文治：《尚書提綱》，收入《十三經提綱》，卷2，頁34。
82 張昭軍：《晚清民初的理學與經學》（北京市：商務印書館，2007年）；史革新：《晚清
　理學研究》（北京市：商務印書館，2007年）。

政治學說，雖然在現實的政治層面作用有限，但其終極關懷與孫文並無異致，若與其時四川廖平「以經還經」的努力相提並觀，則唐文治提倡的「孔門家法」，又是另一種宗法孔子的宗教式文化情懷，由此而顯見二十世紀前期學人於締造「新經學」，以超越唐、宋以來的「舊傳統」，並據此新經學與新禮教抗衡、汲納、消解異質文化而重建民族文化生機的願力。中國學術的中流砥柱，不會因為近代的低層次噪音而銷磨其不朽的意義。

吳檢齋先生經學成就述要

張善文

福建師範大學文學院教授兼易學研究所所長

　　研究現當代中國（指西元 1912 年至今）經學的學者，對於章太炎門下兩大高足「南黃北吳」，或能頗加注目。南黃者，黃季剛（侃）也；北吳者，吳檢齋（承仕）也[1]。然就學術界的知曉度觀之，知黃者較眾，識吳者

---

1 關於「南黃北吳」之稱，筆者嘗聞於先師所述。又披讀上世紀八〇年代的有關回憶文章（如陸宗達、張致祥、王西彥、王志之等先生所撰之文，均載《吳承仕同志誕生百週年紀念文集》，北京市：北京師範大學出版社，1984年2月出版）多有敘及。然考之當年，此稱究竟始於何時，緣何而起，實甚未明。近檢侯剛、胡雲富編：〈吳承仕大事年表〉，《章炳麟論學集》（北京市：北京師範大學出版社，1982年5月），頁531-546，於「一九三三年（民國二十二年）五十歲」條下，引章太炎致潘承弼（案，即潘景鄭之原名）書云：「前此從吾遊者，季剛、檢齋，學已成就。檢齋尚有名山著述之想，季剛則不著一字，失在太秘。世衰道微，有志者當以積厚流廣，振起末俗，豈可獨善而已？」謹案，此年太炎先生六十五歲，季剛先生四十八歲，檢齋先生五十歲，師弟子三人皆當學術成就鼎盛之時，且都到了他們人生的晚年（季剛先生二年後一九三五年辭世享年五十歲，太炎先生三年後一九三六年辭世享年六十八歲，檢齋先生六年後一九三九年辭世享年五十六歲）。故太炎先生乃特別指出這兩位弟子「學已成就」，而黃居南方，吳居北方，是即「南黃北吳」之稱所可參考的有關資料之一歟？又案，章太炎曾云：「及吾門得辨聲音訓詁者，其惟檢齋乎！」參見鮑弘道〈經學大師革命戰士吳承仕〉，收入全國政協文史資料委員會編：《文史集萃》（北京市：文史資料出版社，1983年），第1輯，頁164。又致章士釗函云：「吳在司法部充僉事，學問精實，與季剛輩相埒，而中正穩練則過於季剛，望善視之也。」參見王森然：〈吳承仕先生評傳〉，收入《近代名家評傳》（北京市：三聯書店，1998年），第2集，頁311-312。又於一九三伍年六月十八日致蔣維喬函云：「頃有吳君承仕，字絸齋，國文、小學、經訓與季剛造詣伯仲。」見馬勇編：《章太炎書信集》（石家莊市：河北人民出版社，2003年），頁959。凡此諸語，或獨稱吳檢齋學識，或將吳、黃並舉，皆可

略寡也。筆者謹以往日聞於師門的有關情實，兼考所能收集到的諸方面資料，略述吳檢齋先生經學成就之大要，以就正於經學研究界的同道專家，庶或稍可減省有意研討吳先生之經學特色的學者尋訪舊事之勞。

　　筆者先師六庵教授（先師姓黃氏，諱壽祺，字之六，號六庵，學者稱六庵先生，福建霞浦人，1912 年生，1990 年辭歸道山），早年就讀北平中國大學國學系，嗣在母校任教，前後問學於吳先生凡十有餘載，深獲先生厚愛，被譽為吳門高弟[2]。筆者昔日承學先師期間，昕夕受誨，往往聞先師述及吳先生的種種學術德績，崇敬嚮往之已久。尤有幸者，上世紀八〇年代初，筆者曾隨先師三度赴北京參與紀念吳先生的學術活動，並承北京師範大學之邀，於一九八三年四月至十一月在該校參加整理出版吳先生遺著的工作[3]。

　　證章氏極力推許二人之情實。又案，關於章太炎先生晚年曾以太平天國之諸王戲封門下弟子者，據汪東《寄庵談薈》記，章戲指黃侃為「天王」，吳承仕為「北王」，汪東為「東王」，朱希祖為「西王」，錢玄同為「翼王」，蓋以諸弟子的治學特點、居處方位或名字諧音而戲言之。雖為戲語，卻流傳甚廣，似亦可據以窺見章氏對弟子學術造詣的品題微意。

2　先師當年深受吳先生器重，吳先生曾每週抽出半天時間專門向他單獨面授《三禮》之學。筆者嘗聞先師云，吳先生當時學術地位甚高，教務、公務繁忙，平日頗少會客，偶有未經約定者來訪，門房皆回以「老爺不在家」。唯先師每週趨府拜謁時，門房則曰「老爺在書房等您」，足見吳先生對優異弟子的器重程度。

3　一九八二年十月，北京師範大學以慶祝八十週年校慶之機，成立了「紀念吳承仕同志誕生百週年籌備委員會」，先師作為籌備成員之一受邀參與其事。一九八三年初，籌委會即組織人員著手整理出版吳先生遺著，先師再次承邀赴北京，寓居北京師範大學小紅樓凡八閱月，協同該校啟功教授主持斯役，至十一月返閩。一九八四年三月十八日，北京師範大學在人民大會堂召開「紀念吳承仕同志誕生一百週年紀念大會」，先師第三次應邀出席會議。這三次活動，筆者皆以隨侍先師獲幸親歷之。其中一九八三年，是調動較多人員從事整理吳先生遺著的時期，北京師範大學校長辦公室主任侯剛負責行政組織工作，北師大出版社胡雲富、中華書局張力偉負責協調出版事宜，先師與啟功教授負責書稿總纂，參加具體整理點校的專業人員達十數人之多。故此後三四年間，吳先生的《經典釋文序錄疏證》、《經籍舊音序錄》、《經籍舊音辨證》、《淮南舊注校理》、《論衡校釋》、《檢齋讀書提要》、《吳承仕文錄》等書稿皆得以繼續出版（前三種由中華書局出版，後四種由北師大出版社出版）。同時為配合紀念會的召開，北師大出版社尚於一九八四年二月出版了《吳承仕同志誕生百週年紀念文集》。

當時，在先師的指導下，筆者承擔了吳先生《檢齋讀書提要》的點校任務，於工作期間閱讀了吳先生的諸多遺稿，對先輩學者的道德文章益增景仰之情。有鑒於此，筆者甚幸乎承同仁之邀，撰述此文。文內所列，約在四端：一曰，吳先生其人；二曰，吳先生的經學著作略述；三曰，吳先生的經學創獲窺要；四曰，述餘賸語。全文述說宗旨，本於知人論世，以盡力展示吳先生在經學研究方面的重要成果，所列資料力求翔實，間有未詳者則闕疑以俟考焉。

一　吳先生其人

　　吳先生諱承仕，字檢齋，又作絸齋[4]，安徽歙縣昌溪倉山人，生於清光緒十年（1884），卒於民國二十八年（1939）[5]。曾祖道隆先生，國學生，誥

4　絸音繭，同「繭」。謹案，先師云：吳先生之名號，王志之誤「檢齋」為「松齋」，日本橋川時雄誤「絸齋」為「硯齋」，諒皆是排印之誤，應改正。詳見先師：〈關於先師吳承仕先生的材料〉，收入《吳承仕同志誕生百週年紀念文集》（北京市：北京師範大學出版社，1984年2月），頁71。下文凡引此書皆省稱《紀念文集》。又案，王氏之文見其所撰〈憶吳承仕先生〉，收入《隨筆》1980年，第9輯，頁71-76。橋氏之文見其著《中國文化界人物總鑒》（東京都：名著普及會，1940年10月）。

5　吳先生的生卒年，凡有三說：一是，日本橋川時雄《中國文化界人物總鑒》載吳先生小傳，作1885-1939，終年五十五歲。二是，《辭海》作1881-1939（上海市：上海辭書出版社，1979年版，頁1675），終年五十九歲。三是，先師六庵教授指出，一九三九年吳先生逝世後，於北平西單報子街聚賢堂開弔時，余嘉錫先生曾親口告曰：他與吳先生科舉同年，生庚亦同年，時俱五十六齡，據此，吳先生的生卒年當作1884-1939，終年五十六歲。又，王志之〈憶吳承仕先生〉一文，記敘「九一八」後遇吳先生，屢稱吳先生「年逾花甲」（見《隨筆》，1980年第9輯，頁71-76），實則吳先生辭世時僅五十有六，未屆「花甲」，顯屬誤記。先師頗信余嘉錫先生之說，謂吳先生之確切生卒年宜作1884-1939。（以上記述詳先師：〈關於先師吳承仕先生的材料〉，載《紀念文集》頁64-71）。謹案，先師所云甚是。檢胡雲富、侯剛〈吳承仕傳略〉，收入《紀念文集》，頁181-221。記吳先生清光緒十年二月二十三日（1884年3月20日）生於安徽歙縣昌溪倉山源，民國二十八年（1939）九月二十一日卒於北平。又，胡、侯初有〈吳承仕大事年表〉，頗採方誌及各種文獻為之，所述吳先生的生卒年與前引略同，唯生年之陰陽曆換算後稍有修正。詳見《章炳麟論學集》（北京市：北京師範

贈朝議大夫。祖景桓先生，國學生，曾任布政司理問，封奉政大夫，道光間
嘗舉巨資修成昌溪鎮至倉山村之石板山路，至今百年仍完好，鄉人猶感念
之。父恩綬先生，字印廷，光緒間恩科秀才，歙縣知事，後晉京專營茶業，
在京有「吳恆泰」、「吳玉泰」、「吳三泰」等茶莊多號，久任京師歙縣會館
（館址在今北京宣武門外大街）館長。母汪氏，書香閨秀，以相夫教子為
務。

　　先生幼聰穎勵學，夙懷大志。光緒二十七年（1901），十七歲，與父同
榜中秀才[6]。二十八年（1902）壬寅科中舉，本房總批其墨卷稱「家學淵
源，務求性理」。三十三年（1907）丁未舉貢會考，先生以殿試一等第一名
錄取，年僅二十三，所存墨卷尚有「論」、「策」、「義」三文[7]，其論痛陳
「理財者私其利於國，不能公其利於民」之弊，其策力主「講論變通之道，
為長治久安之謀」，其義則暢言：「莫難於知人，莫難於化惡。知用人之難，
則朝無倖位；知化惡之難，則野無莠人。」先生既獲會考殿試第一，遂被派
為大理院主事，於時著意研精歷代禮典律令，蓋其後專擅《禮》學之始也。
宣統元年（1909），著《監獄解蔽篇》行世[8]。辛亥革命後，任司法部僉事。
袁世凱竊國，章太炎臨總統府之門大詬袁，被幽囚於北平，先生以掌典司法
之職而入拜章氏為師，習學佛典，每聞一義，輒錄為《菿漢微言》，是蓋先

　　大學出版社，1982年5月），頁531-546。今當以〈傳略〉之說為準。又案，今學界關於
　　吳先生的生卒年，頗有沿仍「1881-1939」之誤說者（如中國人民大學哲學院主辦之
　　「愛智論壇」網站轉發〈學人生卒年表稿〉見 www.philosophyol.com），似應更正。

6　吳先生之父原名紹綬，此年「恩科取中」，特更名「恩綬」，嗣出任歙縣知事，後即長
　　期寓居北京。見胡雲富、侯剛：〈吳承仕傳略〉（下引稱省〈傳略〉），收入《紀念文
　　集》，頁184。

7　據今存墨卷，吳先生當年所作「論」、「策」、「義」三文之題分別是：〈漢文帝減租除
　　稅而物力充羡武帝算舟車榷鹽鐵量均輸而財用不足論〉、〈中外刑律互有異同自各口通
　　商日繁交涉應如何參酌損益妥定章程令收回治外法權策〉、〈人之言曰為君難為臣不易
　　如知為君之難也不幾乎一言而興邦乎〉。見先師：〈略述先師吳檢齋先生的學術成就〉
　　（下引稱省〈略述〉），載《紀念文集》，頁125。

8　案此書似即吳先生刊行的第一種《禮》學著述。先師嘗云：當年書已印行，惜至今未
　　得獲讀。詳見〈略述〉，收入《紀念文集》，頁125-126。

生成為章門弟子之始也[9]。自斯以後，先生學益精，識益深，著述日豐，而正直不阿之品德始終不改。民國十六年（1927），廣東國民政府遷至武漢，北洋軍閥搜捕異黨，張作霖在北平絞殺李大釗等二十名志士，先生奔走營救不果，遂憤而辭官，絕意政壇，乃先後執教於北平中國大學、北京大學、北京師範大學、中國學院、東北大學、民國大學諸高校，而以在師大及中國大學歷時最久，並曾任北京師大國文系主任、中國大學國學系主任。先生之著述，主於經學，尤以小學、三禮、群經綜論諸項貢獻卓偉，其《經籍舊音序錄》、《經籍舊音辨證》、《經典釋文序錄疏證》、《三禮名物》等書，及諸多考據精詳之鴻篇博論於生前即已蜚聲學界，又遺下各種未刊手稿、札記至為宏富（詳後文專述）。

　　唯先生雖摒棄仕途，卻仍關懷國運民生，愛國憂民之忠肝熱腸老而彌篤。初辭官之年（1927）七月十五日，先生任北京師大國文系主任，所出招生考題為「讀書與救國能否並行不悖抑有先後緩急之論歟」，頗與「禁談國事」之時風背逆。民國二十年（1931）「九一八」事變，北京師大教授會通電南京政府要求抗日，先生適任教授會主席。二十四年（1935）「一二九」學生運動，先生躬臨遊行隊列。明年，先生接受進步學生影響，參加中國共產黨，時年五十三歲。又明年，「七七」事變，北平淪陷，先生不受日偽

9　民國三年（1914），章太炎在北京「以大勳章作扇墜，臨總統府之門，大詬袁世凱之包藏禍心」（魯迅〈關於太炎先生二三事〉語），遂被袁幽禁於北京，凡歷三載，至民國五年（1916）袁死後才獲釋。先師嘗云：「吳先生於民國四年（1915）三月間，即拜幽囚中的犯人章先生為師。章先生《自定年譜》云：『歙吳承仕檢齋時為司法僉事，好說內典，來就余學。每發一義，檢齋錄為《菿漢微言》。』今觀書中，凡手記章先生口說一百六十七則，而以討論印度哲學及中國哲學之玄理者為最多。」謹案，今存吳先生手稿內，尚有《菿漢微言外錄》，民國十四、五年（1925-1925）間所續記，惜只餘〈序文〉一首，先師曾謂「此序文擬收入《吳檢齋先生學術論文集》中」（此引先師言均見〈略述〉，收入《紀念文集》，頁126）唯所云《吳檢齋先生學術論文集》，乃一九八三年在北京師範大學擬定之整理出版吳先生遺著計劃中的一項，後未實施。又案，先師曾舉吳先生與章太炎先生的事例誨諸生曰：當年吳先生任典獄官能拜犯人太炎先生為老師，而「文革」間一些學生卻忍心將老師打成犯人，世事之異，可慨嘆乎！先師所歎，唯實錄耳。

「北京師大文學院院長」聘，獨懷民族氣節，流亡京津，宣揚抗日，歷二載
貧病交困，乃至身陷洪水，連日斷炊，終因心力交瘁而病逝，享年五十六
歲[10]。

　　先生終其一生，以絕大多數的時間與精力研治舊學，晚年數載間則於治
學之餘投身抗日救亡及進步政治活動，極見一位正直知識分子的典型際遇和
崇高風範。其學術特點，乃繼承徽州學派江永、戴震、金榜、凌廷堪諸鄉先
賢之學而折中於章太炎先生。彼嘗自述曰：「余以寡昧之姿，生無妄之世，
年過四十，始敦說禮經。傷舊學之忽微，懼名物之難理。欽念本師章君之所
譽敕，鄉先正江、戴、金、凌諸子之所諦構，不有纘述，則姬漢文物之遺，
先民閎美之術，將及斯而斬。」[11]觀此諸語，不難想見先生以天下為己任的
治學理念與學術宏圖，而所遺於今的諸多經學著述，在先生所有遺著中最顯
豐富且極具創獲，也頗為深刻地體現著先生的學術抱負。

二　吳先生的經學著作略述

　　自西漢以降，「群經」之學便一直是中國歷代正統的知識分子所傾心研
治的主體學問。《四庫全書總目提要‧經部總序》云：「經稟聖裁，垂型萬
世。刪定之旨，如日中天。」所謂聖人垂教之旨，實即數千年華夏傳統文化
精神本質之所在，似也可以視為古今學人治經的最重要的學術意義之所在。

　　吳先生的經學研究，雖著重於三禮、小學、群經綜論等方面，但視其所
存的眾多著作，幾乎遍及各類經典，其涉獵角度是至為廣泛的。故章門同窗
潘景鄭（承弼）於先生逝後，曾有「絕代瑰奇士，正盛年，群經淹貫」之悼

---

10 以上所述吳先生小傳，乃約各方資料而成。如先師：〈關於先師吳承仕先生的材料〉、
　〈略述先師吳檢齋先生的學術成就〉；胡雲富、侯剛：〈吳承仕傳略〉，均收入《紀念
　文集》，及《章炳麟論學集》（北京市：北京師範大學出版社，1982年）、《吳承仕文
　錄》（北京市：北京師範大學出版社，1984年1月版）等書。採擇瑣細，不煩一一俱
　註，讀者察之。
11 語出吳先生《三禮名物略例》手稿，見先師〈略述〉引（《紀念文集》，頁139）。

語[12]。

　　然先生畢生著述之刊印行世者雖曾不少，而未刊手稿本卻更為豐富。對
先生學術遺著的系統考察清理，據筆者所知，已進行過兩次：第一次，先師
於一九三九年吳先生逝世時，正在北平中國大學國學系任講師，曾受先生兒
媳周同德之託，將其陸續交來的先生遺稿詳為爬羅剔抉，逐篇校勘整理，或
抄寫錄副，歷兩年時間整理出四十七種，每種均附提要，並撰〈先師歙吳先
生之著述〉一文綜論之。惜此文與原書稿今皆散佚不存[13]。第二次，即一九
八二年，北京師範大學舉行八十週年校慶時，從吳先生家人、親友、學生處
收集到先生尚遺存的手稿、講義等資料凡四十一包，並組織專家學者分門別

---

12 民國二十八年（1939）秋吳先生逝後，北平的親朋師友在西單報子街聚賢堂開吊追
　思，章門弟子潘景鄭（承弼）先生作〈金縷曲〉悼之，其詞曰：「絕代瑰奇士。正盛
　年，群經淹貫，舊音騰駟。薪火餘杭桃李，回溯當年問字。拼東渡，華夷明志。絳帳
　歸依還惘悵，但棲皇，未展驥騏翅。塵夢促，竟投餌。英雄忌器千秋是。痛功成，凌
　煙未許，畫圖誰志？留得名山殘編在，空憶豪情逸思。奈廿載，流光如駛。閱盡滄桑
　人天杳，撫琴音，錦字猶盈笥。收拾處，亂愁織。」（見〈傳略〉，收入《紀念文
　集》，頁220）。

13 一九八二年底，先師曾云：「記得當時共整理出四十七種，每種均寫了簡明的提要，
　合稱為〈先師歙吳先生之著述〉。原文分鈔四本：一交周同德，一交孫人和先生，一
　為商鴻逵先生索去，自存一稿。今孫先生已逝，同德不知何往，商先生的一本云轉交
　中法大學學報編輯部，亦找不到，我自己的一本南旋時早已散失。究竟四十七種都是
　何書，我已不能完全記憶。吳先生原稿南旋時悉送還同德收，今亦不知存亡。」（詳
　先師：〈關於先師吳承仕先生的材料〉，收入《紀念文集》，頁68。）謹案，周同德為
　吳先生兒媳（先生長子吳鴻邁之妻），也是先師的學生；孫人和，江蘇鹽城人，字蜀
　臣，北京大學文學系畢業，曾執教於北平中國大學、北京師範大學、北京女子師範學
　校等，繼吳先生之後任中國大學國學系主任；商鴻逵（1907-1983），河北清苑人，中
　法大學文科畢業，後考入北京大學文科研究所為研究生，曾任中法大學、北京大學教
　授。又案，一九八三年底，先師又回憶曰：「一九三九年九月吳先生逝世後，周同德
　同學將吳先生的遺稿陸續找出來交給我整理。繼吳先生為系主任的孫人和先生也督促
　我要黽勉從事。我搞了兩年，整理出的書目共計四十多種。在太平洋事變的前夕，我
　回福建去，就將全部稿件送還周同德同學。我當時看到的吳先生手稿和我校勘抄寫過
　的副本，現在只有一小部分存在，大部分都散佚了。」（詳先師〈略述〉，《紀念文
　集》，頁124）

類地校勘點讀，歷時二、三年，陸續整理出部分著作出版（見前文及註文），先師復撰〈略述先師吳檢齋先生的學術成就〉一文發表[14]。唯第二次整理後，出版工作因故中止，未能持續至終，亦一憾事。

今謹據筆者聞見所及，並參覽先師的有關記述，將吳先生的經學著作依類臚陳於下（凡一九八二年以後重新整理出版之作皆首標新版本，其他舊印講義、發表於舊刊物之作、或未刊手稿者則各記原本狀態）：

（一）易類（凡六種）：

1 《檢齋讀易提要》一卷

張善文點校，附《尚氏易學存稿校理》第四冊書後「附編一」，中國大百科全書出版社二〇〇五年五月出版。

師云：《檢齋讀書提要》中有「易類」提要四十七篇，已刊入臺灣出版之《續修四庫全書提要》中[15]。

善文謹案：《檢齋讀書提要》係吳先生於民國二十三年（1934）至二十四年（1935）間為「東方文化事業委員會」撰寫的《續修四庫全書提要》文稿。有手稿本一冊，凡六十三篇；又有舊打印本一冊，凡六十二篇。打印本較手稿本少〈十駕齋養新錄提要〉一篇，蓋當時寫畢未繳付印。其打印本有

---

14 文見《紀念文集》，頁121-143。其節本又刊於《北京師範大學學報》1984年第1期。本文所引均據《紀念文集》所載之全本。先師在此文中，對此事簡敘曰：「一九八二年十月，北京師範大學校慶時，舉行紀念吳先生大會，我從福建來參加，留京僅一個月，草草翻閱了吳先生現在尚留存的手稿及書籍講義等四十一包。一九八三年五月到十月，我重來北師大，雖幸而得以細讀了吳先生的一部分稿件，但因時間只有半年，還來不及全部細讀。對於吳先生的學術成就，說實在話，還未能全面而深入地了解。茲姑就所知，略加敘述，向國內外學術界作初步介紹，並以就正於我的各位老師、各位同學和所有了解吳先生的同志。至於進一步的闡發、評論，則有待於異日，有待於海內外的賢達。」（《紀念文集》，頁124）

15 本文凡標「師云」者，皆先師《略述》中語（見《紀念文集》，頁121-143）。其下標「善文謹案」者，則筆者依先師之語而補述有關資料，以備參考。下做此，不復出注。

吳先生手校，又有余嘉錫先生批注，後來又續增先師批注。打印本中的六十二篇，皆收入一九七二年臺灣商務印書館出版的《續修四庫全書總目提要》中，唯內容排印錯訛頗多，且各篇皆隱去作者姓名（蓋編者政見之諱所致）。筆者於一九八三年曾據吳先生原手稿及先生手校並經余、黃兩先生批注的打印本點校整理成書，原稿六十三篇俱收入，題曰《檢齋讀書提要》，由北京師範大學出版社一九八六年六月出版。後筆者整理尚秉和先生《易說評議》時[16]，復從吳先生《讀書提要》中抽出「易類」提要四十七篇，重作校理，題為《檢齋讀易提要》一卷，納入尚先生《易說評議》書後附編之一，由中國大百科全書出版社於二〇〇五年五月出版。又，吳先生《讀書提要》除「易類」四十七篇外，尚有十五篇，其中三篇分屬經部「禮類」、「群經總義類」，別見下文另述[17]。

2　〈揲蓍之法〉一篇，手稿本[18]。

師云：存草稿六頁。〈揲蓍之法〉首據《易傳》明文，次述後儒所說揲蓍儀式，大氐依據朱子《易學啟蒙》。

3　《宋元以後易圖略鈔》一冊，手稿本。

師云：《宋元以後易圖略鈔》，所輯實已頗多。

4　《讀易筆記》一冊，手稿本。

師云：存草稿十一頁。

5　《易義略鈔》一冊，手稿本。

師云：存草稿數十頁。《讀易筆記》及《易義略鈔》內有《西漢易派》、《易家廢興存佚略譜》、《周易集解稱引諸家氏名》、《經典釋文周易音義稱引

16　尚秉和（1870-1950）先生，河北行唐人，字節之，晚號滋溪老人，學者稱槐軒先生，曾應吳檢齋先生之聘教授中國大學國學系。以《易》學聞名於學界，先師亦曾受業門下十餘載。

17　案齊魯書社一九九六年十二月影印出版中國社會科學院圖書館藏《續修四庫全書總目提要》稿本第24冊頁442-518，即收入吳先生當年所撰六十二篇提要之清稿本，或先生手鈔，或他人寫錄而先生手校，頗可資以參考。

18　本文所言吳先生之手稿本（或稿本、手批本、手校本等），今皆存北京師範大學出版社。下倣此，不復出註。

諸家》、《周易正義所引諸家》等篇，均係草稿，尚待整理。

6 〈與章太炎先生論易書〉一篇，《國學論衡》一九三五年六月第五期下本
　　（後收入《周易研究論文集》第一輯，黃壽祺、張善文編，一九八七年九
　　月北京師範大學出版社出版）。

　　　師云：吳先生論《易》之大旨，見其〈與章太炎先生論易書〉中（此書
已收入《學術論文集》中[19]）。他對漢宋清儒易學均表示不滿。（按章先生有
答書，現已編入《吳承仕藏章炳麟論學書信集》中，由啟功、蕭璋兩先生校
點[20]。）吳先生於《易》，蓋主張「訓詁舉大義」者，故於漢宋清儒象數之
學皆在所排斥。

　　　善文謹案：先師〈略述〉於吳先生《易》類著述列五種，未計〈與章太
炎先生論易書〉一篇，今依本文述例納入，統為六種。又，筆者與先師合編
《周易研究論文集》四輯[21]，曾將吳先生之〈與章太炎先生論易書〉及太炎
先生〈答吳絸齋論易書〉均收入第一輯中，可資參互省覽。

（二）書類（凡十種）：

1 《尚書三考》一冊，鈔本（有任化遠先生批校[22]）。

---

19 先師所云《學術論文集》，指一九八三年前後擬編之《吳檢齋學術論文集》，編目選文
　　均已確定，後因故未能出版。下文引先師之語，凡涉此書名者皆倣此，不復出註。

20 此處所言《吳承仕藏章炳麟論學書信集》，即北京師範大學出版社一九八二年五月出
　　版的《章炳麟論學集》，書中收入章太炎先生寫給吳檢齋先生的信札七十餘封，皆原
　　式影印，書後列啟功、蕭璋點校之釋文，末附胡雲富、侯剛撰〈吳承仕大事年表〉。
　　又，章太炎先生答書見此書頁299-301（釋文見頁509-510），寫於民國二十四年
　　（1935）三月十五日。

21 《周易研究論文集》四輯（第一輯一九八七年九月，第二輯一九八九年八月，第三輯
　　一九九○年五月，第四輯一九九○年五月，均由北京師範大學出版社出版），係筆者
　　與先師合編，凡一六五萬字，收入二十世紀初至八○年代的重要易學論文一百五十九
　　篇。第一輯側重考據學，第二輯側重象數學，第三輯側重義理學，第四輯側重以新的
　　觀點研究《周易》。

22 任化遠，畢業於北平中國大學國學系，曾從吳先生學，後執教中國大學及北京師範大

　　師云：吳先生《尚書》類之著作較多，而以《尚書三考》為最重要。

　　師又云：《尚書三考》，（1）〈尚書傳王孔異同考〉，論列王孔異者一百二十八事，同者一百一十事，孔無明文者三十四事，王說不可知者十八事。並指出清儒丁晏、孫星衍等研究王孔異同之十二蔽，實發前人之所未發。（2）〈左氏杜注書孔傳異同考〉，論列杜義同孔者八事，杜義異孔者二十七事，杜注無說者九事，孔傳無徵者一事。並列舉四證以駁丁晏「杜預親見古文」之謬，立義甚堅。（3）〈皇甫謐帝王世紀與書孔傳異同考〉，論列皇甫說同孔者十事，皇甫說異孔者二十三事。並指出丁晏謂「謐信偽書」之非，及宋翔鳳謂「謐述偽書皆為後人竄入者」亦非。又指出：「皇甫氏得見古文以不，蓋難質言。所可知者，《世紀》異孔者多，同孔者少，如是而已。」議論實為持平。此書鈔本，任化遠先生曾初校過。

2　**《尚書講疏》一冊**，油印本。

　　師云：凡三十二頁。第一論尚書緣起，第二論尚書作者，第三論尚書名義，第四論孔子作序，第五論尚書傳授，第六論尚書篇目，第七論尚書今古文之分，第八論偽書始末，第九論尚書石經，第十論尚書釋文沿革。

　　師又云：尚有中國大學講義《尚書講疏初彙》鉛印本四頁，仍用偽孔本，別為「古文輯錄」附後。此本只疏〈堯典〉開頭的七八句，殘缺甚多。

3　**〈唐寫本尚書釋文箋〉一篇**，《華國》第二卷第三、四期印本[23]。

　　師云：此文收入《學術論文集》中。

4　**《尚書集釋》一冊**，油印本。

　　師云：今只存八頁。首頁〈自序〉，係民國十四年（1925）十二月五日所作。其餘各頁，僅釋完偽孔傳〈堯典〉一篇。

5　**《尚書古文輯錄》一冊**，手稿本。

　　師云：吳先生自記云：「民國十四年（1925）五月作此，未畢工。」今

　　學等校。

23 此篇又收入顧頡剛、顧廷龍輯：《尚書文字合編》（上海市：上海古籍出版社，1996年1月），頁293-320。分為正、續兩篇，正篇錄自《華國月刊》第2卷第3號，續篇錄自《華國月刊》第2卷第4號。

檢手稿，共二十二頁，只輯錄〈堯典〉一篇之古文。

6 《孔傳商略》一冊，手稿本。

　　師云：共四十六頁。未成書，尚待整理。

7 《尚書雜記》一冊，手稿本。

　　師云：共二十頁。內有〈尚書篇目表〉、〈泰誓後得〉、〈孔壁古文無泰誓〉、〈今文顧命康王之誥為一篇〉、〈藝文志尚書古文經篇卷〉、〈書序亦稱經〉、〈陸氏釋文尚書卷第考〉、〈西晉有書孔傳駁議〉等文，均甚有用，宜分別整理成篇。

8 〈四代封建要略〉一篇，北京師範大學舊版鉛印講義本《古籍校讀法》
　　附錄。

　　師云：此文原分三部分：初錄正經以立事證，次述舊聞以辨同異，次集勝義以建自宗。但只寫成第一、第二部分，第三部分未成。書內有「五畿五服圖」。此文已交北京師範學院分院鄭光儀同志校點[24]。

　　善文謹案：此文後未出版。將來倘重擬編印《吳檢齋先生學術論文集》，似可收入。

9 〈尚書今古文說〉一篇，《中大季刊》第一卷第一期本。

　　師云：此文大意，謂古文原本為一事，漢師訓讀之本為一事，今古文字與今古文異說又為一事。要了知三事，不可拘牽繳繞，徒滋糾紛。所論甚精。

10 〈治尚書四術〉一篇，手稿本。

　　師云：此文係寫寄章太炎先生者。四術者，一謂孔傳考證，二謂古義疏證，三謂古文輯錄，四謂篇目考訂。吳先生治《尚書》之大旨，具見於此文中。以上兩篇均宜收入《學術論文集》中。

（三）詩類（一種）：

---

24 鄭光儀，女，北平中國大學國學系畢業，曾受教於吳先生，亦為先師在北平時的學
　　生。後為北京師範學院分院中文系教授，曾主編《中國歷代才女詩歌鑒賞辭典》（北京
　　市：中國工人出版社，1991年）。

《詩韻鈔》三冊，手稿本。

師云：吳先生關於《詩經》類之著作，今僅存有《詩韻鈔》一種，手稿三冊，約五萬字。已交中華書局整理。

善文謹案：此書後未整理出版，原稿退還北京師範大學出版社[25]。

（四）禮類（凡二十五種）：

1 《監獄解蔽篇》（闕以待考），傳有宣統元年（1909）刊本。

善文謹案：先師《略述》記云：「宣統元年（1909），先生即著有《監獄解蔽篇》，且已印行，惜我至今未得讀此書。」[26]據此可知，是書為吳先生任大理院主事間所作，亦當屬禮類之作，故列此以備考。

2 〈三禮名物略例〉一篇，《國學論衡》卷二本，又附印於《布帛名物》舊鉛印本前。

師云：吳先生區分禮之事類為四：曰禮意，曰禮制，曰禮器，曰禮節。故此文為吳先生研究三禮名物之綱領。現有鄭光儀同志校點本，收入《學術論文集》中。

3 《布帛名物》一冊，舊鉛印本。

師云：分布帛、蠶桑、湅治、采染、文繡、用幣六篇。

4 《親屬名物》一冊，中國大學講義本。

師云：分族姻通義、族屬兩篇。

5 《弁服名物》一冊，中國大學講義本。

師云：據目錄，計有首服、衣裳、韠韍、紳帶、舄屨、深衣、中外襌袷袍繭、裘、諸雜物、用事、婦人衣服、通例等十二篇，但只印出五篇，後七

---

25 一九八三年前後，原擬吳先生的遺著多種由中華書局整理出版，後僅《經典釋文序錄疏證》及《經籍舊音序錄／經籍舊音辨證》二書正式刊行。據原負責此事的中華書局編審張力偉先生告筆者，其餘交至中華書局而未得出版的書稿，均已退還北師大出版社收迄。經筆者再詢北師大出版社原社長胡雲富先生，謂書稿皆妥善保存於該社編輯部。
26 《紀念文集》，頁125-126。

篇俱闕。

　　善文謹案：又有北京大學講義本，亦僅有前五篇，臺灣藝文印書館一九
七四年三月曾據以影印，書名總題曰《三禮名物》（蓋依講義書口所標為
題），前卷即《弁服名物》五篇，後卷為《釋車》二篇，卷名下皆以小字標
明「三禮名物之一」。

6　《釋車》一冊，手稿本，又一冊手稿另本，又一冊《國學論衡》第七卷印
　　本，又各一冊北京大學、北京師範大學、中國大學等校講義本。

　　師云：分名物、度數兩篇。據注，附有圖三十三幅，各印本俱無。手稿
本有二：其一題為《釋車》者，共七十二頁，訂一冊，另零頁四張，三十三
圖俱全，三十一、三十三兩圖在零頁上，其餘均在冊中，宜據以增補。另一
本只十餘頁，內容有車之象形、種別、車事等，亦為各印本所無，並宜據以
增補。

　　善文謹案：臺灣藝文印書館一九七四年三月曾據北京大學講義本影印，
附《弁服名物》卷後，卷名下以小字標明「三禮名物之一」，書名總題曰
《三禮名物》。卷中亦無三十三圖。

7　《宮室名物》（闕以待考），傳有中國大學講義本。

　　師云：依我所記，中國大學講義中，還有此書。今講義已失，而手稿中
亦未見，謹記以待考。

　　善文謹案：吳先生有關三禮名物的著述，蓋為系列性研究成果，前述諸
書乃屬分別單行之本，惜天不假年，終未及合成一書傳世。先師嘗親聆教
誨，所記《宮室名物》必曾有之，日後倘能尋考而得，宜頗有益於學界。

8　〈釋祧〉一篇，手稿本，又一冊《制言》第三期印本，又一冊《華國》三
　　卷三期印本。

　　師云：現已收入《學術論文集》中。

9　〈鄭氏袷禘義〉一篇，手稿本，又一冊《國學論衡》卷四上印本，又一冊
　　中國大學講義本。

　　師云：現已收入《學術論文集》中。

10　〈王制疏證自序〉一篇，《制言》第八期印本。

師云：現已收入《學術論文集》中。

11 **《儀禮經注疑直輯本》五卷**，《安徽叢書》本，民國二十年（1931）刊。

師云：輯本已刊入《安徽叢書》中。

善文謹案：此書五卷，首為《序錄》。臺灣新文豐出版公司曾收入所編《叢書集成續編》第六十五冊中，即據《安徽叢書》本影印。

12 **〈儀禮經注疑直輯本序錄〉一篇**，《國學叢編》第一期第二冊印本，又《安徽叢書》本（刊於原書卷首）。

師云：〈序錄〉今收入《學術論文集》中。

13 **〈儀禮經注疑直輯本提要〉一篇**，手稿本，又舊打印本（有作者手校及余嘉錫、黃壽祺兩先生批注），又《檢齋讀書提要》本（北京師範大學出版社一九八六年版）。

師云：《提要》載在臺灣出版之《續修四庫全書提要》，今收入《檢齋讀書提要》中。

善文謹案：先師《略述》將以上三種合於一條述之，今依本文述例各分為一條。

14 **《喪服要略》一冊**，手稿本（詳本）；又一冊，手稿本（略本）。又有中國大學講義舊本，原題《禮服要略》，宜改今名（詳下師云）。

師云：詳本凡分十章：第一明喪服緣起，第二明喪服經傳誰作，第三明五服等差，第四明喪服為上下通禮，第五明服術有六，第六明降服條例，第七明正降義衰服精粗，第八明五服経帶差數，第九明喪裳之制，第十明五服變除。末附〈喪服變除表〉兩表，一表為男子，一表為婦人。略本篇章與詳本同，而次第先後略異，又〈喪服變除表〉男子婦人合為一表，不如詳本分而為二者之善。

師又云：詳本〈喪服變除表〉已發表於《國學論衡》卷六。

師又云：中國大學講義本原印作《禮服要略》，《辭海》吳先生小傳仍之。記吳先生曾告我書名應改為《喪服要略》。

善文謹案：疑吳先生此書之「略稿」為初稿，「詳稿」為後定稿，中國大學講義本似依初稿印成，故書名仍舊擬作《禮服要略》，遂使《辭海》小

傳亦仍之。此未敢遽定，姑記以俟檢省。

15〈降服三品說〉一篇，北京師範大學《國學叢刊》第二卷第二期印本。

　　師云：〈降服三品說〉，論降服應分為尊降、殤降、出降三品。現收入《學術論文集》中。

16〈清史稿禮志喪服章書後〉一篇，《國學論衡》印本，又《清史述聞》印本。

　　師云：文中指出《清史稿·禮志》之紕繆凡十有二事。結語有云：「嗟乎！彼領錄史職者，則亡清之遺老也。以一朝典制之重，託命於狂夫方相之手，其不忠於所事甚矣。國步日蹙，禮學亦衰。失今不言，後將無能言之人，斯亦大夫君子所宜深念也。」後繼無人之嘆，及今思之，益發人深省！此文現已收入《學術論文集》中。

17《駁王闓運吳之英三禮箋注》一冊，手稿本，又一冊京師大學校師範部鉛印講義本。

　　師云：此書駁王闓運《周官箋·天官》一篇，吳之英《儀禮奭固·士冠禮》一篇。辭甚嚴峻。

18《兼服釋例》一冊，手稿本。

　　師云：據日本橋川時雄《中國文化界人物總鑒》吳先生小傳中，載吳先生著作有《禮服釋例》一書。今遍檢所存各校講義及手稿，均未見有此書。疑即是《兼服釋例》之誤。

19《明服制》一冊，手稿本。

20《清服制沿革表》一冊，手稿本。

21〈群經冠服圖考提要〉一篇，手稿本，又舊打印本（有作者手校及余嘉錫、黃壽祺兩先生批注），又《檢齋讀書提要》本（北京師範大學出版社一九八六年版）。

　　師云：〈黃世發群經冠服圖考提要〉一篇，已見臺灣出版之《續修四庫全書提要》，今收入《檢齋讀書提要》中。

22〈樂記五色申鄭誼〉一篇，手稿本。

　　師云：此文手稿完整，宜收入《學術論文集》中。

23〈周官長屬員數表〉一篇，手稿本。

　　師云：手稿三頁，只成「天官之屬」部分。

24〈論古今文上章太炎先生書〉一篇，手稿本。

　　師云：此書討論《儀禮》古文、《周禮》故書的古今文問題，故列於此。現已收入《學術論文集》中。

25《三禮名物筆記》二十二冊，手稿本。

　　師云：共分四十六類：（1）城郊，（2）宮室，（3）衣服，（4）卜筮，（5）冠禮，（6）昏禮，（7）見子禮，（8）宗法，（9）喪服，（10）喪禮，（11）喪祭禮，（12）郊禮，（13）社禮，（14）群祀禮，（15）明堂禮，（16）宗廟禮，（17）肆獻果饋食禮，（18）時享禮，（19）告朔禮，（20）田躬耕禮，（21）相見禮，（22）食禮，（23）飲禮，（24）燕享禮，（25）射禮，（26）投壺禮，（27）朝禮，（28）聘禮，（29）覲禮，（30）會盟禮，（31）即位改元號謚禮，（32）學校，（33）選舉，（34）職官，（35）井田，（36）田賦，（37）職役，（38）錢幣市糴，（39）封國，（40）軍賦，（41）田獵，（42）御法，（43）節瑞圭璧等，（44）樂律，（45）刑法，（46）車制。以上各類所搜集筆記的材料，或多或少，雖均未整理成篇，但從中可以看出吳先生對古禮制研究規模之宏偉，並世殆無第二人。

（五）春秋類（一種）：

〈公羊徐疏考〉一篇，北京師範大學《國學叢刊》第一期舊印本。

　　師云：吳先生《春秋》類之文，以此篇為最著。文中博徵事類，以證明《公羊何注疏》之作者徐彥為北朝學者，以駁董逌、凌曙等以為唐人之非。證據確鑿，誠灼然如晦之見明。現已收入《學術論文集》中。

（六）論語類（凡三種）：

1　〈論語皇疏校記敘〉一篇，《制言》第三期本，又《服部先生古稀祝賀論

文集》本。

2 〈寢衣長一身有半說〉一篇，《服部先生古稀祝賀論文集》本。

　　師云：以上兩文，現均收入《學術論文集》中。

3 〈論語老彭考〉一篇，手稿本。

　　師云：考證《史記》之老子，《禮記》之老聃，《論語》之老彭，一而三，三而一。此文首末完整，宜收入《學術論文集》中。

（七）群經總義類（凡七種）：

1 《經學通論》一冊，手稿本，又一冊中國大學講義本。

　　師云：計六篇：經名數略釋第一，群經原始第二，群經傳授第三，漢魏博士第四，群經篇目第五，今古文第六。民國十四年（1925）九月一日自序云：「今述此論，大氐比次舊聞，校計眾說。如有同異，亦妄下己意。要之陳述多而裁斷少者，一因學術短淺，志在慎言；二因舊事茫昧，頗難質定；三因治學方術，最重證據，譬諸治獄，不宜輕用感情；四因抽象定例，本為假設，後說勝前，則前說自廢。」（此序已據草稿校點，編入《學術論文集》）即此四端，便可以見吳先生治學的審慎精神。

　　師又云：《中國大學季刊》第一卷第一期載有吳先生〈經名數述略〉一文，即此書之首篇單行者，今已先收入《學術論文集》中。

2 《經典釋文序錄疏證》不分卷，秦青點校，（北京）中華書局一九八四年三月出版。

　　師云：《經典釋文序錄疏證》，民國二十二年（1933）九月十日初版，為中國學院國學系叢書之一。書中首辨明陸氏此書成於陳後主至德元年癸卯（583），駁李燾、桂馥以為貞觀十七年癸卯（643）之非。（《北平圖書館月刊》第二卷第二期載有吳先生〈經典釋文撰述時代考〉一文，亦即論此事。）次就《序錄》全文分析為條例、次第、注解傳述人等章，詳為疏證，以明經典源流。章太炎先生稱其「引據詳確」。經齊燕銘同志校訂印行之

後[27]，先生復多所批注。任化遠先生曾為〈校勘記〉。現已由中華書局秦青先生校點重印。

　　善文謹案：吳先生《經典釋文序錄疏證》，現存二種舊批本：一是吳先生手批之本，於書眉行間留下大量墨批，蓋歷次授課過程所作的修訂增補；二是任化遠先生的批校本，頗有校訂與補正之處。今北京中華書局出版之秦青點校本，較認真地汲取了此兩種舊批本的內容，宜資參考。

3　〈經典釋文撰述時代考〉一篇，《北平圖書館月刊》第二卷第二期本。

　　善文謹案：先師云《北平圖書館月刊》第二卷第二期所載之吳先生〈經典釋文撰述時代考〉一文（見前條），今增列於此，以合本文述例。日後倘有機會編定吳先生《學術論文集》，此篇似亦可收入。

4　《經典釋文引用書目及眾說考》一冊，手稿本。

　　師云：尚待整理成書。

5　《經學受授廢興略譜》一冊，手稿本。

　　師云：未成書，今只存「易稿」四頁，「易表稿」六頁。

6　〈漢置五經博士考提要〉一篇，手稿本，又舊打印本（有作者手校及余嘉錫、黃壽祺兩先生批注），又《檢齋讀書提要》本（北京師範大學出版社一九八六年版）。

　　師云：清吳翊寅著《漢置五經博士考》，吳先生撰有提要一篇，見臺灣出版《續修四庫全書提要》中。

7　《國故概要》一冊，北京師範大學鉛印講義本。

　　師云：首明國故名義及所講範圍，次明華夏學術始自孔老，次明晚周儒行不同晚世，次明晚周諸子與儒家並立。最後則節鈔《漢書·藝文志》之文及舊本訓釋而加以疏證。

27　齊燕銘（1907-1978），北京人，蒙古族，曾用名齊震、齊魯。畢業於北平中國大學國
　　學系，為吳先生的學生，後執教中法大學、中國大學等校。早年從事進步文化及抗日
　　救亡活動，一九三八年加入中國共產黨，對吳先生的思想頗有影響。中華人民共和國
　　成立後，歷任中央人民政府辦公廳主任、文化部副部長、國務院首屆古籍整理出版規
　　劃小組組長、第五屆全國政協秘書長等職。「文革」中頗受迫害，遂至早卒。

　　師又云：此類《經學通論》、《經典釋文序錄疏證》、《國故概要》三書，均為指導研究古代學術的門徑者而作，宜首先加以重視。

（八）石經類（凡三種）：

1　〈蜀石經考異敘錄〉一篇，《國學論衡》卷五上期印本。

　　師云：現已收入《學術論文集》中。

2　〈新出土偽熹平石經尚書殘碑考證〉一篇，《國學叢編》第一期第五冊印本。

　　師云：現已收入《學術論文集》中。

3　《三體石經尚書春秋古文遺字》一冊，手稿本。

　　師云：凡輯錄《尚書》二百十四字，《春秋經傳》百十二字，共三百二十六字，併除重複。

　　善文謹案：前四庫分類列「石經」於史部，蓋視為考古之屬。今觀吳先生所作，皆關乎經學，故先師〈略述〉仍納入經部。茲謹承之。

（九）小學類（凡十五種）：

1　《經籍舊音序錄》一卷，龔弛之點校，（北京）中華書局一九八六年月出版。

2　《經籍舊音辨證》七卷，龔弛之點校，（北京）中華書局一九八六年月出版（以上二書中華書局合為一本刊行）。

　　師云：吳先生於民國八、九年間（1919-1920）輯錄《經籍舊音》，自漢末迄初唐，大凡百餘家，成書二十五卷，序錄一卷。後以卷帙繁重，不得刊布，只錄出有所發正者五百三十三事，寫成七卷，定名為《經籍舊音辨證》，於民國十二年（1923）印行。章太炎先生稱其「校正《釋文》，及其精當，視臧氏《經義雜記》有過之而無不及」。此書前經任化遠先生校勘，今已由中華書局龔弛之同志校點付印。我曾建議附錄黃季剛先生之〈經籍舊音

辨證箋識〉及沈兼士先生之〈吳著經籍舊音辨證發墨〉兩文於後，以便學者研習參考。至吳先生原輯《經籍舊音》二十五卷之稿本，今已不知散落何處，深冀能夠失而復得，全部刊行，則所以嘉惠後學者當益多。

善文謹案：今北京中華書局出版之龔弛之點校本《經籍舊音辨證》書後，已依先師建議，附錄黃侃先生〈經籍舊音辨證箋識〉及沈兼士先生〈吳著經籍舊音辨證發墨〉兩文，以見當年同窗朋友講習之誼。吳先生《經籍舊音》所論列百餘家舊音，以諸家為次，成二十五卷，其《序錄》即為此而作。而《舊音辨證》則是變更前例，錄出有所發正者五百三十三事，以書為次，別成一本。故以上兩種，今各作一條列出。

善文又案：章太炎先生於民國二十五年（1936）五月二十四日曾寫給吳先生一信，既言《經籍舊音辨證》「所發正五百餘事，洵為精善」，又語及二十五卷本《經籍舊音》曰：「然前所采摭二十五卷，功力既勤，棄之可惜。且無是則舊音不全，仍宜集為一部。其有辨證者，條下注有辨證三字。兩書各自為編，互相檢核，庶幾盡善。唯此種書籍宜用木板印行，約計兩部字數恐在三十萬以上。木刻計價需白金千兩。有好事者，當為梓行。無其人，則先藏名山以待爾。」[28]這是太炎先生逝世前二十天（章先生卒於一九三六年六月十四日）寫給吳先生的信，關愛之情，溢於言表。回顧前引先師所述，深冀《經籍舊音》「能夠失而復得，全部刊行」，則是弟子對恩師學術遺著的深切追念，其懷師之言，發自肺腑。至於期盼此書能嘉惠學術界的本旨，兩者卻是殊途同歸矣。

3　《小學要略》（又名《小學概要》）一冊，中國大學講義本。

師云：書凡五分：第一分，明小學名義及其體用；第二分，明語言文字緣起及孳乳浸多；第三分，明六書條例；第四分，明三支研究之法及其演進之跡；第五分，明治小學者應讀之書。此書已交中華書局校點。

善文謹案：後未校點出版。

28　《章炳麟論學集》（北京市：北京師範大學出版社，1982年5月），頁337-338（釋文在頁529）。

4 **《六書條例》一冊**，中國大學鉛印本；又一冊，中國大學國學系叢書本
（石印）；又一冊，鈔本（任化遠、陸宗達兩先生分鈔）。

　　師云：此書凡三分：第一分，總明綱要；第二分，分別字類；第三分，
別論形聲。中國大學國學系叢書之石印本只有第一、第二分。第一分係任化
遠先生所抄寫，第二分係陸宗達先生所抄寫。中國大學鉛印本尚有第二分
「二之三」的續稿，為石印本所無，宜取以增補。至於第三分，則石印本及
鉛印講義本俱缺。據吳先生自序云：「第三分中，又開為三分：一曰校補逸
聲，二曰料簡同異，三曰尋求語原。」惜第三分之原稿，今亦已不可得。此
書已交中華書局整理校點。

　　善文謹案：後未校點出版。

5 **《說文講疏》一冊**，中國大學講義本，又《制言》第十八、二十、二十一
期印本。

　　師云：見《制言》第十八、第二十、第二十一各期，中國大學講義本更
全。今已交中華書局校點。

　　善文謹案：後未校點出版。

6 〈**說文略說箋識**〉一冊，鈔本（黃壽祺先生鈔錄）

　　師云：黃季剛先生讀吳先生《經籍舊音辨證》時，曾有不少批注，其弟
子潘重規校錄為〈經籍舊音辨證箋識〉。今觀黃先生所著《說文略說》書
上，吳先生批注亦殊多，因亦抄錄為〈說文略說箋識〉，以見兩先生朋友講
習，相互切磋琢磨之盛德。移錄已訖，尚待校理。

　　善文謹案：新校本吳先生《經籍舊音辨證》書後附黃侃先生〈經籍舊音
辨證箋識〉之文，即據先師建議而為（見前述）。先師又輯錄吳先生〈說文
略說箋識〉之文，欲附於黃侃先生《說文略說》後，其用意蓋在兩相對照，
令後人知章門弟子間此節學術佳話。又，日後倘編刊吳先生之學術論文集，
此篇似亦可收入。

7 **《說文韻表》不分冊**（二包），手稿本。

　　師云：有稿本兩包，共約二十萬字。已交中華書局整理。

　　善文謹案：後未校點出版。

8　《讀說文筆記》一冊，手稿本。

　　師云：待整理。

9　《文字形義》一冊，手稿本。

　　師云：亦待整理。

10〈與章太炎先生論形聲條例書〉一篇。

　　師云：現已收入《學術論文集》中。

11《漢魏音讀略例》一冊，手稿本。又傳有印本。

　　師云：此書今僅存草稿本。據任化遠先生《與孫蜀臣先生信》，云尚有印頁，惜未之見。

12《雙聲疊韻連語》一冊，手稿本。

　　師云：約二萬字。

13《中國語言文字概論》一冊，手稿本。

14〈四聲清濁說〉一篇，手稿本。

　　師云：宜收入《學術論文集》中。

　15〈通語釋詞抄稿序〉一篇，手稿本。

　　師云：宜收入《學術論文集》中。

　　師又云：吳先生經學成就之高，實由於小學造詣之深而來。吳先生小學類著作，以《經籍舊音辨證》一書為最著，研究《說文》的成果亦頗豐碩。

　　以上羅列吳先生目前可知的經學著述凡七十一種，廣涉易、書、詩、三禮、春秋、論語、群經總義、石經、小學等九類。其中除「三禮」類中的《監獄解蔽篇》、《宮室名物》二種闕以待訪之外，餘六十九種或為原手稿、或為舊印本，至今仍完好保存。這些尚存的著述中，近年得以重新點校整理出版者，僅有《檢齋讀易提要》、《經典釋文序錄疏證》、《經籍舊音序錄》、《經籍舊音辨證》等四種，所佔比例甚小。

　　當然，上述所列僅限於吳先生的經學著作。於經學之外，先生的遺著尚夥。據先師〈略述〉，其史學類存九種、諸子類存六種、讀書提要筆記類存

三種、詩文集類二種²⁹，另有胡雲富、侯剛編定的先生晚年雜文集《吳承仕文錄》一種，凡二十種。其中四種曾重加整理點校，由北京師範大學出版社出版³⁰。若細察之，在這些「經部」以外的著述中，我們仍可看到諸多關涉經學的論說。如所存《檢齋讀書記》、《檢齋筆記》中的不少文稿，如原擬編入《吳檢齋先生學術論文集》中而前文未述及的〈駁戴子高論語書〉、〈與黃侃論聲律書〉、〈程易疇與劉端臨書跋文〉、〈亡莫無慮同詞說〉等文皆是³¹。

---

29 據先師〈述略〉記，吳先生史學類遺稿存九種：（1）〈唐寫漢書揚雄傳殘卷校釋〉（稿本，又《中大學報》創刊號印本），（2）〈白狼慕漢歌詩本語略釋〉（《中大季刊》第一卷第二期印本，又福建師範大學王筱婧校點本），（3）《讀漢書札記》（手稿本），（4）《讀南北史札記》（手稿本），（5）《大唐郊祀錄箋識》（師云《郊祀錄》兩冊十卷中有吳先生批註四百五十餘條，宜錄出為專書），（6）《歷代尺度表》（手稿本），（7）《歙縣雙溪凌次仲先生年譜》（手稿本），（8）《江都焦理堂年表》（手稿本），（9）《王壬秋年譜》（手稿本，師云以上年譜表三種係手錄資料稿本而尚未成書），又師云吳先生讀史札記尚多，惜散在各筆記內，尚未能集中校錄整理；諸子類遺稿存六種：（1）《淮南舊注校理》（民國間刻本，又已刊周紀彬點校本，詳下一條注），（2）《論衡校釋》（手稿本，又已刊韓兆琦點校本，詳下一條注），（3）〈王學雜論〉（《國故月刊》一九一九年第一至三期印本），（4）《讀正統道藏筆記》（手稿本，又潘雨廷整理本，未刊），（5）《初學因明處》（稿本），（6）《古籍校讀法》（油印本，未署名氏，師云吳先生曾講授過此課程，疑即所編講義，附記待考）；讀書提要筆記類遺稿存三種：（1）《檢齋讀書提要》（舊稿印本，又已刊張善文點校本，詳下一條注，其中易類提要已另輯為《檢齋讀易提要》，見前文所述），（2）《檢齋讀書記》（抄本，師云係從一九三二年中國大學《國學叢編》第一期一至六冊及第二期一至二冊中錄出），（3）《檢齋筆記》（抄本，師云係從《北平新晨報》中錄出，又云兩書有重複者，擬刪除重複合併為一，統稱《檢齋讀書記》，由曹述敬整理點校，未刊）；詩文集類遺稿存二種：（1）《吳檢齋先生學術論文集》（彙輯本，約數十篇，其中經學論文多已見前文所述，師云文稿已交由武靜寰整理點校，未刊，詳下第三十一條注），（2）《丁丁集》（《中國大學季刊》第一卷第四號印本，師云此係吳先生與黃侃先生唱和之詩集，內有黃先生詩六首，吳先生詩八首，共十四首，已交由王筱婧校注，又印本注「未完」，蓋尚有未刊者若干首）。

30 北京師範大學出版社出版的這四種吳先生遺著分別是：《吳承仕文錄》（胡雲富、侯剛編，1984年1月版）、《淮南舊注校理》（周紀彬點校，1985年2月版）、《論衡校釋》（韓兆琦點校，1986年版）、《檢齋讀書提要》（張善文點校，1986年6月版）。

31 關於擬編《吳檢齋先生學術論文集》之事，經先師提出篇目之後，於一九八三年間，

故此類經學論說，還需從吳先生所存的全部文稿中進一步尋討清理，庶可漸獲其全。

三　吳先生的經學創獲窺要

　　吳先生的學生陸宗達先生曾經說過[32]：「在現存的老一輩人中，我們這些人比起『南黃北吳』來，不論哪一方面的學問都大有不如。但也算是對正統派經學、小學曾經專門學習過的人了。而直到今天，在我們面前仍然有個治學道路的問題。」[33]這是陸宗達先生於一九八二年所言，今陸先生亦已作古。回想斯言，固含謙謹之意，然以今日之吾輩，視陸先生或先師這些飽覽群籍的學者，所謂今不如昔又何止天壤之別？因此，淺陋無似如筆者之資質，欲上而研探吳先生博大精深的經學著述，確有力不從心之憾。惟基於向學之心，勉力而為，儘量以「窺」吳先生經學創獲之「要」也。

　　竊嘗以為，清代學術的最可取之處，在於能以考據實證之術探討兩漢以來二千年的學術歷史，對之進行全面總結，從而形成了直接影響於近現代的「乾嘉學派」。於是，認真研尋清代學術史，實可總覽中國二千年的學術精髓。梁啟超《清代學術概論》之作，似即有與於此也。今觀民國初年至三十八年之間的中國學界，頗有上承乾嘉遺風，下啟一代新學的傑出學者在焉，章太炎、王國維特其著者，黃侃、吳承仕兩先生則又章門之特優者。對這些承上啟下的學者之學術成就進行全面總結研究，足以上達下貫，十分有益於整個中國傳統學術的承傳與發展。

　　吳先生的學術，有家學之本（含鄉先正戴震一脈的學統），又有師承之力（含章門師弟子間的講習質難），然更關鍵的是得益於他聰慧超拔的天賦和刻苦不懈的努力，故能取得種種難能可貴的創獲。先生曾自我表白：「我

　　曾交由北京師範大學中文系武靜寰等整理點校，後終未果出版。

32　陸宗達（1906-1988），字穎明，又作穎民。浙江慈溪人，生於北京。北京師範大學國文系畢業，曾師事黃侃、吳承仕兩先生。長期執教於北平中國大學及北京師範大學。

33　詳陸宗達先生：〈回憶吳承仕先生的學術成就〉，收入《紀念文集》，頁116-120。

是浸淫於所謂正統派經學、小學的很小範圍中費時甚多而心得較少的一人」[34]
姑不論先生「心得較少」之謙詞，僅看「費時甚多」四字，便不知耗付了他
多少學術精力。前述七十餘種經學著作中，所存諸多手稿，足可印證此事。

　　今統觀吳先生的經學著述，依筆者陋見，其最突出的學術創獲蓋可約為
三端：

一曰，小學舊音研究，獨邁前賢。

　　吳先生對傳統小學的研究，於早年即打下了堅實的根基。宣統三年
（1911），吳先生年二十八歲，在大理院主事任上，便曾寫信與章太炎先生
討論《說文》以及唐韻之事。章先生回了一封長信，有云：「來書謂近治
《說文》，桂氏徵引極博，而鮮發明，此可謂知言者。王氏獨能分析，蓋亦
滯於形體。惟段氏為能知音，其鹵莽專斷，誠不能無訾議。要之，文字
者，語言之符。苟沾沾正點畫、辨偏旁而已，此則《五經文字》、《九經字
樣》已優為之，終使文字之用，與語言介然有隔，亦何貴於小學哉！段氏獨
能平秩聲音，抽引端緒，故雖多疵點而可寶耳。」[35]此即針對吳先生關於清
代桂馥、段玉裁、王筠《說文》之學的見解作出的引申回應，以「知言」相
許。信的後半部分又就唐韻與江南方言申論，並謂寄贈所著《新方言》一冊
供參閱。由此可見吳先生在文字音韻學方面的探研甚早，後來的許多創獲蓋
皆植於此根基之上而不斷萌生。

　　今存吳先生的十五種小學著作中，研究《說文》或與之相近的有《六書
條例》、《說文講疏》、《說文略說箋識》、《說文韻表》、《讀說文筆記》、《文字
形義》及《小學要略》、《中國語言文字概論》等八種，當然，這些著作因多
屬尚未整理的手稿或舊講義，故有不少真知灼見或許尚待將來進一步清理研

---

34 語出吳先生〈竹帛上的周代的封建制與井田制〉一文，見《吳承仕文錄》（北京市：
　　北京師範大學出版社出版，1984年1月），頁70。案此文原載《文史》第1卷第3號
　　（1934年）。

35 《章炳麟論學集》，頁8-9（釋文在頁384）。

討後才能更清晰地呈現於世。

在整個「小學」領域的研究成果中，吳先生的著述最為突出、最具有超越前人之創獲的，當屬「經籍舊音」方面的研究。他曾概述此方面的研究過程曰：「余以民國八、九年（1919-1920）間，輯錄經籍舊音，氾濫群書，捃拾秘逸，刺取各家反語，略依《切韻》部目條分件係，不相雜廁，自漢末訖於唐初，大凡百有餘家，家各一篇，撰為《舊音》二十五卷，《序錄》一卷。比之《經籍纂詁》，體製略同，一則集雅詁之大成，一則綜音聲之流變也。」[36]這部二十五卷本的《經籍舊音》，無疑是吳先生集自己大量的學術心血所成的。此書廣引東漢末至唐初的眾多經籍，考論舊音「反切」的產生與發展，辨析漢唐之間字音的流變規律，其中揭發了不少舊籍注音的傳寫錯訛，並對前代學者未加解釋或釋之有誤者詳為辨證。惜因卷帙繁重，當時未能刊刻印行，今原稿遺佚，徒留後學之憾。所幸吳先生曾抽取書中頗有發正者五百三十三事，變更體例，釐為七卷，別成《經籍舊音辨證》，與原作《經籍舊音序錄》先後刊印問世，遂使學者有以窺見是書之精要。書出之後，又獲同門黃侃先生切磋箋識，及沈兼士先生引申發墨（黃、沈二文今俱附新版書後[37]），實頗可互資參覽，以見章門同學之間的學術風誼。

對於吳先生在經籍舊音方面的精到創見，其師章太炎先生作了高度評價。他讀了《經籍舊音》書稿，親撰一篇《經籍舊音題辭》，盛贊曰：「其審音考事皆甚精，視寧人之疏、稚存之鈍，相去不可以度量校矣。明清諸彥，大抵能辨三代元音，亦時以是與《唐韻》相斠，中間代嬗之跡，闕而未宣。檢齋之書出，而後本末完具。非洽聞彊識、思辯過人者，其未足與語此也。」[38]此中所評價的要點是，明清學者雖能辨析秦漢以前的上古音韻，但漢魏至唐的中古音卻辨之未詳、闕而未明，吳氏《經籍舊音》恰針對這一歷史階段遍考群籍，審證舊音，上下貫通，填補了學術空白，揭示了中國語音學自上古至唐代脈絡分明的發展演變規律。故章先生極言其成就遠在顧炎武

---

36 見《經籍舊音序錄／經籍舊音辨證》（北京市：中華書局，1986年5月），頁77。

37 同前註，頁257-313。

38 同註36，頁5。

（寧人）的《唐韻正》及洪亮吉（稚存）的《漢魏音》之上，允非溢美。

其實，吳先生對此書的自我評價，也是當仁不讓於前賢的。他在〈經籍舊音辨證自序〉中說：「茲事雖小，而尚觀清儒，亦惟戴（震）、錢（大昕）、段（玉裁）、王（念孫）諸公眇達神指，發疑正讀，昚然理解。若畢（沅）、孫（星衍）、盧（文弨）、顧（九苞）以下，慮未足以語此也。」[39]若非苦心孤詣而得之於群籍實證，謙謹如吳先生者，絕不至冒然自高於前修也。

二曰，三禮名物考證，並世一人。

長期以來，三禮之學令諸多學人望而卻步，幾成絕學。吳先生卻以異乎常人的興趣與熱誠投入此項研究。個中原因，似或有二：首先，吳先生自二十六歲舉貢殿試第一之後，即被點為大理院主事，入民國後久任司法部簽事，皆屬典掌禮法刑律之事，故乃研精三禮，探古證今，遂成禮學專家。彼於宣統元年（1909）即撰有《監獄解蔽篇》行世（見前述），便是一證。其次，可能是更關鍵的，先生夙持傳統的考據與實證的學風。「禮者，履也」，正是古人社會行為實踐最佳記錄，故先生沈潛於中，甘之如飴，正可施展他的名物考證之功，沿三代而下，歷考典章禮事，明禮尋史，據禮辨物，不作無根之談，必求實用之學，終以精貫三禮而著稱於學界。

即使在先生晚歲的數年間，接受了新文化運動的影響，但關於禮學考辨的思想仍深刻地貫穿於他的學術行為中，並時時注意扭轉人們對舊禮的偏激認識。民國二十三年（1934）先生曾用白話文寫過一篇題為〈五倫說之歷史觀〉的演講稿，開篇即云：「有一次在某大學講古代親屬制度，在黑板上大書『五倫』二字，一一二聽眾搖頭微笑，表示不屑措意的態度。我想這種摩登青年的頭腦，與名為提倡綱常名教意識，著天不變道亦不變的老先生們，是同樣犯了不科學的失態。」[40]謂之「不科學」，堪稱一語中的，也足見先

---

39 同註36，頁77。
40 《吳承仕文錄》（北京市：北京師範大學出版社，1984年1月），頁1。

生的傳統考據學與近世的「科學」精神之默契無間。梁啟超嘗論戴震的正統
考據之學，認為「此種研究精神，實近世科學所賴以成立」[41]，於吳先生的
學術實踐，頗可獲一實例。三禮非但「幾成絕學」，且治禮者亦頗不合時
宜，常受質難，這在吳先生時代已甚顯著。章太炎先生給吳先生的一封信
中，即記一趣事：「聞足下治三禮名物，學子或言須有古器質驗。斯語甚
謬。古器唯金石堪以永存，若布帛革木，勢不能久，非憑舊儒傳說，何以為
徵耶？亦可見近代學子之愚也。」[42]於今思之，要真正深研古代禮制，端須
潛心古代經典文獻的研討，別類分項，具體而微，才能有所入也。

　　吳先生對三禮的研究，不僅將之視為學術使命之一，或亦當作人生的一
大樂事，以致寫出那些數量驚人、見識深邃的著述。據前所述，在先生尚存
的經學著作中，已知治禮舊作凡二十五種，超過所所經學書目七十一種的三
分之一，宜屬其平生著述之「大宗」。在禮學研究的寬闊領域中，先生遍覽
前人的學術成果，所考訂的角度頗為眾多，最後則總其歸曰「以名物為
本」。因此，先生考證三禮名物之所及，堪稱無微不至，如布帛、親屬、弁
服、喪服、車輿等皆是，僅《三禮名物筆記》二十二冊中，即泛及四十六種
名物，用力可謂至勤，規模可謂至宏。

　　為何吳先生的三禮研究特別注重「名物」考辨？筆者以為，這正是先生
的獨到之處，亦即立足於傳統考據精神而作出的創造性發揮。先師〈略述〉
指出：吳先生曾辨析禮之事類為禮意、禮制、禮器、禮節四端，且在所著
〈三禮名物略例〉文中詳說曰：「言不虛生，事不空作，制度有廢興，器數
有隆殺，必有其廢興隆殺之故，此禮意也。六官之守，五禮之條，自設官封
國、授田制錄、學校選舉、郊廟歲祭、朝聘燕饗以至冠昏喪紀，皆禮制也。
大而宗廟宮室瑞玉宗彝車服旗章，細而几席枕簟燕褻之器，凡禮數所施，朝
燕之所服御，皆禮器也。登降俯仰之儀，酬酢往復之節，擗踴哭泣之數，皆
禮節也。」其後又歸結曰：「夫禮意易推而多通，禮制難言而有定，然形體

41　梁啟超：《清代學術概論》（上海市：上海古籍出版社，1998年1月），頁34。
42　《章炳麟論學集》，頁258（釋文在頁485）。

不存，則制作精意即無所傅離以自表見，故考跡舊事者，應以名物為本。」[43]
此數語，先師稱為「吳先生研究三禮名物之綱領」[44]謂之綱領者，必是長期
詳探深究所得，又務必在此後的研究實踐中持之以恆而貫徹之，更需要以卓
立於世的成果來印證之。從吳先生所奉獻於後學的禮學著述來看，他顯然是
作到了這一點。無怪乎章太炎先生晚年一再敦促吳先生南下講學的幾封信
中，屢稱「足下研精經誼，忍使南土無繼起之人乎」[45]，「經部《尚書》、
《春秋》由僕自行演講，《詩》、《易》亦尚有人任之，唯《三禮》非足下不
可」[46]，推許讚美之意，無以復加。故先師亦曾論曰：「吳先生對古禮制研
究規模之宏偉，並世殆無第二人。」[47]誠屬實事求是之語。

三曰，群經源流綜論，精義迭呈。

中國唐前文獻中，系統論述群經源流者，較早見於班固《漢書‧藝文
志》，陸德明《經典釋文‧序錄》繼之於後而更加詳焉。《隋書》以下史志，
頗相沿承。今欲考論唐前經學歷史，陸德明之作是務需參考的極為重要的資
料。然其書流布千有餘年，未有詳明疏證，其傳寫失真，文字錯訛，及後代
學者訓釋未詳未確者頗曾有之，陸氏所言古代經學的源起及流變之大緒也往
往因之未能全然暢明。吳先生之《經典釋文序錄疏證》，蓋有感於此而作也。

先生綜論古代群經源流的著述，不僅《經典釋文序錄疏證》一書。今存
《經學通論》、《國故概要》、《經學受授廢興略譜》等舊稿、舊印本（皆見前
述），各從不同的角度對群經問題作出論述，頗有精微之見解。唯最集中之
論，則見諸《經典釋文序錄疏證》。書中以陸氏原文為綱，廣徵博引，詳證
群經之緣起、經篇之名義、諸家說經本末及傳授源流，乃至何家何時衰亡之

43 《紀念文集》，頁130-131。
44 同前註，頁131。
45 《章炳麟論學集》，頁314（釋文在頁516）。
46 同前註，頁319（釋文在頁521）。
47 《紀念文集》，頁134。

跡，皆一一論明，頗可視為一部唐前經學發展史。對於歷代學者的觀點，也隨文參引，因事考論。全書所疏證之事，至為廣泛，而先生精闢之義、深微之旨，可謂層出迭見。茲略抽出數端為說：如篇首列舉四事，論證《釋文》創作於唐代以前，指出清儒桂馥等人之說之不可信，及《四庫總目》舊說之非[48]。又如於《易》，考明〈十翼〉之名始見東晉釋道安《二教論》，可解皮錫瑞《經學通論》「十翼之名不知起於何時」之惑[49]。於《書》，辨〈泰誓〉有三本，曰真〈泰誓〉、漢〈泰誓〉、偽〈泰誓〉，以證陸德明之失[50]。於《詩》，言《韓詩外傳》諸家漏輯者時或有之，謂《法苑珠林》引一章即較《太平御覽》所引多五句，以為「舊文閒出，寫本日增，後生好古，所宜補輯。」[51]於《禮》，乃舉六事詳證「二戴撰《記》各不相謀，皆有所本，今為總目，

48　《經典釋文序錄疏證》（北京市：中華書局，1984年3月），頁2-4。

49　同前註，頁26。謹案，先師曾對吳先生關於〈十翼〉之名的論說詳考曰：歐陽永叔謂「〈十翼〉之說，不知起于何人？自秦漢以來，大儒君子不論。」皮鹿門云：「後人以爲歐陽不應疑經，然〈十翼〉之說，實不知起于何人也。」歆吳先生云：「〈史記·孔子世家〉曰：『孔子晚而喜《易》，序〈彖〉、〈繫〉、〈象〉、〈說卦〉、〈文言〉。』《藝文志》曰：『孔氏爲之〈彖〉、〈象〉、〈繫辭〉、〈文言〉、〈序卦〉之屬十篇。』漢人通謂之《傳》，晉以來謂之〈十翼〉。釋道安《二教論》曰：『伏羲作八卦，文王重六爻，孔子弘〈十翼〉。』〈十翼〉之稱，始見於此。謂之翼者，《左傳正義》曰『《易》有六十四卦，分爲上下篇，及孔子又作《易傳》十篇以翼成之』，是也。」行唐尚先生不同意歐陽公及吳先生之說，駁之曰：「《漢書·費直傳》云：『徒以〈彖〉、〈象〉、〈繫辭〉十篇〈文言〉解說上下經』，十篇即〈十翼〉，豈能以改篇字爲翼字，疑爲另一說哉！又《漢志》亦明言『孔氏爲之〈彖〉、〈象〉、〈繫辭〉、〈文言〉、〈序卦〉之屬十篇』，六一公偶失檢耳！」又云：「《易通卦驗》云：『孔子作〈上象〉、〈下象〉、〈上象〉、〈下象〉、〈上繫〉、〈下繫〉、〈文言〉、〈說卦〉、〈序卦〉、〈雜卦〉爲〈十翼〉。』是漢人即有〈十翼〉之稱，不始于道安。」又云：「又《乾鑿度》曰：『五十究《易》，〈十翼〉明也。』見孫星衍《孔子集語》引。《乾鑿度》先儒謂爲秦書，據是，則又不始於漢矣。」祺按：十篇當即指〈十翼〉，實無疑義。〈十翼〉之名，始見於《易緯》，雖未必起於先秦，要當出於漢代。歐陽公謂不知起于何人，實爲失誤；歆吳先生謂始于晉道安，亦嫌太晚也。參見〈六庵易話〉之二，收入《福建師範大學學報》1983年第1期。

50　同註48，頁59-60。

51　同註48，頁86。

不煩兩見」,兼說錢大昕、陳壽祺「附會篇目之非」[52]。於《春秋》穀梁子之名,舊籍有名赤、名寘、名俶、名淑、名喜之異說,乃依聲辨類,以為「五文聲轉通作,故字異而人同」,駁皮錫瑞、陳漢章「不明聲類而妄為說,其過弘矣」[53]。於《爾雅》,引《南史》稱沈旋「集注邇言」,力證「邇言」即「爾雅」之誤,「事在不疑」,謂黃奭「曲為之說而猶不可通」[54]。此類深思細考之灼見,在先生《疏證》中觸目可見,宜對學人頗有啟迪。

甚至一些看似平常的經說,其實也蘊含著吳先生深刻的經學理念。如論古文《尚書》一節,指出陸氏不知古文《尚書》孔安國傳之偽,細為疏通證明,然後又云:「作偽《傳》者大抵為魏晉間人,舊聞多有存者,足以資其擭拾,又采獲賈、馬、鄭、王各家說義,總紕成文,時有善言,亦固其所」,「魏晉傳注傳世者希,此本雖偽,尚完具無闕,固學者所不能廢。」[55]又如論《詩經》的產生與社會功用,引述《書·堯典》、《詩·大序》、《漢書》之後,乃曰:「蓋情感物而形言,聲成文而為詩,永言謂之歌,播於八音謂之樂。其始本以寫哀樂之情,其終或兼收諷諫之用,所謂言之者無罪,聞之者足以戒,此詩之所由作也。」又曰:「蓋詩本性情,飢者歌其食,勞者歌其事,循省上下,足以知其政教風俗之中失。且詩者溫雅以廣文,興喻以盡意,芳臭氣澤之所被,足以動人心,優柔厭飫,則隨俗雅化。故詩之為物,上摩則有風刺之益,下被則有興觀群怨之效,〈大序〉云『上以風化下,下以風刺上』,此物此志也。」[56]這些論說,顯然平情合理,通暢曉達,細味之下,不難感受到作者明澈寬厚的治經思想,以及推布其切實心得以施惠於後學的學術情懷。先生於此書卷首《條例》篇云:「愚為《序錄疏證》,本欲略明經典源流,為學校講疏之用。」[57]唯今此書在學術界所產生

---

52 同註48,頁101-104。

53 同註48,頁117。

54 同註48,頁170。

55 同註48,頁63-71。

56 均同註48,頁75。

57 同註48,頁5。

的廣泛影響，又豈僅止於「學校講疏之用」哉！

　　嘗聞前賢語曰：「由小學入經學者，其經學可信。」[58]吳先生的經學研究，之所以具有如此眾多的卓越創獲，允亦得益於他精湛雄厚的小學根柢。故先師有言：「吳先生經學成就之高，實由於小學造詣之深而來。」[59]此乃先師昔年受學門下之切身體會矣。

四　述餘贅語

　　前文既述吳先生經學成就之大要，深恐不得其旨，惟冀識者之正。

　　茲猶有未竟之語，擬再贅敘如次。

　　半個多世紀以來，關於一九一二年至一九四九年中國經學之研究，中國大陸學界曾有「斷層」之憂（近年已日益增強重視程度），臺灣學界的研究宜有較豐碩的成果（唯系統性研究之力作似亦未曾多覯）。至於對吳檢齋先生的經學，則兩岸的研究者均未給予足夠的重視。究其原因，蓋當分而言之：大陸學界之不夠重視，實由於較長一段時期總體文化方針本即排斥經學，學術大勢使然也（當時一切學刊極少涉及經學便可證之）；臺灣學界之不予重視，諒圍於對吳先生晚年黨派身份的偏見，政治傾向使然也（臺灣商務印書館刊行《續修四庫提要》隱去吳先生之名即可見一斑）。今學術領域風清月朗，一二君子以恢弘華夏經術為己任，斯道必將有以興也。故謹附贅語，一則關乎評價吳先生學術成就之思維理念，一則擬議整理吳先生經學遺著之初步設想。

（一）關於今日評價吳先生學術成就之思維理念問題

　　吳檢齋先生的學術生平頗為典型，極具「變動」時期中國正直學者之特

58　張之洞語，見范希曾：《書目答問補正》（上海市：上海古籍出版社，1983年4月），頁344。

59　先師〈略述〉語，見《紀念文集》，頁136。

性。他的治學歷程似可分為前後兩期：前期為五十二歲以前，屬學術發展成熟階段；後期自五十三歲至五十六歲逝世，屬思想轉化漸變階段。前期的主要特色，是步武乾嘉學風，問學章太炎先生門下，執教北平諸高校，撰成《經籍舊音》、《經籍舊音序錄》、《經籍舊音辨證》、《小學要略》、《三禮名物》、《經典釋文序錄疏證》、《國故概要》等一系列著述，以章門高弟知名於學界，形成眾所共仰的學術地位。此期以沈潛舊學為主，佔據人生的絕大部分歲月。然彼天性正直，雖絕意仕途，而憤世嫉俗、憂國憂民之情終不能改，故亦醞釀著晚歲思想之轉化。後期的主要特色，是接受進步思潮的影響，研討馬克思理論並加入中國共產黨，奮筆撰述時論[60]，疾呼抗日，於流離生涯中困頓而卒。此期以投身救亡為主，約佔人生的四年歲月，然其間亦未嘗或忘舊學，於困厄之時仍留意於撰述[61]。

　　筆者曾閱先生晚年一封〈與某人書〉稿（某人似指當時南京政府領導人）[62]，信中一段自白，實已概括了先生治學歷程的前後兩個階段：「承仕幼承庭訓，長受業於章太炎先生之門，服官法界計二十餘年，講學於北京、師範、東北、中國、民國各大學亦逾一紀。退食之暇，唯以精研小學，探究三禮為事。積久有得，撰述日多，或刻本行世，以就教於通人；或積稿盈

---

60 吳先生晚年頗以白話文撰寫一些刺世之論，或以為可與魯迅的雜文相比擬，當非虛語。觀《吳承仕文錄》一書所收之文，略可概見。案，先師〈關於先師吳承仕先生的材料〉曾云：吳先生的一位學生譚丕模（1899-1958）昔年整理先生的白話文作品，說過：「吳先生晚年所寫雜文，有的寫得和魯迅先生同樣深刻。」惜譚已逝世，所整理之文稿亦下落不明。見《紀念文集》，頁71。

61 吳先生流亡天津時，曾寫信給學生齊燕銘，自述曰：「兄索居無俚，讀書數十冊，今已斷糧。」（《吳承仕文錄》，頁259）又曰：「每月仍撰述數千言，以報大庭、軒轅、旦、丘之思。」（同前頁260）又曰：「自惟平生所學，若校勘、考訂、說經、解字諸術，當其有得，差足與乾嘉諸老比肩。然此只以鼓吹休明。丁此時艱，實為無用之長物。即令徼天之幸，生入國門，恐亦無緣復享鉛槧丹黃之清福。」《紀念文集》，頁71。

62 此信為稿本，先師曾為之點校，並注云：「原草稿未寫收信人姓名，觀信中所述，宜是當時南京政府之領導人。又，原草稿稱名處均作△△，茲悉填譚。」（見《吳承仕文錄》頁252-254）。

尺，以待後來之刪定：此皆經生素業，誠未足多。至於立身行道，表裡如
一，一事不妄為，一語不妄發，一介不妄取，硜硜自守之節，老而彌篤，則
誠足以質天地而告鬼神者也。然而人事萬（殊）[63]，見解各異，承仕擔任大
學主任歷十餘年，黜陟進退之間，豈能盡如人意？加之『九一八』以來，國
步日蹙，政見多歧，承仕推本章先生之遺教，於民族大義，略有所聞。又以
團結禦侮，乃救國之要圖；民主自由，實為政之常軌：苟能為力，何敢後
人？」此數語所述，表露了曾經致力舊學，邇時投身救亡的心曲，至今讀
之，仍甚感人。

　　因此，今日評價吳先生的經學成就，所宜把握之思維理念，固當著重於
其前期已臻成熟的大量學術成果。其後期思想轉化，尚處「漸變」階段，
《易》曰「過此以往，未之或知」，故未可遽作定論也。

（二）關於今後整理吳先生經學遺著之相關方案問題

　　對吳先生學術遺著的整理出版，由於學界曾作過諸多努力，故目前雖仍
有較大量的舊稿需加清理點校，但其大體規劃則不難擬訂。就經學部分言
之，這是吳先生學術成果的精華所在，筆者以為，值得組織力量有系統地加
以整理，刊布於世。其相關方案，謹擬議如下：

　　1 可先編定《吳檢齋先生經學論文集》一書。約可得文三十餘篇[64]。

　　2 已成書的專著部分，除曾點校出版的《檢齋讀易提要》、《經籍舊音序
錄》、《經籍舊音辨證》、《經典釋文序錄疏證》四種外，其餘約可清理出十餘
種以上，如《小學要略》、《六書條例》、《說文講疏》、《說文略說箋識》、《中
國語言文字概論》、《雙聲疊韻連語》、《說文韻表》、《詩經韻表》、《尚書三
考》、《尚書講疏》、《布帛名物》、《親屬名物》、《弁服名物》、《釋車》、《喪服

---

63 先師於原稿「萬」下注曰：「此下原草稿疑脫一字。」（見《吳承仕文錄》頁252-
254）。謹案，所脫之字似可作「殊」，姑妄補於括號內，以便閱讀參考。
64 詳前文所列吳先生七十一種經學著述，其中凡註明「宜收入《學術論文集》」者皆
是。

要略》、《兼服釋例》、《經學通論》、《國故概要》等皆是。

3 尚未完成的書稿部分，如《三禮筆記》、《尚書雜記》、《讀易筆記》、《讀說文隨筆》、《文字形義》等，其量頗多，則應細加校理，依例整編。

4 上世紀八十年代出版的《檢齋讀書提要》、《經籍舊音序錄》、《經籍舊音辨證》、《經典釋文序錄疏證》四種，當時均未出校記[65]，難免有粗疏之處，今若有可能，宜請點校者再為加工，寫明詳細校勘記，以與前三項體例統合，則其功尤善矣。

這一計劃若能實現，筆者前文所列吳先生的六十九種經學著作（已扣除暫闕待考的二種）皆可合而為一，編為較完整的《吳檢齋先生經學遺著》，刊而行之，其津逮後學，必甚可觀。當然，若能進一步加大整理的力度與範圍，將吳先生的所有學術著作盡括於內，編成規模宏富的《吳檢齋先生遺書》，則弘揚先生學術之舉，莫大於是也。

---

65 彼時諸書之整理，皆未要求編寫校勘記。唯筆者所校《檢齋讀易提要》一卷，是從當年所出的《檢齋讀書提要》中抽出重校，作為《尚氏易學存稿校理》第四冊「附編一」，故有校記。

馬宗霍的師承與經學史觀
──以〈國學摭談〉與《中國經學史》為觀察對象[1]

許華峰

國立臺灣師範大學國文學系副教授

一　前言

　　馬宗霍於一九三六年由商務印書館出版的《中國經學史》，為民國時期經學史專著中的名著。然相較於此書的影響力，學界對馬宗霍及其相關背景的了解，卻顯得不足。過去的學者，大多因馬宗霍為章太炎的門人，而將《中國經學史》歸入古文經學派的著作。[2]有些學者則從《中國經學史》的

1　本論文的初稿，曾以〈馬宗霍的〈國學摭談〉與《中國經學史》〉為題，於二〇一〇年十二月四至五日中央研究院中國文哲研究所舉辦的「變動時代的經學和經學家（1912-1949）」第八次學術研討會中宣讀。經修改後，發表於《輔仁國文學報》第三十三期（2011年10月）。

2　例如署名秋竹所作的〈馬宗霍〉說：「《中國經學史》，是繼皮錫瑞《經學歷史》之後，從古文經學角度寫作的一部專著，有皮著之長，又可補其短，對研究中國經學，很有參考價值。」（秋竹：〈馬宗霍〉，《求索》1983年5月）張豈之主編的《民國學案・馬宗霍學案》也說：「所著《中國經學史》則立足於古文經學，不持門戶之見，系統論述了經學的演變，是繼皮錫瑞《經學歷史》之後，研究中國經學史的又一部力作。」參見張豈之主編：《民國學案》（長沙市：湖南教育出版社，2005年），卷3，頁266。陳壁生所編的《國學與近代經學的解體》一書，亦將所選馬宗霍《中國經學史》之文，置於「古文經學的歷史化」的標題之下。參見陳壁生編：《國學與近代經學的解體》（桂林市：廣西師範大學出版社，2010年）。

內容不偏主古文或今文來評判此書。[3]然而，無論何種說法，大抵皆未能對馬宗霍的經學史觀提出較深入的討論。其實，追索馬宗霍的生平，他的經學師承與他的經學史觀之間的關係頗堪留意。據目前所見最詳實的馬宗霍傳記，天岸〈馬宗霍傳略〉所載，馬宗霍生於一八九七年（光緒二十三年），中學期間（一九〇九年左右），曾入船山書院受教於王闓運，至一九二五年又成為章太炎的弟子。[4]由於馬氏曾受教於這兩位著名學者，他的《中國經學史》凡是提及王闓運皆稱「湘潭王先生」[5]，提及章太炎皆稱「餘杭章先生」。這兩位學者的經學立場並不相同——王闓運偏向今文經學[6]，章太炎則為公認的古文經學大師——馬宗霍身兼兩種師承，且在投身於太炎門下之後，仍尊稱王闓運為「先生」的情況下，探究其相關論述有何變化，將有助於了解《中國經學史》的經學史觀。

在《中國經學史》印行前，馬宗霍已有經學及經學史的相關論著發表。目前可以找到的有：一九二二年以馬承堃之名，在《學衡》第一、二、三、六、十諸期發表的〈國學撮談〉。一九三三年於《國學論衡》發表〈群經臆說〉之〈易說〉。其《中國經學史》亦曾在一九三五至一九三六年間，先於

3　如林政華〈論今傳五部經學史的特色與缺失〉一文，評述馬氏此書說：「馬氏生於清代今古文學派相互激盪消長之後，又接受近代西方的科學觀念，所以他的這部經學史，能夠擺落古今文派的門戶之見，論點趨於公正客觀。」參見林政華：〈論今傳五部經學史的特色與缺失〉，《經學研究論集》（臺北市：黎明文化公司，1981年），頁323-330。關口順：〈經書觀形成過程之一考察〉則將《中國經學史》劃歸於繼承今、古文學派，並將兩者折衷的「折衷派（傳統復歸派）」。〔日〕關口順著，王迪譯：〈經書觀形成過程之一考察〉，《經典的形成、流傳與詮釋》（臺北市：臺灣學生書局，2007年11月），冊1，頁491-517。

4　收於馬宗霍著：《論衡校讀箋識》（北京市：中華書局，2010年），頁398-420。依《論衡校讀箋識》書中的說明，此文由馬宗霍之子馬志謙提供。

5　另外，如初版於一九三五年的《書林藻鑒》、《書林記事》在提及王闓運時，亦稱皆「先生」。見馬宗霍輯：《書林藻鑒、書林記事》（北京市：文物出版社，1984年），頁244、頁335，可知馬宗霍認定自己是王闓運的學生，並未因投師於章太炎門下而有所改變。

6　王闓運的經學是否當劃入今文經學家的範圍，歷來學者意見並不一致，但若從馬宗霍自己的理解來看，他在《中國經學史》的確是以今文經學家來看待王闓運的。詳論文第三節。

《制言》第九、十、十一、十二、十三、十四、十六諸期以《歷代經學略述》為題連載，而內容較為簡略。其中，發表於《學衡》的〈國學摭談〉成於馬氏拜入章太炎門下之前，因此本文以之與《中國經學史》相參照，說明馬宗霍經學史觀的相關問題。

二　馬宗霍與《學衡》中的〈國學摭談〉

（一）馬宗霍與《學衡》

　　馬宗霍，名驥，字承堃，號宗霍，湖南衡陽人。生於一八九七年，卒於一九七六年。據天岸〈馬宗霍傳略〉所載：

> （馬宗霍）十二歲進衡清中學，……上中學時，同期考入船山書院。……當時院長為清季文學大師王闓運，書院教習內和方式均因襲傳統，馬因而得以兼受書院和學校新舊兩種教育。馬在船山書院中年最少，才最高，每逢詩文例考，總是名列前茅，極受王闓運的賞識，謂為「少年美才，可畏也」。……湘綺先生對他的每篇作文均詳加評語，還有眉批夾批，多者超過百餘字。這種關懷與鼓勵對他在文學上的成就影響頗深。[7]

如果以十二、三歲估計，馬宗霍進船山書院的時間大約在一九〇九至一九一〇年之間。至於他在船山書院讀了多久，則無明確的資料記載。一九一〇年夏，馬宗霍考入湖南南路師範學堂（後改名為湖南省立第三師範），一九一五年畢業。一九二一年，任教於暨南大學，與任教於東南大學的吳宓、梅光迪等人共同創辦《學衡》，並負責其中「述學」的部分，也因而在《學衡》第一、二、三、六、十諸期以馬承堃之名發表〈國學摭談〉[8]。據吳宓《吳

7　馬宗霍著：《論衡校讀箋識》，頁398。

8　〈馬宗霍傳略〉說：「在《學衡》第一、二、三期上用承堃的原名連載《國學摭談》」（馬宗霍著：《論衡校讀箋識》，頁401）所述期數有誤。

宓自編年譜》在一九二一年說：

> 《學衡》雜誌由梅光迪君發起，並主持籌辦。一年前，已與中華書局
> 訂立契約，並已約定撰述員同志若干人。……（2）馬承堃，（字宗
> 霍，湖南人，王湘綺先生晚年之門生。）年近三十，未婚。現任暨南
> 大學（後改國立，遷上海真如。現時校址，在南京鼓樓南薛家巷，距
> 宓寓極近。）教授。……其人言大而夸，（作文只能述舊聞。）譏詆
> 一切人。[9]

又說：

> 又派定各門之主任編輯……2『述學』馬承堃。……[10]

且不論吳宓對馬宗霍的譏評是否屬實，或許是因為「承堃」之名不太為後人
所知，馬氏又太早離開《學衡》，使得馬宗霍與《學衡》的關係，過去不太
為人重視。學者論及《學衡》，多忽略馬宗霍為創刊元老，或者雖提及其名
卻簡單帶過，而沒有較多的認識。例如沈衛威《回眸學衡派》在描述《學
衡》作者群時，將馬宗霍歸入「留學歸來，學有所成的學人。」[11]在說明
《學衡》相關作者的學術背景時，則指出「馬宗霍為章太炎的門生，受太炎
影響，著《中國經學史》、《音學通論》。」[12]事實上，馬宗霍一生未曾出國
留學，且他成為章太炎門人是一九二五年的事。[13]在參與《學衡》相關事務

9　吳宓著，吳學昭整理：《吳宓自編年譜》（北京市：三聯書店，1995年），頁227。

10　吳宓著，吳學昭整理：《吳宓自編年譜》，頁229。

11　沈衛威著：《回眸學衡派：文化保守主義的現代命運》（臺北市：立緒文化公司，2000
　　年），頁44。

12　沈衛威著：《回眸學衡派：文化保守主義的現代命運》，頁49。

13　沈衛威《吳宓與〈學衡〉》，對《回眸學衡派》中的失誤作了修正。對馬承堃的描述改
　　為：「字宗霍，湖南人，王湘綺晚年門生，三〇年代又師從章太炎。通今文經學、古
　　文經學，無門戶之見，可謂老馬識途。此時為暨南大學教授。著有《中國經學史》、
　　《音學通論》等。」參見沈衛威著：《吳宓與〈學衡〉》（開封市：河南大學出版社，
　　2000年），頁18。

時，尚未成為章太炎的門人。

　　由於《學衡》相關成員初期約定「不主社長、總編輯、撰述員等名目」，吳宓卻私自在後來的〈學衡雜誌簡章〉加上：

> 本雜誌職員表：總編輯兼幹事吳宓。撰述員人多不具錄。[14]

一行字，自稱「總編輯」，而引起其他社員的不滿。關於這件事，吳宓《吳宓自編年譜》說：

> 梅、胡諸君見之，不以為然，曾責諷宓。宓不顧，亦不自申辯。以後《學衡》雜誌社亦未再舉行會議。……至於宓之為《學衡》雜誌總編輯確由自上尊號。蓋先有其功，分其地位、方向之為曹，為孫，為劉，（以三國為喻）莫不是自上尊號。蓋非自上尊號不可。正如聰明多才之女子，自謀婚姻，自己求得幸福，雖在臨嫁之日、洞房之夕，故作羞怯，以從俗尚。然非自己出力營謀，亦不能取得「Mrs. So&So」（某某夫人）之尊號。個人實際是如此，可無疑也。[15]

顯然吳宓自稱總編輯是有意為之的，且他對自己違背社員的決議，私上總編輯尊號的作法，並未覺得有何不妥。由於理念不合，馬宗霍也因而離開了《學衡》。[16]故〈國學摭談〉只發表了五篇，並未全部完稿。這五篇文章，除了〈序〉，標題依序為〈經第一〉、〈易〉、〈書〉、〈詩〉、〈禮〉。若依已發表的規模來看，馬氏原來的計畫應當不限於經書，且不應僅止於〈易〉、

---

14 最早在〈學衡雜誌簡章〉加上這一行字的，是一九二二年第三期，但只有「本雜誌職員表：總編輯兼幹事吳宓。」後來才又加上「撰述員人多不具錄」數字。不過可能因遭到社員的反對，故在第十期以前的〈學衡雜誌簡章〉並未固定加上這一行字。

15 吳宓著，吳學昭整理：《吳宓自編年譜》，頁230。

16 〈馬宗霍傳略〉說：「據馬晚年回憶，《學衡》雜誌創辦之始，並無正式組織，也無正式名份與分工，不意吳宓卻在某次記者招待會上自稱總編，馬與梅、胡等人遂不快而散伙。這反而使吳宓成為《學衡》的唯一主持人，成全了吳自稱總編輯的說法。」（馬宗霍著：《論衡校讀箋識》，頁401-402）所說略有不同，但吳宓自稱總編輯一事，為馬宗霍離開《學衡》的主因，應為事實。

〈書〉、〈詩〉、〈禮〉四經。然就現存的諸篇而言，仍可視為馬宗霍早期所寫
的經學概論。

（二）〈國學摭談〉的宗旨與內容

　　《學衡》雖創刊於一九二二年，但早在一九一五至一九二一年間，尚在
美國留學的梅光迪、吳宓等學者便已針對胡適與陳獨秀推動的「新文化運
動」提出強烈的質疑。梅光迪更在一九二○年便與上海中華書局約定出版
《學衡》月刊。返國後，因緣繼會地以東南大學為基地，正式創刊。[17]身為
《學衡》社員，〈國學摭談〉又是第一期「述學」中的第一篇文章，馬宗霍
自然要對於《學衡》的宗旨有所申述。《國學摭談・序》說：

> 或曰：識貴通時，言欲諧世。《莊子》云：「中國之在海內，不似稊米
> 之在太倉乎？」今者員輿之上，諸國駢立，斠短量長，細莫我甚。政
> 法之善，工技之巧，既不相若；哲理之學，名數之術，又甚懸絕。吾
> 子不知旁搜遠紹，儀刑以求進，而顧顓已守隅，掇拾以為夸，是斥鷃
> 翔蓬蒿之間而以為飛之至，河伯不見海而自多於水也。又二三時
> 彥，方昌言改革，往篇陳冊，咸在擯棄之列，思別闢新涂以更舊貫，
> 以為非是莫便。其勢燎原，不可嚮邇，舉國之士，奔之若狂。吾子不
> 務隨其流而揚其波，迺戾眾而謞，背道而馳，而欲聞之者和聲，見之
> 者改轍，是以杯水救輿薪之火，鼓瑟於齊王之門也。
> 余曰：小大則固有辨矣，新舊則固有殊矣。然則俗有所因，事有所
> 適。柤棃橘柚，其味相反而皆可於口。今中夏與諸國之學，有其同亦
> 必有其異。其同者，勢使之。其異者，習為之。勢同則相同而愈彰，
> 習異則相格而難入。明乎習而言改革，始不至自喪其英華。通乎勢
> 而言儀刑，始不至僅得其郛郭。何可一切**穎**畫以自輕鄙哉！是故余之
> 所謂大者，恢彊其在我者，而慎擇乎其在人者之謂也。余之所謂新

---

17 相關過程，可參見沈衛威著：《回眸學衡派：文化保守主義的現代命運》，頁7-25。

者，董理故業而能有所闡明，抉其微而匡其惑之謂也。〈摭譚〉之
作，其能恢彊而匡明之乎？則候螽負山，商蚷馳河，夫何敢勝。如曰
繕性於俗學，滑欲於俗思，竊期期又以為未可。世之君子不小識傷
德，言破道譏之，則幸矣。[18]

由於《學衡》是針對「新文化運動」而創辦的，所以文中「或曰」所說的
「二三時彥」，應當就是指以胡適、陳獨秀為首的「新文化運動」成員。「新
文化運動」陣營認為孔教不宜現代生活，每每在《新青年》中撰文批判。如
果孔子學說不適於現代生活而應被排斥，最直接受到影響的，便是傳統儒家
經典的價值與地位。馬宗霍則認為應當有選擇地學習西方，並保留自身的長
處，反對捨棄傳統，全盤西化。這相當於對〈學衡雜誌簡章〉所列的宗旨：

論究學術，闡求真理。昌明國粹，融化新知。以中正之眼光，行批評
之職事。無偏無黨，不激不隨。[19]

關於「昌明國粹，融化新知」的闡述。〈國學摭談〉可視為馬宗霍試圖「恢
彊而匡明」傳統學術的著作。

以〈經第一〉及〈易〉為例。〈經第一〉為馬氏對經學的總說，其主要
內容為：

1 從「經」字的質名與轉名（輾轉引伸）來說明經的經的名義。其所說
的質名、轉名，相當於後來所說的本義、引申義。馬宗霍說：

從其轉名，則經似為聖人述作之專號。從其質名，則經迺係上世典籍
之通稱。……自漢代表章六經，罷黜百氏以來，非聖人之籍不得予以
經名。……於是轉名行而質名晦矣。[20]

強調漢代以後對「經」的理解，用的主要是引申義而非本義，只能作為聖人

---

18 《學衡》1922年第1期，述學頁2。

19 《學衡》1922年第1期。

20 《學衡》1922年第1期，述學頁3。

之籍的專名。此說雖然不排斥「經」為上世典籍通稱的意思，卻更重視聖人
對這些經典所賦予的深意。傳統所認定的聖人中，與經書關係最密切的，便
是孔子。故馬宗霍特別探討了孔子與經關係，認為：

> 經者，前代之政典。孔子初僅繙治之耳。……自衛返魯後，……乃不
> 得不述經作經，託諸空言而見之後代。[21]

既然孔子述作之旨寄託在經書之中，則讀經當然應以了解孔子之旨為目標。

　　2 關於經書中的意旨，馬宗霍強調群經乃傳統文化、價值的根源，認為
群經之「要本，歸於仁義道德」[22]，並指出經之為教、為用、為體、為辯、
為文，「高矣美矣，蔑以復加焉」[23]的絕對價值。

　　3 關於孔子之前的經書，馬宗霍引用汪中、龔自珍、章學誠之說，以明
六經為先王之政典。又統合《莊子‧天下》篇六藝為道術、鄭玄〈六藝論〉
「六藝，圖所生也」[24]之說，認為：

> 是則道術也，圖也，史也，皆經之原也。必欲釐而分之，其亦曰：經
> 出於圖，掌於史，而本於道術。[25]

又指出在孔子歿後，經學的發展漸漸超出六經之外，認為「漢已如此，後更
可知。馳騁煩言以紊彝敘，是亦不可以已乎。」[26]故列舉經學史上出現過的
四經、五經、七經、九經、十經、十二經、十三經之名，並略記歷代史志著
錄經部著作之家數、卷數、類別，以及經的字數，主張讀經當存其大體。[27]
最後引《禮記‧經解》孔子對六經之失的說法，強調：

21 《學衡》1922年第1期，述學頁4。
22 《學衡》1922年第1期，述學頁4。
23 《學衡》1922年第1期，述學頁6。
24 鄭玄〈六藝論〉之文，見〔漢〕何休著，〔唐〕陸德明音義，〔清〕阮元校勘，〔清〕
　　盧宣旬摘錄：《重刊宋本公羊注疏附校勘記》（臺北縣：藝文印書館，1965年），頁6。
25 《學衡》1922年第1期，述學頁6。
26 《學衡》1922年第1期，述學頁7。
27 《學衡》1922年第1期，述學頁6。

　　學者解經之義，誦經之文，能身體而力行之，不蹈夫子之所謂失而得
　　其深者，庶有輯熙於光明歟。[28]

可見馬宗霍認為，經不僅是客觀的外在研究對象。讀經的目的在於將經中之
旨落實到立身行事的指導原則上，並避免可能的缺失。

　　〈經第一〉之後，依序為〈易〉、〈書〉、〈詩〉、〈禮〉（三禮）諸經之通
論。馬宗霍在這一部分的寫法，大致先說明每一經的來源、名義，然後辨析
其性質、經旨，最後略述漢代之後的發展，以及歷代史志著錄概況。如
〈易〉之主要內容為：

　　1 關於《易》的來源與名義：（1）強調聖人與易、卦、圖之間的關係，
認為「縱橫成象，用為符號，百姓與能」[29]，故作卦者不只伏犧一人。後人
之所以將畫卦之功歸諸伏犧（前聖），乃是因為伏犧對符號有整齊畫一之
功，「而心思耳目之所感觸者得是以濟」[30]。文王、周公（後聖）推而衍
之，作卦爻辭，故「至乎周而始被之以易之名」[31]。至於河圖，出自讖緯之
說，並不可信。[32]（2）連山、歸藏非易，然同為衍卦之辭。「周易」乃「因
代以題名，故曰周，猶之《周書》、《周禮》也。」[33]馬宗霍強調，孔子因文
王、周公之衍易，皆在遭遇患之時，與自己「周遊列國，晚而不遇」的心境
相同，所以「讀《易》至韋編三絕，讚《易》至作十翼，而興河不出圖，吾
已矣夫之嘆。」[34]但孔子在教學上卻「未嘗及於《易》」，原因在於《易》的
道理「精微廣大，不可躐等以與人」，故「慎藏而不輕語之」。[35]

　　2 關於《易》的性質，馬氏據《繫辭》：「《易》有聖人之道四」及班固

28　《學衡》1922年第1期，述學頁9。
29　《學衡》1922年第2期，述學頁2。
30　《學衡》1922年第2期，述學頁1。
31　《學衡》1922年第2期，述學頁1。
32　《學衡》1922年第2期，述學頁1。
33　《學衡》1922年第2期，述學頁3。
34　《學衡》1922年第2期，述學頁3。
35　《學衡》1922年第2期，述學頁3。

《漢書‧藝文志》「五經,《易》為之原」之說,認同章太炎「周世有兩
《易》」,經學中的《易》非占卜之書的見解。[36]

　　3 簡述《易》學史以及著錄歷代《易》類著作的篇卷數量。

《易》原本是占卜之書,而馬宗霍所重視的卻是經過聖人整理、詮釋,作為
五經之原,具有特殊價值的《易》。

　　相關的說法,皆表明了〈國學摭談〉所論的經學,是立足於傳統相信經
書曾經聖人(尤其是孔子)刪述,內涵深遠意旨的前提,對諸經的要旨作正
面的陳述與闡發。馬宗霍相信,經書中的道理並非只是理論,學者除了「解
經之義,誦經之文」外,更重要的是要能夠「身體而力行之」。[37]

三　馬宗霍經學史觀的轉變——《中國經學史》論今古文經學

(一)〈國學摭談〉受王闓運影響

　　馬宗霍雖為王闓運的門人,他在〈國學摭談〉中卻未明引王闓運的意
見,在論述上亦未表現出全然地今文經學的立場。但我們仍可從〈國學摭
談〉的內容找到他受王闓運經學主張影響的例證。茲從兩方面加以說明:

　　1 在〈國學摭談〉中,使用了不少屬於今文經學家的見解和用語。如:
〈序〉中說:

> 自周衰官失,篤生素王,遂迺刪《詩》、《書》,訂《禮》、《樂》,讚
> 《易》象而作《春秋》,而先王之大經大法於焉以明。[38]

36 《學衡》1922年第2期,述學頁3。按,馬宗霍所引章太炎之說,出自《國故論衡‧原
　　經》,收入劉夢溪主編:《中國現代學術經典‧章太炎卷》(石家莊市:河北教育出版
　　社,1996年),頁54。

37 《學衡》1922年第1期,述學頁9。

38 《學衡》1922年第1期,述學頁1。

直接以漢代今文經學家慣用的「素王」一詞來稱孔子，並以今文經學家所慣用的六經順序《詩》、《書》、《禮》、《樂》、《易》、《春秋》來說明孔子對六經的整理。[39] 〈經第一〉論孔子與經的關係時，強調經原本是先王之政典，經孔子的整理而賦予特殊的價值。他說：「孔子初僅繙治之耳。……自衛返魯後，……乃不得不述經作經，託諸空言而見之後代。」[40] 所謂「託諸空言而見諸後代」，正是《公羊》家對孔子與六經關係的看法。〈書〉論及今文、古文、偽古文，說：

> 然則今文傳信可也，古文傳疑可也，孔未可厚非也，梅則可痛絕也。[41]

認為今文《尚書》較古文《尚書》可信。論〈詩〉說：

> 孔子生王跡熄之後，既不得位，無以行帝王采《詩》陳《詩》之政，又知《詩》繫乎時者也。在當時雖於政教風俗上有提撕警覺摧陷廓清之力，及乎事過境遷，便為陳跡。[42]

故孔子整理《詩經》：

> 在從簡約，示久遠，取便諷誦，使人有所感奮而已。蓋自是而後，《詩》之力已失也，而又別撰《春秋》，寓褒貶大法以代行《詩》之職事。故曰「《詩》亡而後《春秋》作」。[43]

發揮《孟子・離婁下》：「《詩》亡而後《春秋》作」之旨，認為《詩》雖有政治教化上的功能，但在孔子之時已為陳跡，因此孔子作《春秋》來代替

39　古文經學家所主張的六經次序為《易》、《書》、《詩》、《禮》、《樂》、《春秋》。相關論述，可參見周予同《經今古文學》，收入《周予同經學史論著選集（增訂本）》（上海市：上海人民出版社，1996年）。

40　《學衡》1922年第1期，述學頁4。

41　《學衡》1922年第3期，述學頁4。

42　《學衡》1922年第6期，述學頁2。

43　《學衡》1922年第6期，述學頁2。

《詩》原本所具的教化功能。這些例證，可視為馬宗霍〈國學摭談〉受王闓運影響，說經多帶有今文家特色的證據。

2 〈國學摭談〉對《周禮》的重視，與王闓運一致。經學史上，古文經學家多認為《周禮》是周公致太平之書，地位崇高；今文經學家則不信《周禮》。王闓運雖主《公羊》學，卻「推崇《周官》為周公的偉大著作，作為政制『無慮不周』」[44]，並著有《周官箋》[45]一書。這在今文經學家中算是特例。馬宗霍〈國學摭談‧禮〉在討論《三禮》時，在順序上便將《周禮》放在《儀禮》、《禮記》之前，並說：

> 要之，此書在漢最晚出。孔子既無明言，孟子亦未之見，故徒滋後人之疑信。然究觀其詣，以道制欲，以義防利，以德勝威，以禮措刑，大綱小紀，粲然備載。……學者欲知先王經制之備，舍此書將焉取之？[46]

其對《周禮》的重視，應當是繼承了王闓運的見解。或許，王闓運的經學雖偏向今文經學卻又兼綜古文經的作風，影響了馬宗霍治經的態度，〈國學摭談〉在篇章順序的安排上，便採用了《易》、《書》、《詩》、《禮》與古文經學家一致的次第[47]，且在文中三處引用「餘杭章氏」之說[48]，並對章氏的意見表示贊同。這顯示馬宗霍早年的學術傾向本來就未泥於今文之說，而且可能對章太炎的學術有相當的好感。他後來投入章太炎門下，並非出於偶然。

---

44 田漢雲著：《中國近代經學史》（西安市：三秦出版社，1996年），頁332。

45 此書箋解鄭玄的《周禮注》，中央研究院傅斯年圖書館藏有光緒丙申孟夏東洲講舍刊本。

46 《學衡》1922年第10期，述學頁5。

47 按，皮錫瑞《經學通論》的篇章編排順序為《易經》、《書經》、《詩經》、《三禮》、《春秋》，並不嚴格遵守一般所了解的今文經學家所說的六經次第。參見〔清〕皮錫瑞著，周春健校注：《經學通論》（北京市：華夏出版社，2011年）。馬宗霍所編排的次第，也有可能承襲自皮錫瑞。

48 見〈經第一〉、〈易〉及〈詩〉。

（二）《中國經學史》企圖調和今古文經學

　　自一九二五年，馬宗霍拜入章太炎門下，其經學立場自然要更趨近於古
文經學派。然馬氏的立場雖然有了變化，並未盡棄前學，而是企圖以調和的
方式，處理今古文學派意見歧異的情況。這可以從下列例子中得到驗證：

　　1 章太炎曾批評王闓運為「辭人說經」。類似的意見，在章氏的著作
中，曾多次出現，如《章太炎全集（四）‧章太炎文錄》卷一〈說林下〉將
清末經學家依戴震之學為標準分為五等，而置王闓運為第四等，廖平為第五
等，說：

> 以戴學為權度，而辨其等差，吾生所見，凡有五第：……若德清俞先
> 生、定海黃以周、瑞安孫詒讓，此其上也。……若善化皮錫瑞，此其
> 次也。……若長沙王先謙，此其次也。高論西漢而謬於實證，侈談
> 大義而襍以夸言，務為華妙以悅文人，相其文質不出辭人說經之
> 域，若丹徒莊忠棫、湘潭王闓運又其次也。……若井研廖平，又其
> 次也。[49]

又《訄書詳注‧清儒第十二》說：

> 而湘潭王闓運並注《五經》。闓運弟子，有井研資州廖平傳其學，時
> 有新義，以莊周為儒術，說雖不根，然猶愈魏源輩絕無倫類者。[50]

章氏弟子徐復的注解指出：

> 章先生於一九一八年對重慶學術界所作的演說詞云：「近則王壬秋教
> 於成都，風流遠被。王本詞章之士，以說經為表，語無實證，惟模

---

[49] 章太炎：《章太炎全集（四）‧章太炎文錄》（上海市：上海人民出版社，1985年），頁
119。

[50] 章太炎著，徐復注：《訄書詳注》（上海市：上海古籍出版社，2008年），頁156。

《毛傳》、仿《鄭箋》以為研雅，始終不離文人說經之習。其他樸實
可據者未言焉，是又近世尚華之病也。」[51]

而講於一九二二年的《國學概論》，更直言：「今文學家的後起，王闓運、廖
平、康有為輩一無足取，今文學家因此大衰了。」[52]另外，王闓運是否當歸
屬於今文經學家，章太炎亦持不同的看法。支偉成《清代樸學大師列傳》書
前列有〈章太炎先生論訂書〉，其中論及王闓運，說：

王闓運亦非常州學派，其說經雖簡，而亦兼采古今，且箋《周官》。[53]

又說：

王從詞章入經學，一意篤古，文體規摹毛、鄭；發明雖少，然亦雜古
今，無董仲舒、翼奉妖妄之見。[54]

這些意見，都是章太炎在馬宗霍這本《中國經學史》出版之前提出的。

身為章門弟子的馬宗霍，並未接受這些評論。《中國經學史》兩次提及
王闓運，皆尊稱為「湘潭王先生」，而且在學派的分判上，仍將王闓運視為
今文經學家。《中國經學史‧第十二篇‧清之經學》於敘述清代漢學惠戴末
流之弊「誠有如焦循所譏為拾骨學、本子學者」[55]之後，歷述今文學之發
展，由常州、浙中、湘中、蜀中、粵中、閩中而江北皖南之今文學，以為
「自道咸而後，今文之學日昌，惠戴之緒，或幾乎息矣。」[56]其於湘中之今
文學，提及魏源、王闓運、皮錫瑞三人，指出魏源之後：

湘潭王先生繼之，各經皆有箋注，亦折衷于《公羊》之義，自為眇

51 章太炎著，徐復注：《訄書詳注》，頁160。
52 章太炎講演，曹聚仁整理，湯志鈞導讀：《國學概論》（上海市：上海古籍出版社，
　　1998年），頁29。
53 支偉成著：《清代樸學大師列傳》（長沙市：嶽麓書社，1986年），頁4。
54 支偉成著：《清代樸學大師列傳》，頁6。
55 馬宗霍著：《中國經學史》（臺北市：臺灣商務印書館，2006年），頁148。
56 馬宗霍著：《中國經學史》，頁150。

通。[57]

「眇通」即「妙通」，其對王闓運之經學，評價是相當正面的。又《中國經學史‧第十二篇‧清之經學》最後一段總評清代考據學時，馬宗霍引用王闓運的意見說：

> 湘潭王先生亦云：「說經以識字為貴，而非識《說文解字》之字為貴。」此語雖近於諷，要亦有為而發。[58]

可見馬宗霍將王闓運之經學歸入今文學派，且對於王闓運的經學極為尊重，不曾出現惡評。

2 馬宗霍《中國經學史‧序》說：

> 晚世有皮錫瑞為《經學歷史》，始自具裁斷與但事鈔疏者稍殊。惟持論既偏，取材復隘，其以經學開闢時代斷自孔子，謂六經皆孔子作，尤一家之私言，通人蓋不能無譏焉。[59]

似於立足於今文經學的《經學歷史》有諸多不滿。事實上《中國經學史》中所引用的清代與民國學者的意見，除章太炎、劉師培外，多次引用清代今文經學家，如龔自珍、皮錫瑞、廖平的意見。其中雖有加以批評者，然亦多有贊同之處。以皮錫瑞為例，如《中國經學史‧第六篇‧兩漢之經學》謂：

> 皮錫瑞《經學史》曰：「今文者，今所謂隸書。古文者，今所謂籀書。隸書，漢世通行，故當時謂之今文；籀書，漢世已不通行，故當時謂之古文。」案，以隸書為今文是也。以籀書為古文則非。〈說文序〉既曰：「《史籀篇》與古文或異。」繼之曰：「至孔子書六經皆以古文，厥意可得而說。」明孔子不以籀文書六經也。鄭玄亦曰：

---

57 馬宗霍著：《中國經學史》，頁150。
58 馬宗霍著：《中國經學史》，頁158。
59 馬宗霍著：《中國經學史》，序頁2。

「《書》初出屋壁，皆周時象形文字。今所謂科斗書，以形言之為科
斗，指體即周之古文。」若籀書，則在漢時無科斗之號。[60]

皮氏之說，見《經學歷史·經學昌明時代》[61]和《經學通論·書經·論漢時
今古文之分由文字不同，亦由譯語各異》條[62]。馬宗霍贊同皮錫瑞今文為漢
代隸書之判斷，同時舉出許慎《說文·序》和《尚書正義》所引鄭玄之說，
認為籀文不等於古文。[63]這是部分贊同皮錫瑞的意見。又如《中國經學史·
第十二篇·清之經學》說：

> 皮錫瑞謂：「國初諸儒治經，取漢唐注疏及宋元明人之說，擇善而
> 從，由後人論之，為漢宋兼采一派，而在諸公當日，不過實事求是，
> 非必欲自成一家。」斯言可謂允矣。[64]

完全贊同皮錫瑞對清初諸儒治經態度的判斷。

3 馬宗霍不僅對與其師承直接相關的清代今文經學多所贊同，他對漢代
今古文學的討論，同樣採取調和的立場。《中國經學史·第六篇·兩漢之經
學》說：

> 古今之名，實相而對立。古文為漢人所追稱，今文則漢人所自
> 別。……嗣後古今文並行，學者各就所傳，援文生訓，從而為之說。
> 至乎東漢，遂有今學、古學之名。……蓋古今之分，至是已由字體之
> 異而轉為說解之異矣。[65]

---

60 馬宗霍著：《中國經學史》，頁35。
61 〔清〕皮錫瑞著，周予同注：《經學歷史》（臺北：漢京文化公司），頁87。
62 〔清〕皮錫瑞著，周春健校注：《經學通論》，頁79。
63 古文，依較新的研究成果，有廣狹二義。狹義的是指「戰國時代東方國家的文字」，
廣義則「泛指秦統一以前的文字」。參見徐剛：《古文源流考》（北京市：北京大學出
版社，2008年），頁1。
64 馬宗霍著：《中國經學史》，頁144。
65 馬宗霍著：《中國經學史》，頁36。

又說：

> 古文、今文雖殊，然在漢初，古文不為官學，所立博士，皆今文家，
> 故爭論不起。[66]

認為漢初並沒有今古文之爭。一般認為，漢代今古文爭，始於劉歆欲立《左
氏春秋》、《毛詩》、逸《禮》、《古文尚書》於學官。《中國經學史》在列舉漢
代今古文之爭的概況後，說：

> 雖然，自其末流觀之，古今學固若不相入矣。而當古文未出之先，漢
> 初故老，其傳授雖以今文，其誦習多在秦火以前，慮無不通古文
> 者。……可見西漢今文雖盛，而與古文未嘗不可通。訖乎東漢，爭論
> 既起，其界始嚴。然爭論自爭論，而古今學兼治者，則較西京為尤
> 多。[67]

指出漢代的古文、今文學未必是全然的對反，漢儒往往兼通今古文經學。又
強調無論古文經或今文經皆源出於孔子，因此：

> 知古今本出一源，立言惟求其當。比而論之，必有可參。苟各習其師
> 而莫之或徙，則真荀子所謂古為蔽、今為蔽者矣。[68]

就讀經以求孔子之旨的立場來說，古文、今文既然皆源於孔子，應當互相參
證，以求得最正確的理解。這意味著，馬宗霍試圖在今、古文學派的衝突之
間，找到可以調和的立足點。此一立足點，即為今、古文經學派所共同承認
的：孔子曾對諸經進行整理。

66　馬宗霍著：《中國經學史》，頁42。
67　馬宗霍著：《中國經學史》，頁45。
68　馬宗霍著：《中國經學史》，頁46。

四　《中國經學史》論孔子與六經的關係

　　馬宗霍在《中國經學史》中，對孔子與六經的關係的討論，見於〈第一篇‧古之六經〉和〈第二篇‧孔子之六經〉，其中又以〈孔子之六經〉最為重要。

　　〈古之六經〉的論述重點為：六經為先王之陳跡，所謂「陳跡」即是「史實」[69]。因此，文中列舉古籍之相關記載，說明三皇五帝之時「六經皆有萌芽」[70]。他不質疑三皇五帝是否只是傳說中的帝王，有意強調六經為先王之政典的特殊價值。這些政典發展到周朝時，「制作益備，六藝各有司存」[71]，「方其盛時，史掌之，故府藏之。」[72]強調六經在周朝時，由官方掌理，在政治教化上，有重大的成效。他說：

> 其學在官，惟其在官，故施之於教，則道一而風同；發之為政，則俗成而治定。[73]

及周朝國勢衰微，這些先王之政典逐漸散佚，至孔子時已殘缺不全。因此，孔子當時，勤加搜輯整理，成為最重要的傳承者。他說：

> 孔子兼綜六藝，故網羅特富，搜訪獨勤。古籍大觀宜在孔氏。[74]

然而，若孔子於六經只是「網羅特富，搜訪獨勤」，頂多只是佔有大量的資料，並不足以突顯出孔子的特殊地位。故馬宗霍於〈孔子之六經〉，一方面調和清代今、古文學家對孔子與經的關係認定不同的衝突；另一方面則強調

---

69 馬宗霍著：《中國經學史》，頁1。
70 馬宗霍著：《中國經學史》，頁1。
71 馬宗霍著：《中國經學史》，頁2。
72 馬宗霍著：《中國經學史》，頁3。
73 馬宗霍著：《中國經學史》，頁3。
74 馬宗霍著：《中國經學史》，頁5。

孔子之整理賦予六經積極而重大的意義。馬宗霍的說明，重點有二：

1 解釋孔子「述而不作」之意。他說：

> 據《史》、《漢》之文，則知孔子於六藝，《易》則有《傳》，《書》則
> 有《序》，《詩》則有去取，《禮》則有從違，《樂》則有正，《春秋》
> 則有義。《易》有《傳》而後聖道始明，《書》有《序》而後作意始
> 顯，《詩》有去取而後可跡盛衰，《禮》有從違而後可攷質文，《樂》
> 正而後可與移風易俗，《春秋》行而後可以勸善懲惡。雖曰「述而不
> 作」，而作已寓于述之中。……蓋古之六藝，自經孔子修訂，已成為
> 孔門之六藝矣。未修訂以前，六藝但為政典；已修訂以後，六藝乃有
> 義例。政典備，可見一王之法；義例定，遂成一家之學。法僅效績于
> 當時，學斯垂教於萬禩。[75]

認為六藝經孔子的修訂整理，使六經有義例可言，成為孔氏一家之學，不再
只是先王的陳跡。所以經孔子整理後的六經，其性質除了仍是先王之政典，
更是孔子的一家之學。政典表現的是先王一時的政績，而孔子的一家之學，
則可以垂教萬禩。讀經，固然可藉以了解先王之政績，更重要的是要通過六
經掌握孔子寓於其中的「學」。

2 關於清代今、古文經學家所理解的孔子，馬宗霍指出：

> 晚近學者，或則篤信今文家說，尊孔子為素王，謂六藝皆孔子託古改
> 制之書，實為後王立法。或則牢守古文家說，儕孔子於良史，謂六藝
> 皆周公國史之舊，孔子不過傳述而已。是二說者，竊以為皆過也。[76]

馬宗霍認為，清代今文經學家以孔子為素王，藉著六經「託古改制」；古文
經學家則以孔子為良史，傳述「周公國史之舊」，二說皆不得孔子之實。他
引章太炎之說，認為孔子並沒有託古改制，以此來駁正今文經學家素王之

---

75 馬宗霍著：《中國經學史》，頁8。
76 馬宗霍著：《中國經學史》，頁9。

說。又引龔自珍之說來駁正古文經學家之說，認為「孔子不欲以史自居」，後人自然也不應以良史來了解孔子。孔子既非素王亦非良史，馬宗霍乃予以重新的定位，認為孔子應當為「萬世之師」。他說：

> 要而言之，以六藝為政者，王之業；以六藝為掌者，史之職；以六藝為教者，師之任。孔子有德無位，蓋以六藝為教者也。稱曰素王，孔子之道不從而大，是之謂誣；儕之良史，孔子之道，不從而小，是之謂簡。夫惟萬世之師，則尊莫尚焉，亦即孔子之所以自處也。[77]

將孔子重新定位為「垂教萬禩」的「萬世之師」，正與馬宗霍強調孔子整理六經而成一家之學的主張一致。

無論馬宗霍對孔子的重新定位是否恰當，在他的心目中，仍企圖維持傳統經學對經書的意義和價值的崇高地位。與《經學摭談‧經第一》相參照，可以發現從〈國學摭談〉到《中國經學史》，馬宗霍雖然離開了《學衡》，並由受王闓運影響的今文經學立場轉向受章太炎影響的古文經學，但他所堅守的六經乃承載孔子之深旨的根本立場，並未發生改變。他在《中國經學史‧序》所說：

> 經者，載籍之共名，非六藝所得專。六藝者，群聖相因之書，非孔子所得專。然自孔子以六藝為教，從事刪定，于是中國言六藝者咸折中於孔氏。自六藝有所折中，于是學者載籍雖博，必攷信于六藝。蓋六藝專經之稱，自此始也。[78]

頗能呈現他對孔子與經書的根本定位。

77　馬宗霍著：《中國經學史》，頁11。
78　馬宗霍著：《中國經學史》，序頁1。

四　結論

　　經學史的寫法與作者的經學立場密不可分。因此，閱讀經學史的專著，除了著重對相關史事、史料的客觀掌握，亦應留意作者的經學史觀與所撰作之經學史之間的關係。本文以馬宗霍早年發表於《學衡》的〈國學摭談〉和投入章太炎門下後所撰寫的《中國經學史》相參照，指出馬宗霍在〈國學摭談〉中的經學觀點，雖未專主今文家之說，甚至常援引章太炎之說，但行文之中往往透露出王闓運的影響。在今古文經學的立場上，馬氏在成為章門弟子後，雖然更趨近於古文，但他並未因此而排斥今文。他的《中國經學史》採兼綜的態度，企圖在經學史的撰寫上，調和今古文經學對孔子與經的關係的不同認定，從而將孔子重新定位為「垂教萬禩」的「萬世之師」。如果《中國經學史》的撰寫，隱含著作者的問題意識，則此書主要回應的是清代今古文經學的歧異。然這也使得這部《中國經學史》未能適切地反映民國以來新開展的經學議題。

　　例如一九二一年時，由新文化運動陣營核心人物胡適的學生顧頡剛所主導，對後來的經學研究產生重大影響的古史辨運動才剛起步，所以後來成為經學研究重要課題的經書真偽、成書時間的討論，尚未在〈國學摭談〉中有所反映。但馬宗霍在一九三六年印行的《中國經學史》，其所處的時代，古史辨運動的影響力已不容忽視，而馬宗霍在書中卻仍然未涉及相關議題。古史辨對傳統經學影響最大的，主要是質疑孔子與諸經之間的關係和對諸經相關篇章寫定時間的考證。前者，如同為章太炎弟子而涉入古史辨討論甚深的錢玄同，便認為六經與孔子無關。後者，大量出現對經書成書時間的疑辨與考證，將許多經書或重要篇章的著成時間都重新考定在孔子之後。這些討論都直接衝擊著傳統孔子與經書研究的立足點。如論文所指出，馬宗霍對今古文經學派的爭論採調和的立場，而調和的依據主要建立在經書曾經孔子整理這一個傳統經學的基本認定上。今、古文經學家立場雖然不同，但他們卻共同承認經書的價值，與古史辨運動對經書的討論，立足於打破經書獨尊的地

位，從而將這些經書降格成為史料有著極大的差異。從馬宗霍的表現可知，至少到一九三六年以前，傳統對經書承載聖人之旨的特殊價值和理解方式，一直是馬宗霍經學論述的基本立場。

——原載《輔仁國文學報》第三十三期（2011 年 10 月），頁一～二○

「進化」視野下的經學闡釋

——陳柱經學研究

盧鳴東

香港浸會大學中國語言文學系副教授

一　引言

　　陳柱（1890-1944），廣西北流人，字柱尊，號守玄，又號守玄子，故學者稱守玄先生。[1]族姪陳起予指出：「先生以讀書、著書、教書為終身事業。故年未四十，成書四十餘種。現次第刊布者已十餘種。」[2]今參考袁明嶸〈陳柱生平事略及著作目錄〉一文，陳柱的著述數量遠遠超出這個數字。袁文把陳柱的著述分成「專書」、「論文」和「編輯、校刊」三個項目：「專書」一類包括經學、哲學、文學、教學法；「論文」一類包括經學、哲學、史學、文學；「編輯、校刊」一類範圍比較廣泛，沒有細分小類。筆者統計袁文記錄陳柱經學著作的數量，涉及經學專書的著述有三十八部，其中總論佔六部、《易經》五部、《尚書》四部、《詩經》五部、《三禮》一部、《三傳》七部、《四書》三部、《孝經》一部、文字學六部；經學論文有三十三

1　參見袁明嶸：〈陳柱生平事略及著作目錄〉和張京華、王玉清：〈陳柱學術年譜〉。袁文詳細記錄陳柱的生平和著作，可作為主要參考資料。〈陳柱生平事略及著作目錄〉，《中國文哲研究通訊》第17卷第4期（2007年），頁3-46。〈陳柱學術年譜〉，《廣西社會科學》2007年第2期，頁100-105。

2　陳予起：〈三書堂叢書提要〉，《中國學術討論集》第2集，收入《民國叢書》（上海市：上海書店，1991年），頁323。

篇，其中《易經》佔四篇、《詩經》四篇、《三傳》一篇、《四書》六篇、《孝
經》一篇、文字學二十二篇。[3]可見，陳柱經學著作甚豐。但現今研究陳柱
的論著絕無僅有，其中的一個原因，相信是過去沒有整理出陳柱的完整書目
之故，加上一些著作僅有書名和篇名，原文已經不易找得，或有部份未曾出
版，學者根本無從入手。[4]

　　過去一年，筆者寫過兩篇關於陳柱經學研究的文章，包括〈陳柱的公羊
思想──民國初年經學變動的兩個分水嶺〉和〈援老入儒：陳柱公羊思想的
建構〉。[5]二文集中討論陳柱建構《公羊》思想的問題；前文把民國政府的成
立和一戰爆發這兩件歷史事件視為經學變動的兩個分水嶺，解釋陳柱《公
羊》思想的構成；後文分析《老子》對陳柱建構《公羊》思想所起的作用，
以及《公羊家哲學》中各篇的思想聯繫。在論述過程中，兩篇文章都觸及若
干西方進化論的討論。民國時期，進化論是西方傳入中國的一個重要思想理
論，無論對當時的政治、經濟、社會民生和學術文化都造成深遠影響，因
而，近年有關的著述甚豐，有些是專門介紹西方進化學說的形成和流派，有
些是配合民國的政治發展情況，分析進化論在中國的傳播和運用，也有個別
從人物分析說明進化思想的特色。[6]不過，專門以西方進化論來探討中國經
學的文章不多。基本上，在「進化」視野下考察中國經學的問題，有三方面
值得注意：一、由於西方進化論有不同的流派，故先要分析當中哪一門是用
來闡釋經學。二、說明經學家運用進化論闡釋經義的方法，以及他們採取的

───────────

3　〈陳柱生平事略及著作目錄〉，《中國文哲研究通訊》第17卷第4期（2007年），頁3-19。

4　本文得以順利完成，全賴中國文哲研究所林慶彰教授和袁明嶸先生的幫助，他們無私
　　給我寄贈陳柱《四書》和《詩經》著作的影印資料，這些資料現今已不易找到。在
　　此，筆者謹向二人表示衷心感謝。

5　〈陳柱的公羊思想──民國初年經學變動的兩個分水嶺〉，變動時代的經學和經學家
　　第一次學術研討會宣讀論文。中央研究院中國文哲研究所舉辦，2007年7月12日至13
　　日。〈援老入儒：陳柱公羊思想的建構〉，「第五屆中國經學國際學術研討會」宣讀論
　　文（臺北市：國立政治大學，2007年11月17、18日）。

6　王中江：《進化主義在中國》。這是一部比較全面論述民國時期中國進化論的著述。
　　（北京市：首都師範大學，2002年）。

態度。三、分析進化論和經義之間在互相滲透影響之下，彼此所起的變化。

　　陳柱經學著述甚豐，欲要逐一說明進化論在其闡釋經義中的情況，篇幅未免過大，不容易處理。因此，本文嘗試從陳柱的兩部《中庸》注本和一篇訓釋《中庸》章句的論文入手，包括《中庸通義》（1916）、《中庸注參》（1930）和《中庸講記》（1944），比較它們在章句訓釋上的異同，由此勾勒出《中庸》經義和進化論之間的相關課題，然後再聯繫其他經學文獻作進一步討論。《中庸注參·自序》曰：

> 昔講學南洋大學時，曾著《中庸通義》，久已刊布，今匆匆十餘年矣。雖不敢謂學有寸進，然治學之方，今則大異於昔，欲舉而棄之，又有所不忍，別再版行世，以觀今吾故我之異焉。[7]

《中庸通義》是陳柱於一九一六年在南洋大學授課時所著，因此，它與《中庸注參》雖然同時在一九三〇年出版，但兩部書的書寫年代不同；至於《中庸講記》是陳柱晚年最後的一篇經學論文。本文比較陳柱注釋《中庸》章句的異同，主要不是要說明其經學思想流變，只期望在論述過程中，突出陳柱的經學重點，以及挖掘出可與西方進化論並行討論的課題。事實上，《中庸》宣揚「萬物育」、「贊天地之化育」之旨，與進化論嘗言「物競天擇」、「適者生存」的倡議，兩者共同關注的俱是人類生存的議題，在這個大前提下，本文嘗試找出它們互涉雙關的討論空間。

　　通過陳柱對《中庸》的「鬼神之為德」章、「天命之謂性」章和「君子之道費而隱」章的闡釋，本文主要分為三個部分：第一，分析「鬼神之為德」章釋義之異同，帶出「神造論」和「進化論」這兩個關於生命起源的課題，藉此說明陳柱雖然堅守儒家的鬼神觀，但依然包容進化論出現在《易經》的闡釋中，用來揭示宇宙生成的天演規律。第二，分析「天命之謂性」章釋義之異同，反映出「競爭」和「互助」是人類兩種不同的生存方式，而陳柱在《孝經》的闡釋中，以孝作為根本，彌補「互助論」的不足，使它貫

7　陳柱：《中庸注參》（上海市：商務印書館，1931年），頁3-4。

徹執行於社會各階層中。第三、分析「君子之道費而隱」章釋義之異同，從
《詩經》二〈南〉的闡釋勾勒出「倫理進化」是人類進化的模式，而在《公
羊傳》「三世說」的釋義中，指出人類的「歷史進化」分為三期，最後以國
家平等、種族平等，萬物得以化育為終結。

二　神造論與進化論：生命的起源

（一）釋「鬼神之為德」章[8]

　　《中庸》曰：「子曰：鬼神之為德，其盛矣乎？視之而弗見，聽之而弗
聞，體物而不可遺。使天下之人，齊明盛服，以承祭祀，洋洋乎！如在其
上，如在其左右。《詩》曰：『神之格思，不可度思，矧可射思。』夫微之
顯，誠之不可揜如此夫。」

　　通過陳柱對上章的注解，可以分析出他對鬼神存在的態度。《中庸通
義》曰：「柱謹按：鬼神之事，幽玄茫渺，不可以跡象求，尚非今日之學者
所能斷其有無也。然則孰為近？曰：『有鬼神之說為近。』」[9]《中庸章句》
載：「程子曰：『鬼神，天地之功用，而造化之跡也。』張子曰：『鬼神者，
二氣之良能也。』……鬼神無形與聲，然物之終始莫非陰陽合散之所為是，
其為物之體而物不能遺也。」[10]鬼神不是可見可聞的實體，但萬物的生成卻
沒有不是由陰陽二氣造成，遺有鬼神造化的痕跡。陳柱認為當前的學者也沒
法肯定鬼神存在與否，而他比較相信鬼神的存在。

　　從論證鬼神存在所抱的態度來看，陳柱不只偏向於鬼神的存在，更懷有
一種肯定的信念。通過古今中西學說的參證，陳柱明確指出鬼神是天地的造
物主，它的存在好比西方的上帝。陳柱曰：「欲明有鬼神之說為近，則必先

8　本文為了方便討論陳柱的觀點，《中庸》內文均據陳柱的分章方法。見《中庸通義》
　　（上海市：國立暨南大學講義，1930年7月），頁17。
9　同前註，頁17。
10　〔宋〕朱熹：《四書集註》（香港：香港太平書局，1986年），頁11。

而明天地之有無始。」[11]他根據《老子》和漢代讖緯《易》說，說明天地在
生成以前，已存在混沌之氣，它們是造成天地的物質。《老子》曰：「有物混
成，先天地生。」《河圖・括地象》曰：「《易》有太極，是生兩儀；兩儀未
分，其氣混沌；清濁既分，伏者為天，偃者為地。」[12]創造天地的源頭，同
樣也是萬物的起源。陳柱引用康德（Kant, Immanuel, 1724-1804）和拉普拉斯
（Laplace, 1749-1827）的宇宙生成學說加以申論。《中庸通義》曰：

> 剛德 Kant（筆者案：即康德）及辣伯拉思 Raplace（筆者案：即拉普
> 拉斯）者，天文學家也，咸謂「太初之時，祇有元質，細如烟霧，彌
> 滿空中」，弗知其幾兆兆里，是今人亦認天地為有始矣。天地有始，
> 則萬物亦必有始，而為之創造，醜姸頑靈。非無意于其間，猶大冶之
> 於劍，銛頓剛柔，惟所欲鑄也。……與西教《創世記》言「上帝接己
> 形貌以造人，使之管轄萬類，統理全地」，其說相符。皆以為人物之
> 生，莫不有造物為之主者也。此造物者，即孔子所謂「體物之鬼神」
> 也。[13]

一七五五年，康德在《宇宙發展史概論》中，主張宇宙是由力學運動形成，
認為「物質是能從它的完全分解各分散狀態中，自然而然成為一個美好而有
秩序的整體的」，這並不是出於偶然，「正因為大自然即使在混沌中，也只能
有規則有秩序進行活動，所以有一個上帝存在。」[14]從自然神學出發，康德
所謂的「物質」，亦即是宇宙中的星雲，它們通過凝聚和離合的運動，構成
有秩序的宇宙，而背後的策劃者是上帝。五十年後，拉普拉斯於《宇宙體系
論》中沿用康德的「星雲說」，藉此追溯星系起源的真正原因。他說「在我
們所假想的太陽的原始狀態裡，它象我們在望遠鏡裡所看見的星雲，它是周

11　《中庸通義》，頁17。

12　同前註，頁17。

13　同註11，頁17-18。

14　〔德〕康德（Kant, Immanuel）著，上海外國自然科學哲學著作編譯組譯：《宇宙發展
　　史概論》（上海市：上海人民出版社，1972年），頁13-14。

圍有星雲氣的，或亮或暗的一個核所構成。當周圍星雲氣向核的表面凝聚時便變成一顆恒星。」[15]沿用西方天文學知識，陳柱致力証明造物主的存在，說明宇宙萬物的由來，就孔子而言，這便是鬼神的造化。

上帝創造論相信：生命的起源和變化全部都是造物主意志的體現，生物不會自行生成和演變的，此說與主張生物因適應環境而自行演變的進化論是有牴觸，而陳柱也洞悉箇的情況。因此，他接著便批評斯賓塞（Spencer, Herbert, 1820-1903）和赫克爾（Haeckel, 1834-1919）這兩位主張進化論的西方學者，駁斥他們「鬼神無驗」的論調。《中庸通義》曰：

> 而斯賓塞 SpeOcer、海格爾 Heeckel（筆者案：即赫克爾）之徒以為鬼神無驗，遂謂天下無神，以謂萬物之生，初惟元質，次變為土，次變為石，次變為草，次變為桃李，為禽獸，變至人而后止。海氏且謂「自元質以至變人凡二十二變」，以為諸類之生，悉本乎原質之力；萬物之別亦皆本乎天演之變，而無所神者。此其說雖持之有故，言之成理，然而，生此元質者誰乎？主此變化者誰乎？則謂無造物不可得也，謂無鬼神不可得也。[16]

一九一三年，北京《平報》刊載了嚴復〈天演進化論〉一文，其中記載了斯賓塞「鬼神無驗」的看法。斯賓塞指出鬼神是出於生人的夢幻和缺乏生理常識之故，其謂「淺化之民以夢為非幻，視夢中閱歷無異覺時之閱歷也。以夢為非幻，于是人有二身，其一可死，其一不可死。又因于生理學淺，由是于迷罔失覺、諸暴疾無由區別」。[17]按照此說，鬼神是人們虛構出來，根本不是真實存在，因此，生物的演變與鬼神無關。此外，一八九九年，赫克爾在《宇宙之謎》中，抨擊「上帝按照自己的形象造人」的創世說，他比較出人

15 〔法〕拉普拉斯（Laplace）著，李珩等譯：《宇宙體系論》（上海市：上海譯文出版社，1977年），頁478。
16 《中庸通義》，頁18。
17 嚴復：〈天演進化論〉，收入王栻主編：《嚴復集》（北京市：中華書局，1986年），冊2，頁318。

類和類人猿的「大部分器官的大小和形狀還有細微的差別……即使將同種的個別人進行精確的比較也會發現類似的情況」，故結論是「人和類人猿的確是『血緣親屬』」。[18]不過，陳柱指出，儘管生命是天演變化而來，而人類的出現也經由從猿猴進化，但主宰當中的進化秩序是造物者。

　　創造論和進化論的核心理論有不能磨滅的衝突，站在主張鬼神存在的立場上，陳柱選擇了前者。一九三〇年，陳柱在《中庸注參》中再次注釋「鬼神之為德」章：

　　柱按：此雖言鬼神之德之盛，然而云：「不見不聞」，云：「如在」，則非以為真有鬼神之形狀可知。故儒家之言鬼神，與墨家之〈明鬼〉不同。[19]

儒家雖然肯定鬼神的存在，孔子嘗謂「敬鬼神而遠之」[20]，但「子不語：『怪、力、亂、神』」[21]，對鬼神還是維持保留的態度。相比之下，墨家以為「自古以及今，生民以來者，亦有嘗見鬼神之物，聞鬼神之聲」[22]，墨子不僅相信鬼神的真實存在，而且能夠「賞賢而罰暴」。這是儒、墨兩家的區別。陳柱以上沒有表達鬼神存在與否的看法，這雖然不表示他的立場出現改變，但我們考察到的是，陳柱通過儒、墨兩家比較，把鬼神的討論焦點放在鬼神的本質上。

　　陳柱最後一部的《中庸》著作是《中庸講記》，在注解「鬼神之為德」章中，他先確立出儒、道、墨三家的鬼神觀，「故道家主『無神論』，墨家主

18　〔德〕赫克爾（Haeckel），馬君武譯：《宇宙之謎》（北京市：中華書局，1920年），頁36。赫氏從十九世紀解剖學出發，指出人類有「脊椎動物」、「四足動物」、「哺乳動物」、「胎盤動物」、「靈長動物」、「猿猴動物」、「狹鼻猴」、「類人猿」等遺傳特徵。頁27-35。這是陳柱所指人類進化經歷二十二變的由來。

19　《中庸注參》，頁27-28。

20　〔魏〕何晏注：《論語注疏》，收入國立編譯館主編：《十三經注疏》（臺北市：新文豐出版社，2001年），冊19，〈雍也〉，頁141。

21　《論語注疏》，〈述而〉，頁162。

22　張純一：〈明鬼下〉，《墨子集解》（臺北市：文史哲出版社，1978年），頁276。

『有神論』，若儒家則介於道、墨二者之間，可謂之『如神論』。」《老子》
云：「天地不仁，以萬物為芻狗。」陳柱據此認為道家「蓋皆不以天地有鬼
神也」；又以《墨子》「以明天神人鬼之確有其物，喜、怒、賞、罰、居處、
飲食與生人無異」，故以墨家是有神論。儒家則界乎道、墨兩家之間，屬於
「如神論」；儒家相信鬼神以氣生萬物，是確實的存在，但「人死則精氣歸
於天地體物生物之原，謂之為亡也不可，謂之為有，如生人之能喜怒飲食也
亦不可」，所以鬼神只是「如在」[23]。在此，鬼神仍然扣上造物者的身份。
但是，陳柱認為儒家的鬼神觀還有另一解說。《中庸講記》曰：

> 天地有此體物不遺，生物不測之鬼神，故能使人齊明盛服，以奉承其
> 先祖父母之祭祀也。蓋必天地之有此鬼神，故能使人信其父母之有鬼
> 神。父母之鬼神，雖弗見，弗聞，然齊明盛服，誠之所至，則「洋洋
> 乎！如在其上，如在其左右」矣。[24]

儒家鬼神之說，其旨在於孝道，使人們慎終追遠，以求民德歸厚。按照此
說，鬼神不必真有，人們只要持有鬼神的信念便可以。孔子曰：「非其鬼而
祭之，諂也。」[25]因為敬鬼神也是敬祖宗，故基本上，祖宗祭祀與西方宗教
信仰性質不同。〈八佾〉曰：「祭如在，祭神如神在。」[26]這是要求生人在自
我修身的過程中，符合禮敬的基本要求，與已成為鬼神的先人溝通。

　　上述可見，陳柱最初是確信鬼神的存在，並視之為如同西方上帝造物主
一般，在創造生命的能力，若然他一直堅持這個立場，進化論是絲毫沒法在
其思想上取得優勢。後來，他的立場出現了一些改變，把鬼神的討論空間由
儒家開放至道、墨兩家，對它們的本質和存在重新定位，結果明白鬼神的有
無不能一概而論，只視乎人們運用哪一門學說來看待而已；況且儒家的鬼神
觀，除了起到說明萬物造化的起源外，還含有鼓吹孝道的要旨。雖然如此，

23　陳柱：《中庸講記》，收入《真知學報》第3卷第3、4期合刊（1944年1月），頁15-16。
24　《中庸講記》，頁15。
25　〈為政〉，《論語注疏》，頁56。
26　同前註，〈八佾〉，頁70。

直至晚年，陳柱始終沒有徹底接受無神論，他持著學術開放的思想態度，只要在沒有與儒家鬼神觀發生衝突的前提下，接受西方進化學說作為其經學闡釋中的一位新成員。

（二）《易經》與宇宙起源

對晚清士人、百姓來說，進化論是西方傳入的新興概念，在此以前，中國不曾討論人類在生物界中的進化譜系，當時來說，譯本的介紹是瞭解這門學問的主要途徑。嚴復（1853-1921）的《天演論》在一八九八年出版，對中國進化論的傳播起了深遠影響，而民國時期研究進化論的學者，或多或少都帶有嚴復的影子。胡適（1891-1962）回憶「《天演論》出版之後，不上幾年，便風行到全國，竟做了中學生的讀物了。讀這書的人，很少能了解赫胥黎在科學史和思想史上的貢獻。他們能了解的只是那『優勝劣敗，適者生存』的公式在國際政治上的意義。」[27]當時代表西方進化論的流派很多，彼此論說不一，但讀者在《天演論》中一般只接觸到「優勝劣敗，適者生存」的人類進化公式，這是因為嚴復是以斯賓塞主張「競爭進化」的「社會達爾文主義」，作為其介紹西方進化論的思想基礎。

撇下上帝創造之手的指引，宇宙起源的過程便要在天文學中尋找答案。宇宙先於天地而生，是一切生命的根源，而作為中國進化論的「導航者」——嚴復，已先行在《天演論・自序》中敘述宇宙的演化秩序，並利用《易》卦作為論述星體形成的科學材料。[28]陳柱《易》學的研究成果，主要反映在一九二九年出版的《周易論略》中。他認為「《易經》義理之精深，

27　胡適：《四十自述》（臺北市：遠東圖書公司，1959年），頁50。

28　嚴復在《天演論・廣義》中利用斯賓塞力學中星氣的聚散和動靜，來解釋宇宙萬物生成的演化過程。當中不僅介紹了斯賓塞的說法，並且逐句作出解釋，比起〈自序〉中所述的更為全面。陳柱沒有引用此文，其著眼點可能只集中在〈乾〉、〈坤〉二卦在力學上的科學解釋，因而忽略了《易經》在「生生之道」上的本義。嚴復案：「斯賓塞爾之天演說曰：『天演者，翕以合質，闢以出力。方其用事也，物由純而之雜，由流而之凝，由渾而之畫，質力雜糅，相劑為變者也。』」《嚴復集》，冊5，頁1327。

包羅之廣大，尤不可以更僕數。今世盛言科學，茲僅略摘其有合於科學數十
事如左。」[29]陳柱指出《易經》內涵有合於西方「力學」，而為了說明當中
的科學性，他輯錄了《天演論·自序》中的內容，從宇宙的起源來闡釋《易
經》的經義。《周易論略》中「力學」一條載：

> 《易傳·繫辭上》曰：「夫乾，其靜也專，其動也直，是以大生焉；
> 夫坤，其靜也翕，其動也闢，是以廣生焉。」

> 嚴復云：「夫西學之最為切實，而執其例可以御蕃變者，名、數、
> 質、力四者之學而已。而吾《易》則名數以為經，質力以為緯，而合
> 其名曰《易》。大宇之內，質力相推，非質無以見力，非力無以呈
> 質。凡力皆乾也，凡質皆坤也。奈端動之例三，其一曰：「靜者不自
> 動，動者不自止，動路必直，速率必均。」此所謂曠古之慮，自其例
> 出，而後天學明，人事利者也。而《易》則曰：「乾，其靜也專，其
> 動也直。」後二百年，有斯賓塞爾者，以天演自然言化，著書造論，
> 貫天地人而一理之，此亦晚近之純作也。其為天演界說曰：『翕以合
> 質，闢以出力，如簡易而終於雜糅。』而《易》則曰：『坤，其靜也
> 翕，其動也闢。』……」[30]

根據十八世紀西方「力學」的原理，嚴復所謂「質力相推」是指物質和動力
聯合起來所起的作用，二者是星體構成的原動力，缺一不可。康德認為由於
引力和斥力的相互作用，物質微粒由於引力而不斷凝聚，形成一個物體；由
於斥力而向旁轉，發生側向運動，「再借助于離心力的作用，就形成一個圍
繞中心物體運轉的圓周運動」，變成為行星繞太陽運轉有規則的天體系統。[31]
這是宇宙起源的科學性說明。

---

29 陳柱：《周易論略》（臺北市：臺灣商務印書館，1976年），頁61-62。

30 《周易論略》，頁69。

31 康德在《宇宙發展史概論》中曰：「我假定，構成我們太陽系的星球：一切行星和慧
　星的物質，在太初時都分解為基本微粒，充滿整個宇宙空間，現在這些已成形的星體
　就在這空間中運轉。」（頁64、67）。

　　由於宇宙星體必須經過「質力相推」形成，情況有如《易經》中〈乾〉、〈坤〉二卦的陰陽互補、剛柔並濟的相合作用，因此，嚴復把〈乾〉視為「質」，〈坤〉看成「力」，首先為二卦加上科學性的本質。由於「質力相推」是物質的靜態凝聚，也是力的動態運動，於是，嚴復按照《易傳》經文，分別把〈乾〉、〈坤〉分成動靜兩種狀態，並通過動、靜的互補作用，從宇宙的生成來說明「天演」的規律。[32]他把奈端的「動之例三」對照〈乾〉的動、靜；《易傳・繫辭上》曰：「夫乾，其靜也專，其動也直。」而斯賓塞的「天演界說」則對照〈坤〉的動、靜；《易傳・繫辭上》曰：「坤，其靜也翕，其動也闢。」「翕」有靜止之義，代表物質的靜態凝聚；「闢」解作運動，代表力的動態表現，由此質力相合，構成宇宙星系，體現出由純到雜的天演進化過程。

　　根據嚴復的說法，陳柱揭示出《易經》所蘊含的宇宙科學性，說明了天演的誕生。但嚴復沒有引用經文的全部，這不管是刻意抑或無心之失，均會造成經義在理解上的偏差，比不上梁啟超在《說群一》中解釋宇宙生成的處理方法。[33]《易傳・繫辭上》曰：「夫乾，其靜也專，其動也直，是以大生

32　在西方進方主義中，嚴復指出「進化」（evolution）一詞是由斯賓塞確定，其謂：「天演西名『義和祿尚』，最先用於斯賓塞，而為之界說。」〈天演進化論〉，《嚴復集》，冊2，頁309。同時，嚴復把「進化」翻譯成「天演」，指出當中的「天」有「形氣」、「物化」和「自然」的內涵，後來，中國學者便經常把「進化」稱為「天演」、「天演進化」、「天演自然」或「天演競爭」等等。嚴復對「天」的三種理解：其一，嚴復曰：「以神理言之上帝，以形下言之蒼昊，至于無所為作而有因果之形氣，雖有因果而不可得言之適偶，……天演天字，則第三義也。」《〈群學肄言〉按語》，《嚴復集》，冊4，頁921-922。其二，嚴復曰：「凡讀《易》、《老》諸書，遇天地字面，只宜作物化觀念，不可死向蒼蒼搏搏者作想。」《〈老子〉評語》，《嚴復集》，冊4，頁1078。其三，嚴復曰：「天者何？自然之機，必至之勢也。」《〈原富〉按語》，《嚴復集》，冊4，頁896。

33　梁啟超嘗利用力學原則，解釋〈乾〉、〈坤〉生成宇宙的原理，當中強調到《易經》庶生萬物的思想。梁啟超曰：「凡世界中具二種力，一曰吸力，二曰拒力。惟二力在世界中不增不減，迭為正負，此增則彼減，彼正則此負。」又「群者，天下之公理也。地與諸行星群，日與諸恒星攝，用不散墜。使徒有離心力則乾坤毀矣。六十四原質相和相雜，配劑之多寡，排列之同異，千變萬化，乃生庶物。」葛懋春、蔣俊編選：

焉；夫坤，其靜也翕，其動也闢，是以廣生焉。」[34]可見，育化萬物是《易傳》中所要表達的要旨。在《天演論‧自序》中，嚴復省去「是以大生焉」;「是以廣生焉」兩句，經義上便僅遺留〈乾〉、〈坤〉兩卦的運作過程，失去了萬物滋生的意義。《易傳‧繫辭下》曰:「天地之大德曰生。」[35]「育化」與「進化」是兩種不同的概念，前者是來自傳統儒家天道觀對人文關懷的一種道德表現，孕育出無限生機;後者是西方進化主義下「機械式」的演化秩序，是立足在科學研發上所獲得的一種生物變異規律。嚴復「殺雞取卵」般的科學性論述，無疑使西方進化論增添本土的傳統味道，容易使當時人受落，但《易經》的本義也因此喪失。陳柱的《易》學研究沿出於此，因而也帶有同樣的缺失。

二　「物競」與「互助」：生存的方式

（一）釋「天命之謂性」章

《中庸》曰:「天命之謂性，率性之謂道，修道之謂教。道也者，不可須臾離也，可離非道也，是故君子戒慎乎其所不睹，恐懼乎其所不聞。莫見乎隱，莫顯乎微，故君子慎其獨也。喜怒哀樂之未發，謂之中，發而皆中節，謂之和。中也者，天下之大本也。和也者，天下之達道也。致中和，天地位焉，萬物育焉。」[36]

在三部的《中庸》注本中，陳柱對上文的「天命」和「性」有著兩種不同解釋:第一種說法是把「命」解釋為「令」;朱熹曰:「命猶令也。」[37];

《梁啟超哲學思想論文選》(北京市:北京大學出版社，1984年)，頁12-13。

34　〔魏〕王弼、韓康伯注:《周易正義》，收入國立編譯館主編:《十三經注疏》，冊1，頁559。

35　《周易正義》，頁609。

36　《中庸通義》，頁1。

37　《四書集註》，頁1。

而「性」解釋為「善」。在《中庸通義》中，「天命」一詞沒有隨文注解，但陳柱在《自敘》中曰：

> 夫人者，天地之心，萬物之靈也。今乃自入于禽門，豈非失天地之心，而逆天地之命也哉？夫逆父母之命者，父母得而誅之；天地于人不啻父母，今逆天地之命，其能免于天地之誅邪？[38]

陳柱把「逆天地之命」比況為「逆父母之命」，「逆」有抗拒之義，故「命」即是「命令」。因此，「命」是名詞，「天」、「命」合辭連用，作為人性的形上根據，而人循其性而行，以求合於天道，後經修養工夫，擴充本性。至於「性」，陳柱解釋為人性的本善。《中庸通義》曰：「率，鄭玄注：『循也。』循其性之謂道，則以人性本善也。……夫然故人性無不善，擴而充之，無不可以位天地，育萬物者。」[39] 天命含有善的道德屬性，人們只要「率性」「修道」，育化自然流行。

　　在《人類的由來》一書中，達爾文（Darwin, Charles, 1809-1882）指出人類是從猿猴傳下來的，之於「人才在很久以來在一切生物之中，成為最能主宰的力量」，是基於「理智能力」和「道德性情」的提高。[40] 這種區別人與動物的道德標準，對於傳統儒家來說，也起到相同的作用。陳柱也認為人性是人與禽獸的主要分界，作為人類所以能夠從猿猴進化出來的條件。《中庸通義》載：

> 吾聞夫歷史學者之言曰：「太古之民噩噩爾，後世聖人教之以仁義禮知。」又聞夫人類學者之言曰：「人類之始猿猴之所進化也。」然則太古之民，其去禽獸也無幾耳。唯有聖賢人焉，教之以修其道而盡其性，故卓然有以異于禽獸，而進為人？今世之人，其去禽獸也固已久

38　《中庸通義》，頁2。

39　同前註，頁1。

40　〔英〕達爾文（Darwin, Charles）著，潘光旦、胡壽文譯：《人類的由來》（北京市：商務印書館，1997年），下冊，頁924-925。

矣，唯自離其道，而賊其性，故憙然自居于小人，而將降為禽獸。[41]

通過人類與猿猴的進化關係，陳柱論證「修道」、「盡性」的重要性。「天命之謂性」，天命的道德屬性，只是對於生人而言，若人們放棄行道，則如其他生物無別，這突出了人類在自然生物界中的特殊地方。

第二種對於「命」和「性」的解釋，見於《中庸注參》和《中庸講記》中。陳柱把「命」解釋為「生」、「生命」；而「性」指為「自然之性」和「生生之性」。《中庸注參》載：

> 柱按：命猶生也。故生、命連言。《論衡‧骨相》篇云：「命謂初所稟得而生也。」是命有生義。天命之謂性，謂天生之自然者謂之性。是人生之本然，不假於外者也。率，鄭注云：「循也。」循此自然之性而行謂之道。道，路也。引申之為人生之道。好生而惡死，此生物之性也。有此好生之性，則循此好生之性而行，去死避難，以求遂其生生之性，是之謂道。然生物雖好生而惡死，然好之不得其道，或縱欲之過而自戕其生，或專欲之過而彼此相殺，則亦自取死亡之道也，又必脩而明之而後可。故君子修而明之以教於人人，故曰修道之謂教。[42]

《中庸講記》曰：

> 柱案：命，生命也。天命之謂性者，天所生之物，各有其自然之性也。性者生而自然有者也。[43]

以上「天」和「命」分讀，「天」是名詞，它是主體的存在。「命」含有兩義：訓作「生」是動詞；解為「生命」是名詞。陳柱認為，「天命之謂性」，是天所生的生命，各有自然而來的本性，不必外求；「自然」有普遍和必然的意義，對於所有人以至一切生物都是適用的。「好生惡死」是一切生物的

41　《中庸通義》，頁2。

42　《中庸注參》，頁1。

43　《中庸講記》，頁4。

「自然之性」，人們遵循此「生生之性」而行，謀求生命孳息不絕之道。《易傳・繫辭上》曰：「生生之謂《易》。」《正義》曰：「生生，不絕之辭。」[44] 人性以「生生」為道，是陳柱從《易傳》中汲取過來的。

　　在《中庸通義》中，陳柱最初理解「天」是人們道德生命的泉源，人性的善源出於天，是人與禽獸區別的依據。因此，「人有須臾之離其道，則須臾而為禽獸。」[45]但在《中庸注參》和《中庸講記》中，「天」是育成萬物的本體，與自然界合而為一，它根本的功能是生物，也就是以「生」為道。《中庸講記》曰：「道者，生生之道也。故不可須臾離，離則死矣。」因此，凡是天所生出的生物，皆有「好生惡死」的自然本性，而當中不以人為限。《中庸章句》曰：「天地之道，可一言而盡也；其為物不貳，則其生物不測。」[46]這顯示了在儒家學說中，天在生命意義創造上的道德價值。《中庸注參》釋「萬物育焉」曰：

> 「萬物育焉」，謂萬物得遂生生之道也。夫儒家之學，以天地位，萬物育為主恉，其道何等博大？與近世歐洲之物競主義，國家主義，專以殘殺異類為自存之計者，其仁暴蓋相隔天淵矣。[47]

以上，陳柱的注解是帶有針對性的。進化論倡議「物競天擇，適者生存」，與儒家「萬物育」之旨看來是一致，大凡生物均以「生存」為目標。但進化論所指的是通過競爭「求生」的方法，生存是奪取他人的生存空間所得來的；《中庸》的「萬物育」是「廣生」之道，天地之間已存在生機旺盛的空間，讓生物不必相爭，育化成長。陳柱改動「天命之謂性」中「性」的注解，便能強調傳統儒家仁民愛物的好生之德，對照出西方「競爭進化」的殘暴不仁。

44　《周易正義》，頁555。

45　《中庸通義》，頁2。

46　《四書集註》，頁23。

47　《中庸注參》，頁5。

（二）《孝經》與「互助論」

　　一九〇二年，梁啟超在《新民叢報》中刊載〈論進步〉一文，其謂：「競爭為進化之母，此義殆既成鐵案矣。」[48]這反映出「物競天擇」、「適者生存」是西方進化論輸入中國後的主流思想，它自晚清以來所以廣泛傳播，《天演論》無疑起了重大作用。《天演論》雖然是翻譯自赫胥黎的《進化論與倫理學》，但嚴復所持的觀點多以斯賓塞為主，亦載有按語表達己見。[49]《天演論・察變》曰：「以天演為體，而其用有二：曰：『物競』，曰：『天擇』。此萬物莫不然，而于有生之類為尤著。物競者，物爭自存也。以一物以與物物爭，或存或亡，而其效則歸于天擇。天擇者，物爭焉獨存。則其存也，必有其所以存，必其所得于天之分，……斯賓塞爾曰：『天擇者，存其最宜者也。』夫物既爭存矣，而天又從其爭之後而擇之，一爭一擇，而變化之事出矣。」[50]在生物界中，物種為生存競爭，任天選擇，其結果是生存下來的物種是最能夠適應任何時期的環境條件。斯賓塞相信，「競爭進化」是生物所以能夠生生不息的公例。

　　儼如嚴復所言，「物競」、「天擇」二義，發明自達爾文在《物種起源》中對動植物的研究，為「斯賓塞氏至推之農商工兵、語言文學之間，皆可以天演明其消息所以然之故。」[51]於是，生物領域中的進化過程便從生物界涉足到人類的社會生活中。一八九五年，嚴復就斯賓塞「社會達爾文主義」的內容作出詳細闡釋，〈原強〉曰：

---

48 梁啟超：〈論進步〉，《新民說》（瀋陽市：遼寧人民出版社，1994年），頁76。

49 嚴復曰：「蓋自有歌白尼而後天學明，亦自有達爾文而後生理確也。斯賓塞爾者，與達同時，亦本天演著《天人會通論》，舉天、地、人、形氣、心性、動植之事而一貫之，其說尤為精辟宏富。……嗚乎！歐州自有生民以來，無此作也。」可見，嚴復對斯賓塞的學說十分推崇。《嚴復集》，冊5，頁1325。

50 同前註，頁1324。

51 同註49，頁1325、1328。

所謂爭自存者，謂民物之於世也，樊然並生，同享天地自然之利。與
接為構，民民物物，各爭有以自存。其始也，種與種爭，及其成群成
國，則群與群爭，國與國爭，而弱者當為強肉，愚者當為智役焉。[52]

「弱肉強食，適者生存」，人類與生物進化過程相同，沒有不是通過競爭自
存，而這種生存狀態發生在群體與群體之間，種族與種族之間，國家與國家
之間。由於中國當時在國際政治舞台上屢次失敗，這種「優勝劣敗」的生存
公例自然容易受到社會人士所受落。

歐洲各國經歷一戰戰火洗禮，動搖了「物競生存」的權威。[53]這種政治
形勢的改變，有利俄國克魯泡特金（P.A. Kropotkin, 1842-1921）「互助論」
在各地的傳播。《互助論》中載：「我們可以斷言，在人類道德的進步中，起
主導作用的是互助而不是互爭。」[54]人類生存不必經過競爭，全賴大家互相
倚靠，彼此合作，這看來是取締「競爭進化」的一個理想生存方式。不過，
克魯泡特金所說的「互助」，其定義曾受到當時學者的質疑。一九二七年，
日人高畠素之的《社會主義與進化論》中文譯本出版，他在書中指出：

克魯泡特金並不是說個體間沒有競爭，但是他說實際生存競爭上的適

52 嚴復：〈原強〉，載王栻主編：《嚴復集》，冊1，頁5。

53 蔡元培指出：「在昔生物學者有物競生存、優勝劣敗之說，德國大文學家尼采，
（Nietsche）遂應用其說于人群，以為汰弱存強為人類進化之公理，而以強者之憐憫
弱者為奴隸道德。德國主戰派遂應用其說于國際間，此軍國主義之所以盛行也。」中
國蔡元培研究會編：《蔡元培全集》（杭州市：浙江教育出版社，1996年），卷3，頁
4。梁啟超在〈歐游心影錄〉中指出「自達爾文發明生物學大原則，著了一部名山不朽
的《種源論》，……其敵極于德之尼采，謂愛他主義為奴隸的遁德，謂剿絕弱者為強者
之天職，且為世運進化所必要。這種怪論，就是借達爾文的生物學做個基礎，恰好投
合當代人的心理。所以就私人方面論，崇拜勢力，崇拜黃金，成了天經地義；就國家
方面論，軍國主義帝國主義，變（成）了最時髦的政治方針，這回全世界國際大戰爭，
其起源實由于此，將來各國內階級大戰爭，其起源也實由于此。」載陳崧編：《五四前
後東西文化問題論戰文選》（北京市：中國社會科學出版社，1989年），頁358。

54 〔俄〕克魯泡特金著，李平漚譯：《互助論——進化的一個原素》（北京市：商務印書
館，1984年），頁264。

　　者，不是互相競爭的動物；是互相倚靠，鞏固自己團體的動物。[55]

據此來說，在克魯泡特金的「互助論」中，所謂「互助」並不徹底，個體之
間還是存在競爭，而「互助」只是發生在競爭以後，生存者為了鞏固團體的
力量才出現。事實上，早期的西方生物學家也曾提出動物界中有類似的互助
情況。法國生物學家拉馬克（Lamarck, 1744-1829）在一八〇九年的《動物
哲學》中，認為「動物界的生存公例中是「弱肉強食」，「可是同一種類的個
體，互相捕食的事卻不常有，而是常與其他種類作戰的。」[56]此外，達爾文
指出「賦有社會性本能的動物能在相處之中感到伴侶的樂趣，危險當前，能
彼此警覺，並多方面地互相保護，互相幫助。這些本能的表現並不擴充到物
種的全部的成員，而只限于屬于同一個聚區以內的一些個體。」[57]可見，所
謂「互助」只是侷限於同一物種的個體上，或是近親伴侶的範圍內，異類相
爭的情況依然激烈。

　　與其他國內學者一樣，陳柱指出「天演物競之說，盛倡於近世，造成歐
州極盛之局；然自歐戰之後，學者已頗多非議之」[58]，由此他倡議「互助」
是人類的生存方式，「蓋深知人類之安寧，在於人類之互助」[59]。然則，陳
柱是重新建構「互助」的思想內涵的。一九三六年，陳柱根據《孝經》「父
慈子孝」的倫理規範，在〈論語類纂孝弟篇大義〉一文中為「互助」說發掘
出一個具有儒家倫理色彩的源頭。陳柱曰：

　　　　人之呱呱墮地也，非能自食之也，必賴父母養之。及其長也，不能自
　　　　有知識也，必賴父母延師傅以教之，父母終身愛其子，故孝子亦終身

55　〔日〕高嶋素之著，夏丏尊、李繼楨譯：《社會主義與進化論》（上海市：商務印書
　　館，1927年），頁11。
56　〔法〕拉馬克（Lamarck）著，沐紹良譯：《動物哲學》（長沙市：商務印書館，出版年
　　不詳），頁72。
57　《人類的由來》，頁925。
58　陳柱：〈趙甌北詩之哲學〉，收入《清儒學術討論第一集下》，頁76。
59　陳柱：《老子》（出版地缺：商務印書館，1929年），收入《萬有文庫》，第1集，第49
　　種，頁9。

慕父母，別其名，則曰：「父慈子孝」；渾言之，則亦今之所謂「互助」耳。何也？人幼而父母助之長成，人老而子孫助之終老，非互助而何？[60]

「身體髮膚，受之父母」，除了賜予生命外，父母對子女有撫養、培育成才之恩，相對上，人子對雙親也踐行終身奉養，必恭必敬的孝行。《孝經・紀孝行章》載：「孝子之事親也，居則致其敬，養則致其樂，病則致其憂，喪則致其哀，祭則致其嚴，五者備矣，然後能事親。」[61]陳柱把這種骨肉之間的親情視為「互助」，促使人類的生存方式進入儒家倫理思想的討論中。

陳柱的「互助」說，是植根在儒家的倫理學說上，與克魯泡特金的「互助論」同名異實。本於儒家親疏血緣的倫理關係，人們「互助」的生存方式便具備了明確指引。陳柱曰：「最親愛之父母，尚不能助，而曰：『我有以助朋友。』其誰信之。」[62]這說明互助行為是以孝為根本，由家庭至社會，再到國家，是一種由內至外的行為模式。同時，「互助」沒有具備法律效力的契約關係，沒有任何的制約性，承諾不一定會兌現，但當它以孝為根本理據後，人類互助的行為便會必然發生。〈論語類纂孝弟篇大義〉載：

> 昔人有言曰：「父子之道，天性也，誠以父母愛子，子愛父母，均出於天性也。」……人為萬物之靈，為物類之最演進者，故人之愛子及於後世，而子孫之於父母祖先，亦養生送死，慎終追遠，此人道之自然也。[63]

《孝經・三才章》曰：「夫孝，天之經也，地之義也，民之行也。」[64]又《孝經・聖治章》曰：「父子之道，天性也，君臣之義也。」[65]陳柱為「互

60　陳柱：〈論語類纂孝弟篇大義〉，《交大季刊》第19期（1936年3月），頁147。

61　《孝經注疏》，收入國立編譯館主編：《十三經注疏》，冊19，頁95。

62　同前註，頁147。

63　〈論語類纂孝弟篇大義〉，頁147。

64　《孝經注疏》，頁66。

65　《孝經注疏》，頁88。

助」說找來天理的依據，父子之情本有血緣關係來維繫，再加上天理的束
縛，這便使到人們的互助行為便更加「合情合理」。

　　本來，克魯泡特金的「互助論」是為了杜絕生存競爭的禍害，達到人類
共存和平之旨，可是，基於互助範圍的侷限性，致使競爭依然存在。儒家的
孝道卻蘊含一定的博愛思想，不只要求人子「親其親」，還「教以孝，所以
敬天下之為人父者也。教以悌，所以敬天下之為人兄者也」[66]，這種由內至
外的延伸性，確保互助行為滲入到人類社會一切生活行為關係當中。陳柱在
《孝經要義》中曰：

> 柱按：人為天地生物中天演競爭之最進化者。生物生存之競爭，大抵
> 皆知有己，而不知有他；皆知愛己而不知愛他。……唯人則不然。知
> 生存競爭，必當互助互愛。故由己而愛人，與己關係最親者則愛之彌
> 深而彌久。……夫婦之配既定，而父子之親以成。夫婦父子之互愛互
> 助既生，而後一切人群互助互愛之事以立。[67]

人類的進化程度遠遠超出其他生物，基於這個原因，人類應該更能明白競爭
不足以作為生存依據，它只會釀成人與人之間無數的紛爭衝突，為國家、民
族上帶來戰禍。陳柱認為，互助才是人類的生存方式，當人們莫不以孝為根
本，關愛家庭中每一位成員，繼而推之於社會，所有人便能互相互愛，處處
生機洋溢。陳柱所以謂「《孝經》之學在培養生機」[68]，其義也在於此。

三　倫理進化與歷史進化：人類的進化

（一）「君子之道費而隱」章解

　　《中庸》曰：「君子之道費而隱，夫婦之愚，可以與知焉。及其至也，

---

66 同前註，〈廣至德章〉，頁105。
67 陳柱：《孝經要義》（臺北市：臺灣商務印書館，1977年），頁38。
68 同前註，頁10。

雖聖人亦有所不知焉。夫婦之不肖，可以能行焉。及其至也，雖聖人亦有所
不能焉。天地之大也，人猶有所憾。故君子語大，天下莫能載焉。語小，天
下莫能破焉。詩云：『鳶飛戾天，魚躍于淵。』言其上下察也。君子之道，
造端乎夫婦。及其至也，察乎天地。』」[69]

　　以上說明了君子之道用途非常廣泛，內蘊十分精密，微妙難測。朱熹
曰：「費，用之廣也。隱，體之微也。」[70] 因天下之事千端萬緒，聖人亦有
所不知不能；而亦有細小之事，雖是匹夫匹婦可能知能行，藉此說明君子行
道當始於匹夫匹婦之所知所行。

　　在《中庸通義》中，陳柱把「君子之道」釋為「中庸之道」，發明它是
生成、化育天下萬物的道理，更指出上天育化之道難知，即使聖人亦有不知
之處，故應該先從夫婦一般道理開始做起，以求最後洞察貫徹於天地之間。
陳柱曰：

> 柱謹按：君子之道謂中庸之道也。費者，明也，廣也；隱者，細也，
> 匿也。天地位，萬物育，此道之廣而難能者，故聖人亦所不能。……
> 於戲，中庸之道費矣，隱矣，造端乎夫婦，則其小者天下莫能破也，
> 察乎天地，則其大者天下莫能載也。[71]

中庸之道育化萬物，體現出天道大德，與《易傳》「天地之大德曰生」一
致，然而，其中深微極至之處，即是聖人也不能做到，因此，天地生育萬物
的功勞雖大，但人們也有所怨限。後來，陳柱在《中庸注參》中也持有相同
的看法，曰：「柱按：此申明聖人之於道，亦有所不知，不能也。天地之
大，人猶所憾，則聖人之於明道行道，人不能無憾也可知。人不能無憾，則
聖人之知有不盡，行有不盡可知。」[72]

　　儘管聖人於中庸之道猶有所不及，但陳柱的態度依然是積極的，還抱有

69　《中庸通義》，頁9-10。
70　《四書集註》，頁7。
71　《中庸通義》，頁9-10。
72　《中庸注參》，頁20。

很大的信心。他在《中庸講記》再次注解「君子之道費而隱」章中，重新考慮「造端乎夫婦」之義。陳柱曰：

> 《易》：「天地之大德曰生」。天地生生之德，可謂大矣。然吾人視之，必以為有所憾。故聖人乃發明形上之道與形下之器。而所謂「道」與「器」者，又必日新而未已。蓋今日以為至善者，明日又以為有憾矣。有憾則思彌補。補之無已，憾亦無已。《周易》首〈乾〉、〈坤〉而終以〈既濟〉、〈未濟〉，以〈未濟〉繼〈既濟〉之後者。以見憾之未有已，故進化未有已也。倘人而無憾，則今之人猶泰古之人矣。泰古之人亦猶夫禽獸而已矣。[73]

《中庸章句》曰：「誠者，天之道也；誠之者，人之道也。」[74]「誠」是天地之德的根本標誌，中庸即是「誠」。《中庸》曰：「大哉聖人之道，洋洋乎發育萬物，峻極于天。優優大哉：『禮儀三百，威儀三千』，待其人而後行。」陳柱曰：「按聖人之道，中庸之道也；中庸之道，至誠之道也。其形而在上者，則「發育萬物，峻極于天」，其形如而在下者，則『禮儀三百，威儀三千』是也。」[75]「誠」不僅顯示天道的真實存在，也要求人們親身修行，以禮約己，盡己之性，以至盡人之性，盡物之性，達致「贊天地之化育」，「與天地參」。但陳柱認為時局日新月異，並非天道和禮制可以逐一掌握，故始終未能做到萬物皆得育成的地步，猶如《周易》六十四卦中〈既濟〉與〈未濟〉的無限循環，無法及於完備。就進化程度而言，人類還未能達致最高的進化階段，故與太古禽獸無別。

陳柱曾以《易傳‧序卦》中六十四卦的次序，評論人類的進化階段，其謂「蓋其所序次第，或為人類進化之階級，或為人生修齊之至道，皆有至理，非偶敘次者也。」[76]此說啟發自章太炎（1868-1936）。在《周易論略》

73　《中庸講記》，頁12。
74　《四書集註》，頁18。
75　《中庸通義》，頁31。
76　《周易論略》，頁36。

中，陳柱把章氏《易論》輯錄於書中，並略作評論：「近儒章炳麟略師其（筆者案：即陳柱老師唐蔚芝）意，作《易論》，闡發古代進化之事，頗有精采。」[77] 今審《易論》原文，章氏先從〈乾〉、〈坤〉二卦說明萬物生成，謂「上經始乾、坤，既成萬物，而下經訖于未濟，物不可窮」；繼而以「屯」卦說明人類的歷史進化，是始於草昧的部族階段，並由酋長管治；也從儒家人倫入手，說到人類自身的進化是始於夫婦人倫，還指出當時「婚姻未定，以劫略為室家，故其爻曰『匪寇婚媾』。」[78] 基於此說，陳柱利用《易傳・序卦》說明端正夫婦人倫是中庸之道的肇始，而人類的進化也是由此倫常關係開始的。《中庸講記》曰：

> 《易》曰：「有天地然后有萬物，有萬物然后有男女，有男女然後有夫婦，有夫婦然後有父子，有父子然後有君臣，有君臣然後有上下，有上下然後禮義有所錯。」此言人類之進化，起於夫婦之禮也。「夫婦之道，不可以不久也。故受之以〈恆〉。」此最可以與《中庸》此章相發。……是五倫之起始於夫婦一倫也。禮義者，一切之教化禮制是也。一切之教化禮制，皆由人倫而興；皆由有政府，而后可以日臻於完備。故曰：「君子之道，造端乎夫婦；及其至也，察乎天地。」[79]

《易經》所言的變化並非只有循環規律，而是在循環之中也有新生和發展。陳柱指出在天地萬物生成以後，人類便要致力建立倫理關係，始於夫婦、父子，以至君臣，皆利用禮制作為標準，把倫理關係一一確立。就進化論而言，倫理進化便是人類進化的途徑，要完成整個進化過程，便要通過禮制來實行。據此發明「君子之道，造端乎夫婦」之義，則中庸之道是從建立夫婦人倫開始，它是倫理進化的最初階段，當各種倫理關係建立以後，就表示出進化過程已趨向完備，直至天地化育流行，一切生命共生共存，合於天道育化萬物的意旨，則人類進化過程亦同時完成。在陳柱心目中，人類的進化是

---

77 同前註，頁36。

78 章炳麟：《易論》，收入《易學論叢》（臺北市：廣文書局，1971年），頁1。

79 《中庸講記》，頁13。

朝向生命的育成出發的,而《易傳》、《中庸》中的「生生」之世,正好展示
出人類在進化的最終階段中的烏托邦。

(二)《詩經》、《公羊傳》與倫理進化、歷史進化

通過《易傳・說卦》的啟發,陳柱指出倫理進化是人類進化的根本,人
類要共享生存,就必須經過倫理進化的各個階段。這個觀點與當時不被嚴復
所重視的赫胥黎的進化論有相近之處。《進化論與倫理學》是赫胥黎進化學
說的代表作,《天演論》雖說是據此譯成,但一些重要觀點並沒有詳細闡
釋,就如「倫理的進化」。赫胥黎認為進化論存在兩種對立說法:「進化的倫
理」和「倫理的進化」。前者主張競爭進化,以為「由于生存鬥爭和因之而
來的『適者生存』,動物與植物進展到結構上的完善;所以在社會中,人們
作為倫理的人,必須求助于或尋求同樣的方法來幫助他們趨于完善」;後者
主張以倫理進化,確保所有人的生存權利,「社會進展意味著對宇宙過程每
一步的抑制,並代之以另一種可以稱為倫理的過程;這個過程的結局,並不
是那些碰巧最適應于已有的全部環境的人得以生存,而是那些倫理上最優秀
的人得以繼續生存。」[80]赫胥黎支持「倫理的進化」的說法。與陳柱不同的
是,赫胥黎沒有在中國儒家的禮儀教化上,採取禮制來確保倫理得以進化。

現存陳柱《詩經》學的研究,有《說詩文叢》所載的數篇文章,此書於
一九三〇年出版,當中有〈二南說〉一篇,論述到〈國風〉中的〈周南〉和
〈召南〉是「進化之詩」。《說詩文叢》曰:

80　《進化論與倫理學》,頁56-57。斯賓塞主張人類經過競爭後,才達至道德文明的最後
　　進化階段,此說與赫胥黎不同。斯賓塞曰:「通過這種淨化過程的幫助和發情期普遍
　　的爭鬥,種族變異中的低劣個體被排除……較高級生物的發展是一個朝向具有不被這
　　些缺陷所影響的幸福形式的進步。正是在人類種族內將實現完善。文明是它完成的最
　　後階段。理想的人是那種具備實現完善的所有條件的人。同時,存在的人性的良善和
　　它顯露的最終完美都由同樣仁慈而嚴格的法則加以保證。」斯賓塞著,譚小勤譯:
　　《國家權力與個人自由》(北京市:華夏出版社,1999年),頁68-69。

柱以為二〈南〉者，言進化之詩也。所謂「進化」者。謂由野蠻而進
於文明也。……蓋《易》之為書，乃示人類進化之程序者也。然則太
史公云：「《易》始乾坤，《詩》始關雎」，〈乾〉、〈坤〉者，六十四卦
之始也。〈關雎〉者，二〈南〉之始也。豈非以其別夫婦，定父子，
同為人類進化於文明之始乎？[81]

《易經》始於〈乾〉、〈坤〉，顯示出天地萬物生成之象；《詩經》則以〈關
雎〉為首，始於端正夫婦人倫。《毛詩序》曰：「〈關雎〉，后妃之德也。風之
始也，所以風天下而正夫婦也，故用之鄉人焉，用之邦國焉。」《正義》
曰：「二〈南〉之風，實文明之化，而美后妃之德者，以夫婦之性，人倫之
重，故夫婦正則父子親，父子親則君臣敬，是以詩者歌其性情，陰陽為重，
所以詩之為體，多序男女之事。」[82]本於《毛詩序》之說，陳柱認為二
〈南〉是文王風化之詩，旨在端正人倫，而〈關雎〉始於夫婦人倫，便是倫
理進化的肇基。由於二〈南〉體現了文王的教化，有助南方人們的進化，故
是「進化之詩」。可見，陳柱把儒家的禮儀「教化」視為倫理「進化」的推
動力。

　　一九〇二年，梁啟超在〈地理與文明之關係〉一文中，指出地理與人類
的文明進步息息相關，氣候的不同，決定了人類進化的高低。[83]陳柱也注視
到地理與人類學術風俗的關係。在《中庸》「子路問強」章中，陳柱注曰：
「孔子言強，區南北而言。蓋地理氣候與居民性情生活相關甚鉅。」[84]又

---

81 陳柱：〈二南說〉，《說詩文叢》（上海市：暨南大學，1930年），頁1-2。
82 〔唐〕孔穎達：《毛詩正義》，收入國立編譯館主編：《十三經注疏》（臺北市：新文豐
　　出版社，2001年），冊3，頁34-35。
83 梁啟超曰：「人物所循天演之軌道各自不同，蓋以此也。夫酷熱之時，使人精神昏
　　沉，欲與天然力相爭而不可得；嚴寒之時，使人精神憔悴，與天然力相抵太劇，而更
　　無餘力以及他。熱帶之人得衣食太易，而不思進取；寒帶之人得衣食太難，而不能進
　　取。惟居溫帶者，有四時之變遷，有寒暑之代謝，苟非勞力，則不足以自給，苟能勞
　　力，亦必得其報酬。此文明之國民，所以起於北半球之大原也。」《梁啟超哲學思想
　　論文選》，頁75。
84 《中庸講記》，頁11。

曰：「於戲！地理之關係於學術也如彼，世運之關係於學術也如此，世之有
教民治民之責者，其審所尚哉？」[85]以地理分佈而言，陳柱以為地分南、
北，禮儀教化是自北向南展開的。《說詩文叢》曰：

> 夫二〈南〉何以言進化？……《詩序》曰：「〈南〉言化自北而南也。」
> 《鄭箋》云：「從岐周被江漢之域。」曰：「自」，曰：「從」，均可見
> 其化之由近而遠，由小至大，使野蠻之族進化而為文明。此二南之
> 詩，所以為可貴也。夫所謂文明野蠻者，有禮義與無禮義之別耳。[86]

同時，陳柱釋二〈南〉詩旨，每以南國風俗鄙陋，男女關係失常，必須經過
文王風化，夫婦倫常才能夠端正。其於〈關雎〉中曰：「《序》云：『所以風
天下而正夫婦。』則南國之舊俗，其夫婦必為不正，而男女無別。男女無
別，由於婦人之不知貞一。南國之婦人，必有受后妃之化而為貞一，由是而
男女別，夫婦定，而文明日進」；〈漢廣〉中曰：「然則當文王之化，未行於
江漢之時，其婦女可以無禮干犯也，審矣」；〈汝墳〉中曰：「蓋未開化之民
族，知有母而不知有父，以其匹配未定也」；〈麟之趾〉中曰：「蓋女子淫放
而不貞一，則男子必澆漓而不信厚。當關雎之化未被乎南國之際，其俗蓋如
此也」；〈草蟲〉中曰：「然則當文王之化未南之時，南國男女之別尚未嚴，
雖大夫之妻有不能以禮自守者。其習俗然也。」〈行露〉中曰：「蓋在未開化
之族，有劫婚、誘婚、買婚之俗。」[87]從風俗學的角度入手，陳柱把二
〈南〉視作風俗資料來研究，証明人類在水平進化上的向度；以地理而言，
倫理進化是自北向南的；以教化始於文王而言，它是由內至外的。

　　進化是一個漸變過程，必然包含了時間因素，所以，除了有因地理差異
所出現的水平進化外，垂直進化也見於歷史洪流中。當西方進化論於晚清傳
入中國以後，漢代何休的「三世說」經常被用來說明人類進化的分期，較有
代表者是康有為（1858-1927）和梁啟超（1873-1929）。由於各人對進化有

85　《中庸通義》，頁9。
86　《說詩文叢》，頁1。
87　同前註，頁3-7。

不同的理想，兼且界別進化程度的標準有別，因此，由他們所論述出來的
「三世」內容不盡相同。對於陳柱來說，他認為道德是分別人類進化的尺
度，而進化的理想就是國家、種族之間呈現出完全平等的局面。

　　《公羊家哲學》是陳柱《公羊》學的代表作，其中有〈進化論〉一篇說
明人類在「三世」中的歷史進化。〈進化論〉曰：「是故《公羊》家說《春
秋》有三世之義，於愈進化之世，則其責於道德也愈嚴。」[88]道德是分別進
化程度的尺度，而以達致平等作為人類歷史進化的終結。據此劃分，人類的
歷史進化便有三期：

> 第一期：「夫所傳聞之世者，託治起於衰亂之中，由草昧而進於文化
> 之時代也，是為進化之第一時期。當此之時，各奉其酋長，各有其國
> 土而已。故曰：『其國而外諸夏。』由是故知有己之國，而不知有人
> 之國，賤己（筆者案：「己」疑是「人」字）貴我，先己而後人，故
> 曰：『先詳內而後治外。』」[89]

> 第二期：「由是酋與酋相爭，國與國相攻，天下將無寧歲。于是諸酋
> 之中，有覺悟者，倡為息爭之說，而就其賢者能者而聽命焉，而後其
> 國益大，故於所聞之世，託為升平之世，是為進化之第二期。當是之
> 時，賢者能者進而為天子，而諸酋長則進而為諸侯之君矣。然而猶有
> 中外之分，華夷之判，蓋世界文明，尚未能平等，猶是國家主義，種
> 族主義之時代也。故曰：『內諸夏而外夷狄。』」[90]

> 第三期：「然國家主義則難免國家之戰爭，種族主義則難獲種族之平
> 等，其去酋長之爭，雖有大小久暫之別，其為禍則均也。故當進而為
> 大同之世，力除國家主義，與種族主義，及自私自利之成見。於所見
> 之世，託為大平之世，是為進化之第三期。當此之時，無國界之見，

88　陳柱：《公羊家哲學》（臺北市：臺灣力行書局，1970年），頁120。

89　同前註，頁121。

90　同註88，頁121-122。

無種族之分，一於平等而已。故「天下遠近大小若一。」若此則可謂
至治之世，所謂大同者矣。[91]

陳柱通過國家和種族的出現以至消失，把人類的歷史進化分為三個時期。第
一期是「傳聞之世」，當時天下處於酋長部族式管治，族人各自事奉部族酋
長，不知其他部族存在，因而沒有國家和種族的界別，又因文化草昧，故也
不存在平等的概念。第二期是「所聞之世」，又是「升平之世」，各部族酋長
進升為國君，出現了國家和種族的界別，世界處於不平等的狀況。第三期是
「大同之世」，國家主義、民族主義消失，天下遠近平等。

　　值得注意的是，陳柱所謂的「平等」，是指國家與種族之間的平等，絕對
不是家庭成員，以至社會中各人的人人平等，否則，這便與他的倫理進化有
所抵觸。陳柱強調：「雖然，公羊家所謂『大同』者，非放棄一切禮義，而
任其肆睢而已也。世界愈進化，則道德亦當愈進化，世界愈大同，則道德亦
當愈大同，而人人之守禮法也，亦當愈謹而嚴。」[92]在「大同之世」中，禮
儀教化要嚴謹執行，絕不可以隨意放鬆，以保證人倫得以端正。可見，在民
國西方「平等」思想影響下，陳柱堅守著起到劃分階級作用的儒家倫理思想。

　　同時，陳柱所以利用「平等」作為人類歷史進化的終點，是基於在儒家
天道的仁愛觀照下，達至「贊天地之化育」、「天地之大德曰生」之大同之
世，完成《易傳》和《中庸》中聖人博愛廣生的宏願。比較來說，康有為認
為「經大同後，行化千年，全地人種，顏色同一，狀貌同一，長短同一，靈
明同一，是為人種大同。」[93]這種單一的種族觀念，絕不是陳柱所謂的「大
同」。梁啟超言：「第一界之時，人人皆無強權（惟對于他族而有之耳），故
平等；第二界之時，有有強權者，有無強權者，故不平等；第三界之時，人
人皆有強權，故復平等。」[94]這種通過爭逐強權得來的「平等」，將會帶來無

91　同註88，頁122-123。

92　同註88，頁122-123。

93　康有為：《大同書》（上海市：中華書局，1935年），頁188。

94　梁啟超：〈論強權〉，《自由書》（臺北市：臺灣中華書局，1979年），頁32。

盡相殺的禍害，也絕對不是陳柱屬意的「平等」。在回應康、梁之說的同時，陳柱所期望的「平等」是能夠消除國家主義、種族主義所催化起來的人類紛爭，避免戰禍發生，使各人不分種族，不分國界，都擁有平等的生存空間。

五　結論

我們可以看到，康德、拉普拉斯、達爾文、斯賓塞、赫胥黎、赫克爾等西方學者的名稱，是經常出現在陳柱的經學注釋中，反映隨著民國時期西學的輸入，西方的哲學、天文科學等知識已大量湧入經學的研究領域中，「西學注經」成為了民國經學的一個特殊現象。進化論是當時最活躍的西學之一，它的流派很多，民國初期以達爾文、斯賓塞、赫胥黎、克魯泡特金等進化學家最具代表性。在嚴復《天演論》的指導下，斯賓塞的「競爭進化」論在當時的中國最具影響力，但陳柱除了因襲嚴復的宇宙生成說時，才提到斯賓塞的名字以外，其他就較多親近克魯泡特金的「互助論」，當然這是已經受到儒家孝道文化洗禮後的一種「互助」行為，正如赫胥黎的「倫理進化」說一樣，在欠缺中國禮儀教化的內容下，它是無法與陳柱含有濃厚《易》學色彩的「倫理進化」說貼近。

陳柱對西學抱著實事求是的包容態度，他雖然堅持儒家的鬼神觀，但同時也承認西方尖端科學的成就，接受力學解釋宇宙生成的規律。不過，他的儒家本位精神沒有因此動搖。在西方進化思潮的推動下，二〈南〉雖然成為了改變南國陋俗的進化詩，然而，進化的根據依然是文王的禮儀教化；《孝經》中的孝道相等於人類的「互助」行為，但「互助」的落實根本是來自儒家的倫理思想；《公羊》「三世說」以西方的「平等」觀作為界定人類進化的終結，但其目是為了達致《易經》、《中庸》中萬物廣生的要旨。相對而言，具有儒家文化特色的進化論，保證了人類在禮儀教化中，獲得倫理進化的必然性，生存方式再不是以競爭為手段，而互助行為遍佈世上每一個角落，生命循環不息，到處生機勃勃。在民國動盪不安的局勢下，陳柱期望人類的進化歷程朝著這個方向出發。

論蒙文通的經學、理學、史學及諸子學

楊靜剛

香港公開大學人文社會科學院副教授

一　引言

　　蒙文通是民國以來的經學大家之一。他的學問淵博，除經學以外，還涉及諸子學、理學、史學、地理學、佛學、道教研究等，在這幾方面他都有著作問世。在經學方面，蒙氏師承井研廖平、儀徵劉師培二家，親炙頗深。廖平屬今文經學派，劉師培則是古文經學大家。蒙氏出入今、古文學派，最後終歸宗於今文經學。蒙氏治經反對清代乾嘉以來的考證學風，認為是餖飣之學。他的老師廖平，其經學理論凡經六變，其初變的〈今古學考〉，主張今、古文經學的差別，在今學宗〈王制〉，古學宗《周禮》；今學宗孔子，古學宗周公。〈今古學考〉可謂奠定了廖平在經學上的地位，章太炎雖然是古文經學家，亦服膺廖平此說，對其推崇備至，認為是發前人所未發。[1]蒙氏治經，繼承了廖平〈今古學考〉的理論，但在繼承中也有發展。在諸子學方

1　如章太炎說：「井研廖平說經，善分別今古文，蓋惠（棟）、戴（震）、凌（曙）、劉（逢祿）所不能上」；「廖平之學，與余絕相反，然其分別今古文，確然不易」；「尋廖氏之學，則能知後鄭（玄）之殊乎賈（逵）、馬（融），而賈、馬之別乎劉歆，劉歆之別乎董（仲舒）、伏（生）、二戴（戴德、戴聖），而漢儒說經分合之故可得而言」，見蒙默：〈廖季平先生小傳〉引，收入劉夢溪主編：《中國現代學術經典──廖平、蒙文通卷》（石家莊市：河北教育出版社，1996年），頁5-6。

面，蒙氏分析了儒家哲學思想之發展，多所創獲；又辨章墨學源流，指出儒、墨曾經匯合，頗有新意。在理學方面，據蒙氏之子蒙默複述其先君之言，謂「平生于理學之大有進境者三：三十歲大有所疑而四十乃知朱、王末流之弊，五十始稍知有以救之而宗陸象山，五十以後又漸獨契于陳乾初，而皆折中歸本乎孟氏」。[2]蒙氏的理學三變如此，但三變皆以孟子為宗。在史學方面，蒙氏反對章學誠「六經皆史」之說，主張以史證經。他在先秦、秦漢、宋明史上皆有創獲，影響深遠。蒙氏學問框架大，功力深，實為一代國學巨擘。本文旨在討論蒙氏的經學研究，並對其在理學、諸子學、史學方面的造詣，作一簡要的說明。

二　蒙文通的生平

　　蒙文通於一八九四年出生於四川鹽亭，五歲入私塾就讀，熟誦五經四書及諸子之文，奠定了日後研究國學的基礎。十二歲，隨伯父公甫先生住在成都，入讀小學及中學，閱讀了《輶軒語》、《書目答問》、《四庫提要》等書，於是知道學有漢、宋；及後讀《說文》、兩《經解》，欣然以為足以為漢學。一九一一年，入存古學堂，受業於井研廖平、儀徵劉師培，出入於今、古學派，而其受廖平影響尤深，最終乃安身於今文學派，而不屑於名物訓詁之學。一九一五年，蒙氏作《孔氏古文說》，辨舊史與六經之別，並刊載於《國學薈編》。一九二二年，著《經學導言》，提出了其著名的今文經學源出齊學、魯學；古文經學源出三晉之學的三學之說。一九二四年，蒙文通在南京從佛學大師歐陽竟無問唯識法相之學。一九二五年，復歸成都。一九二七年，蒙氏著《古史甄微》，略謂太古民族可以江漢、河洛、海岱分為三系，其部落、姓氏、活動地域皆不同；其經濟、文化亦各具特點，並以此教授於成都大學、成都師範大學、成都國學院，其說法實為後代文化區系研究的濫

2　〈理學札記〉附蒙默後記，見蒙文通：《先秦諸子與理學》（桂林市：廣西師範大學出版社，2006年），頁297。

觸。一九二八年著《經學抉原》（即新版《經學導言》），自述其經學主張。
一九二九年，任教於南京中央大學歷史系。一九三〇年返四川，復受聘於成
都大學。一九三一年，因反對四川軍閥強行裁併三大學而憤然離職，遠客汴
梁，並任教於河南大學，究心於秦史。一九三三年，去北平，任教於北京大
學歷史系，講授周秦民族與思想，先後著成〈犬戎東侵考〉、〈秦為戎族
考〉、〈赤狄白狄東侵考〉等文，後纂為《周秦民族史》，一九五八年修改為
《周秦少數民族研究》，由龍門書局出版。一九三五年，移教天津河北女子
師範大學。一九三七年，抗日戰爭爆發，從天津由海道經青島、濟南、鄭
州、武漢、重慶返成都，任教於四川大學歷史系。

　　在北京期間，當時學術界盛行辨偽之風，對很多經典的真偽及年代都加
以懷疑。蒙文通主張以史證經。一九三八年，蒙氏著〈從社會制度及政治制
度論《周官》成書年代〉一文，從歷史事實證明《周禮》乃寫定於春秋中
葉。而自上世紀三〇年代，蒙氏亦由經學轉入史學，撰〈非常異義之政治學
說〉（後改為〈儒家政治思想發展〉）、《中國史學史》、〈《宋略》存於《建康
實錄》考〉、〈論別本《竹書紀年》〉等。

　　一九三九年，蒙氏於四川大學任教期間，因為譏刺時政而遭受解僱。一
九四〇年，遂去三臺任東北大學歷史系教授；同年秋天，又回成都出任四川
省圖書館館長，兼金陵大學、華西大學教授。一九四三年，又兼四川大學教
授。一九四四年，出版《儒學五論》，其中以〈儒家哲學思想之發展〉一文
修改補充最多，中有涉及其對宋、明理學的認識，為其在宋、明理學方面的
力作。一九四五年始，蒙氏連續五年研究道教典籍，意在恢復古本《老
子》，並有研究道家、道教的論文數萬言。一九四九年春，辭四川省圖書館
長職，專任華西大學哲史系教授。至一九五二年，改教於四川大學歷史系。
一九五七年，受聘為中國科學院歷史研究所一所研究員、所學術委員會委
員。是年春，去北京，居京半年，仍返川大任教。一九五七至一九六二年
間，先後發表〈中國歷代農產量的擴大和賦稅制度及學術思想之演變〉、〈巴
蜀史的問題〉、〈從宋代的商稅和都市看中國封建社會的自然經濟〉、〈略論山
海經的寫作時代及其產生地域〉等論文，頗獲好評。一九六四年，越南河內

綜合大學某君函叩越史疑義，蒙氏因感越史問題複雜，於是奮筆撰文。雖然在文革期間屢遭逼害，但仍筆耕不輟。至一九六八年，《越史叢考》初稿竣，凡十萬言，尚未修改定稿，即於是年辭世，享年七十五歲。一九八三年，《越史叢考》由人民出版社發表，受到學術界高度評價。[3]

　　由上述可見，蒙文通自入塾及就讀中、小學，接觸中國傳統經籍以來，即以學術為一生職志。特別是在進入存古學堂，追隨廖平、劉師培研習經學後，於經學可謂用力甚深，並且旁及諸子。其後學風一轉，轉而鑽研史學，並敢於攀登思想史、社會史、經濟史方面的大問題，成就卓越。後來蒙氏又由史學轉研道教，創獲不少。在理學方面，雖然蒙文通在這方面的著作不多，但據其自謂於諸學中唯理學自得最深，雖未為文，然讀宋明儒書數十年中未嘗間歲月也。蒙氏一生以學術始，以學術終，孜孜不倦地，不斷在學術園地上耕耘灌溉，難怪他能成為民國以來的國學大師之一，其學問亦得到了學術界的肯定和尊重。

三　蒙文通的師承和經學派別

　　蒙文通於民國元年（1911）進入四川成都存古學堂，追隨廖平及劉師培研習經學。廖平乃四川井研人，是清末民國的今文經學大家。廖氏初「篤好宋五子書及唐宋八家文」，後來進入了張之洞在四川所創辦的尊經書院，「始從事訓詁文字之學，博覽考據諸書，始覺唐宋人文不如訓詁書有意」。到一八七八年，王闓運任尊經山長，認為治經當由《禮》入，並著有《春秋公羊箋》。廖平受王氏影響，開始治《公羊》。《公羊》屬於今文經。廖氏治《公羊》經後，不久便又治《穀梁》經，自始便厭棄訓詁文字之學，而專求今文經學的微言大義。廖平所長在《春秋》之學，其次則為三禮。著有《穀梁春秋古義疏》、《公羊解詁三十編》、《左傳杜氏集解辨正》、《春秋三傳折中》、

3　此處蒙氏生平乃據蒙默：〈蒙文通先生小傳〉，及〈蒙文通先生學術年表〉整理而成，二者均收入劉夢溪主編：《中國現代學術經典——廖平、蒙文通卷》（石家莊市：河北教育出版社，1996年）。前者見頁323-331；後者見頁686-692。

《兩戴記章句凡例》、《周禮鄭注商榷》等。[4]劉師培乃江蘇儀徵人，是清末民國的古文經學大家。劉氏曾祖劉文淇、祖父劉毓崧、伯父劉壽曾、父親劉貴曾，以及劉氏本人，都以治《左傳》聞名，屬於經學世家。劉師培著有《經學教科書》、《左盦集》、《春秋左氏傳答問》、《春秋左氏傳古例詮微》、《春秋左傳例略》等。他於一九一一年秋至成都，於一九一三年夏離川，期間與廖平建立了深厚的友誼。[5]蒙文通能夠就學於二位大師，可謂左右逢源，對其經學造詣的建立和提昇，有莫大的關鍵。

　　有關中國傳統經學的分今、古，可以追溯到漢代。西漢今文經學盛行，以董仲舒、公孫弘等為代表，主張「大一統」、「正名分」等微言大義。古文經學則盛行於東漢，以馬融、賈逵、許慎等為代表，主張名物訓詁、文字考據等。經學又稱為漢學，以與宋、明談心性義理的宋學作出分別。湯志鈞則又以古文經學為狹義的漢學。[6]

　　漢學（廣義的）發展至宋、明，由於魏晉南北朝從印度傳入的佛學盛行，安慰了在戰亂中受苦徬徨的百姓，到唐、宋一統後，宋代學者援佛入儒，以儒證道，而創造了一種心性之學，稱為理學或宋學。宋學以北宋五子及南宋朱熹為代表，而歸結於朱、陸二派。一般來說，陸主尊德性，朱主道問學，二者未能折衷。陸象山之說，受到明代王陽明的繼承，主張心即理、致良知、知行合一，被稱為心學派。其心即理之說受到禪宗影響甚大，[7]認為心即本體，不假外求。但王陽明雖然言心，卻從未說過可不做學問。可惜到了王學末流，大都侈談心性，無所事事，束書不觀，游談無根，學風壞到極點。所以有學者認為，明代之所以滅亡，學風的敗壞，也是其中一個原

4　見蒙默：〈廖季平先生小傳〉，《中國現代學術經典——廖平、蒙文通卷》，頁4。

5　見方光華：《劉師培評傳》（南昌市：百花洲文藝出版社，1996年），頁1-2；及所附〈劉師培學行系年〉，頁262-266。

6　湯志鈞：〈清代經今文學的復興〉，《經學史論集》（臺北市：大安出版社，1995年），頁3。

7　按陳榮捷雖曾謂王陽明哲學，不像傳統學者所說的，受禪學影響甚深，但卻認為其「心即理」之說，卻是他受禪學影響之明證。見陳榮捷：〈王陽明與禪〉，《王陽明與禪》（臺北市：臺灣學生書局，1984年），頁73-81。

因。

　　清承明緒。清初學者，有感於明代理學的空疏，對現實社會沒有任何貢獻，便試圖一改明末的學風。例如顧炎武首先提出經世致用之說，認為學問要能為世所用，而他走的是一條實學路線，要以實學救國。所謂實學，也就是名物訓詁、文字考證之學。換言之，顧氏的學問，和東漢的古文經學，可謂如出一轍。他著有《音學五書》。章太炎曾敘述顧氏之學說：

> 若顧寧人者，甄明音韻，纖悉尋求，而金石遺文、帝王陵寢，亦靡不殫精考索，惟懼不究。其用在興起幽情，感懷前德。吾輩言民族主義者猶食其賜。且持論多求根據，不欲空言義理以誣後人，斯乃所謂存誠之學。[8]

顧氏之後，閻若璩、胡渭、江永等人皆以名物考據、訓詁疏證聞名。閻若璩著《尚書古文疏證》，胡渭著《易圖明辨》、《禹貢錐指》，江永著《音學辨微》、《古韻標準》，都是考據學上的力作。可以說，清代學術，是以古文經學開始的。

　　清代的古文經學，至江永、戴、段、二王的皖派，及惠周惕、惠士奇、惠棟的吳派出，而達致顛峰。吳、皖二派都以顧炎武為其開山祖師，但卻都走入了名物訓詁、文字考據之路，不再談經世致用。在二派之中，戴震是比較特殊的一個。他雖然重視考據訓詁，但其最終目的卻在求義理。他的《孟子字義疏證》、《原善》便是這方面的代表作。他說：

> 僕自十七歲時，有志聞道，謂非求之六經、孔、孟不得，非從事於字義、制度、名物，無由以通其語言。為之三十餘年，……灼然知古今治亂之源在是。[9]

又說：

8　章太炎：〈答夢庵〉，《民報》1908年第21號（臺北市：中國國民黨中央委員會黨史史料編纂委員會，1969年影印本），頁131。
9　〈戴東原先生年譜〉，見《戴震文集》（香港：中華書局香港分局，1974年），頁217。

言者輒曰：「有漢儒經學，有宋儒經學，一主於故訓，一主於理
義。」此誠震之大不解也者。夫所謂理義，苟可以舍經而空憑胸臆，
將人人鑿空得之，奚有於經學之云乎哉？惟空憑胸臆之卒無當於賢人
聖人之理義，然後求之古經；求之古經而遺文垂絕，今古縣隔也，然
後求之故訓。故訓明則古經明，古經明則賢人聖人之理義明，而我心
之同然者，乃因之而明。賢人聖人之理義非它，存乎典章制度者是
也。[10]

復說：

古故訓之書，其傳者莫先於《爾雅》。六藝之賴是以明也，所以通古
今之異言，然後能諷誦乎章句，以求適於至道。[11]

余始為《原善》之書三章，懼學者蔽以異趣也，復援據經言疏通證明
之，而以三章者分為建首，次成上中下卷。比類合義，燦然端委畢著
矣，天人之道，經之大訓萃焉。[12]

由上可見戴震自少即有志於道，他做學問，是要通過訓詁考證，來尋求天人
之理。可以說戴震是力求貫通漢、宋之學，所謂「訓詁明，則義理明」。戴
震雖然極重視訓詁等基本功，以為是求道的基礎，但歸根結底，其為學的最
終目的，仍然是在求天理。戴震的同時人章學誠記載他說：

獨怪休寧戴東原振臂而呼曰：今之學者，毋論學問文章，先坐不曾識
字。僕駭其說，就而問之。則曰：予弗能究先天後天，河洛精蘊，即
不敢讀元亨利貞：弗能知星躔歲差，天象地表，即不敢讀欽若敬授；
弗能辨聲音律呂，古今韻法，即不敢讀關關雎鳩；弗能考三統正朔、
周官典禮，即不敢讀春王正月。僕重媿其言。……充類至盡，我輩於

10　〔清〕戴震：〈題惠定宇先生授經圖〉，收入《戴震文集》，頁168。
11　〔清〕戴震：〈爾雅文字考序〉，收入《戴震文集》，頁44。
12　〔清〕戴震：《孟子字義疏證》（北京市：中華書局，1961年），頁61。

《四書》一經，正乃未嘗開卷卒業，可為慚惕，可為寒心！[13]

章氏問戴震何謂「不識字」？戴震只答以訓詁名物的重要。實則戴氏有志求道，他這裡只答了章氏一半，未竟其全。戴震學生段玉裁、王念孫等，都只發揮了戴氏考據之學，於義理之學很少涉獵。而日後乾嘉考據成風，義理之學便更少人談及了。

清代學術固然由古文經學始，但今文經學亦從未淹沒。與戴震同時的莊存與，「不專專為漢、宋箋注之學，而獨得先聖微言大義於語言文字之外」。[14]所謂「微言大義」，正是今文經學派的特色。《公羊傳》是今文學派的經典，其大義即在正名分、強調大一統。所以微言大義的目的，也在經世致用。它和宋學的談義理不同。宋人談義理重在個人心性修養，微言大義則在為世所用，即後來康有為所說的「張三世」、「通三統」的所謂託古改制之說。莊存與的外孫劉逢祿、外甥孫宋翔鳳等都繼承了其外祖的學問，成為清代中期今文經學的三大鉅子。由於莊、劉、宋都為常州人，因此被稱為「常州學派」。莊存與治學還有一個特色，就是不拘漢、宋，只要有裨於學，微言大義、心性義理都可以研究。

蒙文通既師事廖平、劉師培，游走於今、古文經學之間。他最初曾治《說文》。劉師培曾以「大徐本會意之字，段本據他書改為形聲，試條考其得失」為課，蒙文通答以三千餘言，劉師培批語說：「精熟許書，于段徐得失融會貫通，區辨條例，既昭且明，案語簡約，尤合著書之體」。但廖平看到蒙氏喜好《說文》，卻不以為然，並責罵他說：「郝、邵、桂、王之書，枉汝一生有餘，何嘗解得秦漢人一二句，讀《說文》三月，粗足用可也」。[15]蒙氏受責後深服此說，自此以後便安身於今文經學，不再屑屑於名物訓詁之事。他甚至批評古文經學說：

13　〔清〕章學誠：〈與族孫汝楠論學書〉，收入《章學誠遺書》（北京市：文物出版社，1985年），頁224中。

14　〔清〕阮元：〈莊方耕宗伯經說序〉，見《味經齋遺書》卷首，此處據湯志鈞：《經學史論集》，頁5轉引。

15　見蒙默：〈蒙文通先生小傳〉，《中國現代學術經典——廖平、蒙文通卷》頁323。

我看清代的儒者，在漢學初起的時候，正當元明以來杜撰臆說充塞正路的時候，他們自然不容不發明舊詁、檢校故書的。但是，杜撰臆說的書已經辨證詳明了，他們卻仍然在那裏支離破碎的講，儘管在一字一物上也偶有所發明，卻終身不曉得經是什麼一回事，我真是為他們惋惜了。清代的經師，只知道如此用功的，大約佔四分之三以上，豈不是野言亂德嗎！張臯文說他們「以小辯相高，不務守大體，或求之章句文字之末，人人自以為許、鄭。」這幾句話，真是切中時弊。[16]

由此可見，廖平的責罵，對蒙文通的經學取向，影響可謂深遠。但蒙氏始終和其兩位老師有點不同。廖平、劉師培都只是醉心於治經，不治理學。然而蒙文通卻服膺於戴震的求道之志，以及莊存與的不拘漢、宋，於經學以外，還以理學成家。他還說：

> 我們想，若是只能講些六經義例，只做些道問學的功夫，而把明庶物、察人倫、致廣大、盡精微等一段尊德性的事都放置一邊，這也還是未到頂上的一層。我們看〈樂記〉、《書傳》、〈繫辭〉、《中庸》裏邊，很有些又精又純的理論，這些都是六經的微言，都是因經以明道的，尤其是孟子發揮得透徹無遺。孟子是鄒魯的嫡派，他說的禮制都是和魯學相發明的，《孟子》和《穀梁傳》這兩部書，真要算是魯學的根本了。《孟子》這部書的精奧，一直到了宋代方發明出來，到了泰州一派才算闡發盡致，我們說要明道，也便是要在這一層上著手，所以我在〈緒論〉裏把這個道理簡單的說了一下，深惜明後便漸漸的晦而不明了。這派學問真才是鄒魯派學問的盡頭處。……我們從這裏便知道，經學這門學問，明註是一步，明傳是一步，明經是一步，明道是一步，若只在前三步裏邊才做得一步，不能做明道的學問，那還算不得一個造詣高深的學問家。[17]

---

16 蒙文通：《經學導言》，收入《經史抉原》（成都市：巴蜀書社，1995年），頁43。

17 同前註，頁44-45。

蒙氏可謂是問徑於廖、劉，而直追清代中期的戴、莊之學了。

四　蒙文通的經學

　　蒙文通的經學理論，具見於其《經學導言》及《經學抉原》二書之中。《導言》出版於一九二二年，《抉原》則出版於一九二八年，二書於大同中有小異。《導言》章節分為：一、緒論，二、今學，三、古學，四、魯學，五、齊學，六、晉學，七、王伯，八、諸子，九、結語。《抉原》一書，則共分十節。包括舊史第一，焚書第二，傳記第三，今學第四，古學第五，南學，北學第六，內學第七，魯學、齊學第八，晉學、楚學第九，文字第十，並附議蜀學。由二書可見，以經學分今、古、齊、魯、晉、楚，乃蒙文通經學理論的核心。一九二二年蒙氏已揭諸此說（當時未提楚學），到一九二八年還沒有改變。

　　前人說今、古文經之區別，是因文字的不同。他們認為今文經盛行於西漢，乃自秦火以後，漢初經生背誦儒家經典，時人用當時流行的隸書來紀錄，故謂之今文經。後魯恭王壞孔子宅，於壁中得經書；河間獻王又復獻書，皆用六國古文來書寫，乃謂之古文經。這個說法一直主宰著經學史，到現在一般教科書仍然採用，但其實蒙文通業師廖平，早就反對過此說。他認為經學之所以分今、古，不在文字。他說：

> 但以文字論，今與今不同，古與古不同。即如《公》、《穀》，齊、魯、韓三家，同為今學，而彼此歧出；又如顏、嚴之《公羊》，同出一師而經本各不同。故雖分今、古，仍無歸宿。[18]

廖平於是根據許慎《五經異義》及鄭玄《駁五經異義》所列今文經、古文經各條，發現今、古之別，專在禮制，不在文字。他撰作了〈今古學考〉，指

---

18 蒙默：〈廖季平先生小傳〉引，收入劉夢溪主編：《中國現代學術經典——廖平、蒙文通卷》，頁5。

出「今學博士之禮出于〈王制〉，古文專用《周禮》，故定為今學主〈王制〉、孔子；古學主《周禮》、周公。然後二家所以異同之故，燦若列眉」。[19] 此外，廖氏又進一步指古文主從周、法古；今文主素王、改制。廖平〈今古學考〉的提出，可謂奠定了他在經學上的地位，皮錫瑞、康有為、章太炎、劉師培等都服膺此說。蒙文通是廖平的學生，基本上全盤接受了〈今古學考〉。例如一九六一年，《辭海》經學史部分寫出初稿，曾將有關條目送各地專家審核，蒙文通是其中之一。他就「今文經」、「古文經」各條，寫了覆信。說：

> 清世前面一些人只認為文字的不同是今古文之分，但後來吳摯甫他們又說伏生壁藏的書應當是古文，後師用隸書寫，才成為今文。孔壁的書自然是古文，孔安國以今文讀之，也變成隸書了。那麼，今、古文之分，就不是字體的關係。[20]

又說：

> 即專從文字而論，今文家齊、魯、韓三家的《詩》，公羊、穀梁的《春秋》，《齊論》和《魯論》的文字，都是不相同的。《周官》不同的文字，鄭康成稱之為「故書」，《禮記》不同的文字稱之為「或」，是因《周官》不能有今文，《禮記》不能有古文，才有這樣改變稱呼的辦法。其實文字異同，在漢代是很普遍、很平常的事，今、古之爭都不在此。[21]

復說：

> 到廖季平先生作〈今古學考〉，才發明今、古學之分，是學問的不同。最中心的問題是，今文學說的制度是同於〈王制〉，古文學說的

---

19 同前註，頁5引。
20 湯志鈞：〈蒙文通與《辭海》〉，《經學史論集》，頁254。
21 同前註，頁254-255。

制度都同於《周官》。〈王制〉、《周官》是兩部內容矛盾的書，後來康、皮、章、劉都採用這一說來分別今、古，而只是或主張今文學，或主張古文學，有不同而已。[22]

由此可見，蒙氏極為服膺其師廖平的說法。他以為今、古文經學之分，不在文字，而在禮制，說法與其師如出一轍。不過蒙氏在〈井研廖季平師與近代今文學〉、〈廖季平先生與清代漢學〉、〈井研廖師與漢代今古文學〉諸文中，指出〈今古學考〉只能說明兩漢經學的情形，「苟進而上求其源，經學胡因而成此今古兩家，其說禮制又胡因而致今古之參錯」？[23]此問題仍有待解決。廖平為解決此問題，其經學理論便曾多次改變，「初則以為孔子晚年、初年之說不同也，說不安，則又以為孔氏之學與劉歆之偽說不同也，而《大戴》、《管子》乃有為古學作證者，則又以為大統、小統之異，《小戴》為小統，《大戴》為大統」，[24]但都說不出個所以然。蒙氏考定《周禮》及《王制》所述官制，《周禮》以百官統於冢宰，其制在周惠王、襄王，魯僖公之後，之前皆由卿士主政。〈王制〉則雖書成六國之後，晚於《周禮》，但所敘之制則先於《周禮》。蒙氏說：

〈王制〉以司徒、司馬、司空為三公，而樂正、司寇次之，此周制而非殷制（不得如鄭玄說）。〈王制〉「冢宰制國用」，直繫之天子，無與於三官，合於〈十月之交〉、〈雲漢〉之詩，異於《周官》之制。則〈王制〉固西周之制，雖成書晚於《周官》，而所敘之制先於周官也。[25]

雖然如此，但蒙氏認為〈王制〉及《周官》所述制度，只是先後的不同，二者是相通而不相妨的。他進一步說：

22 同註20，頁255。
23 蒙文通：〈井研廖師與漢代今古文學〉，《經史抉原》，頁121。
24 同前註，頁121。
25 同註23，頁128。

《周官》、〈王制〉既相通而不相妨，則必執《周官》、〈王制〉各為今古壁壘以相爭，而欲今古兩家之說各以通於一切，執一端以遍說群經者，漢師今古學家之陋也。廖師既成〈今古學考〉，知漢師今古兩學之中心為〈王制〉、《周官》，二書實足以統兩派之學，則以洞悉漢人之學而得其要，故左菴師稱其「洞徹漢師經例，魏晉以來未之有。」然漢師家法固若是，而周秦傳記參差猶多，實非區區今古家法所能統括而各得其所。[26]

蒙氏既提出了這點，便進一步作出了結論說：

然不特今古之學非周秦之學，即兩漢齊魯之學亦非晚周齊魯之舊。就歷史之義觀察以明之，今古之學全以〈王制〉、《周官》為宗，然〈王制〉、《周官》既為二周先後不同之制度，則持《王制》、《周官》以讀先秦之書，自不能盡合，而依〈王制〉、《周官》以立之今古學，欲持之以衡先秦之學，其勢自扞格而難通，其不能括周人之學而得其條貫宜也。殆晚周之學自有晚周之流別，而非可依兩漢學術之流別以求也。[27]

但雖然如此，蒙氏仍以為依〈王制〉、《周禮》而成之今古學，「持之以衡兩漢固若綱之在網，無往而不協」。[28] 蒙氏既自以為談漢代今古學之別不能超越廖平，因此在《導言》及《抉原》二書中，便換了一個角度來談今古之學，試圖說明今古學分別流行於兩漢的緣故，以及古學的駁雜不純。蒙氏指出西漢武帝時，河間獻王上古文經，但因獻王經術通明、積德累行而遭武帝猜忌，古文經遂不得立於學官。其後宣帝時，於石渠閣會議，亦以他所喜愛的經典立於學官。而《周禮》武帝說是「末世瀆亂不驗之書」，自然不能立。《左傳》范氏也說「先帝不以為經」，也不立學官。《周禮》、《左傳》既

26　同註23，頁129。
27　同註23，頁130。
28　同註23，頁135。

都是古文經，而不為皇帝所喜，古文經學家便只好把學問傳授於民間，也不必跟著皇帝走，後來便與博士的學問（立於學官者）分成兩派，便成為今文、古文的差別。「簡切來說，便是跟著皇帝的一派叫做今文，皇帝不愛的一派便叫古文」。這是西漢的情況。新莽以後的情況也是一樣，只是今、古學的地位逆轉。王莽曾倣效石渠會議，但他喜好的是古文經，光武帝所喜好的也是古文經，由此古文經便取得了勝利而被立於學官。所以到新莽後，跟著皇帝的一派便叫做古文，皇帝不愛的一派便叫做今文了。[29]至於漢代的古文學家，在纂輯經書時往往會把一些古史傳說都混入經來，例如「《禮記》裏面的〈投壺〉、〈奔喪〉一些篇目都是佚《曲禮》的正篇。可見這些刪外佚經，前儒只認他作傳記古史，後來卻把他拉入《禮經》裏，便多出了三十九篇來；《尚書》也是如此，便多出十六篇來：《周官》也要認他是經了；《春秋》裏面又多出〈續經〉一篇了」。[30]由此看來，西漢古學比起今學，要駁雜得多。

〈今古學考〉對分別西漢今古學所作之解釋，放在先秦時代既扞格難通，廖平遂提出先秦時有齊、魯、燕、趙四學之說，企圖貫通周、漢。蒙氏對此曾加以說明，謂：

> 於是廖師於今文一家之學立齊、魯兩派以處之。古文一家所據之經，奇說尤眾，則別之為《周官》派、《左傳》派、《國語》派、《孝經》派以處之。而總之曰今文為齊魯之學，古文為燕（當作梁）趙之學。此廖師於漢儒家法既明之後，又進而上窮其源，於是立齊、魯、燕、趙以處之，別《公羊》、《穀梁》、《左傳》、《周官》為數宗，此廖師之欲因兩漢而上溯源於周秦，其度越魏晉以來之學既遠，而啟後學用力之端亦偉矣。[31]

蒙氏既條述了廖平之學，遂在廖學上加以發揮。他說漢宣帝時開石渠會議，其意固在興《穀梁》。《穀梁》為魯學，與《公羊》為齊學不同，故宣帝實意

---

29 蒙文通：《經學導言》，頁15-16。
30 同前註，頁19。
31 蒙文通：〈井研廖師與漢代今古文學〉，《經史抉原》，頁129-130。

在興魯學。《穀梁》以外，並立夏侯、梁邱，二者亦為魯學之黨。石渠會議
宣帝稱制臨決，大端在禮制，所以今文學各家禮制大抵相同。而在《公羊》、
《穀梁》以外，《詩》則有《齊詩》、《魯詩》，《論語》則有《齊論》、《魯
論》，魯學謹嚴，齊學駁雜，何休即以《公羊》多非常異義可怪之論。何晏
亦說《齊論》既多〈問王〉、〈知道〉二篇，二十篇中章句又多於《魯論》，
可見齊學不如魯學之純。而《書》歐陽、《易》孟喜亦不得孔學（魯學）之
嫡傳。齊學之黨喜雜取異義，魯學之黨則篤守師傳。《齊韓詩》、歐陽《尚
書》、施氏孟氏《易》、公羊《春秋》，是齊學之黨；《魯詩》、大、小夏侯
《尚書》、后氏《禮》、梁丘氏《易》、穀梁《春秋》，則是魯學之黨。魯人之
學，是孔孟六藝之學；齊人之學，是稷下諸子之學。稷下先生七十六人，而
稷下弟子數百千人，由此顯見齊學之盛。蒙氏又說：「漢之博士弟子，或亦
仿于此（剛按「此」謂稷下弟子）。就漢世言之，魯學謹篤，齊學恢宏，風
尚各殊者，正以魯固儒學之正宗，而齊乃諸子所萃聚也。」[32]復說：「各國
禮制，本自不同，齊、魯之學，因之以異。《公羊》言『歲則三田』。《穀
梁》言『四田』。而〈王制〉與《公羊》同，與《穀梁》異。〈王制〉言：
『公侯皆方百里，伯七十里，子男五十里。』而《公羊》以『伯子男同一
爵』。是〈王制〉為今文禮制之宗，而或取《齊》，或取《魯》，左右采獲以
為書。故俞蔭甫謂〈王制〉與《公羊》同，廖師又謂其與《穀梁》同，則今
文為糅合齊魯兩學而成者也。」[33]由此可知，西漢今學，主於〈王制〉，其
源頭乃是先秦時的齊、魯《公羊》、《穀梁》之學。至於燕學，蒙氏謂《藝文
志》《論語》有《燕傳說》三篇；《儒林傳》以燕韓太傅《詩》不如韓氏
《易》深，是齊魯之外，復有燕學。而燕之風尚，素與齊同，蓋燕之儒生多
由齊往故。又齊有稷下，燕有碣石之宮，其事一也，所以燕學實乃齊學之附
庸，[34]亦乃西漢今文經學之源頭之一，並非如廖平所說，乃古文經學之濫

---

32 蒙文通：《經學抉原》，收入劉夢溪主編：《中國現代學術經典——廖平、蒙文通卷》，
　　頁495-497。
33 同前註，頁497-498。
34 同註32，頁497。

觸。而東漢古文經學，實承梁（魏）、趙之學而來。大抵古文經中，《毛詩》傳於趙國毛萇，《左氏》傳於趙國貫長卿，二家並為河間獻王博士，《孝經》為河間顏芝所藏，《周官》為獻王所得，河間乃古趙地。進而推之，李悝是魏文侯之相，傳《毛詩》，吳起是魏文侯之將，傳《左氏春秋》。蔡邕《月令章句》引魏文侯《孝經傳》，漢得魏文侯樂人竇公，獻其書則《周禮·大宗伯》之〈大司樂〉章。因此今文之學源於齊、魯，而古文之學源於梁、趙。[35]魏學前人說它雜碎怪妄，乃雜碎不醇之學。又後來汲冢所得古書，義與古文相會。「《紀年》，晉史，杜預說：『諸所記多與《左氏》扶同，異于《公羊》、《穀梁》。』朱右曾言：『《逸周書》其間多晉史之詞。』〈職方〉一篇，又全符《周官》。汲冢又有〈師春〉篇，全取《左氏》言卜筮事，則尤足見古文之學，梁、趙之學也。自王肅以下，多據《周書》、《紀年》，以其義與今文相反，同于古文。」[36]蒙氏發展了廖平之說，由此西漢今古文之學，乃得以上溯於周、秦而予以貫通。中國經學的傳承，遂有其著落而自成系統。

　　梁、趙既乃由三家分晉而來，故蒙氏又合梁、趙之學為晉學。晉學以外，蒙氏又提出了所謂楚學、蜀學、南學、北學、內學之說，這是他和廖平不同的地方。楚學，據蒙氏說，乃辭賦之學，並謂「三晉以史學為正宗，魯人以經學為正宗，若楚人之學，則屈、宋以來，自以辭賦為正宗也。」[37]《管子》便曾說過：「衛國之教，詭傳以利；魯國之教，好邇而訓于禮；楚國之教，巧文以利。」[38]文學以外，又楚在南方，盛行道家；鄒、魯在東方，盛行儒家；三晉在北方，盛行法家，這是三地文化的不同。此外，南人有南人之史，北人有北人之史，迥與六經乖違，這是三地歷史之不同。又晉有被廬之法，作執秩以正其官；楚有離次之典、僕區之法，這是兩地法律的不同。而《韓非·顯學》說儒分為八，墨分為三，伍非白便以東方之墨、秦之墨、南方之墨為三墨。而以孟、荀書考之，儒亦分為三派，其中子張居

---

35 同註32，頁500-501。

36 同註32，頁501。

37 同註32，頁504。

38 同註32，頁504引。

陳，為南方之儒；子夏居西河，為北方之儒；子游蓋即東方之儒。《韓非》
所謂儒分為八，是戰國末年之事。凡此南方之學，均即楚學。[39]所謂蜀學，
就理學言，乃與洛學、朔學鼎足而三。就經學言，乃指清末以來廖平、劉師
培之學。廖氏之學，其要在《禮經》，其精在《春秋》。按三傳異同，歷來為
學者所難明。廖氏匡何、范、杜、服之注，來闡釋傳義，又解釋《公》、
《穀》之文中，何者為先師之故義，何者為後師之演說？均曲盡其理。至於
劉師培則四世傳《左氏》之學，及既入蜀，則專究心於《白虎通義》、《五經
異義》，後北游燕、晉，晚成《周官古注集疏》、《禮經古說考略》等作。蜀
學因得廖、劉二氏之發揚，遂能發經學之異彩。[40]至於南學、北學，蓋即王
肅、鄭玄之學，均為古文學派。《隋書・儒林傳》說：「江左：《周易》則王
輔嗣，《尚書》則孔安國，《左傳》則杜元凱；河洛：《左傳》則服子慎，《尚
書》、《周易》則鄭康成；《詩》則並主于毛公，《禮》則同遵于鄭氏。」王
弼、杜元凱均王肅之徒，故江左（南）皆王肅之術，河洛（北）皆鄭玄之
術。鄭學在當時傳播甚盛，王學亦因外戚之助而得以行世，各領風騷，分據
南、北。鄭、王之學，均得以並立學官。但二派互相攻訐，到魏晉之際，廷
議則絀鄭從王，二學愈遠而愈歧。顏之推《家訓》說經往往說江南本、河北
本；陸元朗書亦說南、北音殊，不論義例、文字、音讀，南北都有不同。北
學鄭玄治古學每每糅合今文，南學王肅治古學則今文一概不取，此為兩派最
大相異處。[41]至於所謂內學，即指五行災異的讖緯之學。《五行志》說：「董
仲舒治《公羊春秋》，始推陰陽為儒宗。」也就是說，經師而言災變，乃自

---

39 同註32，頁504-505。

40 同註32，頁508-509。當然，正確地說，劉師培是屬於揚州學派，但劉氏在四川的
　　兩、三年間，和廖平過從甚密，關係密切，又服膺廖氏之說；其在四川之著作，也許
　　多少受廖氏影響，例如蒙文通《經學抉原》謂：「左菴四世傳《左氏》之學，及既入
　　蜀，最夕共廖氏討校，專究心於《白虎通義》、《五經異義》之書，北遊燕、晉，晚成
　　《周官古注集疏》、《禮經舊說考略》，曰『二書之成，古學庶有根柢，不可以動搖
　　也。』左菴之於廖氏，儻所謂盡棄其學而學焉者耶！」因此，勉強把其置入蜀學派，
　　也似乎未嘗不可。

41 同註32，頁487-489。

董氏始。由於漢師傳經，雖並傳災異五行之說，但經則遍傳弟子，災異之說則非，只傳予少數人，故被稱為內學。內學乃今文之學，古文家如桓譚、鄭興、賈逵皆力斥之。但《後漢書‧李通傳》說：「通父守從劉歆學星曆讖記。」則劉歆為古學大家，亦善圖讖之學。鄭玄注經亦常常徵引祕說（讖緯）。張蒼傳《左氏》，亦著有《終始五德傳》，傳鄒衍之學。然則信讖緯者，今文家有之，古文家亦有之；辟讖緯者亦然。所謂緯學，雖源出西京，實分兩派。西京為律曆陰陽之學；成、哀以後東京為圖讖之學，兩者並不相同。劉歆《七略》有所謂數術之學，齊人五德之運屬之；有所謂方技之學，燕人形解銷化屬之。不論齊燕、兩漢，本來數術方技都和經術無關，但漢儒混而同之，各家之真遂莫能辨。又西漢董仲舒等言災變，只見於《春秋繁露》一書，不見於《公羊傳》，到東漢何邵公等人，把《演孔圖》等緯書都放入《解詁》中，這是繼承了東平王蒼之後用讖緯說經之習慣。下至東漢，讖說始入於經，王弼、杜預而後，便一律摒除緯說，這不能不說是王肅之徒的長處。[42] 以上所謂楚學、蜀學、南學、北學、內學之內容，經過蒙氏的疏解，已是綱舉目張，昭然若揭。

　　又傳統認為，西漢今文經學之所以興，是因為秦始皇禁止百姓以古非今，把儒家經典及諸子百家語都燒個乾淨，到西漢時存世經師憑記憶，背誦儒家經書，其弟子用當時的隸書紀錄，立於學官，便成為今文之學。這幾乎已是人所共知的正統說法。蒙氏在《經學抉原》中乃重新考慮此說，認為傳統所述者，並非全為事實。他指出《始皇本紀》說：「非博士官所職，天下敢有藏《詩》、《書》、百家語者，悉詣守尉雜燒之。」《論衡‧正說》篇亦說：「乃令史官盡燒五經，敢有藏《詩》、《書》、百家語者刑，唯博士官乃得有之。」據此可知，秦所焚乃私學之書，官司所藏，則不在焚燒之列。所以《論衡‧書解》篇說：「秦雖無道，不燔諸子，諸子尺書文篇具在可觀。」《孟子章句題辭》又說：「亡秦焚滅經術，其書號為諸子，故篇籍得不泯絕。」《孔子家語‧後序》亦說：「李斯焚書，而《孔子家語》與諸子同列，

42　同註32，頁491-495。

故不見滅。」這些都是諸子書不曾盡滅的證據。儒家既是諸子之一，則可以推論儒家經典亦應不曾燒滅。又〈百官公卿表〉：「博士，秦官，掌通古今，員多至數十人。武帝建元五年，初置五經博士。」因此可知，博士之官於秦時已設。據《史記‧循吏傳》及《孟子章句》，知博士之設，更可以上溯至春秋末魯穆公之時。而自始皇焚書至陳涉起兵，博士之官仍然未廢，也就是說，博士所掌之經書仍然未亡。而自秦亡至武帝表章六經，博士之傳不絕，亦可知博士之經未有燒滅。況且〈六國表〉說：「《詩》、《書》所以復見者，多藏人家」；班固說：「河間獻王所得，皆古文先秦舊書」；《史記》說：「孟子退而與萬章之徒著《孟子》七篇」，這些書現在都存在。而老子《道德經》五千言、《九歌》、《九章》、《山海經》等書現在也都存在，沒有理由說只有六經被燒個淨盡。同時孔子之術如五行之舞、七廟之制、無將之訓，以至〈金縢〉之傳、〈黃鳥〉之說，叔孫通起朝儀，陸賈說《詩》、《書》等，都不曾因焚書而泯滅，亦足證始皇焚書，並不澈底。此外，〈張蒼傳〉說：「秦時為御史，主柱下方書」；《說文‧序》：「北平侯張蒼獻《左氏春秋》」，然則《左傳》即張氏所典柱下方書之一。柱下即周柱下史，老子守藏室，孔子所從而問禮者。方書猶言文、武之道，布在方冊，那麼御史所職掌、柱下所典藏，古文舊書，都在其中，不曾被滅。又〈太史公自序〉說：「秦撥去古文，焚滅《詩》、《書》，故明堂石室金匱玉版圖籍散亂。」而武帝元封三年司馬遷為太史令，讀史記石室金匱之書，則秦人此等書於武帝時亦未亡佚，其中或許包括六經在內。凡以上種種，都證明舊說認為秦盡滅《詩》、《書》、百家語，並不足為據。[43]至於舊說以六經中《樂經》早亡，至漢僅存五經，蒙氏亦辨斥其非。謂〈李斯傳〉說：「今退彈箏而取〈昭〉、〈虞〉」，則〈昭〉、〈虞〉之樂到秦時仍存在。〈禮樂志〉說：「〈文始舞〉者，本舜〈招舞〉也，高帝六年更名曰〈文始舞〉，以示不相襲也。〈五行舞〉者，本周舞也，秦始皇二十六年更名曰〈五行舞〉也」（何妥曰：「本周〈太武樂〉也」），則〈韶〉、〈武〉之樂至漢時猶存。匡衡說：「歌〈大呂〉、

舞〈雲門〉，以俟天神。歌〈太簇〉、舞〈咸池〉，以俟地祇」，則漢代又備有
〈雲門〉、〈咸池〉之樂。〈孔僖傳〉：「元和二年春，帝東巡狩，還過魯，幸
闕里，以太牢祠孔子及七十二弟子，作六代之樂。」由此可知，漢之所存，
備及六代，但卻未聽說過有《樂經》。《樂典》引《河間獻王樂記》說：「古
之為樂也本于《詩》。」《論語》亦說：「然後樂正，《雅》、《頌》各得其
所。」然則正詩即所以正樂，樂並沒有亡，而是根本沒有《樂經》這回事。
而《河間獻王樂記》又說：「樂節則禮，禮和則樂」，樂之節具於禮，而歌則
具於《詩》（如大射之歌《鹿鳴》三終），因此亦足證樂本無經，只是本於詩
而已。[44]蒙文通此說，辨析了樂本無經，亦從未亡佚，秦漢時先秦之樂猶
存，其說實發前人所未發，饒有新意。

五　蒙文通之理學

理學又稱道學。關於道學和經學的關係，傳統上有不同的看法。《宋
史》立〈道學〉、〈儒林〉二傳，以周、程、張、朱為傳道學的儒者。認為他
們能繼往開來，而且其師友淵源，與傳經學的儒者不同，所以為他們另外立
傳。這是把道學和經學分開為二，傳道和傳經不能同日而語。自從《宋史》
立〈道學傳〉以來，學者對是否應將道學獨立於儒學之外，而別立一傳，便
多所討論。例如張武承的《讀史質疑》，便認為《明史》（雖非《宋史》）的
〈道學傳〉，即可以不立。[45]清初理學家湯斌，對《宋史》之分立二傳，亦
不敢苟同。他說：

> 夫所謂道學者，《六經》、《四書》之旨，體驗於心，躬行而有得之謂
> 也，非經書之外，更有不傳之道學也。故離經書而言道，此異端之所
> 謂道也；外身心而言經，此俗學之所謂經也。[46]

44 同註32，頁467-469。
45 參楊菁：《清初理學思想研究》（臺北市：里仁書局，2008年），頁200、271。
46 〔清〕湯斌：〈重修蘇州府儒學碑記〉，見《湯子遺書》，卷4，收入《影印文淵閣四庫

湯斌經、道合一的主張，又表現在他所編的《洛學編》中。《洛學編》是以記述宋明理學家為主，卻特於「正編」之前立一「前編」，列出漢代的經學家杜子春、鍾興、鄭眾、服虔諸人，其意在表明經學與理學的關係，即肯定經學為理學發展之前導，理學是由經學發展起來的。[47]清初另一位理學家陸隴其亦認為經學、道學不可偏廢，他說六經中所載的即是天地之道：

> 《六經》者，聖人代天地言道之書也。《六經》未作，道在天地；《六經》既作，道在六經。自堯、舜以來，眾聖人互相闡發，至孔子而大備。[48]

陸隴其認為：一、經學本是載道之書，因此漢學與宋學皆不可廢，經學與道學並不可分；二、漢儒傳經，只偏重於器物考證，卻鮮談義理，一直到宋儒出來，才能真正闡發聖人的精微奧義；三、必須辨明漢、宋學的源流得失，而宋學較漢學更難辨明，前者內部所爭辯的問題，往往一字之差，便會造成學術及風氣之偏失，影響甚大；四、當今論學，只有宗朱子一途而已，宗朱子者才是正學，不宗朱子者即非正學；五、《宋史》立〈道學傳〉只是表尊周、程、張、朱之道的特例，所以其後的史書，未必需要別立〈道學傳〉；六、不將〈道學傳〉別立出來，也可以使宋代以後的儒者，知道「述」道學，而不必急著要成就一家之言；七、別立〈道學傳〉可能會使學者認為「道學」和「儒學」是分開為二的，並以儒者的身分來批評道學。[49]總之，陸氏認為道學和儒學本是一體而不可分的。

蒙文通固然是經學大家，但他亦了解到經學、道學之不可分；同時上文也提過他可能受到戴震、莊存與的影響，所以為學不拘漢、宋，在經學以外，也經營理學。而事實上，他曾自謂「於諸學中，唯理學自得最深，雖未

全書》（臺北市：臺灣商務印書館，1986年），冊1312，頁498上。

47 楊菁：《清初理學思想研究》，頁201。

48 〔清〕陸隴其：〈經學〉，見《三魚堂外集》，卷4，收入《影印文淵閣四庫全書》（臺北市：臺灣商務印書館，1986年），冊1325，頁239上、下。

49 楊菁：《清初理學思想研究》，頁273-274。

為文，然讀宋明儒書數十年中未嘗間歲月也。」[50]他也曾自述其學道的經過，說：「文通少年時，服膺宋明人學，三十始大有所疑，不得解而走之四方，求之師友，無所得也，遂復棄去，惟于經史之學究心。然于宋明人之得者，終未釋于懷。年四十時，乃知朱子、陽明之所蔽端在論理氣之有所不徹：曰格物窮理，曰滿街堯舜，實即同于一義之未徹而各走一端。既知病之所在也，而究不知所以易之。年五十，始于象山之言有所省，而稍知所以救其失。于是作《儒學五論》，于〈儒家哲學思想之發展〉一文篇末〈後論〉中略言之。自爾以來，又十年矣，于宋明之確然未是者，積思之久，于陳乾初之說得之。」[51]蒙氏長期閱讀理學著作，並謂理學最能磨練思辨能力，他所以能於諸子、釋、道有所創獲，殆皆以長期沉浸於理學的緣故。可見蒙氏之重視理學，猶在經學之上。其理學觀念，亦自成系統。

　　蒙氏的理學觀點，具見於其〈理學札記〉、《理學札記》補遺〉二文，二文均收入二〇〇六年廣西師範大學出版社出版之《先秦諸子與理學》一書之中。蒙氏於理學言本體，並服膺朱子理、氣二元之說，謂：

　　　　本體外更有何事，本體自寂然，何往而非寂然。[52]

　　　　有不善未嘗不知，本體然也。但必先有一段工夫，這是愚夫愚婦與知的；知雖明，還不能無過，這是聖人有所不能。[53]

　　　　不知良知現成，則本體不明；誤認良知現成，亦是本體不明。[54]

　　　　理不離氣，但不可著在氣上看。[55]

---

50 蒙文通：〈理學札記〉附蒙默後記，見蒙文通：《先秦諸子與理學》，頁297。
51 蒙文通：〈致張表方書〉，《先秦諸子與理學》，頁300。
52 蒙文通：〈理學札記〉，《先秦諸子與理學》，頁281。
53 蒙文通：〈《理學札記》補遺〉，《先秦諸子與理學》，頁304。
54 同前註，頁309。
55 蒙文通：〈理學札記〉，頁272。

理只在氣上見，但不可執氣即理。氣無不動，理亦可於動上見，但理自非動非靜。[56]

寂然不動者，理之一本；感而遂通者，理之萬殊；陰陽五行者，氣之萬殊；無極太極者，氣之一本。[57]

不可認氣為理，但理亦須於氣上見。形上形下不可分，合而言之性也。[58]

理是直上直下，氣亦直上直下，動直即是率性。[59]
太極合理氣言之，性亦合理氣言之。[60]

蒙氏既以太極本體為理、氣二者，又調和王陽明「心即理」及朱熹「格物致知」之說，謂：

雖至愚極惡之人，本心亦自皎皎，但羞惡之心不勝其宮室妻妾之欲；故「心之精神謂之聖」。[61]

事事物物皆有個自然之理，唯心皎皎明明得知此理。朱子從物事上說此理多，其實何嘗離得知。[62]

欲誠其意者先致其知，致知即盡心、盡性也。致知在格物，物必得其正，即改過也。物亦何正不正之有，唯于我為正不正耳。知不可以徒

---

56 同前註，頁275。
57 同註55，頁276。
58 同前註。
59 同註57。
60 同註55，頁278。
61 同註55，頁272。
62 同註55，頁282。

致，必于事物上致。格、致是一事，非二事，故曰物格而後知致。如
遺事物，即無由致其知。[63]

所謂「心自皎皎」、「心皎皎明明得知此理」，即是王陽明的「心即理」之
說。蒙氏於「心即理」、「格物致知」二理念雖著墨不多，但卻看到王、朱同
於一義之未徹以致各走一端之蔽，而思有以調和之。蒙氏又說六十以後服膺
陳確之說。他在〈《理學札記》補遺〉中，特標出陳確之論，謂：

> 陳乾初說：庶民皆天之所生，然教養成就以全其性者，聖人之功也。
> 非教養成就能有加于生民之性，而非教養成就則生民之性不全。陳氏
> 之說最為得當。蓋以朱子言理先氣後，陽明言現成良知，皆不免強調
> 一偏，皆蹈先天論之失，陳氏以發展論救之，而義始真切。然亦即明
> 道存久自明之說。[64]

又謂：

> 陳氏（剛按指陳確）又言：孩提少長之時，性非不良也，而必于仁至
> 義盡見生人之性之全。陳氏每以見性言，正以工夫非于性有所加。性
> 雖善而工夫有敬肆，而所見有淺深，性即善而見不徹耳。然經霜穀性
> 始全，誠同于孟子，何如以遠近見山不同為喻，為無有加于性分之疑
> 乎！要之，性者心之性，盡心正所以知性。知益徹而性益顯，即曰穀
> 之性以受霜而全，亦未有礙。[65]

由此可知蒙氏極服膺陳乾初之說。他自六十以後，即脫離王、朱之論，便是
因為二者言「先天」。而蒙氏既重「先天」，亦重「後天」，正同於陳確強調
教養成就之重要。教養成就端賴聖人，蒙氏心目中的聖人便是孟子。孟子言
「率性盡性」，言「養浩然之氣」，蒙氏對此便多所發明：

---

63 蒙文通：〈《理學札記》補遺〉，頁311。

64 同前註，頁312。

65 同註63。

世事、人情、物理，莫非天理，毫髮不苟，即是率性盡性。[66]

視聽言動，四肢百骸，莫不有個天則，只順天則即是踐形盡性。[67]

人情、世事、物理，各有個自然之則，所謂人物之性也。見得自家性體後，自然見得人物之性，故曰能盡其性，則能盡人之性，盡物之性。[68]

盡其心者，知其性也，是以知為心，知性則知天矣。時行物生，知愛知敬，非二本也。存心是勿忘，養性是循理，所以事天則一，還天之所以與我者耳。朱子以操而不舍訓存，以順而不善訓養，最善。存心即致知，養性即格物也。明道所謂識得此理，以誠敬存之。識理，知性之謂也；存之，存心之謂也。[69]

舉手投足，瞬目揚眉，莫非天性；即此是率性，便須于此盡性，此誠意自慊之學也。百姓日用而不知，只不肯于此盡性，遂滑突過去。故有不善未嘗不知，此顏子之與眾人同；知之未嘗復行，則顏子之與眾人異。一飲一啄，一髮一塵，莫不盡性，方為克己之學。[70]

孟子道性善，又益之以養浩然之氣。養氣在乎集義，而浩然之氣自生，而性日益顯，率性以至盡性。所謂識得本體好做工夫，只是率性工夫。[71]

66 蒙文通：〈理學札記〉，頁274。
67 同前註，頁275。
68 同註66，頁277。
69 同註66，頁290。
70 同註66，頁293。
71 蒙文通：〈《理學札記》補遺〉，頁309-310。

> 唯養氣是盡性率性之要，所謂內外交養。[72]

> 持其志，存心之說也，無暴其氣，養氣之說也，日夜之所息，雨露之所潤，皆養氣之說也。氣如何養，存心而已也。[73]

蒙氏曾說其理學三變，由朱、王而象山而陳確，然皆歸宗於孟子。由以上蒙氏極力闡發孟子率性盡性以致養氣之教，可知其說不誣。至於率性盡性養氣之功夫，蒙氏以為除了是順天則外，尤在誠、敬之工夫。他說：

> 氣自有理，物自有則，時時處處須要循理盡則，即踐形盡性也。故曰誠之者人之道也。誠者是本體，誠之者是工夫。[74]

> 誠者天之道也，思誠者人之道也。誠是本體，思誠是工夫。愚夫愚婦生而知之是本體，聖人學而知之是工夫。[75]

> 誠者不思不勉，從容中道，誠之者擇善固執。誠者是從誠之者來。[76]

> 動容貌，正顏色，出辭氣，一依天理，此踐形盡性之學也。[77]

> 心敬，則精神整肅收拾，生意盎然。身敬，則百體端嚴、沛然天則。[78]

> 敬則性體皎然，應事接物只率性。執事敬，是率性以應事；率性應

---

72 同前註，頁317。

73 蒙文通：〈理學札記〉，頁284。

74 同前註，頁280。

75 蒙文通：〈《理學札記》補遺〉，頁303。

76 同前註，頁304。

77 蒙文通：〈理學札記〉，頁274。

78 同前註，頁275。

事，便是義以方外也。[79]

唯敬所以持志，而氣亦得所養，養氣即循理。[80]

此又與程子「涵養須用敬」之說，如出一轍。

六　蒙文通之諸子學

蒙文通既隨廖平習今文經學，服膺廖氏〈今古學考〉之說，復以為經、子之學彼此相交，遂進而經營諸子之學。蒙氏說：

> 復有進者，漢師之所論者亦約也，先秦之所究者則博也。不以今文之旨要探先秦之歸宿，則諸子之術，散漫無統宗。不以諸子之博衍窺漢儒之宏肆，則今文之說，終嫌于枯窘。故必經與子相交發，而後義可備也。綱條既張，枝葉自傳。舉凡西漢之籍，其有事非釋經，而陳義精卓者，莫不與綱條相貫通。其導源於諸子之跡，亦灼然可明。誠以今文之約，求諸子之約。以諸子之博，尋今文之博。究于嬗變之跡，立義之由，則本末兼該，而始終之故亦舉。所謂出入于百氏，反求諸六經而後得之者，豈其然乎。[81]

蒙氏既以經、子相交，於是便在談經學的《經學導言》中，別闢「諸子」一節，暢論其對先秦學術之見。他指出《莊子・天下》篇把當時學術分為三派：一、舊法世傳之史一派；二、《詩》、《書》、《禮》、《樂》一派；三、百家之學一派。其中第一是舊派，第二、三是新派。漢人的學術，不論為古文之晉學，及今文之魯學、齊學，都是從此三派蛻變而出。舊派學術，指的是漢人常稱的「黃老」中黃帝之術。黃老雖同為道家，但黃帝之學，其範圍要

79　同註77，頁277。

80　同註77，頁278。

81　蒙文通：〈題辭〉，《儒學五論》（桂林市：廣西師範大學出版社，2007年），頁14。

比老子之學來得廣闊。《漢書・藝文志》奉黃帝為道家始祖。陰陽家中有
《黃帝泰素》一種，這說明陰陽家也是黃帝的學問。法家的申子和韓非，司
馬遷都說他是「本於黃老」。名家的尹文，劉歆也說他是「本於黃老」。雜家
有〈孔甲盤盂〉，這又是黃帝之史。小說家的宋子，劉向也說他「其言黃老
意」。兵家、數術、方技中黃帝的書，更不一而足。伊尹的書，《漢志》在道
家，《別錄》在兵權謀，則伊尹是道家又是兵家。太公的書，有《謀》、有
《言》、有《兵》，管子的書也在道家。蘇秦讀了太公的《陰符》，便是縱橫
家。張良從圯上老人受書，就是《太公兵法》，這便說明縱橫、兵家都是太
公的學問，都是道家的一部分。可見道家黃帝的學術範圍包羅得很廣，專講
清虛無為的道家，是從老子起才有的。老子只傳得道家內聖之學，他算是道
家的新派，並不是古道家的全體。足見中國古代的學術，只是古史和道家而
已。到後來，古史多從三晉看出來，道家內聖的學問，卻是楚人佔了大半。
黃帝的學問，從伊尹到太公、管仲，都是一派下來的。到周的時候，周公和
太公是不大相同的。太公是道家的法嗣，是舊派；周公是儒家的始祖，是新
派。到春秋末年，社會變化，儒家有個緊接周公的孔子，修訂六經，發揮仁
義。道家的學術，則四分五裂，產生了許多派別，只有老子守著它內聖的部
分。九流十家便是從古道家分裂出來的，都歸本於黃帝。莊子數了其中的六
派：一派是墨翟、禽滑釐，這是墨家。一派是宋鈃、尹文，〈非十二子〉篇
是把宋鈃、墨翟看成一家的，陶潛也說宋鈃、尹文都是墨家。一派是彭蒙、
田駢、慎到，這是道家。一派是關尹、老聃，一派便是莊周自己，這都是道
家。一派是惠施，便是莊子說的別墨，也是墨家。莊子於此說的六派，有三
派是道家，三派是墨家。顯見當時的學術，除孔子以外，只有道家、墨家最
盛。荀子〈非十二子〉篇也是提出儒、道、墨三家，不過在三家外，又提出
反面的史、法、名三家，作為陪襯。司馬談〈論六家要旨〉，以陰陽家取代
史家。但陰陽家本不算是有價值的學術，法家是道家的支流，名家是墨家的
支流，故仍是儒、道、墨三家而已。[82]

---

82 蒙文通：《經學導言》，頁36-39。

蒙氏既說先秦時，儒、道、墨三家獨盛，又指出漢代時，儒、墨有合流的趨勢。他認為漢儒有一種新理論，就是主張「民治」和「平等」，而這個「民治」和「平等」則是來自先秦的墨家和法家。蒙氏說：

> 凡儒家之平等思想，皆出于墨、法；法家之平等，為擯棄世族，擴張君權而一刑法。墨家之平等，為廢抑君權而建民治。……自取法、墨以為儒，而儒之說益宏卓深廣也。[83]

蒙氏提出了此點後，在〈論墨學的源流與儒墨匯合〉及所附〈儒家法夏法殷義〉一文中，有更詳細的討論，並明確指出：

> 儒之取法家，義系于《春秋》，儒之取墨家，制具于禮家；自取法、墨以為儒，而儒之宏卓益不可及。上視孔、孟為舊儒學，此則為新儒學也。新時代之必以新學術，于今文之學見之。[84]

在蒙氏看來，孔、孟之學為舊儒學，為舊制；「民治」、「平等」之學為新儒學，為新制。新儒學正是蒙氏的理想之學。關於先秦舊儒家向漢代新儒家發展的轉型時期，蒙氏認為當在荀卿之後秦漢之間。荀卿有弟子名浮丘伯者，其言行頗有合於新儒家之義旨，其弟子申公又為漢初之明堂宗師，則浮丘伯便可能是新儒家的創始者。[85]

除此以外，蒙氏曾作〈漆雕之儒考〉，考論自孔子而曾子、子夏、子路而子思、孟子，皆盛言勇武之義，與韓非所說的漆雕之儒中「儒而俠」者，若合符節。漆雕之儒具有一種不畏權勢、不懼強暴、威武不能屈的正直勇敢精神。《禮記・儒行》載孔子講論儒者之行十七事，而其中十一事和游俠之行相符。蒙氏以為這或許就是漆雕之儒所傳的。[86]蒙氏又作〈楊朱學派考〉，認為「陽生貴己」乃楊朱思想之核心，為判別楊朱學派之准則；進而

83　蒙文通：〈儒家政治思想之發展〉，《儒學五論》，頁56。
84　蒙文通：〈論墨學源流與儒墨匯合〉，《儒學五論》，頁81。
85　蒙文通：〈浮丘伯傳〉，《儒學五論》，頁66-67。
86　蒙文通：〈漆雕之儒考〉，《儒學五論》，頁61-65。

考定詹何、子華、它囂、魏牟、陳仲、史鰌、田駢、慎到等人皆當為楊朱之
徒，由此可知稷下學士固多此派，而知道「楊墨之言盈天下」並非虛語。以
司馬談〈論六家要旨〉考之，楊朱學派固又合於道家「以因循為用」之旨，
故蒙氏認為先秦道家當分南北兩派：北派源出楊朱，主靜因之道而不反對仁
義；南派以莊周為宗，以虛無為本而詆訾仁義。漢代所說的「黃老」之學，
便是指楊朱之學，而和莊子無關。[87]凡此均蒙氏研究諸子，成果中之犖犖大
者。

七　蒙文通之史學

　　清代較為特出的史學家及史學名著，當數章學誠及其《文史通義》。章
氏與戴震相交，卻沒有像戴震般向古文經學及義理之學發展，而是醉心於史
學，特別是在方志學上，成就卓越。他雖不治經，但卻提出了著名的「六經
皆史」說，引起了不少後代學者熱烈的討論。章學誠從校讎學的觀點，論述
六經為周官的舊典。他說：

> 有官斯有法，故法具於官；有法斯有書，故官守其書；有書斯有學，
> 故師傳其學；有學斯有業，故弟子習其業。官守學業皆出於一，而天
> 下以同文為治，故私門無著述文字。私門無著述文字，則官守之分
> 職，即群書之部次，不復別有著錄之法也。……後世文字，必溯源於
> 六藝。六藝非孔氏之書，乃周官之舊典也。《易》掌太卜，《書》藏外
> 史，《禮》在宗伯，《樂》隸司樂，《詩》領於太師，《春秋》存乎國
> 史。夫子自謂述而不作，明乎官司失守，而師弟子之傳業，於是判
> 焉。[88]

此處說明六藝本皆為政府典籍，由各官掌守一藝傳給諸弟子，而當時並不稱

---

87 蒙文通：〈楊朱學派考〉，《先秦諸子與理學》，頁108-130。

88 〔清〕章學誠：《文史通義校注》附《校讎通義‧原道第一》（北京市：中華書局，1985
年），頁951。

為「經」，六藝和其他書籍亦無分軒輊。這是先秦學術開始的情況。到官司失守，私學勃興，後代為了推尊聖人之名，才稱六藝為六經。而後世學者為了方便文獻的分類部次，而有四部的興起，把文獻分為經、史、子、集四部，經、史才判然二分。而事實上，六經是周公集大成之作，孔子述而不作，六經僅是彰顯先王的工具而已，其政典的性質代表著六經為史籍，是紀錄一代政治制度的書。這是章學誠「六經皆史」說的大意。此外，章學誠認為六經除了是王者施行政教之實際紀錄，代表官府文書外，最重要是書中所記的事，均適切於人倫日用，不尚空談。所以六經不單是史書，還是「載道」之書。他說：

> 道不離器，猶影不離形。後世服夫子之教者自六經，以謂六經載道之書也，而不知六經皆器也。……三代以前，《詩》、《書》六藝，未嘗不以教人，不如後世尊奉六經，別為儒學一門，而專稱為載道之書者。蓋以學者所習，不出官司典守、國家政教；而其為用，亦不出於人倫日用之常，是以但見其為不得不然之事耳，未嘗別見所載之道也。夫子述六經以訓後世，亦謂先聖先王之道不可見，六經即其器之可見者也。後人不見先王，當據可守之器而思不可見之道。故表章先王政教，與夫官司典守以示人，而不自著為說，以致離器言道也。……故夫子述而不作，而表章六藝，以存周公舊典也，不敢舍器而言道也。[89]

章學誠認為官司所守的六藝，既述國家政教為史書，又述人倫日用為載道之器。孔子取之以傳道，為經綸日用的「經」典。這又是章氏「六經皆史」說的又一根據。

蒙文通自言從理學轉研經、史，他認為經、史二者固有關，卻不同意章學誠「六經皆史」之說。他以為：

> 漢師之持義，固有鑑于歷史之衍變，其跡有未可掩者。即以周秦而言，百家之學，亦何莫非因時勢之激刺，而陳義日以新？漢師經說，

---

89 章學誠：《文史通義校注・原道中》，頁132-133。

固源于諸子，非能獨異。則歷史之有關于思想，其孰能非之。……則
先漢經說之所由樹立者，以周秦歷史之衍變，自漢而下歷史之所由為
一軌範者，亦先漢經說所鑄成。先後思想，與今學之不相離也如彼，
而先後歷史，與今學之不相離也如此。則舍今文不可以明子史，舍子
史又何以明今文。[90]

又反對章學誠「六經皆史」說：

其他各家重在理論的創樹而忽視傳統文獻，儒家則既重理論又重文
獻，諸子以創樹理論為經，儒家則以傳統文獻為經，只有明確了這種
先秦諸子發展的情況，才能把握對漢代經學（主要指今文學，下同）
的認識。認識了「六藝經傳」是諸子思想的發展，才能認識漢代經學
自有其思想體系，才不會把六藝經傳當作史料看待。在肯定了經學自
有其思想體系後，再來分析經學家所講的禮制，才能看出這些禮制所
體現的思想內容。明確了經學自有其思想體系，再結合諸子學派作
「經」的事來看經師們所傳的六經，就可知道六經雖是舊史，但經學
家不可能絲毫不動地把舊史全盤接受下來，必然要刪去舊史中和新的
思想體系相矛盾扞格的部分，這樣才能經傳自相吻合，如像廖季平先
生所說的「六經傳記，重規累矩」。[91]

蒙文通既主張經、史相關，雖然他不同意六經皆史，卻認為以史可以證經。
最典型的例子，就是他從先秦的社會制度及政治制度來考證《周禮》的時
代。《周禮・載師・注》引《司馬法》：「王國百里為郊，二百里為州，三百
里為野，四百里為縣，五百里為都。」鄭司農說：「百里內為六鄉，外為六
遂。」說明百里是鄉遂的界限。《孟子》說三代賦稅制度：「夏后氏五十而
貢，殷人七十而助，周人百畝而徹。」又說：「由此觀之，雖周亦助也。」
所謂「助」，即指野的九一而助。所謂「徹」，即指國中的十一使自賦。周代

---

90 蒙文通：《儒學五論・題辭》，頁15-16。
91 蒙文通：〈孔子和今文學〉，《經史抉原》，頁210-211。

是助、徹並行。《周禮·小司徒》：「乃經土地而井牧其田野。」鄭玄注主張國中即鄉用貢（剛按此處貢即徹），而野當都鄙用助。然則《孟子》、《周禮》之說並無二致。但為甚麼又說「助」為殷法，「徹」為周法？《周禮·大司徒》說：「五州為鄉，凡萬二千五百家，凡六鄉。」《周禮》建學，亦止於六鄉。六鄉者，徹之所行，亦為軍之所出（〈大司徒〉：「軍萬二千五百人，出於鄉，家一人也」），又為建學以培養人才之地。野則助之所行，不出兵，不建學。之所以如此，其原因在於周滅殷後，將周人居國中，而放逐殷人於野外，殷人之地不建軍，不興學，以防其死灰復燃的緣故。又因國中為周人，故行周法；野外為殷人，故行殷法，因此周代賦稅制度，便徹、助並行。而周代以國中居民為君子，野外居民為野人。所謂君子，便是統治階級；野人，便是被統治階級。君子行徹法，使十一自賦；野人行助法，使九一而助（〈大司徒〉：「方里而井，九井百畝，其中為公田，公事畢然後敢治私事，所以別野人也」）。而所謂鄉遂，鄉即國中，遂即野外。六鄉在長安（即宗周，周人所在），六遂在洛陽（即成周，遷殷頑民所在）。這種鄉遂、徹助的制度，是西周建國以來即已推行的舊制。鄉遂制度外，西周時農民仍為農奴，不得自由離開土地。《孟子》便說：「死徙無出鄉，鄉田同井。」但自春秋晉、魯廢井田，開阡陌後，農奴已變為自耕農，淳于髡便說，農民可自由與土地相離。由西周以至於戰國，人民逐漸可以擁有私人財產，土地可以自由買賣，農民可以自由遷徙，社會已非西周初期的面目。《周禮·地官·比長》說：「徙於國中及郊，則從而授之。若徙他邑，則為之旌節而行之。若無授無節，則唯圜土內之。」《注》：「過所則呵問，繫之圜土，圜土者獄城也。」由此可見，據《周禮》所述，農民還不能自由離開土地，否則會被繫於獄中，所反映的仍是西周初期的情況。在學校教育方面，《周禮·地官·師氏》：「掌以媺詔王，以三德教國子，居虎門之左，司王朝，掌國得失之事，以教國子弟，凡國之貴遊子弟學焉。」〈地官·保氏〉：「掌諫王惡，而養國子以道，乃教之六藝，教之六儀。」鄭《注》：「國子，公卿大夫之子弟，師氏教之，而世子亦齒焉」，是當時貴族子弟有國學。至於六鄉中，則有庠、序之教。而六遂中由遂師、遂大夫、縣正、鄙師、酇長，均無

庠、序之文，無考校賓興之說，可見六遂並不建學。原因是六遂所居為被統
治的殷人，因此無接受教育的權利。《周禮》此處所反映的，又是西周初立
的狀況。

　　而就政治制度來說，《詩經‧十月之交》：「皇甫卿士，番維司徒，家伯
維宰，仲允膳夫，棸子內史，蹶維趣馬，楀維師氏」，是厲、宣、幽之世，
冢宰在司徒之下。《詩經‧常武》：「王命卿士，南仲太祖，太師皇甫。」合
二詩來看，則宣、幽之世，卿士職位最尊，冢宰還很低下。厲、宣、幽、平
以來，皆卿士執政，而且皆由左右二卿士執政。此與〈書序〉言：「召公為
保，周公為師，相成王為左右」，康王時〈顧命〉曰：「太保率西方諸侯入應
門左，畢公率東方諸侯入應門右」，都以二人輔政，如出一轍。這當是西周
以來政治的傳統。而冢宰的地位尤低，更無冢宰一人輔政之說。到《左傳‧
僖公九年》：「公會宰周公……于葵丘。」《公羊傳》說：「宰周公，天子之為
政者也。」隱、桓之世，卿士為政，而宰居其下，到僖之世，宰已躋卿士之
列而為政。襄王諒陰之際，宰孔以冢宰司王闈之官，代天子總百揆，即《論
語》所說的「君薨，百官總己聽於冢宰三年」，諒陰之後，沿而不改。是周
惠王以前輔政者是二人，而宰居卿士之下。襄王之世，皆宰為政，而司徒三
吏之屬皆出其下，是為以後冢宰一人輔政之始。《周禮》便是以冢宰一人股
肱天子，其制度實出現在宰孔之後，《周禮》的時代也就可以因此考定。

　　於是蒙文通根據以上《周禮》所反映的社會、政治狀況，認為《周禮》
所述雖為西周時代之主要制度，但書未必為西周之舊作。由書中冢宰一人主
政來看，當改定於東遷以後惠王、襄王之時。「誠以卓卓大綱，已非前事，
猶晉之東遷、宋之南渡，宏綱巨典，不能不權宜而更張，至於細節繁文，猶
存餼羊於廢紙」，《周禮》雖作於東周時，卻仍保留西周舊典，良有以也。[92]

　　在蒙文通的眾多史學著作中，以《古史甄微》最為膾炙人口。《甄微》
於自序後分：一、三皇五帝；二、歷年世系；三、上古開化；四、江漢民
族；五、河洛民族；六、海岱民族；七、上古文化；八、虞、夏禪讓；九、

---

92 蒙文通：〈從社會制度及政治制度論《周官》成書年代〉，《經史抉原》，頁430-440。

夏之興替；十、殷之興替；十一、周之興替；十二、三代文化；其中以第
四、五、六、七節最有創獲。蒙氏指出太古民族分為江漢、河洛、海岱三
系，其分佈之地域既不同，其生活與文化亦有異。而楚國、三晉、魯國的歷
史，亦分成為三個系統，如《山海經》、《汲冢書》、六經，三者稱道古事判
然有別，就是因為三系民族的古史傳說各有不同所致。同時三者之中，三晉
乃以史學為其正宗，而六經、〈天問〉所述，反為是出於理想虛構。則「六
經皆史」之說，顯然不諦，託古改制之論，亦未必然。蒙氏自言若以其《古
史甄微》、《經學抉原》及《天問本事》合觀，便可見出其學問之系統。他
說：「余舊讀西漢之文，以為劉向、匡衡、董仲舒，此出於魯人六經者也；
鄒陽、枚乘、王褒，此出於楚人辭賦者也；賈誼、鼂錯、賈山，陳論政事，
此出於三晉縱橫法家者也。西漢文章之變，略盡於是，而亦以此三系文化為
本，此又三方文章之不同也。」上溯至先秦，鄧析、吳起、李悝、商鞅、申
不害、韓非等人，都是北人，都是三晉縱橫法家之學。道家如《老》、
《莊》，詞賦家如屈、宋，都是南人，都是楚國道家辭賦之學。六經儒、墨
者流，都是東方鄒、魯之學。這三方非但歷史有異，而思想學術都不同，文
物也不一致。蒙氏的《經學抉原》，專推明六藝的指歸，以魯學為其正宗。
他的《天問本事》，則在推明楚學的大凡。而其《古史甄微》，則在借晉人史
學來說古史，而晉人學術旨趣所在，亦得以推明。所以蒙氏系統即在首分
東、南、北三民族，再由三民族看三地（魯、楚、晉）學術，歸之為經典、
辭賦、史學三派，而由三書分別闡述之，進而指出經、史殊途，否定「六經
皆史」之說，並且說明三族三地文化之殊，在於：「尚忠，北方之質也，此
黃族（剛按即河洛民族）之崇實用、好剛勁之習也。尚敬，南方之惑也，此
炎族（剛按即江漢民族）之好逸豫、信鬼神之習也。尚文，此東方人（剛按
即海岱民族）之智也，此泰族人之重思考、貴理性之習也。」而在三種文化
中，蒙氏尤重東方儒家文化。他說：

　　儒家之學以中庸為貴，居於北人注重現實、南人注重神秘之間，蓋
　　齊、魯為中國文化最古之發祥地，又為南北走集之中樞，固能殷陶於

　　兩大民族之間，而文質彬彬矣。是則齊魯之間，儒學出焉，不為無
　　故。蓋夷俗仁，徐偃王仁而無權，此秦族原始之思想也，貴中庸，則
　　後來調和於異族之思想。儒家之學，尚中而貴仁，此固為善保持其原
　　有民族之特殊精神，而又善調和於異民族之兩極端精神，而後產生之
　　新文化也。是鄒、魯者既開化最早，中國文化之泉源，而又中國歷久
　　文化之重心也。[93]

其對儒家文化之褒揚，不可謂不深重。[94]

八　討論

　　從上面簡略的介紹來看，蒙文通的學問，確實是架構大，範圍廣，難怪
他能成為民國以來，有名的國學大家之一。在經學方面，蒙氏追隨廖平之指
導，專治今文經學。他服膺廖氏〈今古學考〉之說，以為西漢今古文經學之
分別，不在文字，而在禮制。今文主〈王制〉，尊孔子；古文主《周禮》，尊
周公。但蒙氏不囿於成說，在廖平之學的基礎上，又有所發展。他認為廖氏
〈今古學考〉之說，只能解釋漢代之情況，若追溯到先秦時代，其分別〈王
制〉、《周禮》之說，仍有不足之處。廖氏雖然也看到此點，因而提出了先秦
時有齊、魯、燕、趙四學，乃漢代今古文經學之源頭，希望藉此溝通周、
漢，但其發揮並不詳盡。蒙氏詳述魯學、齊學之不同，指出今文乃雜揉魯、
齊之學而來；又說燕學非古學，並追溯古文經得自先秦梁、趙的傳承，其說
足以補其師之不足。

　　但蒙氏在一九二二年發表的《經學導言》一書中，還有「王伯（霸）」
一節，其說法和上述又略有不同。他認為齊、晉兩派和魯學不同，彼此禮制
有異。《左傳‧文公十五年》說：「諸侯五年再相朝，以修王命，古之制
也。」〈昭三年〉又說：「昔文、襄（剛按指晉文公、晉襄公）之霸也，其務

93　蒙文通：〈古史甄微〉，《古史甄微》（成都市：巴蜀書社，1999年），頁68。
94　以上所述，見蒙文通：〈古史甄微〉，《古史甄微》，頁42-72。

不煩諸侯，令諸侯三歲而聘，五歲而朝。」這說明晉文公霸天下後，便製起禮來，和古制不同，而禮家先師也有晉文改制之說。因此晉學中的禮制，便應為文、襄以後之霸制。而在《國語・齊語》中，則又記載了很多管仲為齊桓公改制變法的故事，這就是齊學的霸制。齊、晉二者便和魯學的王制不同。這便是齊桓、晉文改制，「禮樂征伐自諸侯出」的霸政，而孔子所用的才是魯國存留下來的周公之法，是王政。可見晉學、齊學和魯學的不同，便是王制、霸制的不同。蒙氏據此，因而引鄭東父語作結論說：

> 鄭東父說：「《左氏》（剛按指晉等古文家）是霸道，《公羊》（剛按指齊等今文家）是魯道，《穀梁》（剛按指魯等今文家）才是王道。」這便是分別王霸的發端了。其實《公羊》也是霸道。今天講學的人，只要明得王、霸異制這個道理，使齊、魯分流，經術裏邊很多糾葛便可一刀兩段，比從前只守著兩漢的今古學講，真要了當直捷得多了。[95]

蒙氏把齊學、晉學都看成是講霸道的，而和魯學講王道不同，這便反而是以齊、晉為近，以齊、魯為遠。這和他在《經學抉原》中所說的晉學為古學，齊學、魯學並為今學的分類，便有點矛盾。蒙氏自己可能也看到此點，因此在《經學抉原》中便刪去了「王伯（霸）」一節。《抉原》出版於一九二八年，代表了蒙氏後期修正了的說法。但為什麼要作如此的修正，蒙氏卻一直未有解釋，實在有點遺憾。

　　此外，蒙氏在《抉原》中提出了南學、北學的觀點，大抵是從皮錫瑞的《經學歷史》而來，並無新意。不過他提出了楚學和蜀學，卻有獨到的地方。尤其是蜀學，更加是民國以來中國經學的主要派別之一，而以廖平、劉師培、蒙文通自己、李源澄等為代表。他們的經學理論和成就，現代不少學者都作出了研究，有關廖平、劉師培的研究成果也不少。[96]蜀學在經學上的

---

95 蒙文通：《經學導言》，頁35。

96 據所知，起碼有黃開國：《廖平評傳》（南昌市：百花洲文藝出版社，1993年）；李耀先：《廖平與近代經學》（成都市：四川人民出版社，1987年）；陳文豪：《廖平經學思想研究》（臺北市：文津出版社，1995年）；陳德述、黃開國、蔡方鹿：《廖平學術思想

地位,可謂舉足輕重。蒙氏在接近一個世紀前已經看到蜀學的重要性,可謂
高瞻遠矚。

　　蒙氏在《抉原》中又提出秦始皇固然焚毀儒家經典及諸子百家語,但六
經及諸子卻並未因始皇焚書而盡滅,否定了傳統的說法。其實類似的意見,
康有為亦早已提出過。康氏在其《新學偽經考》〈秦焚六經未嘗亡缺考第
一〉一節中,舉出了八點證據,證明秦未燒滅《詩》、《書》,[97]幾乎已成為
定論。雖然康有為的文章發表在蒙文之前,但蒙氏確實作出了不少補充,其
說亦自有其價值。[98]另外,他在《抉原》中說古代根本沒有《樂經》,樂就
存在於詩歌之中,這些詩歌、音樂,在漢代猶存。傳統說《樂經》在漢代已
經失傳,因此只有「五經博士」的說法,並不可靠。蒙氏這個觀點的提出,
很值得我們考慮和研究。

　　在理學方面,蒙文通的理學思想自成系統。由先定本體,再言理、氣二
元,又調和了朱、王格物致知、心即理之各偏於一端,指出尊德性、道問學
二者同樣重要,消融了歷代以來朱、陸之爭,乃其重要貢獻。不過,蒙氏亦
看到王學末流侈言先天心性之弊,而服膺於陳確的後天教育之說,乃在思以
此救王學末流之失,其功亦不可沒。最後蒙氏歸結於孟子的盡心率性,其首
要在誠、敬,便又重新強調了德性、學問的同等重要。總之,蒙氏理學,自

研究》(成都市:四川省社會科學院出版社,1987年);方光華:《劉師培評傳》(南昌
　　市:百花洲文藝出版社,1996年);趙慎修編著:《劉師培評傳、作品選》(北京市:
　　中國文史出版社,1998年);李帆:《劉師培與中西學術》(北京市:北京師範大學出
　　版社,2003年)等幾種。

97 康有為:《新學偽經考》(香港:三聯書店,1998年),頁5-14。

98 按錢穆曾指出今文經學家以六經並未滅於秦火,證據似略嫌不足。錢氏說:「主今文
　　經學者,率謂六經傳自孔氏,歷秦火而不殘,西漢十四博士皆有師傳,道一風同,得
　　聖人之旨。此三者,皆無以自堅其說。」但若我們根據康有為〈秦焚六經未嘗亡缺考
　　第一〉一文所引各條考證,以及上文所述蒙氏的種種說法,錢穆氏的意見似乎未免過
　　於謹慎保守。錢穆蒙文通二氏關係十分密切,在學術上容或有相互影響之處,但在這
　　一問題上,兩者的意見卻是南轅北轍的。錢穆說見其《漢劉向、歆父子年譜》,自
　　序,頁1,收入王雲五主編:《新編中國名人年譜集成》(臺北市:臺灣商務印書館,
　　1980年),第7輯。此條資料蒙論文審查人指出,謹此致謝。

成系統，不管我們是否同意，卻不能否認他在調和程朱、陸王學術上之努力，而其誠、敬之說，亦可謂切中時弊，千古不替。

在諸子學方面，蒙氏以諸子學術均出於黃帝的古道學，未免有點囿於先秦成說。古代是否有黃帝此人？還是疑問。黃帝的學術到底怎樣？我們也無從知曉，更遑論一切先秦學問，都從黃帝中來了。《史記》、《漢書》所記的黃帝，都來自傳說，看來有點以訛傳訛。陰陽家的《黃帝泰素》，雜家的《孔甲盤盂》，都不知是怎樣的書籍？內容也不知如何？在沒有證實有黃帝此人，掌握了確實是黃帝的著作及其內容，比較過諸子著作及所謂黃帝著作的同異前，僅憑古書上片言隻語的敘述，便說黃帝是一切先秦學問的源頭，這樣的研究方法，我們是不敢苟同的。

在史學方面，蒙氏不同意章學誠「六經皆史」之說，但在其言論中，卻說「六經雖是舊史」，只不過「經學家不可能絲毫不動地把舊史全盤接受下來，必然要刪去舊史中和新的思想體系相矛盾扞格的部分，這樣才能經傳互相吻合」。言下之意，「六經」也是史，只不過不是舊史的全部。這樣就和「六經皆史」說出入不大，只是部分和全部的分別而已。蒙氏固然說經、史不同源，以說明六經非史，卻沒有否定章學誠六經皆出於王官，為政典史書，又為載道之書的說法。其間經、史如何定奪？不免教人狐疑。至於其以史證經，見於其〈從社會制度及政治制度論《周官》成書年代〉一文。該文發表於一九三八年。同類的文章早見於錢穆的〈周官著作時代考〉，發表於一九三一年，比蒙文早七年。錢文從《周禮》有關祀典、刑法、田制、封建、軍制、外族、喪葬、音樂等方面的記載，來考定《周禮》的時代，較蒙文來得全面。[99] 又蒙氏認為《周禮》乃改定於東周惠王、襄王間。但歷來學者間還有不同的說法，[100] 這裡就不多作討論了。

99　錢穆：〈周官著作時代考〉，《兩漢經學今古文平議》（臺北市：東大圖書公司，1971年），頁285-434。

100　例如徐復觀認為《周官》乃作於新莽時代，「王莽草創於前，劉歆整理於後」，「乃王莽劉歆們用官制以表達他們政治理想之書」，見氏著：《周官成立之時代及其思想性格》（臺北市：臺灣學生書局，1980年）；金春峰則認為《周官》成於戰國晚期，是

　　至於蒙氏指出上古民族可以分為江漢、河洛、海岱三系，而三系文化各
有不同，固然適合；其說並下開後來考古學上區域文化研究的先河，如蘇秉
琦便曾將中國上古文化劃分為六大區系，可能便曾受蒙氏的影響。[101]但蒙
氏進一步認為江漢（楚）是屈、宋辭賦及《山海經》神仙文化；河洛（三
晉）是縱橫法家文化；鄒、魯是儒家經典文化，並認為儒家調和了楚、晉兩
個極端而得其中，所以是三系文化中最為卓越的，便不免流於簡單化和片面
化。事實上，從文化上來看，南方江漢並不只是辭賦和神仙文化而已，還有
道家文化，是談哲理的；中原河洛並不只是縱橫法家文化而已，還有商周的
禮樂文化，所以中國便被稱為「禮義之邦」；東方海岱亦並非只有儒家經典
文化而已，還有蓬萊神仙文化，即所謂的「齊東野語」。而不論辭賦、神
仙、法家、禮樂、經典，都是中國文化傳統的一部分，都是中國寶貴的文化
遺產。我們很難說以何者為優？何者為劣？但蒙氏說中國文化以儒家為重
心，卻是事實。然而這並不是說儒家文化比較其餘百家優勝。只不過是自漢
武帝罷黜百家，獨尊儒術以來，以後科舉考試又側重儒家經典，有以致之，
這是歷史的偶然性。認為儒家文化優於其餘諸子，並不是必然的。

　　蒙文通在《經學導言》中還有一個很有趣的說法。他說自漢武帝罷黜百
家後，墨、法、名家都衰歇了，只有儒家、道家獨傳。他認為墨、法、名家
都注重理智；孔子和老子卻都是注重情意。墨家一派的失敗，可說是理智哲
學的失敗，而孔、老兩家的獨傳，便是情意哲學的獨傳。漢代之所以獨尊儒
術，是因為六國時理智哲學太盛了，所以作出反響。但漢代卻又矯枉過正，
偏向了情意的一路、神秘的一路裡去。[102]細心考慮了蒙氏此說，他認為法
家、名家偏重理智，還可以自圓其說，但若謂墨家也偏重理智，我們便不敢
苟同。墨家說節用、節葬，還可算是偏近理性，但它說兼愛、尚同，便不是
理性的說話。我們認為墨家何以在後來會衰竭？學者還可以研究，但絕對不

　　秦統一前秦地學者的作品，見氏著：《周官之成書及其反映的文化與時代新考》（臺
　　北市：東大圖書公司，1993年）。

101 蘇秉琦：《中國文明起源新探》（香港：商務印書館，1997年），頁29-31。

102 蒙文通：《經學導言》，頁41。

是因為它是理智的哲學,而遭受失敗。同樣,儒家是否情意的哲學,還大有疑問。我們看孔子的《論語》,便有很多理智的說話。因此,用理智和情意來分判儒、墨兩家,並以此來說明其成功失敗的原因,似乎並非的論。

最後,從蒙文通另一業師劉師培的學術來說,劉師培雖然是古學大家,但他對新學(西學)措意也很深,並曾一度崇拜過西方的無政府主義。蒙文通雖然亦自言很關注西方著述,並謂從中得到不少益處,[103]但從其著作中所見,卻很少引述西方作品,即偶有引述的時候,卻往往是差之毫釐,謬以千里。例如他在論〈周代之商業〉一文中,認為中國商業於春秋戰國已頗為發達,貴族與商賈亦能相保而不相妨。此與歐西之君主與商賈相結托以排貴族而導致封建社會崩潰者,迥不相同。是西方之歷史法則未可以適用於東方,學者固當據國史以建立東方之歷史法則,而不可襲西方之陳言以為名高。[104]實則春秋時如鄭國諸侯固曾與商賈立約,互不侵犯,但其餘卿大夫等貴族在其中擔任何種角色?文獻似並無清楚記載。此外,蒙氏並認為一些西方文化的優點,如「平等」,如「自由」,在中國早已有之,而為西方所不能跂及。例如他在論〈漢代之經濟政策〉一文中,極為欣賞董仲舒限田、限奴婢的政策,認為:

> 董生使富不至于驕,貧不至于憂,是則貧富之不可廢,而應有其度。貧富不廢,是自由也。貧富有度,則平等也。平等而自由,固至上之制。豈今世各國所能跂及者哉![105]

民國初年,很多保守的學者,都有西方很多文化優點,中國都早已有之的看法。廖平便是其中之一,蒙氏也不例外。這是他們限於所處的時代,對西方文化了解不深的緣故,不能深責。不過,蒙氏曾自言其理學思想固以孟子學

103　蒙文通:〈治學雜語〉,見蒙默編:《蒙文通學記》(北京市:生活‧讀書‧新知三聯書店,1993年),頁2。

104　此為《儒學五論》重版前言撮述蒙文通:〈周代之商業〉一文所作之案語,見頁10。

105　蒙文通:〈漢代之經濟政策〉,《儒學五論》,頁129。

說為宗，但最終卻是歸結於馬列主義。[106]蕭萐父即認為其對陳確後天論之說的首肯，便是受馬列唯物論的影響。[107]但筆者認為，近代談教育、談後天的學說，當不只馬列一家。蒙氏理學重後天，是否一定得之於馬列，還可商榷。不過，蒙氏既自謂其理學思想最終歸結於馬列主義，我們亦不妨姑妄信之。但即使如此，其作品中引用馬列思想者亦不是很多。勉強言之，其對西方的了解，似乎亦只是限於馬列主義，對大部分西學，蒙氏似乎還是頗為陌生的。

九　結語

總的來說，蒙文通的學問，既有其侷限，但也有其創見。在經學上，他在廖平的基礎上有所發展，溝通了今古文經學上周、漢的傳承；又提出了楚學、蜀學之說，是他的優點。他又在經學外，踏足理學範疇，提出了其理學觀念，超越了廖平和劉師培。在史學上，他提出了江漢、河洛、海岱三系民族及文化，開啟了後來考古學上區系文化研究的先河，這都是他對中國學術的貢獻。但他有時研究方法未夠縝密，特別是愛作概括性（generalization）的說法，致使常常掛一漏萬，似是而非，這是其不足之處。[108]對於西方學術，由於其了解不深，對西學頗有微詞，這是他受到所處時代限制的緣故，不能苛責。總括來說，蒙文通處於西學沖擊的時代，仍能孜孜不倦，戛戛獨行，在中國傳統學問如經學、理學、諸子學、史學、地理學、佛學、道教文化諸方面，都能殷勤灌溉。就是這種鍥而不捨的精神，已經藉得我們後輩景仰了。

---

106 蒙文通：〈致張表方書〉，《先秦諸子與理學》，頁300。
107 蕭萐父：〈含英咀華 別具慧解──蒙文通先生《理學札記》讀後〉，見蒙默編：《蒙文通學記》，頁89-100。
108 例如蒙氏謂北方河洛民族尚忠，南方江漢民族尚敬，東方海岱民族尚文；又謂江漢屬屈、宋辭賦及《山海經》神仙文化，河洛是縱橫法家文化，鄒、魯是儒家經典文化；又認為墨家偏重理智，儒家偏重情意；諸如此類，都是一些概括性的說法，往往掛一漏萬，似是而非，經不起事實的考驗。

編者簡介

總策畫

林慶彰

　　臺灣臺南人，一九四八年生。東吳大學中國文學研究所碩士、國家文學博士。現任中央研究院中國文哲研究所研究員、東吳大學中國文學系兼任教授。專研經學、日本漢學、圖書文獻學。著有《明代考據學研究》、《明代經學研究論集》、《清初的群經辨偽學》、《學術論文寫作指引》、《中國經學研究的新視野》、《偽書與禁書》等十餘種。主編有《經學研究論著目錄》、《日本研究經學論著目錄》、《清領時期臺灣儒學參考文獻》、《日據時期臺灣儒學參考文獻》、《民國時期經學叢書》、《經學研究論叢》、《國際漢學論叢》等五十餘種。另有學術論文兩百餘篇。

蔣秋華

　　四川省遂寧縣人，一九五六年生。國立臺灣大學中國文學研究所碩士、博士。現任中央研究院中國文哲研究所副研究員，國立臺灣大學中國文學系、淡江大學中國文學系兼任副教授。專研《尚書》學、《詩經》學。著有《二程詩書義理求》、《宋人洪範學》、《沈括——中國科學史上的座標》等書。主編有《晚清經學研究目錄》、《李源澄著作集》、《張壽林著作集》等書。另有〈焦廷琥《尚書申孔篇》初探〉、〈韓愈詩之序議考〉、〈劉克莊商書講義析論〉、〈顧棟高《尚書質疑》撰作小考〉等學術論文數十篇。

分冊主編

張文朝

　　臺灣宜蘭人，一九六〇年生，日本國立九州大學文學博士。現任中央研究院國文哲研究所助研究員。專研中日經學比較。著有《江戶時代經學者傳略及其著作》、《日本における『詩經』學史》、《最新修訂日文動詞大全》等著。編有《小倉百人一首》、《國家圖書館日文臺灣資料目錄》、《國立中央圖書館日文期刊目錄》。譯有《古事記》。

臺灣高等經學研討論集叢刊　　0502005

變動時代的經學與經學家──民國時期（1912-1949）經學研究

總 策 畫　林慶彰、蔣秋華
主　　編　張文朝
責任編輯　蔡雅如

發 行 人　陳滿銘
總 經 理　梁錦興
總 編 輯　陳滿銘
副總編輯　張晏瑞
編 輯 所　萬卷樓圖書股份有限公司
排　　版　浩瀚電腦排版股份有限公司
印　　刷　百通科技股份有限公司
封面設計　斐類設計工作室

發　　行　萬卷樓圖書股份有限公司
　　臺北市羅斯福路二段 41 號 6 樓之 3
　　電話 (02)23216565
　　傳真 (02)23218698
　　電郵 SERVICE@WANJUAN.COM.TW
大陸經銷　廈門外圖臺灣書店有限公司
　　電郵 JKB188@188.COM

ISBN 978-957-739-871-0

2014 年 12 月初版
定價：22000 元（全七冊不分售）

如何購買本書：

1. 劃撥購書，請透過以下郵政劃撥帳號：
　　帳號：15624015
　　戶名：萬卷樓圖書股份有限公司
2. 轉帳購書，請透過以下帳戶
　　合作金庫銀行　古亭分行
　　戶名：萬卷樓圖書股份有限公司
　　帳號：0877717092596
3. 網路購書，請透過萬卷樓網站
　　網址 WWW.WANJUAN.COM.TW

大量購書，請直接聯繫我們，將有專人為您
服務。客服：(02)23216565 分機 10

如有缺頁、破損或裝訂錯誤，請寄回更換

國家圖書館出版品預行編目資料

變動時代的經學與經學家 : 民國時期
（1912-1949）經學研究 / 林慶彰, 蔣秋華總
策畫. -- 初版. -- 臺北市 : 萬卷樓,
2014.12
　冊 ;　　公分. --（經學研究叢書. 臺灣高等
經學研討論集叢刊）

ISBN 978-957-739-871-0(全套 : 精裝)
1. 經學 2. 文集
090.7　　　　　　　　　　　　103008278